詳解 憲法学

佐藤　匡 著

東京教学社

はしがき

本書は，主として，法学部以外に所属する学生が，憲法学について，最小の努力で最大の知識が得られるように工夫している。その特徴は以下の３つである。

①「六法」を参照しなくてもよいように必要不可欠な条文は掲載している。

法学部の学生であれば「六法」は必携であるが，法学部以外に所属する学生にとっては,「六法」を用意する経済的及び物理的負担はかなり大きな問題となる。そこで，本書は理解に必要な条文は必ず掲載することとしている。

②学説への言及を最小限とし，原則として判例の解釈方法を採用している。

学説同士の対立から，ある問題の解決方法を立体的に考察することは法学研究の醍醐味ではあるが，教養の一部として必要な知識の習得を目指す法学部以外に所属する学生にとっては，難解かつ複雑な学説の対立は，法学学習にとって障害となりかねない。そこで，本書では学説への言及は最小限に留めている。そのため，多くの論点については，学説ではなく判例ベースでの解釈方法を採用し，掲載している。

③主要な判例は極力示すようにしている。

法の解釈は実際の判例によって示されることが多いことから，主要な判例については極力示すようにしている。しかし，判例の詳細については示さず，あくまでも結論のみ示しているので，本書読了後に是非各自で実際の判例にあたってもらいたい。

また，本書においては,『日本国憲法』のみならず『大日本帝國憲法』を扱っていることが大きな特徴となる。『大日本帝國憲法』は，現行の『日本国憲法』と比較して，欠陥が多いようにいわれることが多い。しかし,『日本国憲法』よりも『大日本帝國憲法』の方が 60 年近くも前に制定されたということを忘れてはならない。60 年近くも前に制定されたのであるから，比較をすれば欠陥が多いということになるのは当然のことである。むしろ，60 年近くも前に制定されたのにも拘わらず，当時においては，かなり進んだ憲法であったということを再認識するべきではないだろうか。極端な例でいえば，スマートフォンに比較して,狼煙は通信手段として欠陥だらけであるといっているようなものである。

また,『大日本帝國憲法』には，起草者による解説書が存在する。伊藤博文による『大日本帝國憲法義解』である。『大日本帝國憲法』の各条文が，どのような趣旨でそこに置かれているのか，これを読めばわかる。ゆえに，本書においては，『大日本帝國憲法義解』が各条文についてどのように解説しているのかを確認し，『大日本帝國憲法』の内容を理解しつつ，その理解を『日本国憲法』の条文解釈に役立てるように掲載している。

『日本国憲法』の改正が現実味を帯びてきた今日，我が国が近代以降に有した２つの憲法について充分に学んだ上で，来たる憲法改正に備えて欲しい。

本書では，学説への言及を最小限とし，ある争点の解釈方法について原則として判例の考え方を採用している。このような方針を採用することによって，学習者の負担が減り，資格試験や公務員等への就職試験に必要不可欠な判例の知識が身につくという利点があるが，その争点の答えが１つであると思い込むという欠点も生じる。そもそも様々な解釈方法をとり得ることから争点となっているのであり，答えが１つであれば争点とはならない。ある程度本書での学習が進み，余裕ができてきたら，是非，憲法を専門として研究されている先生の執筆された専門書に進んでいただきたいと思う。本書は，そのような専門書に進む前の概説入門書であると位置づけていただければ幸いである。

法学学習は，大学生にとって様々な点で関係してくる知識の習得を意味する。就職するにしても資格取得するにしても法的な知識は必要となる。しかし，法学学習は独学するには非常に困難である。ゆえに，本書を利用してより深い学習の前の基礎工事を行っていただき，本書を利用した学習者の皆さんが知識の塔を建てていただくことを祈念したいと思う。

最後に，本書の出版にあたり，今回も，東京教学社の鳥飼好男会長に多大な御助力をいただいた。ここに厚く御礼申し上げる。また，本書は，鳥取大学地域学部における私の研究室に所属する学生たちとの対話の中で生まれたと言っても過言ではない。ゆえに，私の研究室に所属する学生たちにも感謝したいと思う。さらに，憲法学に関しては，恩師である野上修市明治大学名誉教授の存在を忘れてはならない。恩師にも改めてここで感謝したいと思う。

2021（令和３）年 正月

因幡国鳥取にて

佐 藤　匡

※本書は，2018（平成 30）年に出版した『法学入門講座Ⅰ－憲法－』を改題したものである。

目　次

― 第Ⅰ部　憲法学総論 ―

第1編　憲法学総論

― 第Ⅱ部　大日本帝國憲法 ―

第2編　大日本帝國憲法序論

第3編　臣民の権利保障

第4編　統治機構

— 第Ⅲ部　日本国憲法 —

第5編　日本国憲法序論

第6編　人権保障論

第７編　統治機構論

第Ⅰ部

憲法学総論

第１編　憲法学総論

第１章　憲法の存在意義

一　憲法の意義

1　憲法の意味

憲法と法律とは，同じ法であっても，その意義はまったく異なる。法律が「国家が国民に対して守らせる法」を意味するのに対し，憲法は「国民が国家に対して守らせる法」を意味する。

国家権力は強大な力であることから，常に濫用の危険性が伴う。国家権力の濫用は，国民の権利・自由を侵害することにつながる。そこで，そのような権力を縛り，国家権力の濫用を抑制し，国民の権利・自由を守るための基本法が必要となる。このような基本法が憲法である。ゆえに，憲法とは，「国家権力を抑制し，国民の権利を守る基本法」を意味するのである。

2　国家と憲法との関係

国家を特徴付ける３要素とは，国土，国民，主権である。国境によって明確に仕切られた国土があり，国土の中に定住している国民がいて，その国民が強制力を持つ統治権（主権）によって法的に組織された政治的実体のことを国家という。このような「国家の存在を基礎づける法」が憲法である。

3　憲法の意味的種類

（１）立憲的意味の憲法と固有の意味の憲法

①　立憲的意味の憲法

立憲的意味の憲法とは，国家権力を制限することにより，国民の権利・自由の保障を目的とした憲法のことをいい，「国家権力を抑制し，国民の権利を守る基本法」を意味する。

フランス人権宣言（1789年）第16条には，「権利の保障が確保されず，権力の分立が定められていないすべての社会は，憲法を有するものではない」と規定されていることから，立憲的意味の憲法が国家に対し，国民の人権を保障すること，権力分立制を採用する統治機構を備えることの２点を要求していることがわかる。

立憲的意味の憲法は，近代欧米社会という特殊な環境がその前提となる。

② 固有の意味の憲法

固有の意味の憲法とは，国家の統治の基本を定めた法としての憲法のことをいい，「国家の存在を基礎づける法」を意味する。

固有の意味の憲法は，一般的に国家の統治組織や作用に関する基本法であり，いかなる時代のいかなる国家にも存在する。

（２）形式的意味の憲法と実質的意味の憲法

① 形式的意味の憲法

形式的意味の憲法とは，形式面に着目した存在概念であり，国家の基本法として制定された憲法典という法形式で存在している憲法のことをいう。

② 実質的意味の憲法

実質的意味の憲法とは，内容面に着目した存在概念であり，憲法がどのような形式で存在しているかに拘わらず，どのような内容を備えているかということを問題とする憲法のことをいう。

立憲的意味の憲法と固有の意味の憲法は，内容面に着目した区別であることから，両者は実質的意味の憲法である。

二 憲法の分類

１ 成文憲法と不文憲法

（１）成文憲法

成文憲法とは，成文化された憲法典という形式を採用する憲法のことをいう。

（２）不文憲法

不文憲法とは，成文化された憲法典という形式を採用しない憲法のことをいう。

２ 硬性憲法と軟性憲法

（１）硬性憲法

硬性憲法とは，通常の立法手続きとは異なり，より厳重な手続きを経なければ，憲法の改正ができない憲法のことをいう。

（２）軟性憲法

軟性憲法とは，通常の立法手続きと同様の手続きにより，憲法の改正ができる憲法のことをいう。通常の立法手続きより簡易な手続きを経るわけではないということに注意を要する。

3 欽定憲法と民定憲法

（1）欽定憲法

欽定憲法とは，君主がその憲法を制定して，その憲法を国民に授けるという形式を採用する憲法のことをいう。

大日本帝國憲法は欽定憲法である。

（2）民定憲法

民定憲法とは，国民自身がその憲法を制定したという形式を採用する憲法のことをいう。

日本国憲法は民定憲法である。

4 近代立憲主義憲法と現代立憲主義憲法

（1）近代立憲主義憲法

近代立憲主義憲法とは，近代立憲主義の諸原理に基づいた憲法のことをいう。

近代立憲主義においては，自由権の保障，いわゆる「国家からの自由」を大原則とする。

大日本帝國憲法は，近代立憲主義憲法である。

（2）現代立憲主義憲法

現代立憲主義憲法とは，近代立憲主義の諸原理に修正を加えた原理に基づいた憲法のことをいう。

近代立憲主義に基づく資本主義経済が行き詰まり，貧富の差が増大したために，自由権の保障，いわゆる「国家からの自由」を大原則にするだけでは近代立憲主義が本来有する目的の達成が困難となった。

そこで，それに加え，社会権の保障，いわゆる「国家による自由」の原則を採用することにより修正を施し，貧富の差の是正を図ることとした。このように近代立憲主義憲法を修正した憲法を現代立憲主義憲法という。

この現代立憲主義憲法の始まりがワイマール憲法（1919年）であり，この憲法は，20世紀の憲法の手本であるとされる。

日本国憲法は，現代立憲主義憲法である。

第2章　立憲主義

第1節　近代立憲主義

一　近代立憲主義の意義

近代立憲主義とは，近代的意味の憲法に基づいて国家運営を行うことをいう。

このような近代立憲主義は，18 世紀末の近代市民革命（アメリカ独立戦争及びフランス革命等）によって形成されていった。

1776 年のアメリカ独立宣言においては，「創造主によって，生命，自由及び幸福の追求を含む不可侵の権利を与えられている。」と宣言された。

また，1789 年のフランス人権宣言では，その第 16 条において，「権利の保障が確保されず，権力の分立が定められていないすべての社会は，憲法を有するものではない」と宣言された。

これらのことから，近代立憲主義憲法は，不可侵の人権が保障されることと国家権力の分立，つまり，人権保障と統治機構という２つの特徴を持つことになった。

大日本帝國憲法は，近代立憲主義に基づく憲法である。

二　近代立憲主義における国家観とその危機

近代立憲主義における国家観は，消極国家（夜警国家）といわれる。

この国家観において，国家は，可能な限り，個人や私人間の問題には干渉せず，その活動は，警察や国防等の必要最低限の範囲に限った方が，人権保障のためになるとされていた。

このことから，経済では自由放任主義が採用されることとなり，資本主義経済が発展していくことになった。資本主義経済は大いに発展していったが，無制限な自由競争を認めたために，富める者はさらに富み，貧しき者はさらに貧しくなり，貧富の差が増大していった。

資本主義社会は，まさに，社会的・経済的弱者の犠牲の上に成り立っているという様相を呈しており，このような資本主義の矛盾を解消しない限り，犠牲となっている社会的･経済的弱者の個人の尊重を保護することはできず，近代立憲主義はその危機を迎えることとなった。

第２節　現代立憲主義

一　現代立憲主義

現代立憲主義とは，現代的意味の憲法に基づいて国家運営を行うことをいう。このような現代立憲主義は，20世紀初頭，近代立憲主義の修正として誕生した。現代立憲主義憲法は，1919年に制定されたワイマール憲法をその最初とする。ワイマール憲法は，初めて社会権規定を置いた画期的な憲法であった。このワイマール憲法は，その後に制定される憲法の模範とされた。

日本国憲法は，現代立憲主義に基づく憲法である。

二　近代立憲主義の危機から現代立憲主義へ

先述したように，自由放任主義において，資本主義経済は大いに発展していったのであったが，無制限な自由競争のために貧富の差が増大していった。資本主義社会は，社会的・経済的弱者の犠牲の上に成り立っていた。

このような資本主義経済の矛盾を解消しない限り，犠牲となっている社会的・経済的弱者の個人の尊重を保護することはできない。そこで，ロシア革命をはじめとする社会主義革命によってこの矛盾の解消を試みる国家が出現した。これらの国家に対して，近代立憲主義に修正を加えることによって，資本主義経済の矛盾の解消を試みる国家も出現した。このようにして，近代立憲主義に修正を加えた国家は，現代立憲主義を採用するに至ったのである。

三　現代立憲主義における国家観

現代立憲主義における国家観は，積極国家（福祉国家）といわれる。このような国家観は近代立憲主義における消極国家（夜警国家）の修正として形成された。この修正の目的は，資本主義経済において，格差社会が生まれてしまったこと，つまり，資本主義の矛盾を解消することであった。ゆえに，その主眼となるのは，社会的・経済的弱者の救済ということとなる。そこで，現代的意味の憲法には社会権規定が置かれている。

また，社会権保障実現のために，国家は，より積極的な活動が期待されるようになった。つまり，行政権の役割が増大するようになった。このことが行政国家現象を招来することとなる。いかに社会権が保障されるようになろうとも，自由権の保障がその基本であることを忘れてはならない。

四　行政国家現象

資本主義経済が高度に発達すると，その矛盾を解消するために，国家が国民生活に積極的に関与することが求められるようになる。このような要望に応えるために，国家はより専門的・技術的判断能力と迅速・円滑な対応能力が期待される。そのため，このような能力を有する行政権の役割が拡大していくことになる。このような現象を行政権の肥大化という。

この行政権の肥大化によって，本来であれば法律によって規定されたことを忠実に執行していく機関に過ぎなかった行政権が，国家運営の中心的役割を果たすようになっていった。このような現象を行政国家現象という。しかし，この行政国家現象は，過度の権力集中を招来し，権力分立の均衡を破り，個人の尊重に対して脅威となる危険性を孕んでいるともいえる。また，行政権自体は，主権者たる国民との間に直接的な民主的基盤を有しないため，国民の意思とかけ離れた国家意思形成が行われる危険性も有している。

五　政党国家現象

そもそも，近代立憲主義における議会制民主主義は，有権者の意思から解放された国民代表である議員により構成された議会によって，国民の自由を保障させようとしていた。

しかし，資本主義経済の発展と同時に，その社会的矛盾も生じることとなり，そのような矛盾を解消するために，普通選挙制の確立を代表とする選挙権の格段による政治の民主化が求められるようになっていった。また，それと同時に，議会に対しては，民意を忠実に反映することが求められるようになっていった。

このような過程において重要な役割を果たしたのは政党であり，政党は組織力を強め，国政においてその重要性を高めるに至った。このような現象を政党国家現象という。

このような政党国家現象の結果，各議員は，議会における議員は議会における自由な討論に基づいて意思を形成し表決するというよりも，政党の党議に従って行動する存在となり，議会における意思形成は政党間の確執と妥協の下に行われるようになった。つまり，議会においては，各議員が各議員の意思によって行動するのではなく，各議員は，民意を反映した政党に所属し，その政党同士の衝突と妥協によって議会活動をすることとなったのである。

六　司法国家現象

近代立憲主義から現代立憲主義へと移行する過程において，議会の地位が相対的に低下していった。そのため，憲法が保障する個人の尊重や各種の人権を，裁判所を通じて確保及び強化をしようとする傾向が顕著となってきている。

議会自体が現法の擁護者の地位にあった段階においては，議会による人権侵害はなかったが，議会による人権侵害によって，議会への不信感から，違憲立法審査制が憲法体系に導入されるようになった。このような違憲立法審査権は，通常の司法裁判所に与える場合と，特別の憲法裁判所に与える場合がある。違憲審査権を司法裁判所に与え，司法権の人権保障への役割を期待する国家のことを司法国家といい，憲法自体においてこのことを明記するようになってきている。このような現象のことを司法国家現象という。

七　平和国家現象

立憲主義にとって，戦争というものは，最大の脅威である。戦時下においては人権保障もままならない。特に，現代における戦争は，総力戦であり，人権の制限や侵害を招来する危険性を多分に有している。このことは立憲主義体制に壊滅的な打撃を与えることとなる。そこで，平和主義及び国際協調主義を憲法体系の中に取り込み，憲法自体においてこのことを明記するようになっている。このような現象を平和国家現象という。

八　個人観の変容

近代立意主義は，抽象的な個人を想定し，そのような個人を前提にして，人権保障や統治機構を考えていた。また，このような身分から解放された個人にとって，集団や結社等の組織は，個人を侵害し，国家の統治機構を破壊する存在であるとみなされてきた。そうした人間像を前提に人権の保障や統治のあり方が考えられた。

しかし，実際には，個人は様々な社会的・経済的諸条件の中にいて，それらとの関係の中で生活をしている。資本主義経済の発展は，近代立憲主義が想定した個人観と現実の個人との間の乖離を顕在化した。

現代立憲主義においては，社会の中における具体的な個人を想定して，人権保障や統治機構を考えられるようになっている。

第３章　憲法の基本原理

一　個人の尊重の原理

価値相対主義を採用する憲法体系において，唯一，価値絶対主義を採用するのが，個人の尊重の原理である。

近代立憲主義憲法の本質は，個人に着目する点にある。つまり，近代立憲主義憲法は，１人１人の個人を，個人として最大限尊重することを基礎としている。この考え方は，近代立憲主義憲法の修正版でもある現代立憲主義憲法にも引き継がれている。

個人の尊重の原理とは，国政の上で１人１人の個人が最大限尊重されること，及び，１人１人の個人が人たるに値する生活を営むことができることを意味する。

個人の尊重の原理は，憲法体系における根本原理であり，憲法とは，個人の尊重を達成するための人権保障の体系であるともいえる。

二　人権保障における憲法原理

憲法体系においては，個人の尊重の原理こそが究極の価値を有し，個人の尊重の原理こそが究極の目的でもある。

個人の尊重の原理の意義は，先述したように，国政の上で１人１人の個人が最大限尊重されること，及び，１人１人の個人が人たるに値する生活を営むことができることである。

しかし，それだけではまだ不明確であるので，憲法体系においては，５つの基本原理をその指針として，個人の人権保障を通して，個人の尊重の原理という究極の目的を達成しようとしている。

１　自由主義の原理

人は本来的に自由な存在である。ゆえに，本来自由な存在である人は，国家による不当な干渉を受けるものではない。このような原理を自由主義の原理という。「国家からの自由」をその目的とする原理である。

個人の尊重の原理を達成するためには，各個人の生き方を自分で決定できる自由である，人格的自立権が保障されていなければならない。つまり，個人の尊重の原理にとって，人格的自立権の保障は不可欠であり，人格的自立権を保障することによって，個人の尊重の原理も達成されるのである。

2　民主主義の原理

人は本来的に自由な存在ではあるが，人は１人では生きられず，社会において生活している社会的実在でもある。ゆえに，社会のルールによって個人の自由は保障される反面，社会のルールによって個人の自由は制約されることとなる。このようなルールを作るのには，そのルールを守るべき人が作ることが，自由主義の原理を守るためには，最善の策となる。つまり，治者と被治者の自同性が重要となるのである。このような原理を民主主義の原理という。

自由主義の原理を保障するためには，民主主義の原理が必要となる。個人に自由主義の原理を保障するために，その統治手段として民主主義の原理を採用するのである。つまり，自由主義の原理と民主主義の原理は，目的と手段の関係である。それと同時に，民主主義の原理を保障するためにも言論の自由が保障されている必要がある。自由主義の原理，特に，言論の自由が保障されていないと，民主主義の原理は，本来的な意味で機能することは困難となる。このような意味で，自由主義の原理と民主主義の原理とは車の両輪であるともいえ，自由主義の原理と民主主義の原理とは，密接不可分の関係であるともいえる。この両者の関係は，統治機構を語る上で重要となる。

3　平等主義の原理

民主主義の原理を貫徹するためには,その構成員が平等である必要がある。また，自由主義の原理を確保するためには，国家からの不平等な干渉を排除する必要がある。このような各個人を個人として平等に尊重し，平等に取り扱う考え方を平等主義の原理という。ここでいう平等とは，あくまでも国家の不平等な干渉を排除するという意味の形式的平等（＝機会の平等）を意味する。ゆえに，国家の個人への介入は消極的なものとなる（消極国家観)。

平等主義の原理を保障するためには，その統治手段として，民主主義の原理が必要となることから，平等主義の原理と民主主義の原理との関係は，目的と手段の関係である。それと同時に，民主主義の原理を保障するためにもその構成員が平等である必要があることから，平等主義の原理が保障されている必要がある。このような意味で，平等主義の原理と民主主義の原理とは車の両輪であるともいえ，平等主義の原理と民主主義の原理とは，密接不可分の関係であるともいえる。

自由主義の原理，民主主義の原理，平等主義の原理を保障することによって，近代立憲主義が成立することとなる。

4 福祉主義の原理

資本主義経済の発展により，現実の生活上，不平等が拡大したことから，実質的平等（＝条件の平等）を達成するために，社会的・経済的弱者の救済の必要が生じた。このような個人の尊重の原理を保障するために，国家に対して，積極的作為（救済）を要請する原理を福祉主義の原理という。「国家による自由」をその目的とする原理である。

資本主義経済の矛盾により，国家によって自由を確保してもらう必要性が生じることとなった。つまり，国家が私的領域に介入することによって，個人の尊重の原理を確保することとなる。

このように，個人の尊重の原理を確保するために国家の介入を要請することが福祉主義の原理であるが，この福祉主義の原理は，国家の積極的な介入を要請することから，強調し過ぎると，過大な国家権力の介入を招く危険性を有しており，自由主義の原理や平等主義の原理を侵害する可能性がある。ゆえに，あくまでも，自由主義の原理や平等主義の原理の補完的原理として考えるべきである。つまり，あくまでも個人の尊重の原理を達成するためには，「国家からの自由」を目的とする自由主義の原理がその本質的原理であって，「国家による自由」を目的とする福祉主義の原理は補完的原理であることを忘れてはならない。

福祉主義の原理を自由主義の原理の補完的原理と解する以上，福祉主義の原理の実現も，民主主義の原理という手段によって達成すべきであることから，このような意味で，福祉主義の原理と民主主義の原理とは，目的と手段の関係にある。

また，現代立憲主義は，近代立憲主義によって生じた矛盾解消のための修正によって成立するものであり，自由主義の原理，民主主義の原理，平等主義の原理を保障することに加えて，福祉主義の原理を補完的に保障することによって，現代立憲主義が成立することとなる。

5 平和主義の原理

近代立憲主義にとっても，現代立憲主義にとっても，戦争というものは，最大の脅威である。戦時下においては，個人の尊重の原理の達成は不可能である。特に，現代における戦争は，総力戦であり，個人の人権を制限及び侵害することとなる。ゆえに，個人の尊重の原理が保障されるためには，平和が保たれていなければならない。このような原理を平和主義の原理という。平和主義の原理は，すべての原理の大前提となる基底的原理である。

三　統治機構における憲法原理

先述したように，憲法体系においては，個人の尊重の原理こそが究極の価値を有し，個人の尊重の原理こそが究極の目的でもある。

憲法体系においては，５つの基本原理をその指針として，個人の人権保障を通して，個人の尊重の原理という究極の目的を達成しようとしているが，個人の人権保障が憲法体系における当面の目的となる。

その当面の目的である人権保障を達成するための，事前的手段，つまり，国家によって人権侵害が起こらないようにするための手段が統治機構である。なお，事後的手段，つまり，国家によって既に人権侵害が起こってしまった場合には，訴訟によって救済を図ることになる。

人権保障のための事前的手段である統治機構においては，２つの基本原理が重要となる。

１　自由主義の原理

統治機構においては，自由主義の原理は，国家権力を分割し，それぞれを抑制及び均衡させるという権力分立制に現れることとなる。国家という強大な権力が個人に向けられることによって，人権侵害を防ぐことが目的であることから，国家運営は非効率的なものとなる。

２　民主主義の原理

統治機構においては，民主主義の原理は，国政に民意を反映させることによって実現をしていくこととなる。

３　統治機構との関係

（１）自由主義の原理の側面

統治機構が，自由主義の原理を達成しているかどうかは，実際に国家権力が分割され，その分割された各々の権限が抑制及び均衡をしているかどうかによって判断される。

中央政府においては，立法権・行政権・司法権という三権分立の形態で現れることが多い。これらの各権限が抑制及び均衡していれば，その統治機構は自由主義的であると判断することができる。

また，中央政府と地方政府との関係でいえば，地方自治が制度として保障されていれば，中央政府と地方自治体との間に抑制及び均衡の関係があるといえることから，その統治機構は自由主義的であると判断することができる。

（2）民主主義の原理の側面

統治機構が，民主主義の原理を達成しているかどうかは，実際に民意が反映されているかどうかによって判断される。

① 立法権との関係

直接民主制を採用せず，間接民主制を採用する場合，立法権，つまり，議会においては，国民の代表が討議することによって立法権を行使することとなる。国民は，議会の議員を選挙によって選出することによって民意を反映させることとなる。このような民意を積極的民意という。

国民の多数の支持を得た者が議会の議員へと選出されることとなる。

また，直接民主制を採用した場合は，当然のことながら民意は反映されることとなる。

② 行政権との関係

大統領制を採用する場合には，大統領を国民が直接選出することとなるので，立法権と同様，国民の多数の支持を得た者が大統領へと選出されることとなる。

一方，議院内閣制を採用する場合においては，国民によって選出された議員によって，首相を選出することとなる。つまり，議会における多数の支持を得た者が首相となる。

いずれにしても，多数者の民意は反映されることとなる。

③ 司法権との関係

立法権も行政権も，多数者の民意は反映されることとなる。選挙というものは多数の支持を得た者が勝ち上がっていく制度であることから，その結果には，当然に多数者の民意が反映されることとなる。

それでは，少数者については考慮に入れなくても構わないのであろうか。

憲法体系においては，その究極的な価値は，個人の尊重の原理である。つまり，多数派であろうが，少数派であろうが，個人は個人として尊重されなければならない。つまり，少数者であるからといって無視することはできない。とはいえ，立法権も行政権も選挙制度をその基礎においていることから，少数者に配慮しなくてはならないとしても，多数者の民意を重視することとなる。そこで，裁判所においては，このような民意とは距離を置くことによって，まさに「少数者人権の最後の砦」としての役割が期待されている。とはいっても，裁判所自体も国家機関であることから，民主主義の原理の要請から民意を反映させる必要が生じる。その際は，恣意的に裁判権を振りかざせば職を解かれるという消極的民意によって，民主主義の原理が担保されることとなる。

第４章　法の支配の原理

第１節　法治主義

一　法治主義の意義

法治主義とは，法律は立法権である議会によって制定され，司法権は独立した裁判所によってその法律を適用して行われ，行政権はその法律に基づいて行われるという原則のことをいう。

大日本帝國憲法は，法治主義に基づく憲法である。

二　法治主義の分類

１　本来的意味の法治主義

国民の権利を制限し，義務を課す場合には，法律の根拠が必要となる。また，法律は立法権である議会によって制定され，司法権は独立した裁判所によってその法律を適用して行われ，行政権はその法律に基づいて行われなければならない。

２　形式的法治主義

国民の権利を制限し，義務を課す場合には，法律の根拠が必要となる。また，行政権は法律に基づいて行われなければならず，法律に基づかなければ国民の権利を制限することも義務を課すこともできない。このことは法律に基づいてさえいれば，国民の権利を制限することも義務を課すことも自由にできることを意味する。ここでいう法律は，議会において適法に制定された法律のことをいい，その内容は問わず，行政が法律に適合しているかの判断は，行政権の一部である行政裁判所が行い，司法権は行わない。

３　実質的法治主義

国民の権利を制限し，義務を課す場合には，法律の根拠が必要となる。また，法律は憲法に適合するように立法権である議会によって制定されなければならず，司法権は独立した裁判所によってその法律を適用して行われ，行政権はその法律に基づいて行われなければならない。議会が制定した法律の内容が憲法に適合しているかどうかの判断は，司法裁判所において行う。

第２節　法の支配

一　法の支配の意義

法の支配とは，すべての国家権力が正しい法に拘束されるという原則のことをいう。ここでいう法とは自然法のことを意味する。正しい法によって，国民の権利・自由を保障するのが目的であるので，常に正しい法かどうかという法の内容が問題となる。

日本国憲法は，法の支配に基づく憲法である。

二　法の支配の内容

１　正しい法

正しい法とは自然法を意味するが，その自然法を成文化したものが憲法であることから，法の支配とは憲法による支配を意味する。

２　個人の人権保障

法の支配は，国家権力から個人の人権を保障し，個人の尊重の原理を達成しようとする目的を有している。

３　憲法の最高法規性

法の支配（＝憲法による支配）を達成するためには，憲法に優先する法の存在を認めるわけにはいかない。ゆえに，憲法は国法における最高法規であり，憲法は，行政権のみならず立法権をも拘束する。

４　適正手続きの保障

法の支配においては，国民の権利及び自由の制約は，適正な手続きの下に行われる必要がある。また，その制約の実体についても適正であることが要請される。

５　司法裁判所の役割

法の支配においては，裁判所は，行政権が法律に基づいて行政を行っているかを判断する役割を有する。それと同時に，立法権が制定する法律が憲法に従っているかを判断する役割も有する。

第Ⅱ部

大日本帝國憲法

第２編　大日本帝國憲法序論

第１章　大日本帝國憲法総論

一　大日本帝國憲法

大日本帝國憲法は，1889（明治22）年２月11日に公布，翌1890（明治23）年11月29日に施行された，近代立憲主義に基づく欽定憲法である。

大日本帝國憲法は，日本国憲法が施行される前日の1947（昭和22）５月２日まで存続したが，結果的に１度も改正されることなく，その役割を終えた。

大日本帝國憲法は，約７年の歳月をかけて制定された。1882（明治15年）３月，伊藤博文は，ヨーロッパへ渡り，憲法調査を開始した。その中で，伊藤博文は，ルドルフ・フォン・グナイスト（ベルリン大学）及びロレンツ・フォン・シュタイン（ウィーン大学）の両名から，「憲法とは，一国の歴史・伝統・文化に立脚したものでなければならず，一国の憲法を制定するというのであれば，まず，その国の歴史から学ばなければならない」との助言を受けた。1883（明治16）年，伊藤博文は帰国し，井上毅に憲法草案の起草を命じ，憲法制定と議会開設の準備を進めた。1885（明治18）年，太政官制を廃止して内閣制度が創設され，伊藤博文が初代内閣総理大臣となった。井上毅は，ロエスレルやモッセ等の助言を得て起草作業を行い，1887（明治20）年５月に完成した。この草案について，伊藤博文，井上毅，伊東巳代治，金子堅太郎がさらに検討をし，憲法草案を完成させた。その後，さらにこの草案に修正が加えられ，1888（明治21）年４月には成案をまとめるに至った。伊藤博文は，枢密院を設置し，この成案の審議を行い，1889（明治22）年１月，憲法草案についての審議が結了した。1889（明治22）年２月11日，「大日本憲法発布の詔勅」が，明治天皇より告示され，大日本帝國憲法が発布された。

二　大日本帝國憲法義解

1888（明治21）年，伊藤博文は，井上毅，伊東巳代治，金子堅太郎とともに憲法起草に取り組み，憲法案を完成させたが，同時に，各条文に関する説明書を井上毅が作成した。

1889（明治22）年２月11日，大日本帝國憲法が制定された後，この説明書は『大日本帝國憲法義解』と題され，出版された。

三　大日本帝國憲法義解序文

『大日本帝國憲法義解』においては，序文にて，概ね，以下のように解説している。

我が国における君主と臣下の別というものは，国のはじまりの時に既に定まっていたものである。中世においては，しばしば，武士による戦乱を経たために，政治上の綱紀の統一が緩んでしまっていたが，維新の大命があって以来，皇運は興隆し，天皇は五箇条の御誓文をはじめとする詔を発せられて立憲政治の方針を宣言なされた。上は元首の大権を統べられ，國務大臣の補弼と帝國議会の力添えによって，各機関にそれぞれの役割を果たさせるとともに，下は臣民の力を伸ばされ，その権利と義務を明らかにして，幸福を増進させようとなされた。これはみな歴代の天皇の偉業によるものであって，古の政治の源流に通じるものである。

【五箇条の御誓文】

一　廣ク會議ヲ興シ萬機公論ニ決スヘシ

一　上下心ヲ一ニシテ盛ニ經綸ヲ行フヘシ

一　官武一途庶民ニ至ル迄各其志ヲ遂ケ人心ヲシテ倦マラサシメン事ヲ要ス

一　舊來ノ陋習ヲ破リ天地ノ公道ニ基クヘシ

一　智識ヲ世界ニ求メ大ニ皇基ヲ振起スヘシ

我國未曾有ノ變革ヲ爲ントシ朕躬ヲ以テ衆ニ先ンシ天地神明ニ誓ヒ大ニ斯國是ヲ定メ萬民保全ノ道ヲ立ントス衆亦此旨趣ニ基キ協心努力セヨ

五箇条の御誓文は，1868（明治元）年４月６日（陰暦３月 14 日）に，明治天皇によって制約され，我が国における基本指針とされた。

内容は，「広く人材を集めて会議を行い，すべて公正な議論によって決すること」，「身分の上下を問わず，心を１つにして，積極的に国を治め整えること」，「文武官のみならず，一般庶民も，各々の志すところを達成できるように人々に希望を失わせないことが必要であること」，「これまでの悪習を棄て，何事も普遍的な道理に基づいて行なうこと」，「知識を世界に広めて天皇を中心とする麗しい国柄や伝統を大切にして大いに国を発展させること」の５箇条について，「我が国は未だかつてない大変革を行おうとするにあたり，天地の神々や祖先に近い，重大な決意のもとに国政に関するこの基本方針を定め，万民の生活を安定させる大道を確立しよう」と天皇が誓い，国民に対して，「この趣旨に基づき，心を合わせて努力すること」を求めるものである。

この五箇条の御誓文は，大日本帝國憲法の基本的指針であるとみなされている。

四　大日本帝國憲法上諭

【大日本帝國憲法上諭】

朕祖宗ノ遺烈ヲ承ケ万世一系ノ帝位ヲ践ミ朕カ親愛スル所ノ臣民ハ即チ朕カ祖宗ノ恵撫慈養シタマヒシ所ノ臣民ナルヲ念ヒ其ノ康福ヲ増進シ其ノ懿徳良能ヲ発達セシメムコトヲ願ヒ又其ノ翼賛ニ依リ与ニ俱ニ國家ノ進運ヲ扶持セムコトヲ望ミ乃チ明治十四年十月十二日ノ詔命ヲ履践シ茲ニ大憲ヲ制定シ朕カ率由スル所ヲ示シ朕カ後嗣及臣民及臣民ノ子孫タル者ヲシテ永遠ニ循行スル所ヲ知ラシム

國家統治ノ大権ハ朕カ之ヲ祖宗ニ承ケテ之ヲ子孫ニ伝フル所ナリ朕及朕カ子孫ハ将来此ノ憲法ノ条章ニ循ヒ之ヲ行フコトヲ愆ラサルヘシ

朕ハ我カ臣民ノ権利及財産ノ安全ヲ貴重シ及之ヲ保護シ此ノ憲法及法律ノ範囲内ニ於テ其ノ享有ヲ完全ナラシムヘキコトヲ宣言ス

帝國議会ハ明治二十三年ヲ以テ之ヲ召集シ議会開会ノ時ヲ以テ此ノ憲法ヲシテ有効ナラシムルノ期トスヘシ

将来若此ノ憲法ノ或ル条章ヲ改定スルノ必要ナル時宜ヲ見ルニ至ラハ朕及朕カ継統ノ子孫ハ発議ノ権ヲ執リ之ヲ議会ニ付シ議会ハ此ノ憲法ニ定メタル要件ニ依リ之ヲ議決スルノ外朕カ子孫及臣民ハ敢テ之カ紛更ヲ試ミルコトヲ得サルヘシ

朕カ在廷ノ大臣ハ朕カ為ニ此ノ憲法ヲ施行スルノ責ニ任スヘク朕カ現在及将来ノ臣民ハ此ノ憲法ニ対シ永遠ニ従順ノ義務ヲ負フヘシ

大日本帝國憲法上諭は,「朕は祖宗の功績により万世一系の帝位を継ぎ，親愛なる臣民は，祖宗が恵み，愛し，慈しみ，養った臣民であることを想い，その慶福を増進し,懿徳と才能を発達させることを願い,その翼賛によって，ともに国家の進運を扶持することを望む。明治 14 年 10 月 12 日の勅命を実践し，大憲を制定し，朕の子孫及び臣民とその子孫によって，永遠にそれに従い実行されるよう知らしめる。」,「国家を統治する大権は，朕がこれを祖宗より受け継ぎ，子孫へと伝えていくものである。朕及び子孫は将来，大日本帝國憲法に従い誤ることなく実行する。」,「朕は，臣民の権利及び財産の安全を貴び，保護し，大日本帝國憲法及び法律の範囲内において完全なる享有を宣言する。」,「帝國議会は，明治 23 年に召集され，議会開会時を大日本帝國憲法の効力発生期日とする。」,「将来，大日本帝國憲法上の規定を改正する必要がある場合には，朕及び子孫はその改正を発議し，これを議会に提出し，議会は大日本帝國憲法に定められた要件によりこれを議決する他，子孫及び臣民は決してこれを変えようとしてはならない。」,「朝廷の大臣は，朕のために大日本帝國憲法を施行する責任を有し，現在及び将来の臣民は大日本帝國憲法に対し永遠に従順の義務を負わなければならない。」と記している。

五　大日本帝國憲法改正手続き【大日本帝國憲法第 73 条】

【大日本帝國憲法第 73 条】
　将来此ノ憲法ノ条項ヲ改正スルノ必要アルトキハ勅命ヲ以テ議案ヲ帝國議会ノ議ニ付スヘシ
2　此ノ場合ニ於テ両議院ハ各々其ノ総員三分ノ二以上出席スルニ非サレハ議事ヲ開クコトヲ得ス出席議員三分ノ二以上ノ多数ヲ得ルニ非サレハ改正ノ議決ヲ為スコトヲ得ス

　大日本帝國憲法第 73 条第１項は，「将来この憲法の条項を改正する必要があるときは，天皇の勅命によって議案を帝國議会の審議に付さなければならない。」と規定し，大日本帝國憲法第 73 条第２項は，「この場合において，両議院は総議員の３分の２以上の出席がなければ議事を開くことができず，出席議員の３分の２以上の賛成多数を経なければ改正を議決することができない。」と規定している。

　『大日本帝國憲法義解』においては，大日本帝國憲法第 73 条について，概ね，以下のように解説している。

　大日本帝國憲法は，天皇自ら制定し，上は歴代の天皇に継ぎ，下は後世に遺し，全国の臣民及び臣民の子孫にその規則に従わせるべく，このように不磨の大典としたものである。ゆえに，大日本帝國憲法はむやみに改めることを許さない。但し，法は社会の必要と調和することで効用をなすものである。ゆえに，國體の大綱は万世に亘って永遠恒久であって動かしてはならないが，政治制度の細目を世のなりゆきとともに適当な時期を考慮して変えていくことは必要であり，それなしには済まされない。

　法律案は，政府から議会に付すか，議会が提出するかであるが，憲法改正の議案は必ず勅命で下付するとしているのはなぜか。大日本帝國憲法は，天皇自ら定めたものである。よって，改正の権限も天皇に属すべきものだからである。それでは，改正の権限は天皇に属するのに，これを議会に付すのはなぜか。一度定まった大典は臣民とともにこれを守り，天皇の独断で変更することを望まないからである。また，議会で改定を議決するのに，過半数によらず，３分の２以上の出席及び３分の２以上の賛成多数を望むのはなぜか。将来に向けて大日本帝國憲法を慎んで守るという方針を採るためである。

　大日本帝國憲法の改正条項が議会の審議に付せられるに際して，議会は関連して及ぶ議案の他の条項を議決することはできない。また，議会は直接にも間接にも大日本帝國憲法の趣旨を変更する法律を議決し，本条の制限を回避することもできない。

六　皇室典範改正手続き【大日本帝國憲法第 74 条】

【大日本帝國憲法第 74 条】
皇室典範ノ改正ハ帝國議会ノ議ヲ経ルヲ要セス
2　皇室典範ヲ以テ此ノ憲法ノ条規ヲ変更スルコトヲ得ス

大日本帝國憲法第 74 条第１項は，「皇室典範の改正には帝國議会における審議を必要としない。」と規定し，大日本帝國憲法第 74 条第２項は，「皇室典範によって憲法の条規を変更することはできない。」と規定している。

『大日本帝國憲法義解』においては，大日本帝國憲法第 74 条について，概ね，以下のように解説している。

大日本帝國憲法の改正はまさに議会の審議を経ることを要するが，皇室典範はその必要がないのはなぜか。皇室典範は，皇室が自ら皇室のことを定めており，君民相互に関わる権利・義務にわたるものではないからである。仮に改正の必要がある場合，皇族会議及び枢密顧問に付すといった規則等もまた，皇室典範で制定すべきものであって，大日本帝國憲法に明示する必要はない。但し，皇室典範の改正により，直接または間接に大日本帝國憲法の内容を変更し得るように定めたのであれば，大日本帝國憲法の基礎が容易に揺り動かされるという不幸を免れられなくなってしまう。ゆえに，本条は特に大日本帝國憲法の存立を保障するというこの上ない意を示したのである。

七　改正手続き禁止期間【大日本帝國憲法第 75 条】

【大日本帝國憲法第 75 条】
憲法及皇室典範ハ摂政ヲ置クノ間之ヲ変更スルコトヲ得ス

大日本帝國憲法第 75 条は，「憲法及び皇室典範は，摂政を置く期間中は変更することができない。」と規定している。

『大日本帝國憲法義解』においては，大日本帝國憲法第 75 条について，概ね，以下のように解説している。

摂政を置くのは国家の非常の事態であって通常の状態ではない。ゆえに，摂政が統治権を行使することに関しては天皇とは異ならないが，大日本帝國憲法及び皇室典範に関しては一切の変更を摂政の判断に任せないというのは，国家及び皇室における根本原則は極めて重く，そもそも，仮に代行する摂政の上に位置していて，天皇以外に誰も改正の大事を行うことができないということである。

八　法令の効力【大日本帝國憲法第 76 条】

【大日本帝國憲法第 76 条】

法律規則命令又ハ何等ノ名称ヲ用ヰタルニ拘ラス此ノ憲法ニ矛盾セサル現行ノ法令ハ総テ遵由ノ効力ヲ有ス

２　歳出上政府ノ義務ニ係ル現在ノ契約又ハ命令ハ総テ第六十七条ノ例ニ依ル

大日本帝國憲法第 76 条第１項は，「法律・規則・命令またはいかなる名称を用いているかに拘わらず，この憲法に矛盾しない現行の法令は，すべて憲法に由来する効力を有する。」と規定し，大日本帝國憲法第 76 条第２項は，「歳出上の政府の義務に関係する現在の契約や命令は，すべて第 67 条の規定による。」と規定している。

『大日本帝國憲法義解』においては，大日本帝國憲法第 76 条について，概ね，以下のように解説している。

明治維新以来の官令において，御沙汰書・布告・布達等といったのは，文の形式によってそう呼称したのである。法・律・令・条例・律例・規則はすべて人民に公布し，従うべき効力を持つ規則の類をいった語であって，それらの間に効力の軽重はなかった。つまり，大日本帝國憲法発布前は，法律と勅令は名称が異なるだけで実質は同じものであった。ゆえに，大日本帝國憲法の指定に従って法律と命令とを明確に区別するというのは，必ず議会が開設されてから始めるべきものであって，議会開設前については，法律・規則・命令その他いかなる名称を用い，いかなる形式を用いていても，それを効力の軽重を判断する基準とすることはできない。

大日本帝國憲法発布前の公令は，いかなる名称を用いていても効力を持つものとする。但し，大日本帝國憲法に矛盾するものは大日本帝國憲法施行の日からその全文または特定の条章に限り効力が失われなければならない。

今日に現行し，将来に亘って大日本帝國憲法に由来する効力のある大日本帝國憲法発布前の公令の中で，さらに大日本帝國憲法で定められているものは，法律とするのが望ましい。しかし，過去に遡っていちいち法律の形式を与え，大日本帝國憲法の文意に沿わせようとするのは，形式に拘りいたずらに煩瑣な仕事を増やすだけである。ゆえに，本条は，現行の法令条規にすべて効力を認めるだけではなく，その中で法律とするのが望ましいものは，そのまま法律として効力を認めることを示したものである。また，法律として効力が認められた現行の法令条規で，もしも将来において改正を要するならば，大日本帝國憲法発布前に勅令や布達として公布したものであっても，法律として改正手続きを行う必要があると理解すべきである。

第３編　臣民の権利保障

第１章　臣民の権利及び義務総論

一　臣民の権利及び義務

『大日本帝國憲法義解』においては，大日本帝國憲法第２章について，概ね，以下のように解説している。

歴代の天皇の政治は，臣民を大切にされていたので，臣民のことを「大宝」と名付けていた。歴代の天皇が即位の日に皇親以下の天下の人民を集めて大詔を宣べ賜う詞には，「集まった皇子たち，王・臣たち百官たち，天下の公民たちはみな聞きなされと詔をする」とある。文書を司る役人が用いる「公民」の字はつまり，「おおみたから」の名称を唐風に記したものである。一方，臣民たちは自らを「御民」と称した。

天皇は上にあって愛し大切にするという心で民を国の宝だと思い，民は下にあって大君に服従し自らを幸福な臣民だと思う。これが我が国の故事や旧習にあるもので，大日本帝國憲法第２章に掲げる臣民の権利及び義務の源もまたこの意味に他ならない。

二　臣民の要件【大日本帝國憲法第 18 条】

【大日本帝國憲法第 18 条】

日本臣民タル要件ハ法律ノ定ムル所ニ依ル

大日本帝國憲法第 18 条は，「日本臣民であることの要件は，法律で定めるところによる。」と規定している。

『大日本帝國憲法義解』においては，大日本帝國憲法第 18 条について，概ね，以下のように解説している。

日本臣民は，各々法律上の公権及び私権を有することができる。これが，臣民たる要件は法律で定める必要がある理由である。日本臣民には２種類ある。第１は出生による者，第２は帰化またはその他法律の効力による者である。選挙権・被選挙権・任官の権利等が公権に該当する。公権は，大日本帝國憲法またはその他の法律によって認定し，日本人が有し，外国人には認めない。私権については，日本人と外国人は同様に認められる。

三　非常大権【大日本帝國憲法第31条】

【大日本帝國憲法第31条】
本章ニ掲ケタル条規ハ戦時又ハ國家事変ノ場合ニ於テ天皇大権ノ施行ヲ妨クルコトナシ

大日本帝國憲法第31条は，「本章に掲げた条規は，戦時またはく国家事変に際して天皇の持つ権能の行使を妨げることはない。」と規定している。

『大日本帝國憲法義解』においては，大日本帝國憲法第31条について，概ね，以下のように解説している。

大日本帝國憲法第2章が掲げる条規は，臣民の権利を保障するものである。立憲主義とは，臣民だけが法律に服するのではなく，臣民の上にあって影響力を持つ国家権力の運用に対しても法律の制約を受けさせることにある。そうすることによって，臣民はその権利・財産の安全を保障され，専横不法の疑い恐れを免れることができる。これが大日本帝國憲法第2章の大義である。しかし，大日本帝國憲法は，それでもなお非常時の変局のために，非常の例外を掲げることを怠らない。

国家の最大の目的は，その存立を保持することである。国家権力は，危難の時機に際して，国家・國民を救済し，その存立を保全するために必要な唯一の方法であると認めるときには，断固として法律及び臣民の権利の一部を犠牲にして，最大の目的を達成しなければならない。これは元首の権利であるだけではなく，最大の義務でもある。国家に，非常大権がなければ，国家権力は，非常時に際して，その職責を尽くす手段がなくなってしまうのである。

各国の憲法については，非常大権について明示している，明示していないに拘わらず，実際において，存立を保全するための国家権力の発動を認めていないものはない。なぜならば，すべての国家が戦時に必要な処分を行うということは，欺きようのない事実だからである。但し，常時と非常時の境は間髪も入らないほど迫っている。非常時の必要がないのに，濫りに非常大権を持ち出して権利を蹂躙するようなことは，各国の憲法は決して許してはいない。

憲法上，非常大権を掲げてその要件を示すのは，非常時について憲法上の空白を遺していてはならないと考えるからである。ある国の憲法でこれに言及しないのは，臨機応変の処分により憲法の範囲外に置き，議員の判断に任せてその憲法違反の責任を解くこととしているからである。

四 軍人の権利【大日本帝國憲法第 32 条】

【大日本帝國憲法第 32 条】

本章ニ掲ケタル条規ハ陸海軍ノ法令又ハ紀律ニ牴触セサルモノニ限リ軍人ニ準行ス

大日本帝國憲法第 32 条は，「本章に掲げた条規は，陸海軍の法令・規律に抵触しないものに限って，軍人にも準用する。」と規定している。

『大日本帝國憲法義解』においては，大日本帝國憲法第 32 条について，概ね，以下のように解説している。

軍人は，軍旗の下にあって軍法・軍令を慎んで守り，専ら服従を第１の義務とする。よって，大日本帝國憲法第２章に掲げる権利の条規で，軍法・軍令に抵触するものは軍人には適用しない。すなわち，現役軍人は集会・結社して軍政や政事を論じることはできず，政事上の言論・著述・図書の刊行及び請願の自由も有しないということが，これに該当する。

第2章　自由権的基本権

第1節　身体的自由権

一　人身の自由【大日本帝國憲法第23条】

【大日本帝國憲法第23条】
　日本臣民ハ法律ニ依ルニ非スシテ逮捕監禁審問処罰ヲ受クルコトナシ

大日本帝國憲法第23条は，「日本臣民は，法律によることなく，逮捕・監禁・審問・処罰を受けることはない。」と規定している。

『大日本帝國憲法義解』においては，大日本帝國憲法第23条について，概ね，以下のように解説している。

大日本帝國憲法第23条は，人身の自由を保障する。逮捕・監禁・審問は，法律に規定されている場合に限りできるのであって，法律によらずに，いかなる行為に対しても処罰をすることはできない。

人身の自由は警察及び刑事訴訟の処分と密接な関係がある。一方では，治安を保持し，犯罪を抑制し，捜索して罪を糾すのに必要な処分を敏捷・強力に行うことが求められるが，他方では，各人の自由を尊重してその範囲を厳格にし，国家権力によって蹂躪されないようにすることは，立憲制度において最も重要なことである。ゆえに，警察官・司法官・刑務官が法律によらず人を逮捕・監禁または過酷な行為をした場合には，その罪を私人よりも重くしている。また，審問については，警察官ではなく必ず司法官が行うこととし，弁護及び公開を行って，司法官または警察官が被告人に罪状を供述させるために凌虐を加えるものは重ねて処断することとしている。

また，法律によらない処罰は裁判の効力がないものとする。これらはみな努めて慎重・厳密に意を尽くし，臣民を保護することが目的であって，拷問及びその他過去にあった罪の裁き方は，現代に繰り返されることはあり得ない。本条はこのことを確固たるものとするものである。

二　住居の不可侵【大日本帝國憲法第25条】

【大日本帝國憲法第25条】
　日本臣民ハ法律ニ定メタル場合ヲ除ク外其ノ許諾ナクシテ住所ニ侵入セラレ及捜索セラルヘコトナシ

大日本帝國憲法第25条は，「日本臣民は，法律に定めた場合を除いて，当人の許可なく住んでいるところに侵入されたり，捜索されたりすることはない。」と規定している。

『大日本帝國憲法義解』においては，大日本帝國憲法第25条について，概ね，以下のように解説している。

大日本帝國憲法第25条は，住居の安全を保障する。住居は臣民各自の安息の場所である。ゆえに，私人が家主の承諾なく他人の住居に侵入することができないだけではなく，警察・司法及び収税官が，民事・刑事・行政処分のいずれかを問わず，法律で指定した場合ではなく，また，法律の規定によらずに臣民の住居に侵入したり捜索したりすることがあれば，不法行為となり，刑法で処罰されることを免れない。

第２節　精神的自由権

一　言論の自由【大日本帝國憲法第29条】

【大日本帝國憲法第29条】

日本臣民ハ法律ノ範囲内ニ於テ言論著作印行集会及結社ノ自由ヲ有ス

大日本帝國憲法第29条は，「日本臣民は，法律の範囲内で言論・著作・出版・集会・結社の自由を有する。」と規定している。

『大日本帝國憲法義解』においては，大日本帝國憲法第29条について，概ね，以下のように解説している。

言論・著作・図書の刊行・集会・結社はすべて，政治及び社会の上に１つの勢力を作り出すものであって，それが有害をなしたり，治安を妨害したりするものを除き，その自由を認めて人々の意見交換を活発にして，文明の進化に有益な材料を与えようとしない立憲国家はない。

他方において，これらの行為は，容易に濫用され得る鋭利な道具であることから，これらによって，他人の栄誉や権利を侵害したり，治安を妨げたり，罪悪を教唆したりするものに対しては，法律によって処罰し，または，法律によって委任された警察処分によりこれを防がざるを得ないというのは，公共の秩序を保持する必要によるものである。

この制限は必ず法律によらなければならないのであって，行政命令の範囲外である。

二　信書の秘密【大日本帝國憲法第 26 条】

【大日本帝國憲法第 26 条】

日本臣民ハ法律ニ定メタル場合ヲ除ク外信書ノ秘密ヲ侵サルヽコトナシ

大日本帝國憲法第 26 条は,「日本臣民は，法律に定めた場合を除いて，信書の秘密を侵されることはない。」と規定している。

『大日本帝國憲法義解』においては，大日本帝國憲法第 26 条について，概ね，以下のように解説している。

信書の秘密は近代文明の恩恵の 1 つである。本条は，刑事上の捜索，戦時・事変，及び，その他法律で規定した，必要がある場合を除いて，信書を開封したり，破損したりして，秘密を侵すことを許さないことを保障している。

三　信教の自由【大日本帝國憲法第 28 条】

【大日本帝國憲法第 28 条】

日本臣民ハ安寧秩序ヲ妨ケス及臣民タルノ義務ニ背カサル限ニ於テ信教ノ自由ヲ有ス

大日本帝國憲法第 28 条は,「日本臣民は，公共の安全や秩序を妨げず，臣民の義務に反しない限りにおいて，信教の自由の保障を有する。」と規定している。

『大日本帝國憲法義解』においては，大日本帝國憲法第 28 条について，概ね，以下のように解説している。

本心の自由は個人の内部にあるものであって，そもそも，国法が干渉する範囲外にある。本条は，明治維新以来政府がとってきた方針に従い，各人の無形の権利に向かって前途洋々の進路を与えたものである。但し，信仰・帰依は専ら内部の心に属するといっても，さらに外部に向かって礼拝・儀式・布教・演説及び結社・集会をなすに至っては，当然，法律または警察上の安寧秩序を維持するための一般の制限に従わなければならない。

以上のように，内部における信教の自由は完全であって何の制限も受けない。しかし，外部における礼拝・布教の自由は，法律・規則によって必要な制限を受けなければならないし，臣民一般の義務に服さなければならない。これが大日本帝國憲法の定めるところであり，政治と宗教とが互いに関係し合う境界領域である。

第3節　経済的自由権

一　居住と移転の自由【大日本帝國憲法第22条】

【大日本帝國憲法第22条】
日本臣民ハ法律ノ範囲内ニ於テ居住及移転ノ自由ヲ有ス

大日本帝國憲法第22条は，「日本臣民は，法律の範囲内で，居住及び移転の自由を有する。」と規定している。

『大日本帝國憲法義解』においては，大日本帝國憲法第22条について，概ね，以下のように解説している。

本条は居住及び移転の自由を保障する。封建の時代には，藩が領国を限り，各々関所や柵を設けて，人民が本籍以外の地に居住することを許さなかった。また，許可なく旅行・移転することもできなかった。人民の然るべき活動や営業を束縛して，植物と同様にしていた。しかし，明治維新の後，廃藩とともに居住及び移転の自由を認め，すべて日本臣民たる者は，領域内のどこの地にも，定住・借り住まい・寄宿する自由，及び営業する自由が与えられたのである。

二　臣民の就官権【大日本帝國憲法第19条】

【大日本帝國憲法第19条】
日本臣民ハ法律命令ノ定ムル所ノ資格ニ応シ均ク文武官ニ任セラレ及其ノ他ノ公務ニ就クコトヲ得

大日本帝國憲法第19条は，「日本臣民は，法律・命令が定める資格に応じて，均しく文武官に任じられ，その他の公務に就くことができる。」と規定している。

『大日本帝國憲法義解』においては，大日本帝國憲法第19条について，概ね，以下のように解説している。

文武官に任じられたり，その他の公務に就いたりするのに，門閥には拘らない。これは明治維新における改革の成果の1つである。かつて生まれによって身分を差別していた時代には，官職は家柄によって決まり，生まれた家の職を継ぎ，低い身分の者は才能があっても要職に登用され得なかった。明治維新の後，こうした悪習を一掃して門閥の弊害を取り除き，爵位の等級はいささかも就官の平等を妨げることはなくなった。

三　所有権の保障【大日本帝國憲法第 27 条】

【大日本帝國憲法第 27 条】
　日本臣民ハ其ノ所有権ヲ侵サルヽコトナシ
２　公益ノ為必要ナル処分ハ法律ノ定ムル所ニ依ル

大日本帝國憲法第 27 条第１項は，「日本臣民は，所有権を侵されることはない。」と規定し，大日本帝國憲法第 27 条第２項は，「公益のために必要な処分は，法律が定めるところによる。」と規定している。

『大日本帝國憲法義解』においては，大日本帝國憲法第 27 条について，概ね，以下のように解説している。

本条は所有権の安全を保障する。所有権は国家貢献の下にあるものである。よって，所有権は国家権力に服属して法律の制限を受けなければならない。所有権は元々不可侵の権利であるが，無制限の権利ではないのである。

それゆえ，城塁から一定の距離の周囲に建築を禁止するのに賠償は必要としない。鉱物は鉱業法の管轄下に置かれる。山林は山林経済の標準に基づいて規定された規則に従わなければならない。鉄道線から一定の距離における植樹を禁止する。墓域から一定の距離において井戸を掘ることを禁止するといったこと等は，すべて所有権に制限があることの明らかな証拠であって，このようにして，各個人の所有は，各個人の身体が各個人の心に復するのと同じく，国家権力に対して服属の義務を負うということが充分にわかる。

思うに，所有権は私法上の権利であって，専ら公法に属する全国統治の最高権力と抵触するものではない。

公共利益のために必要な場合は，各人の意向に反して私有財産を収容し，公共の需要に応じさせる。これはすなわち全国統治の最高主権を根拠とするもので，このようにして，その規則は法律で制定される。

思うに，公益収容処分の要件は，収容する私有財産に対して相応の保障をすることにある。かくして，必ず法律で制定することを要するのであって，行政命令の範囲外であることはまた，大日本帝國憲法が明らかに証し立てているところである。

第３章　國務務請求権

一　臣民の請願権【大日本帝國憲法第 30 条】

【大日本帝國憲法第 30 条】
日本臣民ハ相当ノ敬礼ヲ守リ別ニ定ムル所ノ規程ニ従ヒ請願ヲ為スコトヲ得

大日本帝國憲法第 30 条は,「日本臣民は，相当の敬礼を守り，別に定める規定に従って請願することができる。」と規定している。

『大日本帝國憲法義解』においては，大日本帝國憲法第 30 条について，概ね，以下のように解説している。

大日本帝國憲法は，臣民の請願権を規定して，民衆の苦しみの訴えと意見を献じようという真心を宮中に届けるため，障害がないようにしようとしている。これは，大日本帝國憲法が民権を尊重して民生を愛護し，誰 1 人こぼれ落とさないことを究極の目的としていることによる。但し，請願する者は天皇に対する正当の敬礼を守らなくてはならず，権利を濫用して天皇を侵したり，他人の私事を暴いていたずらに誹謗中傷を増長したりするようなことは，最も諌めるべきところであって，法律・命令または議院規則で規定を設けているのはやむを得ない措置である。請願権は，君主に奉ることに始まるが，そこから押し広げて，議員及び官庁に提出するまで及ぶ。各人の利益に関わるか公益に関わるかを問わず，法律上ではその間に制限を設けない。

二　裁判を受ける権利【大日本帝國憲法第 24 条】

【大日本帝國憲法第 24 条】
日本臣民ハ法律ニ定メタル裁判官ノ裁判ヲ受クルノ権ヲ奪ハルヽコトナシ

大日本帝國憲法第 24 条は,「日本臣民は，法律で定めた裁判官による裁判を受ける権利を奪われることはない。」と規定している。

『大日本帝國憲法義解』においては，大日本帝國憲法第 24 条について，概ね，以下のように解説している。

法律によって構成・設置される裁判官は，政治権力の牽制を受けず，公正中立を守り，臣民は社会的弱者で資産がなかろうと，権勢のある者との事の理非を法廷で争い，検察官に対して情状を弁護することができる。ゆえに，法律で定めた正当な裁判官の他に臨時の裁判所や委員を設置して，裁判官の権限を侵害し，各人の裁判を受ける権利を奪うことは許されない。

第４章　臣民の義務

一　兵役の義務【大日本帝國憲法第 20 条】

【大日本帝國憲法第 20 条】
日本臣民ハ法律ノ定ムル所ニ従ヒ兵役ノ義務ヲ有ス

大日本帝國憲法第 20 条は，「日本臣民は法律の定めるところに従い，兵役の義務を有する。」と規定している。

『大日本帝國憲法義解』においては，大日本帝國憲法第 20 条について，概ね，以下のように解説している。

日本臣民は，日本帝國を構成する一員であって，ともに国家の存続独立及び光栄を守る者である。

大日本帝國憲法第 20 条は，法律の定めるところにより，全国の臣民に兵役に服する義務を負わせ，身分に拘わらず，平静から，士気や身体を養わせて，一国の武勇の気風が将来にわたって失われないように定めたものである。

二　納税の義務【大日本帝國憲法第 21 条】

【大日本帝國憲法第 21 条】
日本臣民ハ法律ノ定ムル所ニ従ヒ納税ノ義務ヲ有ス

大日本帝國憲法第 21 条は，「日本臣民は法律の定めるところに従い，納税の義務を有する。」と規定している。

『大日本帝國憲法義解』においては，大日本帝國憲法第 21 条について，概ね，以下のように解説している。

納税は一国における共同生存の必要に応じて提供するもので，兵役と同じく，臣民の国家に対する義務の１つである。租税は古語で「ちから」という。民が力を差し出すという意味である。税を課すことを「負ふす」という。各人に負わせるという意味である。

租税は臣民が国家の公費を分担するもので，求めに応じて提供する献上物の類ではない。また，恩沢を受ける見返りとして承諾した報酬でもない。

第４編　統治機構

第１章　天皇

一　天皇

『大日本帝國憲法義解』においては，大日本帝國憲法第１章について，概ね，以下のように解説している。

天皇の位は歴代の天皇より継承し，子孫へと伝えていくものである。ここにこそ，国家の統治権が存在する理由がある。かくして，大日本帝國憲法にことさら大権を掲げて条文に明記するというのは，大日本帝國憲法によって何か新しく設けてその意味を表そうというのではなく，日本固有の國體は大日本帝國憲法によってますます強固になることを示すものである。

二　天皇の統治権【大日本帝國憲法第１条】

【大日本帝國憲法第１条】

大日本帝國ハ万世一系ノ天皇之ヲ統治ス

大日本帝國憲法第１条は,「大日本帝國は，万世一系の天皇がこれを統治する。」と規定している。

『大日本帝國憲法義解』においては，大日本帝國憲法第１条について，概ね，以下のように解説している。

神武天皇が国を開いて以来，時に盛衰があり，世に治世と乱世があったけれども，皇統が一系であり，即位が行われ続けてきたことは，天地と同じく極まりない。本条は，最初に立国の大義を掲げ，我が日本帝國は一系の天皇とともに連綿と続き，古今永遠にわたって，一体であって２つに分かれることはなく，常であって変わることがないことを示し，それにより君民の関係を万世の後までも明らかにしている。

「統治ス」とは，天皇がその位にあって，大権を取りまとめて国土及び臣民を治めるということである。古語で言うところの「しらす」とはすなわち統治の意味にほかならない。思うに，歴代の天皇は天から命じられた職務と重く受け止め，君主の徳は八洲の臣民を統治することにあるのであって，我が身我が天皇家に奉仕するといった私事ではないことを示された。この「しらす」ということこそが，大日本帝國憲法の拠って立つところである。

三　皇位の継承【大日本帝國憲法第２条】

【大日本帝國憲法第２条】
皇位ハ皇室典範ノ定ムル所ニ依リ皇男子孫之ヲ継承ス

大日本帝國憲法第２条は，「皇位は，皇室典範の定めるところにより，男系の男子がこれを継承する。」と規定している。

『大日本帝國憲法義解』においては，大日本帝國憲法第２条について，概ね，以下のように解説している。

皇位の継承には歴代の天皇から引き継いだ明確な教えがある。それを皇子皇孫に伝え，万世の後も変わることがない。但し，継承の順序については，皇室典範において詳しく説明してある。これを皇室の家法として，大日本帝國憲法に掲げなかったのは，将来に亘って臣民の干渉を受けないためである。

「皇男子孫」とは，歴代の天皇の皇統における男系の男子のことをいう。本条の文意は，皇室典範第１条と照らし合わせるとよりよくわかる。

四　天皇の不可侵【大日本帝國憲法第３条】

【大日本帝國憲法第３条】
天皇ハ神聖ニシテ侵スヘカラス

大日本帝國憲法第３条は，「天皇は，神聖にして侵すべからず。」と規定している。

『大日本帝國憲法義解』においては，大日本帝國憲法第３条について，概ね，以下のように解説している。

『日本書紀』神代紀には，天地が分かれて天皇の位が定まったことが記されている。天皇は，天地開闢以来，神ながら臣民群衆の前におられる。仰ぎ慕うべきであって干犯してはならない。ゆえに，君主はもちろん法律を重んじなければならないが，法律は君主を問責する力を有しない。不敬によってその御身を侵してはならないだけではなく，非難したり，議論したりすることの外に置かれているのである。

五　国家元首としての天皇【大日本帝國憲法第４条】

【大日本帝國憲法第４条】
天皇ハ國ノ元首ニシテ統治権ヲ総攬シ此ノ憲法ノ条規ニ依リ之ヲ行フ

大日本帝國憲法第４条は，「天皇は，國家の元首であり，統治権を総攬し，この憲法の条規に従って，この統治権を行使する。」と規定している。

『大日本帝國憲法義解』においては，大日本帝國憲法第４条について，概ね，以下のように解説している。

統治の大権は天皇が歴代の天皇から継承し，子孫に伝えていくものである。立法及び行政は，すべて国家の大事に臨まれ，臣民をいたわり安らかにするものであって，天皇の下に１つに取りまとめ，政務の大綱を採るということである。

天皇が大日本帝國憲法を発布して，君民ともに守るべき根本法典とし，その条規に従って誤らないとの忘れ難き固い意思を明記なさったのは，国家を統治することが天から命じられた職務であると重く受け止め，世が移り変わっても永遠に受け継がれる法典を大成しようという趣旨である。

統治権を総攬するのは主権の体である。「憲法ノ条規ニ依リ之ヲ行フ」というのは主権の用である。実体だけがあって運用がなければ，専制に陥って統治権は効力を失う。運用だけあって実体がなければ，国家の焦点が定まらずやはり効力を失う。

六　天皇の立法権【大日本帝國憲法第５条】

【大日本帝國憲法第５条】

天皇ハ帝國議会ノ協賛ヲ以テ立法権ヲ行フ

大日本帝國憲法第５条は，「天皇は，帝國議会の協賛によって立法権を行使する。」と規定している。

『大日本帝國憲法義解』においては，大日本帝國憲法第５条について，概ね，以下のように解説している。

立法は天皇の大権に属し，その上で，立法権を行使するには，必ず，議会の賛同及び協力による。内閣に起草させた，あるいは議会が提出した法案が，両院の同意を経た後に，天皇がこれを裁可して初めて法律となる。ゆえに，天皇は行政の中枢であるというだけでなく，立法の淵源でもある。

七　天皇の法律裁可権【大日本帝國憲法第６条】

【大日本帝國憲法第６条】

天皇ハ法律ヲ裁可シ其ノ公布及執行ヲ命ス

大日本帝國憲法第6条は，「天皇は，法律を裁可し，その公布及び執行を命じる。」と規定している。

『大日本帝國憲法義解』においては，大日本帝國憲法第6条について，概ね，以下のように解説している。

天皇は法律を裁可し，定められた様式によって政府に公布させ，加えて執行の処分を命じる。裁可によって立法は完結し，公布によって臣民が遵守すべき効力を生じる。裁可の権限が天皇にあるからには，不裁可の権限も同様である。裁可とは，天皇が立法の大権を発動するものである。ゆえに，議会の賛同・協力を経るといっても，天皇の裁可がなければ法律とはならない。

八　帝國議会【大日本帝國憲法第7条】

【大日本帝國憲法第7条】

天皇ハ帝國議会ヲ召集シ其ノ開会閉会停会及衆議院ノ解散ヲ命ス

大日本帝國憲法第7条は，「天皇は，帝國議会を招集し，その開会・閉会・停会及び衆議院の解散を命じる。」と規定している。

『大日本帝國憲法義解』においては，大日本帝國憲法第7条について，概ね，以下のように解説している。

議会の召集は天皇の大権に属する。天皇の召集によらず，議院自らが議員を集め会議をすることはできない。召集の後，議会を開閉し，両院の始まりと終わりを決めるのも天皇の大権による。開会の初めに天皇自ら議会に臨むか，あるいは特命の勅使を派遣して勅語を伝えさせ，議事を開始するのは必ずその後とする。開会の前，閉会の後に議事をなしてもすべて無効とする。停会とは，議会の議事を途中で止めることをいう。期限付きの停会は，その期限を経て再び会議を継続する。衆議院を解散するのは，輿論がどこにあるのかを問うためである。貴族院については，停会できるが解散はできない。

九　天皇の緊急勅令【大日本帝國憲法第8条】

【大日本帝國憲法第8条】

天皇ハ公共ノ安全ヲ保持シ又ハ其ノ災厄ヲ避クル為緊急ノ必要ニ由リ帝國議会閉会ノ場合ニ於テ法律ニ代ルヘキ勅令ヲ発ス

2　此ノ勅令ハ次ノ会期ニ於テ帝國議会ニ提出スヘシ若議会ニ於テ承諾セサルトキハ政府ハ将来ニ向テ其ノ効力ヲ失フコトヲ公布スヘシ

大日本帝國憲法第８条第１項は，「天皇は，公共の安全を保持し，または，その災厄を避けるため，緊急の必要に応じて，帝國議会が閉会の場合に，法律に代わるべき勅令を発する。」と規定し，大日本帝國憲法第８条第２項は，「この勅令は，次の会期において，帝國議会に提出しなければならず，もし，議会がこれを承諾しなかった場合には，政府は将来に向かって効力を失うことを公布しなければならない。」と規定している。

『大日本帝國憲法義解』においては，大日本帝國憲法第８条について，概ね，以下のように解説している。

国家が急迫の事態に臨み，または，臣民に凶作・疫病及びその他の災害が起こった場合に，公共の安全を保持し，災厄を予防・救済するために，力の及ぶ限り必要な処分を施さなければならない。この場合に，議会がたまたま開会中ではなかった場合には，政府はすすんで責任を執り，法律に代えて勅令を発して，施策に漏れがないようにするのは，国家の自衛及び保護するために元来やむを得ないものである。ゆえに，大日本帝國憲法第５条で立法権の行使について議会の賛同及び協力を経なければならないとあるのは，常態を示したものである。本条で勅令をもって法律に代えることを許可するのは，緊急の時機のための例外を示したものである。これを緊急命令権という。

緊急命令権は大日本帝國憲法が許すものではあるが，一方で，濫用を戒めるものでもある。大日本帝國憲法は，公共の安全を保持したり，災厄を避けたりするための緊急な必要に限り，この特権を用いることを許すが，利益を保護し，幸福を増進するという通常の理由でこれを濫用することを許してはいない。ゆえに，緊急命令を発するに際しては，本条に準拠する宣告の形式を採らなくてはならない。もし，政府が，この特権に頼り，容易に議会の公議を回避するための方便として用い，規定の法律を破壊するに至ることがあるのであれば，大日本帝國憲法は空文に帰し，臣民の自由や権利を保障することができないこととなる。ゆえに，本条は議会をこの特権の監督者として，緊急命令を事後に検査して承諾させるべきことを規定している。

十　行政命令【大日本帝國憲法第９条】

【大日本帝國憲法第９条】

天皇ハ法律ヲ執行スル為ニ又ハ公共ノ安寧秩序ヲ保持シ及臣民ノ幸福ヲ増進スル為ニ必要ナル命令ヲ発シ又ハ発セシム但シ命令ヲ以テ法律ヲ変更スルコトヲ得ス

大日本帝國憲法第９条は，「天皇は，法律を執行するために，または，公共の安全や秩序を保持し，及び，臣民の幸福を増進するために，必要な命令を発し，または，政府に発しさせる。但し，この命令によって法律を変更することはし得ない。」と規定している。

『大日本帝國憲法義解』においては，大日本帝國憲法第９条について，概ね，以下のように解説している。

法律は必ず議会の賛同及び協力を経るが，命令は天皇の裁定によって発せられる。命令を発する目的は，法律を執行するための処分と詳細を規定すること及び公共の安寧秩序の保持と臣民の幸福の増進のために必要なことを行うことである。法律及び命令は，等しく臣民にこれを守らせ，義務を負わせるものである。但し，双方が矛盾した場合は，法律が常に命令の上に効力を有する。行政命令は天皇の大権による。勅裁によって発せられ，天皇の署名を経たものを勅令という。その他の各省の命令は天皇大権の委任による。「命令ヲ発シ又ハ発セシム」というのは，双方の命令を併せたものである。

前条に掲げた緊急命令は，法律に代わるものとすることができる。本条に掲げた行政命令は，法律の範囲内で処分し，法律の欠けている部分を補うことができるが，法律を変更することはできない。行政命令は常時に用いるもの，緊急命令は非常時に対処するものである。

十一　文武官の任免【大日本帝國憲法第 10 条】

【大日本帝國憲法第 10 条】

天皇ハ行政各部ノ官制及文武官ノ俸給ヲ定メ及文武官ヲ任免ス但シ此ノ憲法又ハ他ノ法律ニ特例ヲ掲ケタルモノハ各々其ノ条項ニ依ル

大日本帝國憲法第 10 条は，「天皇は，行政各組織の制度や文武官の給与を定め，文武官の任免を行う。但し，この憲法や法律において特例を設けたものは，各々の条項による。」と規定している。

『大日本帝國憲法義解』においては，大日本帝國憲法第 10 条について，概ね，以下のように解説している。

天皇は，行政各部署の管局を設置し，その適当な組織と職権のみを定めて，文武にわたって有能な人物を登用し，また罷免する大権を行使する。ゆえに，大臣は天皇が自ら任免するところである。勅任以下の高等官は，大臣の上奏によって裁可して任免する。但し，裁判所及び会計検査院の構成は勅令によらずに法律で定め，裁判所の罷免は裁判によって行うというのは，大日本帝國憲法及び法律の掲げる特例によるものである。

十二　陸海軍の統帥権【大日本帝國憲法第 11 条】

【大日本帝國憲法第 11 条】
天皇ハ陸海軍ヲ統帥ス

大日本帝國憲法第 11 条は,「天皇は, 陸海軍を統帥する。」と規定している。

『大日本帝國憲法義解』においては, 大日本帝國憲法第 11 条について, 概ね, 以下のように解説している。

天皇は中興の初め, 親征の詔を発し, 大権を総攬し, それ以来兵制を改革し, 積もった悪弊を一掃し, 軍を統帥する本部を設けて, 自ら陸海軍をとりまとめなさっている。本条は, 兵馬の統一は天皇の大権であって, 帷幄が発する軍令に属することを示すものである。

十三　陸海軍の編制権【大日本帝國憲法第 12 条】

【大日本帝國憲法第 12 条】
天皇ハ陸海軍ノ編制及常備兵額ヲ定ム

大日本帝國憲法第 12 条は,「天皇は, 陸海軍の編制及び常備兵額を定める。」と規定している。

『大日本帝國憲法義解』においては, 大日本帝國憲法第 12 条について, 概ね, 以下のように解説している。

本条は陸海軍の編制及び常備兵額もまた天皇が自ら決済するものであることを示す。これは責任大臣の補佐によるのが当然であるが, 帷幄の軍令と同じく天皇の大権に属すべきものであって, 議会の干渉を受けてはならないのである。いわゆる編制の大権は, 細かに述べれば, 軍隊艦隊の編制及び管区における兵器の備用, 給与, 軍人の給与, 検閲, 紀律, 礼式, 服制, 駐屯, 城塞及び海防, 公安の防衛, 並びに出動の準備等が, その中に含まれる。「常備兵額ヲ定ム」という場合, 年ごとの徴兵人員を定めることもまたその中に含まれる。

十四　外交事務【大日本帝國憲法第 13 条】

【大日本帝國憲法第 13 条】
天皇ハ戦ヲ宣シ和ヲ講シ及諸般ノ条約ヲ締結ス

大日本帝國憲法第13条は，「天皇は，宣戦を布告し，講和を結び，諸々の条約を締結する。」と規定している。

『大日本帝國憲法義解』においては，大日本帝國憲法第13条について，概ね，以下のように解説している。

外国との交戦を宣告すること，和戦を講じること，条約を締結することは，すべて天皇の大権に属し，議会のあずかるところではない。これは，１つ目には，君主は外国に対して，国家を代表する主権のとりまとめが求められ，２つ目には，和戦及び条約は時機に応じて迅速にすることが重んじられるからである。「諸般ノ条約」とは，和親・貿易及び連盟の条約のことをいう。

十五　戒厳の宣告【大日本帝國憲法第14条】

【大日本帝國憲法第14条】

天皇ハ戒厳ヲ宣告ス

２　戒厳ノ要件及効力ハ法律ヲ以テ之ヲ定ム

大日本帝國憲法第14条第１項は，「天皇は戒厳を宣告する。」と規定し，大日本帝國憲法第14条第２項は，「戒厳の要件及び効力は法律によってこれを定める。」と規定している。

『大日本帝國憲法義解』においては，大日本帝國憲法第14条について，概ね，以下のように解説している。

戒厳とは，外敵や内変の時機に臨んで，通常の法律を停止し，司法及び行政の一部を軍事処分に委ねるところである。本条は，戒厳の要件と効力を法律で定めることとして，その法律の条項に準拠し，時に臨んで宣告しまたそれを解除することを至尊たる大権に帰属させた。要件とは，戒厳を宣告する時機及び区域に関する必要な限定や，宣告に必要な規定のことをいう。効力とは，戒厳を宣告したことで権力が及ぶ範囲のことをいう。

但し，敵に囲まれた地において戦権を施行し臨時戒厳を宣告するのは現地の司令官に委ね，処分後に上申することを許可している。これは，法律において便宜的に天皇の大権を将帥に委任するということである。

十六　栄典の授与【大日本帝國憲法第15条】

【大日本帝國憲法第15条】

天皇ハ爵位勲章及其ノ他ノ栄典ヲ授与ス

大日本帝國憲法第15条は，「天皇は，爵位・勲章及びその他の栄典を授与する。」と規定している。

『大日本帝國憲法義解』においては，大日本帝國憲法第15条について，概ね，以下のように解説している。

天皇は栄誉の源泉である。功を賞し労に報い，優れた行いや善い振る舞いを表彰し，光栄ある位・勲章・特典を授与するのは，天皇の大権に属する。臣下が密かに弄ぶことは許されない。

十七 刑の減免【大日本帝國憲法第16条】

> 【大日本帝國憲法第16条】
> 天皇ハ大赦特赦減刑及復権ヲ命ス

大日本帝國憲法第16条は，「天皇は，大赦・特赦・減刑及び復権を命ずる。」と規定している。

『大日本帝國憲法義解』においては，大日本帝國憲法第16条について，概ね，以下のように解説している。

国家は，既に，裁判所を設置し，そこに裁判官を置いて，正理公道に従って，平等に臣民の権利を保護させている。

しかし，法律が諸般の人の世の出来事について委曲を尽くすだけでは足りず，時に犯人に対して情状を酌量すべきことがあり，立法及び司法の帰属が欠落や慰労を埋め尽くすことができないことを恐れる。ゆえに，恩赦の大権とは，天皇の慈悲の特典によって，法律が及ばない点を補充し，1人の臣民であったとしても，その罪に納得がいかないという者を生じさせないためにあるというものである。

大赦とは，特別の場合を除いて特例の恩典を施行するものであり，ある1種類の犯罪に対して赦すものを意味する。

減刑とは，宣告された刑を減じるものを意味する。

復権とは，剥奪された公権を回復することを意味する。

十八 摂政の設置【大日本帝國憲法第17条】

> 【大日本帝國憲法第17条】
> 摂政ヲ置クハ皇室典範ノ定ムル所ニ依ル
> 2 摂政ハ天皇ノ名ニ於テ大権ヲ行フ

大日本帝國憲法第17条第1項は,「摂政を置くには,皇室典範の定めるところによる。」と規定し,大日本帝國憲法第17条第2項は,「摂政は天皇の名において大権を行う。」と規定している。

『大日本帝國憲法義解』においては,大日本帝國憲法第17条について,概ね,以下のように解説している。

摂政は天皇のすることを代行する。よって,天皇としての本分を除いて,一切の大政は天皇の名において行い,また,大政についての責任を負わないことは,天皇と同じである。但し,大日本帝國憲法第75条が規定する場合において例外があるだけである。「天皇ノ名ニ於テ」というのは,天皇に代わってという意味である。摂政の政令とは,とりもなおさず天皇に代わって宣布するものである。

摂政の設置は皇室の家法による。一方で,摂政として天皇の大権を総攬するのは大日本帝國憲法に係わることである。それゆえ,後者については大日本帝國憲法に掲げ,前者については皇室典範に定めるところによる。摂政を置くことについて当否を判断するのはもっぱら皇室に属すべきであって,臣民に議論が許されることではない。

そもそも,天皇に予期せぬことがあり政治を自ら行うことができないというのは稀に見る非常の事態であって,国家動乱の兆しはこのときに潜んでいる。

本条が摂政を置く要件を皇室典範に譲り,大日本帝國憲法に載せないのは,思うに,國體を重んじ,些細なことが大きな禍とならぬよう,そのはじまりを慎むということである。

第２章　帝國議会

一　帝國議会

『大日本帝國憲法義解』においては，大日本帝國憲法第３章について，概ね，以下のように解説している。

議会は立法に参与するものであって，主権を分け与えられたものではない。法を審議する権限はあるが，法を定める権限はない。議会の参与は大日本帝國憲法の条文において付与する範囲に留まり，無限の権限があるのではない。議会が立法に参与するのは，立憲政治において欠くことのできない機関であるという趣旨による。議会はただ立法に参与するだけではなく，併せて行政を監視する任を間接的に負う。ゆえに，大日本帝國憲法及び議院法は議会に対して，請願を受ける権限，上奏及び建議の権限，議員が政府に質問して弁明を求める権限，財政を監督する権限の４つの権限を定めている。議会が老成した着実な気質に基づき，平和で静穏な手段を用いてこの４つの権限を誤らずに適当に行使したならば，権力の偏重を抑制し，立法と行政の関係も平衡を保って，善良なる臣民の代議たるに背かないものとなるはずである。

二　貴族院と衆議院【大日本帝國憲法第 33 条】

【大日本帝國憲法第 33 条】
帝國議会ハ貴族院衆議院ノ両院ヲ以テ成立ス

大日本帝國憲法第 33 条は，「帝國議会は貴族院と衆議院の両院から成立する。」と規定している。

『大日本帝國憲法義解』においては，大日本帝國憲法第 33 条について，概ね，以下のように解説している。

貴族院は名声のある紳士を集め，衆議院は庶民から選ぶ。両院が併さって１つの帝國議会を成し，全国の公議を代表する。よって，両院は衆議院の予算先議権を除いて平等の権限を有し，１院のみで単独で立法をすることはできない。こうして，議論の公平を期すのである。

２院制はヨーロッパ各国が伝統的に行っているところで，その功績を歴史的に詳しく検討すれば，これに反する１院制を採用する国家は禍を免れ得ないことが証明されている。

三　貴族院【大日本帝國憲法第 34 条】

【大日本帝國憲法第 34 条】
　貴族院ハ貴族院令ノ定ムル所ニ依リ皇族華族及勅任セラレタル議員ヲ以テ組織ス

大日本帝國憲法第 34 条は，「貴族院は，貴族院令が定めるところにより，皇族・華族及び天皇により勅任された議員で組織する。」と規定している。

『大日本帝國憲法義解』においては，大日本帝國憲法第 34 条について，概ね，以下のように解説している。

貴族院議員は，世襲・選挙・勅任のいずれに拘わらず，等しく上流の社会を代表する者である。貴族院がその職分を充分に果たしたときは，政権の平衡を保ち，政党の偏った主張を抑制し，横暴な議論に偏るのを戻し，大日本帝國憲法が揺るぎないように助け，上下調和の機関となり，国家・民衆の幸福を永久に維持するのに多大なる効果を及ぼすものである。

思うに，貴族院は名門の貴族を立法の審議に参与させるというだけではなく，国家の勲功者・学識及び富豪の士を集めて，国民の慎重で熟達した粘り強い気風を代表させ，彼らが併さって上流の一段をなし，その効用を充分に発揮させるという趣旨によるものである。

四　衆議院【大日本帝國憲法第 35 条】

【大日本帝國憲法第 35 条】
　衆議院ハ選挙法ノ定ムル所ニ依リ公選セラレタル議員ヲ以テ組織ス

大日本帝國憲法第 35 条は，「衆議院は，選挙法が定めるところにより，公選された議員で組織する。」と規定している。

『大日本帝國憲法義解』においては，大日本帝國憲法第 35 条について，概ね，以下のように解説している。

衆議院議員は，その資格と任期とを定めて，広く全国人民による公選によって採ろうというものである。衆議院の選挙に選挙区を設けるのは，全国からあまねく代議士を選出するとともに，選挙の方法を簡便にするという２つの目的によるものに他ならない。それゆえ，代議士は各人の良心に従い自由に発言する者であって，所属選挙区の人民のために一地方の委任使となり，委嘱を代行する者ではないのである。

五　両院議員の兼職禁止【大日本帝國憲法第 36 条】

【大日本帝國憲法第 36 条】
何人モ同時ニ両議院ノ議員タルコトヲ得ス

大日本帝國憲法第 36 条は,「何人も同時に両議院の議員となることはできない。」と規定している。

『大日本帝國憲法義解』においては，大日本帝國憲法第 36 条について，概ね，以下のように解説している。

両院は，元々，１つの議会であるものを分けて２院としたのであって，互いに構成する要素が異なり，平衡を保つように位置付けられている。ゆえに，１人が同時に両院の議員を兼任することはできない。

六　立法権に対する協賛【大日本帝國憲法第 37 条】

【大日本帝國憲法第 37 条】
凡テ法律ハ帝國議会ノ協賛ヲ経ルヲ要ス

大日本帝國憲法第 37 条は,「すべての法律は，帝國議会の賛同及び協力を経る必要がある。」と規定している。

『大日本帝國憲法義解』においては，大日本帝國憲法第 37 条について，概ね，以下のように解説している。

法律は国家主権を根拠とする規範であって，必ず議会の賛同及び協力を経ることを要するというのは，立憲制度の大原則である。よって，議会の審議を経ないものは法律とすることができない。

七　議決権及び法案提出権【大日本帝國憲法第 38 条】

【大日本帝國憲法第 38 条】
両議院ハ政府ノ提出スル法律案ヲ議決シ及各々法律案ヲ提出スルコトヲ得

大日本帝國憲法第 38 条は,「両議院は政府の提出する法律案を議決し,各々が法律案を提出することができる。」と規定している。

『大日本帝國憲法義解』においては，大日本帝國憲法第 38 条について，概ね，以下のように解説している。

政府において法律を起草し，天皇の命によって議案として両院に付したときは,両院はこれを可決または否決するか,あるいは修正することができる。

八　一事不再議の原則【大日本帝國憲法第 39 条】

【大日本帝國憲法第 39 条】

両議院ノ一ニ於テ否決シタル法律案ハ同会期中ニ於テ再ヒ提出スルコトヲ得ス

大日本帝國憲法第 39 条は,「両議院の１つで否決した法律案は，同会期中に再び提出することはできない。」と規定している。

『大日本帝國憲法義解』においては，大日本帝國憲法第 39 条について，概ね，以下のように解説している。

議案の再提出は,議院の権限を損なうだけではなく,会期が引き延ばされ,一事にとらわれて，議会進行が停滞するという弊害がある。よって，本条においてこれを禁止した。既に否決された同一の議案を，名称や文言を変えて再び提出し，本条の規定を避けることも許されない。

九　政府への建議【大日本帝國憲法第 40 条】

【大日本帝國憲法第 40 条】

両議院ハ法律又ハ其ノ他ノ事件ニ付キ各々其ノ意見ヲ政府ニ建議スルコトヲ得但シ其ノ採納ヲ得サルモノハ同会期中ニ於テ再ヒ建議スルコトヲ得ス

大日本帝國憲法第 40 条は,「両議院は,法律またはその他の事件について,各々その意見を政府に申し述べることができる。但し，その採用を得られなかったものは，同会期中において，再び申し述べることはできない。」と規定している。

『大日本帝國憲法義解』においては，大日本帝國憲法第 40 条について，概ね，以下のように解説している。

前条で両議院に各々法案提出権を与え，本条で法律について意見を建議することができるというのは，議院自ら法案を起案して提出する方法，新しい法律を制定して旧来の法律は改正または廃止すべきことを決議し，成果を用意せずに単に意見を政府に述べて，政府に採用されたときには政府の起草や制定に任せる方法，以上の２つの方法のいずれかを議院に選ばせるという趣旨である。議会は立法に参与するだけではなく，併せて間接的に行政を監視する任を負うものである。ゆえに，両院は立法以外の事案についても意見を政府に建議し，利害得失を論じて明らかにすることができる。但し，法律その他の事案に拘わらず，政府に採用されなかった議院の意見は同一会期中に再建議できないのは，議論の紛糾や脅迫紛いの交渉を防ぐためである。

十　帝國議会の召集【大日本帝國憲法第 41 条】

【大日本帝國憲法第 41 条】
帝國議会ハ毎年之ヲ召集ス

大日本帝國憲法第 41 条は，「帝國議会は，毎年これを召集する。」と規定している。

『大日本帝國憲法義解』においては，大日本帝國憲法第 41 条について，概ね，以下のように解説している。

議会の召集は，天皇の有する大権である。しかし，本条において毎年召集することを定めるのは，大日本帝國憲法において議会の存立を保障するとの趣旨である。但し，緊急財政処分に掲げた場合のようなものは，非常の例外である。

十一　帝國議会の会期と延長【大日本帝國憲法第 42 条】

【大日本帝國憲法第 42 条】
帝國議会ハ三箇月ヲ以テ会期トス必要アル場合ニ於テハ勅命ヲ以テ之ヲ延長スルコトアルヘシ

大日本帝國憲法第 42 条は，「帝國議会は，３ヵ月を会期とする。必要がある場合には，勅命によってこれを延長することができる。」と規定している。

『大日本帝國憲法義解』においては，大日本帝國憲法第 42 条について，概ね，以下のように解説している。

３ヵ月を会期とするのは，議論が間延びしたり，反対に時間切れになったりすることを防ぐためである。やむを得ない必要があるにあたって，会期を延長し，閉会を延期することは勅命による。議会自らが行うことはできない。

議会が閉会した場合には，同時に会期中の事務も終りを告げるものとし，特別の規定がある場合を除いては，議事が既に議決したか，未だに議決していないかを問わず，次回の会期に継続することはない。

十二　臨時会の召集【大日本帝國憲法第 43 条】

【大日本帝國憲法第 43 条】
臨時緊急ノ必要アル場合ニ於テ常会ノ外臨時会ヲ召集スヘシ
2　臨時会ノ会期ヲ定ムルハ勅命ニ依ル

大日本帝國憲法第 43 条第 1 項は,「臨時緊急の必要がある場合には,常会の他に臨時会を招集しなければならない。」と規定し,大日本帝國憲法第 43 条第 2 項は,「臨時会の会期は勅命によって定める。」と規定している。

『大日本帝國憲法義解』においては,大日本帝國憲法第 43 条について,概ね,以下のように解説している。

議会は 1 年に 1 度開く。これを常会という。大日本帝國憲法に常会の時期を掲げてはいないが,常会は,毎年の予算を審議するために,冬季に開会するのが通例である。常会の他に臨時緊急の必要がある場合には,特別に勅令を発して臨時会を召集する。臨時会の会期は大日本帝國憲法で限定はしないが,臨時召集する勅命の定めるところに従う。

十三　両院同時活動の原則【大日本帝國憲法第 44 条】

【大日本帝國憲法第 44 条】

帝國議会ノ開会閉会会期ノ延長及停会ハ両院同時ニ之ヲ行フヘシ

2　衆議院解散ヲ命セラレタルトキハ貴族院ハ同時ニ停会セラルヘシ

大日本帝國憲法第 44 条第 1 項は,「帝國議会の開会・閉会・会期の延長及び停会は,両院同時にこれを行わなければならない。」と規定し,大日本帝國憲法第 44 条第 2 項は,「衆議院が解散を命ぜられた場合には,貴族院は同時に停会しなければならない。」と規定している。

『大日本帝國憲法義解』においては,大日本帝國憲法第 44 条について,概ね,以下のように解説している。

貴族院と衆議院とは,両院を併せて 1 つとする議会である。ゆえに,一方の議院の審議を経ずに,他方の議院の議決によって法律を成すことはできない。また,一方の議院の会期外に他方の議院の会議を有効とすることもできない。貴族院の一部は世襲議員によって組織する。ゆえに,貴族院は,停会はできても解散はできない。衆議院が解散を命ぜられた際には,貴族院は同時に停会を命ぜられるのみである。

十四　衆議院の解散【大日本帝國憲法第 45 条】

【大日本帝國憲法第 45 条】

衆議院解散ヲ命セラレタルトキハ勅令ヲ以テ新ニ議員ヲ選挙セシメ解散ノ日ヨリ五箇月以内ニ之ヲ召集スヘシ

大日本帝國憲法第45条は，「衆議院が解散を命ぜられたときは，勅令によって新たに議員を選挙させ，解散の日から5ヵ月以内に召集しなければならない。」と規定している。

『大日本帝國憲法義解』においては，大日本帝國憲法第45条について，概ね，以下のように解説している。

解散は，旧議員の資格を解除して新議員を召集する目的のものである。しかし，衆議院解散の後に新たに召集する時期を規定しない場合，衆議院の存立は政府の意のままに廃止するところに任せることとなってしまう。

十五　議院の定足数【大日本帝國憲法第46条】

【大日本帝國憲法第46条】

両議院ハ各々其ノ総議員三分ノ一以上出席スルニ非サレハ議事ヲ開キ議決ヲ為ス事ヲ得ス

大日本帝國憲法第46条は，「両議院は，各々，その総議員の3分の1以上の出席がなければ議事を開き，議決をすることができない。」と規定している。

『大日本帝國憲法義解』においては，大日本帝國憲法第46条について，概ね，以下のように解説している。

出席議員が3分の1に満たない場合には審議が成立しない。ゆえに，議事を開くこと及び議決をすることができない。総議員とは選挙法で定めた議員の総数のことをいう。

十六　議事の表決【大日本帝國憲法第47条】

【大日本帝國憲法第47条】

両議院ノ議事ハ過半数ヲ以テ決ス可否同数ナルトキハ議長ノ決スル所ニ依ル

大日本帝國憲法第47条は，「両議院の議事は過半数をもって決する。可否同数となった場合には，議長の決するところによる。」と規定している。

『大日本帝國憲法義解』においては，大日本帝國憲法第47条について，概ね，以下のように解説している。

過半数によって決を挙げるというのは，議事における通常の規則である。本条において過半数とは出席議員についていうものである。また，賛否が2分して同数となった場合にあたり，議長の判断により決を成すというのは，物の道理からして当然である。

十七　会議の公開【大日本帝國憲法第48条】

【大日本帝國憲法第48条】
両議院ノ会議ハ公開ス但シ政府ノ要求又ハ其ノ院ノ決議ニ依リ秘密会ト為スコトヲ得

大日本帝國憲法第48条は，「両議院の会議は公開する。但し，政府の要求またはその院の決議により，秘密会とすることができる。」と規定している。

『大日本帝國憲法義解』においては，大日本帝國憲法第48条について，概ね，以下のように解説している。

議院は諸々の人を代表する。ゆえに，討論及び票決の可否を衆目の前に公開する。但し，議事の秘密が求められるもの，例えば，外交事件，人事，職員・委員の選挙，ある種の財政・軍政問題，ある種の治安に拘わる行政法等は，その変例として，政府の要求あるいは各院の決議により，秘密会として公開を閉じることができる。

十八　天皇に対する上奏【大日本帝國憲法第49条】

【大日本帝國憲法第49条】
両議院ハ各々天皇ニ上奏スルコトヲ得

大日本帝國憲法第49条は，「両議院は各々天皇に上奏することができる。」と規定している。

『大日本帝國憲法義解』においては，大日本帝國憲法第49条について，概ね，以下のように解説している。

上奏とは，文書を上程して天皇に申し述べることをいう。勅語に答え奉ること，慶賀や弔辞の言葉を上表すること，意見を建白して請願を申し上げること等は，上奏に含まれる。かくして，文書上程するに留まる場合も，あるいは，代表に参内・拝謁を請うて上程する場合も，相当の敬礼を用いるのが当然であり，天皇に迫り立てるような姿勢で尊厳を侵すことがあってはならないのである。

十九　請願の受理【大日本帝國憲法第50条】

【大日本帝國憲法第50条】
両議院ハ臣民ヨリ呈出スル請願書ヲ受クルコトヲ得

大日本帝國憲法第50条は，「両議院は臣民より提出された請願書を受理することができる。」と規定している。

『大日本帝國憲法義解』においては，大日本帝國憲法第50条について，概ね，以下のように解説している。

臣民は，天皇に請願し，あるいは，行政官庁や議院に請願することは，すべて臣民の思いのままにできる。議院は各人の請願を受けて審査し，単に政府に紹介することも，意見書を付して政府に報告を求めることもできる。但し，議院は必ずしも請願を議定する義務はなく，政府もまた必ずしも請願を許可する義務はない。

請願の内容が立法に関わる場合には，請願をそのまま提出法律案の同義とすることはできないが，議院は請願の主旨を汲み，通常動議の方法に従って法律案を提出することができる。

二十　規則制定権【大日本帝國憲法第51条】

【大日本帝國憲法第51条】

両議院ハ此ノ憲法及議院法ニ掲クルモノヽ外内部ノ整理ニ必要ナル諸規則ヲ定ムルコトヲ得

大日本帝國憲法第51条は，「両議院はこの憲法及び議院法に掲げるものの他に，内部の整理に必要な諸規則を定めることができる。」と規定している。

『大日本帝國憲法義解』においては，大日本帝國憲法第51条について，概ね，以下のように解説している。

本条でいう「内部ノ整理ニ必要ナル諸規則」とは，議長の選挙・議長及び事務局の職務・各部の分設・委員の選挙・委員の事務・議事規則・議事記録・請願取扱規則・議員の休暇願に関する規則・紀律，及び議院会計等をいう。これらについて，大日本帝國憲法及び議院法の範囲内で議院自ら取り決めるに任せるのである。

二十一　議員の免責特権【大日本帝國憲法第52条】

【大日本帝國憲法第52条】

両議院ノ議員ハ議院ニ於テ発言シタル意見及表決ニ付院外ニ於テ責ヲ負フコトナシ但シ議員自ラ其ノ言論ヲ演説刊行筆記又ハ其ノ他ノ方法ヲ以テ公布シタルトキハ一般ノ法律ニ依リ処分セラルヘシ

大日本帝國憲法第 52 条は，「両議院の議員は，議員で発言した意見及び表決について，院外で責任を負うことはない。但し，議員自らが言論を演説・刊行・筆記またはその他の方法で公表したときは，一般の法律によって処分されるものとする。」と規定している。

『大日本帝國憲法義解』においては，大日本帝國憲法第 52 条について，概ね，以下のように解説している。

本条は議員に言論の自由を認める。思うに，議院の内部は議院の自治に属する。ゆえに，言論のきまりを逸脱し，徳義に反し，個人の私事を誹謗中傷するような行為は，議院の紀律によって議院自らは制止し，さらには懲戒すべきものであって，司法官はこれに干渉すべきではない。議決は法律の成案を成すものであって，議院の討議は，賛成・反対の意見を戦わせて１つの結論を得るために資料とするものである。よって議院における審議については刑事・民事の責任を負うべきではない。これは，１つめには議院の権限を尊重し，２つめには，議員の言論を充分に尽くさせるものである。但し，議員自らが議院における言論を公表し，議員に認められた自由を悪用して外部に広めるに至っては，賛成・反対の議論を問わず，問責を免れることはできない。

二十二　不逮捕特権【大日本帝國憲法第 53 条】

【大日本帝國憲法第 53 条】

両議院ノ議員ハ現行犯罪又ハ内乱外患ニ関ル罪ヲ除ク外会期中其ノ院ノ許諾ナクシテ逮捕セラルヽコトナシ

大日本帝國憲法第 53 条は，「両議院の議員は，現行犯または内乱外患に関わる罪を除いて，会期中に所属する院の許諾なく逮捕されることはない。」と規定している。

『大日本帝國憲法義解』においては，大日本帝國憲法第 53 条について，概ね，以下のように解説している。

両院は立法の大事に拘わる権限を有している。ゆえに，会期の間には，議員に例外の特権を与え，他から束縛されない独立の体面を保ち，重要な職務を尽くすことができるようにする。とはいえ，現行犯や内乱外患に関わる罪については，議員の特典によって守られるところではない。「会期中」とは召集後から閉会前までをいう。現行犯でないもの，及び，一般の犯罪は議院に通知し，その許諾を得てから逮捕する。一方，現行犯及び内乱外患に関わる罪は逮捕してから議院に通知すべきである。

二十三　出席権及び発言権【大日本帝國憲法第 54 条】

【大日本帝國憲法第 54 条】
國務大臣及政府委員ハ何時タリトモ各議院ニ出席シ及発言スルコトヲ得

大日本帝國憲法第 54 条は，「國務大臣及び政府委員は，いつでも各議院に出席し，発言することができる。」と規定している。

『大日本帝國憲法義解』においては，大日本帝國憲法第 54 条について，概ね，以下のように解説している。

議会の議事に際して議場において弁明するのは大臣の重要な任であって，多数の人に向かって胸襟を開き，正しい道理を公議に訴え，良きはかりごとを時論に求め，心の底まで叩き尽くして，誰にも心残りがないようにする。もしも，このようでなければ，立憲主義の効用をものにしたとはいえない。但し，出席及び発言の権利は政府の自由に任せ，ある場合は大臣自ら討論・弁明し，ある場合は他の委員に討論・弁明させ，ある場合は適当な時期ではないという理由で討論・弁明をしないということも可能である。すべて政府の意のままである。

第３章　國務大臣及び枢密顧問

一　國務大臣及び枢密顧問

『大日本帝國憲法義解』においては，大日本帝國憲法第４章について，概ね，以下のように解説している。

國務大臣は天皇を補佐する任にあり，詔命を承って政務を行う。また，枢密顧問は重要国務に関する天皇からの意見の求めに応え，政事機密を議論し意見を述べる。ともに天皇の最高の補佐となるものである。

二　國務大臣の輔弼と責任【大日本帝國憲法第 55 条】

【大日本帝國憲法第 55 条】

國務各大臣ハ天皇ヲ輔弼シ其ノ責ニ任ス

２　凡テ法律勅令其ノ他國務ニ関ル詔勅ハ國務大臣ノ副署ヲ要ス

大日本帝國憲法第 55 条第１項は,「國務大臣は各々，天皇を補弼し，その責任を負う。」と規定し，大日本帝國憲法第 55 条第２項は,「すべての法律，勅令，その他国務に関する詔勅は，國務大臣の副署を必要とする。」と規定している。

『大日本帝國憲法義解』においては，大日本帝國憲法 55 条について，概ね，以下のように解説している。

國務大臣は，入っては内閣に参与し，出ては各省の事務にあたって，大政の責任を負うものである。およそ大政の施行は必ず内閣及び各省により，その門を２つにしない。立憲主義の目的は主権を行使するのに正当な軌道に乗せることである。つまり，広義の機関と大臣の補佐によるということである。ゆえに，大臣は君主に対して，良き道を奨め，悪しき道に着かぬよう努めて力を尽くして，もしも道を誤ったときは，君命であることを口実にして責任を逃れることはできない。

内閣総理大臣は，重要政務について天皇に意見を申し述べ，天皇の意向を受けて体制の方向を指示して，各省をすべて統括・監督する。職務はもちろん広く，責任も従って重い。各省大臣は，主に任じられた事務について個別に責任を負うものであって，連帯責任はない。思うに，内閣総理大臣・各省大臣は等しく天皇が選任するのであって，各大臣の進退はひとえに天皇の叡慮により，それを首相が決めることはできず，各大臣もまた内閣総理大臣に従属しているわけではないからである。

三　枢密顧問の設置【大日本帝國憲法第 56 条】

【大日本帝國憲法第 56 条】
枢密顧問ハ枢密院官制ノ定ムル所ニ依リ天皇ノ諮詢ニ応ヘ重要ノ國務ヲ審議ス

大日本帝國憲法第 56 条は，「枢密顧問は，枢密院官制の定めるところに従い，天皇からの意見の求めに応え，重要な国務を審議する。」と規定している。

『大日本帝國憲法義解』においては，大日本帝國憲法第 56 条について，概ね，以下のように解説している。

天皇はまさに内閣の補佐により行政上の重要な政務を統括し，また，枢密顧問を設け，意見を求める府として，聡明さを補い，意見が偏らないよう期した。

内閣・大臣は内外の時局にあたり，敏捷に時機に応じる。一方で，心にゆとりを持って思慮をめぐらし，古今の歴史を踏まえて考え，学理と照らし合わせ，恒久的な計画の作成に従事するには，別に専門の局を設け，熟達して学識のある人物に任せないわけにはいかない。これは，とりもなおさず，他の人事と同じく，一般の原則に従って，２種類の職務を國務大臣と枢密顧問とで分担したのである。

君主は天職を行うに際しては，前もって考えに考えてから，決断をする。すなわち，枢密顧問の設置は，内閣とともに大日本帝國憲法上の至高の補佐とならないはずがない。枢密顧問が天皇のお問い合わせに対して，意見を申し述べ，不偏不党の立場で疑問を解決して補い助けることができれば，大日本帝國憲法上の機関として背くことはない。

大事では緊急命令や戒厳令の発布にあたって，小事では会計上で法規外に臨時処分の必要がある等の類について，枢密顧問に諮詢した後に決行するのは，為政に慎重さを加えるためであって，この場合，枢密顧問は憲法と法律の後ろ盾の役目を務める。

枢密顧問の職務はこのように重いのである。ゆえに，勅令で顧問の審議を経るものは上諭として宣言するのを通例の形式とする。但し，枢密顧問は天皇の諮詢をもって初めて審議することができる。その意見の採択もひとえに天皇の決済による。

枢密顧問が守るべき職分は，可否を天皇に申し述べるに際して，必ず，忠誠をもって隠し立てをしないということであって，審議の内容は大小を問わず天皇の特別の許可がなければ公に発表してはならない。国家機密に務める府は，人臣が外に向かって名誉を求める場所ではないのである。

第４章　司法

一　司法

『大日本帝國憲法義解』においては，大日本帝國憲法第５章について，概ね，以下のように解説している。

司法権は法律の定めるところに依拠して，正理公道をもって臣民の権利の侵害を回復し，また，刑罰を判断する役目を果たす。

二　司法権【大日本帝國憲法第 57 条】

【大日本帝國憲法第 57 条】
司法権ハ天皇ノ名ニ於テ法律ニ依リ裁判所之ヲ行フ
２　裁判所ノ構成ハ法律ヲ以テ之ヲ定ム

大日本帝國憲法第 57 条第１項は，「司法権は，天皇の名において，法律により裁判所がこれを行う。」と規定し，大日本帝國憲法第 57 条第２項は，「裁判所の構成は法律でこれを定める。」と規定している。

『大日本帝國憲法義解』においては，大日本帝國憲法第 57 条について，概ね，以下のように解説している。

行政は，法律を執行したり，公共の安寧秩序を保持して人民の幸福を増幅したりするために，計理・処分を行うものである。司法は，権利の侵害に対して法律の基準によって判断するものである。司法は，法律に従属し，利益は考慮に入れない。行政は社会の活動に伴う便益と必要に依拠し，法律は行政の範囲を限定して区域外にはみ出すのを防ぐに留まる。

行政・司法の両権力は，このように性質が異なる。ゆえに，行政官だけがあって司法の職を分けることがなければ，各人の権利は社会の便益のために随時変更されることを免れず，その弊害は行政権力が人民の権利を侵犯するに至るであろう。だとすれば，裁判は必ず法律によらなければならない。法律は裁判の唯一の判断基準である。かくしてまた，裁判は必ず裁判所で行う。但し，君主は正しい道理の源であり，司法権もまた君主の主権から発せられる光線の１つに他ならない。ゆえに，裁判は必ず天皇の名において宣告し，それにより天皇の大権を台上するのである。

裁判所の構成は必ず法律で定め，行政の組織と別個のものとする。司法官は疑いなく法律の土台の上に立ち，他に束縛されない独立の地位を保てるのである。

三　裁判官の要件【大日本帝國憲法第 58 条】

【大日本帝國憲法第 58 条】

　裁判官ハ法律ニ定メタル資格ヲ具フル者ヲ以テ之ニ任ス

2　裁判官ハ刑法ノ宣告又ハ懲戒ノ処分ニ由ルノ外其ノ職ヲ免セラルヽコトナシ

3　懲戒ノ条規ハ法律ヲ以テ之ヲ定ム

大日本帝國憲法第 58 条第 1 項は,「裁判官は法律に定めて資格を有する者を任じる。」と規定し, 大日本帝國憲法第 58 条第 2 項は,「裁判官は, 刑法の宣告または懲戒の処分によるほかに, 免職されることはない。」と規定し, 大日本帝國憲法第 58 条第 3 項は,「懲戒の条規は法律で定める。」と規定している。

『大日本帝國憲法義解』においては, 大日本帝國憲法第 58 条について, 概ね, 以下のように解説している。

裁判官は, 法律を守る役割を果たし, 臣民の上に公平を保とうとする者である。ゆえに, 専門の学識及び経験は裁判官の要件である。

臣民が信頼して権利財産を託すのには, 法律上の正当な資格があることを頼みにしないわけにはいかない。よって, 本条第 1 項は法律でその資格を定めるべきことを明記して保障している。

裁判の公正を保とうとするならば, 裁判官が権威権力から干渉されず, 何者にも制約されない位置に立ち, 権勢と地位のある者の利害や政治論議の盛り上がり具合に牽制・束縛されないようにしなければならない。ゆえに, 裁判官は, 刑法または懲戒裁判の判決によって罷免される場合を除いて, 終身その職にあることとする。

裁判官の懲戒条規はまた法律で定め, 裁判所の判決によって懲戒を行い, 行政長官に干渉されない。これは大日本帝國憲法において特に裁判官の独立を明記して保障するものである。

その他, 停職・免職・転任・老退に関する詳細は, すべて法律に掲げられる。

四　裁判の公開【大日本帝國憲法第 59 条】

【大日本帝國憲法第 59 条】

　裁判ノ対審判決ハ之ヲ公開ス但シ安寧秩序又ハ風俗ヲ害スルノ虞アルトキハ法律ニ依リ又ハ裁判所ノ決議ヲ以テ対審ノ公開ヲ停ムルコトヲ得

大日本帝國憲法第 59 条は,「裁判所の対審と判決は公開する。但し，安寧秩序や風俗を害する虞があるときは，法律によって，あるいは裁判所の決議によって対審の公開を停止することができる。」と規定している。

『大日本帝國憲法義解』においては，大日本帝國憲法第 59 条について，概ね，以下のように解説している。

裁判を公開し，公衆の前で原告と被告とが向かい合って口頭で審議するのは，人民の権利に対して最も効力のある保障の仕方である。裁判官が自らその義務を重んじて，正理公道の代表者であるようにさせるには，公開に頼るところが少なくない。刑事事件の審理には，予審と対審とがある。本条で「対審」という場合，予審はその中に含まれない。「安寧秩序」を「害スル」とは，内乱や外患に関する罪，及び民衆をそそのかすなどして人心を煽り立てることをいう。「風俗」を「害スル」とは，私的なことを公衆の視聴にさらして，醜聞を流して風評を傷つけることをいう。「安寧秩序又ハ風俗ヲ害スルノ虞アリ」というが，害があるかないかを判断するのは専ら裁判所の所見による。「法律ニ依リ」というのは，治罪法・訴訟法の明文によるということである。「裁判所ノ決議ヲ以テ」というのは，法律の明文はないが，裁判所の議論により決めることができるということである。「対審ノ公開ヲ停ムル」場合も，判決の宣告は必ず公開する。

五　特別裁判所【大日本帝國憲法第 60 条】

【大日本帝國憲法第 60 条】

特別裁判所ノ管轄ニ属スヘキモノハ別ニ法律ヲ以テ之ヲ定ム

大日本帝國憲法第 60 条は,「特別裁判所の管轄に属するものは，別に法律で定める。」と規定している。

『大日本帝國憲法義解』においては，大日本帝國憲法第 60 条について，概ね，以下のように解説している。

陸海軍人が，軍法会議に属するというのは，通常の司法裁判所の管轄外の，本条でいう「特別裁判所ノ管轄ニ属ス」ものに該当する。その他，商工業のために商工裁判所を設ける必要があるならば，これもまた通常の民事裁判の管轄外の，特別裁判所の管轄に属することとなる。これらはみな法律で規定しなければならず，行政命令で法律の例外を設けることはできない。法律の範囲外に通常ではない裁判所を設け，行政の勢威によって司法権を侵害し，人民から司直の府を奪い取るようなことは認められない。

六　行政裁判所【大日本帝國憲法第61条】

【大日本帝國憲法第61条】

行政官庁ノ違法処分ニ由リ権利ヲ傷害セラレタリトスルノ訴訟ニシテ別ニ法律ヲ以テ定メタル行政裁判所ノ裁判ニ属スヘキモノハ司法裁判所ニ於テ受理スルノ限ニ在ラス

大日本帝國憲法第61条は，「行政官庁の違法処分によって権利を侵害されたという訴訟で，別に法律の定めた行政裁判所の裁判に属すべきものは，司法裁判所で受理しない。」と規定している。

『大日本帝國憲法義解』においては，大日本帝國憲法第61条について，概ね，以下のように解説している。

行政裁判とは，行政処分に対する訴訟を裁判することである。法律が臣民の権利に対して一定の枠組みを設け，確固たるものとしている。政府の機関もまた法律に従わないわけにはいかない。ゆえに，行政官庁の職務上の処置において，法律に違反し，または，職権を逸脱し，臣民の権利を侵害することがあった場合には，行政裁判所の判断を受けることを免れない。

そもそも，訴訟を判決するのは司法裁判所の職務である。しかし，司法裁判所は，民法上の訴訟を裁くことが然るべき職務であって，大日本帝國憲法及び法律で委任された行政官の処分を取り消す権力は有していない。なぜなら，司法権の独立が必要なように，行政権もまた司法権に対して同じく独立していなければならないからである。行政官の処置が司法権の監督を受け，裁判所に行政の当否を判定する任を与えたら，行政官は，まさに司法官に隷属する者であることを免れず，社会の便益と臣民の幸福に対して計らいをする余地がなくなってしまう。行政官の措置はその職務により，大日本帝國憲法上の責任があり，その措置に対して抵抗拒否する障害を除去するとともに，その措置によって起こされた訴訟を裁定する権利を有するのである。この裁定権がなければ，行政の効力は麻痺・消滅して，大日本帝國憲法上の責任を尽くす手段がなくなってしまう。

また，行政処分は公益の保持を目的とする。よって，時に公益のために私益を曲げることがあるのはまた，事情からの必要によるものである。しかし，行政の事情は司法官が普通精通してないところであって，その判決を任じるのは危険な道であることを免れない。ゆえに，行政訴訟は必ず行政事務に熟達した人を得て，その人が審理しなければならない。

行政裁判所の構成もまた必ず法律で定める必要があることは，司法裁判所と異ならない。

第５章　会計

一　会計

『大日本帝國憲法義解』においては，大日本帝國憲法第６章について，概ね，以下のように解説している。

会計は，国家の歳出・歳入の秩序を正す行政の肝要な部分であり，臣民の生計と密接に関連するため，帝國議会の協賛と監督の権限を明確にしている。

二　租税法律主義【大日本帝國憲法第 62 条】

【大日本帝國憲法第 62 条】
新ニ租税ヲ課シ及税率ヲ変更スルハ法律ヲ以テ之ヲ定ムヘシ
2　但シ報償ニ属スル行政上ノ手数料及其ノ他ノ収納金ハ前項ノ限ニ在ラス
3　國債ヲ起シ及予算ニ定メタルモノヲ除ク外國庫ノ負担トナルヘキ契約ヲ為スハ帝國議会ノ協賛ヲ経ヘシ

大日本帝國憲法第 62 条第１項は，「新たに租税を課し及び税率を変更するには，法律で定めなければならない。」と規定し，大日本帝國憲法第 62 条第２項は，「但し，報償に属する行政上の手数料及びその他の収納金は前項の限りではない。」と規定し，大日本帝國憲法第 62 条第３項は，「国債を発行し，及び予算に定めたもの以外で国庫の負担となるべき契約をする場合には，帝國議会の協賛を経なければならない。」と規定している。

『大日本帝國憲法義解』においては，大日本帝國憲法第 62 条について，概ね，以下のように解説している。

新たに租税を課すに際しては，議会の協賛を必要とし，政府の独断専行に任せないのは，立憲政治の一大成果であって，直接に臣民の幸福を保護するものである。既に定まった現行の税の他に，新たに徴収する税の額を決めたり税率を変更したりするに際して，どれくらいが適当かを決めるのには，議会の公平な議論に依頼しないわけにはいかない。専制を防ぐこの有効な規定がなかったら，臣民の財産は安全を保障することができないであろう。

「報償ニ属スル行政上ノ手数料及其ノ他ノ収納金」とは，各個人の要求による。各個人に利益を与えるために，政府の事業や事務に対し納めるものであり，一般の義務として賦課される租税とは性質が異なるもののことをいう。

「國債」とは，将来に国庫が負担する義務を約束するものである。ゆえに，新たに国債を発行するには，必ず議会の協賛を得なければならない。

三　永久税主義【大日本帝國憲法第 63 条】

【大日本帝國憲法第 63 条】
現行ノ租税ハ更ニ法律ヲ以テ之ヲ改メサル限ハ旧ニ依リ之ヲ徴収ス

大日本帝國憲法第 63 条は，「現行の租税は，法律によって変更しない限りは，従来通りに徴収する。」と規定している。

『大日本帝國憲法義解』においては，大日本帝國憲法第 63 条について，概ね，以下のように解説している。

前条において，新たに課する租税は必ず法律によって定めるべきことは明記されている。本条は，現行の租税は，新たな法律によって改正することができない限り，従来の旧制及び旧税率によって徴収すべきことを定める。

四　予算【大日本帝國憲法第 64 条】

【大日本帝國憲法第 64 条】
國家ノ歳出歳入ハ毎年予算ヲ以テ帝國議会ノ協賛ヲ経ヘシ
２　予算ノ款項ニ超過シ又ハ予算ノ外ニ生シタル支出アルトキハ後日帝國議会ノ承諾ヲ求ムルヲ要ス

大日本帝國憲法第 64 条第１項は，「國家の歳出・歳入は，毎年予算として帝國議会の協賛を経なければならない。」と規定し，大日本帝國憲法第 64 条第２項は，「予算の費目から超過し，または，予算外に支出が生じたりしたときには，後日，帝國議会の承諾を求める必要がある。」と規定している。

『大日本帝國憲法義解』においては，大日本帝國憲法第 64 条について，概ね，以下のように解説している。

予算は，会計年度のために歳出・歳入を予定し，行政機関にその枠内で活動させるものである。国家の経費に予算を設けるのは，財政を整理する第一歩である。その上，予算を議会に対して協賛を経るとともに，予算によって支出した後の，さらなる超過支出や予算外支出についても議会の監督に付して事後承諾を求めることは立憲制度の成果である。「予算ノ款項ニ超過」があるか，または「予算ノ外ニ生シタル」費用の支出をした場合に議会の事後承諾を求めるのは，政府のやむを得ない処分について議会の監督を要するからである。「予算款項」の「超過」とは，議会で議決した定額を超えて支出したということである。「予算ノ外ニ生シタル支出」とは，予算に設けた費目の他に予見しなかった事項のために支出したということである。

五　予算先議権【大日本帝國憲法第 65 条】

【大日本帝國憲法第 65 条】
予算ハ前ニ衆議院ニ提出スヘシ

大日本帝國憲法第 65 条は,「予算は先に衆議院に提出しなければならない。」と規定している。

『大日本帝國憲法義解』においては，大日本帝國憲法第 65 条について，概ね，以下のように解説している。

予算を審議するには，政府の財務と国民の生計とを照らし合わせ，ともによく見渡しながら考えて，手厚くするか倹約するかを決める必要がある。このことは，民衆の公選による代議士にとって，最もふさわしい職任であるといえる。

六　皇室の経費【大日本帝國憲法第 66 条】

【大日本帝國憲法第 66 条】
皇室経費ハ現在ノ定額ニ依リ毎年國庫ヨリ之ヲ支出シ将来増額ヲ要スル場合ヲ除ク外帝國議会ノ協賛ヲ要セス

大日本帝國憲法第 66 条は，「皇室経費は，現在の定額より毎年國庫からこれを支出し，将来増額が必要となった場合を除いて，帝國議会の協賛を経る必要はない。」と規定している。

『大日本帝國憲法義解』においては，大日本帝國憲法第 66 条について，概ね，以下のように解説している。

大日本帝國憲法第 64 条で予算は帝國議会の協賛を経なければならないことを定めた。その上で，本条は皇室経費についてその例外を示すものである。

皇室経費は，天皇の尊厳を保つために欠くことのできない経費を供給する，国庫最優先の義務である。その使用はひとえに宮廷のことに関わり，議会の問うところではない。従って，議会の承諾及び検査を要すべきではないのである。

皇室費の額を予算及び決算に記載するのは，支出総額の内訳を示すに過ぎないのであって，議会の審議に付する項目の１つとするものではない。その上で，将来増額が必要なときに議会の協賛を要するというのは，臣民の負担する租税と密接な関係があるので，衆議に問うということである。

七　歳出の廃除・削減【大日本帝國憲法第 67 条】

【大日本帝國憲法第 67 条】

憲法上ノ大権ニ基ツケル既定ノ歳出及法律ノ結果ニ由リ又ハ法律上政府ノ義務ニ属スル歳出ハ政府ノ同意ナクシテ帝國議会之ヲ廃除シ又ハ削減スルコトヲ得ス

大日本帝國憲法第 67 条は,「憲法上の大権に基づく既定の歳出, 及び, 法律の結果または法律上政府の義務に属する歳出は, 政府の同意なしに帝國議会が廃除または削減することはできない。」と規定している。

『大日本帝國憲法義解』においては, 大日本帝國憲法第 67 条について, 概ね, 以下のように解説している。

本条でいう「憲法上ノ大権ニ基ツケル既定ノ歳出」とは, 第 1 章に掲げた天皇の大権による支出, すなわち, 行政各部署の官制・陸海軍の編制に必要な費用・文武官の俸給並びに外国との条約による費用であって, 大日本帝國憲法の施行前か施行後かを問わず, 予算審議の前に既に定まっている計上の費額となるもののことである。

次に,「法律ノ結果ニ由」る「歳出」とは, 議院の費用・議院の歳出手当・諸般の恩給年金・法律による官制の費用及び俸給等のことである。

最後に,「法律上政府ノ義務ニ属スル歳出」とは, 国債の利子及び償還・会社営業の補助または保証・政府の民法上の義務または諸般の賠償等である。

大日本帝國憲法と法律とは, 行政及び財務の上に至高の標準を示すものであって, 国家は立国の目的を達するために, 大日本帝國憲法と法律とに最高の主たる地位を与えており, 行政と財政はこれに従属しなければならない。ゆえに, 予算を審議する者は, 大日本帝國憲法及び法律に準拠し, 大日本帝國憲法上及び法律上国家の組織の配置に必要な費用を手当てすることを当然の原則としなければならない。その他, 事前に定められた契約及び民法上または諸般の義務も, 等しく法律上の必要から生じたものである。

議会が予算を審議するに際して, 大日本帝國憲法上の大権に準拠した規定の額, または法律の結果による, 及び法律上の義務を履行するのに必要な歳出を廃除・削減することがあったら, これは, 国家の成立を破壊し, 大日本帝國憲法の原則に背くものだと言わざるを得ない。但し, 既定の歳出という場合, 大日本帝國憲法上の大権に基づくとしても, 新設及び増設の歳出については, もちろん議会において議論の自由がある。そうして政府の同意を経たときは, 大日本帝國憲法上の既定の歳出, 及び法律の結果による, または, 法律の義務の必要による歳出であっても, 法律上及び時宜の許す限りは省略・修正することができる。

八　継続費の設定【大日本帝國憲法第 68 条】

【大日本帝國憲法第 68 条】
　特別ノ須要ニ因リ政府ハ予メ年限ヲ定メ継続費トシテ帝國議会ノ協賛ヲ求ムルコトヲ得

大日本帝國憲法第 68 条は，「特別の必要があるときは，政府は予め年限を定めて継続費とし，帝國議会の協賛を求めることができる。」と規定している。

『大日本帝國憲法義解』においては，大日本帝國憲法第 68 条について，概ね，以下のように解説している。

歳費は１年ごとに定めることを常とする。国家の勤めは動き変化するものであって，杓子定規で律することはできない。ゆえに，国家の費用は前縁のものを次の年に繰り返すことはできない。

九　予備費の設定【大日本帝國憲法第 69 条】

【大日本帝國憲法第 69 条】
　避クヘカラサル予算ノ不足ヲ補フ為ニ又ハ予算ノ外ニ生シタル必要ノ費用ニ充ツル為ニ予備費ヲ設クヘシ

大日本帝國憲法第 69 条は，「避けられない予算の不足を補うため，または，予算外に生じた必要な費用に充てるため，予備費を設けなければならない。」と規定している。

『大日本帝國憲法義解』においては，大日本帝國憲法第 69 条について，概ね，以下のように解説している。

第 64 条は，予算超過及び予算外支出について議会の事後承諾を求めるべきことを掲げているが，超過及び予算外の支出はどこから財源をとって供給するかを指示していないので，本条において予備費の設置を定めている。

十　緊急財政処分【大日本帝國憲法第 70 条】

【大日本帝國憲法第 70 条】
　公共ノ安全ヲ保持スル為緊急ノ需用アル場合ニ於テ内外ノ情形ニ因リ政府ハ帝國議会ヲ召集スルコト能ハサルトキハ勅令ニ依リ財政上必要ノ処分ヲ為スコトヲ得
2　前項ノ場合ニ於テハ次ノ会期ニ於テ帝國議会ニ提出シ其ノ承諾ヲ求ムルヲ要ス

大日本帝國憲法第70条第1項は,「公共の安全を保持するため緊急の必要がある場合において,内外の情況により政府は帝國議会を召集することができないときは,勅令により財政上必要な処分をすることができる。」と規定し,大日本帝國憲法第70条第2項は,「前項の場合においては,次の会期に帝國議会に提出し,承諾を求める必要がある。」と規定している。

『大日本帝國憲法義解』においては,大日本帝國憲法第70条について,概ね,以下のように解説している。

「財政上必要ノ処分」とは,本来は帝國議会の協賛を経なければならないもので,臨時緊急の場合のため協賛を経ずに処分することをいう。臨時財政の処分であって,将来,国家の義務を生じるものが,もしも議会の事後承諾を得なかったならば,どのような結果が生ずるだろうか。思うに,議会の承諾を拒むというのは将来に引き継がれる効力を拒むものであって,既に行われた過去の処分を遡って廃するということではない。ゆえに,勅令によって既に生じた政府の義務を議会が解除することはできない。そもそも,事ここに至ったならば,国家の不祥事として直視するに耐えない。これが,本条において国家の成立を守るためやむを得ない処分を認め,また議会の権限を尊重して最大限の慎重を期した趣旨である。

十一　前年度予算の執行【大日本帝國憲法第71条】

【大日本帝國憲法第71条】

帝國議会ニ於テ予算ヲ議定セス又ハ予算成立ニ至ラサルトキハ政府ハ前年度ノ予算ヲ施行スヘシ

大日本帝國憲法第71条は,「帝國議会において予算を議決せず,または,予算成立に至らなかったときは,政府は前年度の予算を施行しなければならない。」と規定している。

『大日本帝國憲法義解』においては,大日本帝國憲法第71条について,概ね,以下のように解説している。

議会が自ら議決せずに閉会に至った場合には,これを「予算ヲ議定セス」という。両議院の1つが予算を廃棄したときには,これを「予算成立ニ至ラサル」という。その他,議会が未だ議決せずに停会または解散を命じられたときは,再び開会する日に至るまで,これもまた「予算成立ニ至ラサル」の場合とする。議会において予算を議定せず,または予算成立に至らなかったときは,その結果は,大きなものでは国家の存立を廃絶し,小さなものでは行政機関を麻痺させるに至る。

十二　会計検査院【大日本帝國憲法第 72 条】

【大日本帝國憲法第 72 条】

國家ノ歳出歳入ノ決算ハ会計検査院之ヲ検査確定シ政府ハ其ノ検査報告ト俱ニ之ヲ帝國議会ニ提出スヘシ

２　会計検査院ノ組織及職権ハ法律ヲ以テ之ヲ定ム

大日本帝國憲法第 72 条第１項は，「國家の歳出・歳入の決算は，会計検査院が検査・確定し，政府はその検査報告とともに帝國議会に提出しなければならない。」と規定し，大日本帝國憲法第 72 条第２項は，「会計検査院の組織及び職権は法律で定める。」と規定している。

『大日本帝國憲法義解』においては，大日本帝國憲法第 72 条について，概ね，以下のように解説している。

予算は会計の初めであり，決算は会計の終りである。議会が会計を監督するのには２つの方法がある。１つめは会計前の監督，２つめは会計後の監督である。会計前の監督とは次年度の予算を承諾することをいい，会計後の監督とは過年度の決算を審査することをいう。後者である会計後の監督を採るために，政府は会計検査院の検査を経た決算を，同院の報告と併せて議会に提出する義務がある。

検査院が担当する職務は，第１に各部署の出納官の証明を検査して，その責任を解除することである。第２に支払を行う命令官の処分を監督して，その予算超過や予算外の支出，及び予算・法律・勅令に違反している事例を検査することである。第３に国庫の総決算と各省の決算報告を検査し，各出納官が報告した各部署の会計の合計と照らし合わせて，これを確定することである。

会計検査院の行政上の検査は，議会の立法上の検査のために準備の下地を用意するものである。ゆえに，議会は検査員の報告とともに政府の決算書を受けて，それが正当であることを承諾し，決定することが求められる。

会計検査院は，政府の会計を検査するために，独立の立場でなければならない。ゆえに，その組織と職権は裁判官と同じく法律で定め，行政命令の範囲外にあるものとする。但し，検査上の規定等については，勅令が定めるべきところである。

第Ⅲ部

日本国憲法

第５編　日本国憲法序論
第１章　日本国憲法総論

一　日本国憲法の法源

憲法の法源とは，様々な様式で存在する実質的意味の憲法を，その存在様式に着目した観念のことをいうが，日本国憲法の法源は，成文法源と不文法源とに分けられる。

１　成文法源

実質的意味の憲法が成文化される場合において，第１に，憲法典という形式で行われるのが通常であるが，形式的意味の憲法である憲法典において，すべてを規定することは困難である。そこで，憲法典では原則的なことのみを規定し，より具体的な規定は他の法形式に委ねるのが通常である。

日本国憲法においては，以下のものが成文法源として挙げられる。

（１）条約

『国際連合憲章』，『経済的・社会的及び文化的権利に関する国際規約』，『市民的及び政治的権利に関する国際規約』，『日米安全保障条約』等が，日本国憲法の成文法源として挙げられる。

（２）法律

『皇室典範』，『皇室経済法』，『国事行為の臨時代行に関する法律』，『国籍法』，『公職選挙法』，『請願法』，『国家賠償法』，『教育基本法』，『国会法』，『内閣法』，『裁判所法』，『財政法』，『会計検査院法』，『地方自治法』等が，日本国憲法の成文法源として挙げられる。

（３）規則

『衆議院規則』，『参議院規則』，『最高裁判所規則』が，日本国憲法の成文法源として挙げられる。

（４）条例

各自治体の『情報公開条例』，『公安条例』，『青少年保護育成条例』等が，日本国憲法の成文法源として挙げられる。

２　不文法源

不文法源としては慣習法と判例が問題となるが，日本国憲法においては，不文法源として，憲法慣習法及び憲法判例法が挙げられる。

（１）憲法慣習法

不文法の国においては，憲法の重要な部分が長い間の慣習によって形成されており，これが憲法として存在している（慣習憲法）。

一方，我が国のような成文法の国においては，実質的意味の憲法は，形式的意味の憲法（憲法典）以下の法規範によって規定されることとなることから，このような慣習憲法は存在しないこととなる。とはいうものの，我が国のような成文法の国において，憲法に関する問題をすべて成文法によって規定することは困難であり，憲法に関する問題についての慣習が生じることとなる。つまり，成文の法規範がない部分については，先例等によって保管していくこととなる。このように，実際の必要に応じて法規範によらずに行われた具体的な行為が，その後，先例や慣行となり，それが長期間反復継続されることによって，これらに法的価値を与えようとの国民的な合意が成立した場合には，憲法慣習法として，憲法の不文法源となる。

（２）憲法判例法

憲法問題が争点となった裁判所の見解は，判例の先例拘束性が認められることから，判例も憲法の不文法源となる。

二　日本国憲法の特質

１　授権規範性

憲法は，国民自身によって作られ，その国民の権利を制限する作用を下位の法規範に授権する。このような憲法の性質を授権規範性という。

２　制限規範性

憲法は国家権力を縛るための法規範である（対国家規範）。国民の権利を保障するためには，全く無制限な授権を許すわけにはいかない。つまり，国家権力の濫用を防止し，人権保障を図る必要が生じる。このような憲法の性質を制限規範性という。

３　最高法規性

憲法に授権規範性や制限規範性といった性質を与えたとしても，それらが実効性を有していなければ全く役に立たないものであるといえる。ゆえに，その実効性を確保することが必要となる。このような憲法の性質を憲法の最高法規性という。

（１）形式的最高法規性【日本国憲法第 98 条第１項】

【日本国憲法第 98 条】
この憲法は，国の最高法規であつて，その条規に反する法律，命令，詔勅及び国務に関するその他の行為の全部又は一部は，その効力を有しない。
2　日本国が締結した条約及び確立された国際法規は，これを誠実に遵守することを必要とする。

日本国憲法第 98 条第 1 項は，日本国憲法に反する，いかなる法規範及びいかなる国の行為も効力を持たないとしている。このような憲法の性質を形式的最高法規性という。しかし，日本国憲法第 98 条第 1 項は，あくまでも，この最高法規性の形式面を宣言しているに過ぎず，実質面による保障が必要となる。

（２）実質的最高法規性【日本国憲法第 97 条】

【日本国憲法第 97 条】
この憲法が日本国民に保障する基本的人権は，人類の多年にわたる自由獲得の努力の成果であつて，これらの権利は，過去幾多の試錬に堪へ，現在及び将来の国民に対し，侵すことのできない永久の権利として信託されたものである。

日本国憲法第 97 条は，日本国憲法第 98 条第 1 項の実質的根拠となる規定である。日本国憲法第 97 条は，日本国憲法の目的が人権保障にあるということを確認している規定でもある。また，日本国憲法第 97 条は，日本国憲法が，価値中立的に国家の統治機構を定めた固有の意味の憲法ではなく，立憲的意味の憲法であることを表している。立憲的意味の憲法の究極の目的は「個人の尊重」であり，それが人権保障に具体化される。そして，立憲的意味の憲法における目的は人権保障であり，統治機構はそのための手段となる。

（３）最高法規性の担保

日本国憲法が日本国における最高法規であることは，実質面（日本国憲法第 97 条）・形式面（日本国憲法第 98 条第 1 項）から明確に宣言されている。しかし，日本国憲法はそれを宣言するに留まらず，自らが最高法規であることを確実にするための担保となる規定を置いている。

①　違憲審査制【日本国憲法第 81 条】

【日本国憲法第 81 条】
最高裁判所は，一切の法律，命令，規則又は処分が憲法に適合するかしないかを決定する権限を有する終審裁判所である。

日本国憲法第 81 条が規定する違憲審査制は，日本国憲法の最高法規性を実効的に確保するための制度的保障であるといえる。

②　硬性憲法【日本国憲法第 96 条第１項】

【日本国憲法第 96 条】
　この憲法の改正は，各議院の総議員の３分の２以上の賛成で，国会が，これを発議し，国民に提案してその承認を経なければならない。この承認には，特別の国民投票又は国会の定める選挙の際行はれる投票において，その過半数の賛成を必要とする。
２　憲法改正について前項の承認を経たときは，天皇は，国民の名で，この憲法と一体を成すものとして，直ちにこれを公布する。

日本国憲法は最高法規である。最高法規であるがゆえに，そう易々と改正されてしまっては国法の安定性が損なわれることとなる。そこで，日本国憲法は，改正の要件を厳格にすることで，国法の安定を図っている。

③　憲法尊重擁護義務【日本国憲法第 99 条】

【日本国憲法第 99 条】
　天皇又は摂政及び国務大臣，国会議員，裁判官その他の公務員は，この憲法を尊重し擁護する義務を負ふ。

憲法は，「国家権力を抑制し，国民の権利を守る基本法」である。ゆえに，日本国憲法は，国家権力の担い手である公務員等に，日本国憲法を尊重し擁護することを義務付けている。ここで注意を要する点は，日本国憲法第 99 条に列挙されている者の中に国民が含まれていない点である。日本国憲法は，日本国民の人権を保障するためにある。であるならば，その日本国憲法を国民が尊重し擁護しなければならないとすると，日本国民を守り国家権力を縛るはずの日本国憲法が，日本国民を縛るということになり得ることになる。言い換えれば，日本国憲法は，日本国民に対して，日本国憲法に違反する自由すらも認めるほどに人権保障を徹底しているのである。

三　憲法の変動

1　憲法改正

憲法改正とは，憲法の定める手続きによって，憲法典中の個別条項について変更を加えることをいう。この変更には，憲法の全文改正，特定条項の修正・削除・追加を行う一部改正，また，別に新たなる条項を加える増補等がある。日本国憲法においては，第 96 条でかなり厳格な憲法改正手続きを規定している。

（1） 日本国憲法の改正手続き【日本国憲法第 96 条】

日本国憲法第 96 条によると，日本国憲法を改正するには，まず，国会の各議院（衆議院及び参議院）における総議員の３分の２以上の賛成をもって国会がこれを発議する必要がある。出席議員ではなく総議員であること，過半数ではなく３分の２の賛成が必要であることから，通常の法律の制定・改正手続きよりも数段厳しい手続きとなっている。

また，国会が提案した内容は，国民の過半数による賛成という承認を経なければならない。この承認手続きは，衆議院か参議院の選挙と同時になされるか，特別の国民投票を実施して行われなければならない。この特別の国民投票の方法については，日本国憲法上の規定があるにも拘わらず，長い間その手続きを定める法律が存在していなかった。しかし，2007（平成 19）年，『日本国憲法の改正手続に関する法律』（平成 19 年法律第 51 号），いわゆる『国民投票法』が制定されたことによって，はじめてその国民投票の手続きが整備された。

このように，国民が手続きに参加するという点でも，憲法改正手続きは，通常の法律の制定・改正手続きよりも厳格な手続きを要している。これは，日本国憲法が硬性憲法であるという現れであると同時に日本国憲法が最高法規であるがゆえに，その法的安定性を要求されていると解することができる。

（2） 憲法改正の法的限界

憲法改正手続きに従いさえすれば，どのような内容の改正を行うことも法的に許されるのだろうか。憲法改正手続きに従って改正を行えば，事実上はいかなる内容の改正も可能ではあるが，それが法理論上に許されるのかどうかがここでの問題となる。

① 限界説（通説）

日本国憲法は，国民主権原理に基づく憲法である。このような国民主権原理に基づく憲法は，国民の憲法制定権力によって制定される。この憲法制定権力は，憲法典の外に存在するが，この憲法制定権力を憲法典の中に取り込み，それを制度化したものが，憲法改正権力である。このように考えると，憲法改正権力が自己の存在根拠である憲法制定権力の所在，つまり，国民主権原理を変更することは理論的に不可能であると解すべきである。また，憲法は，人権保障を目的として，その基本原理を成文化したものであり，このような基本原理を変更することも理論的に不可能であると解すべきである。ゆえに，憲法改正手続きに従ったとしても，国民主権原理やその他憲法の基本原理を改正し，変更することは許されないことから，憲法改正には法理論上，その内容において，法的限界が存在すると解すべきである。

② 無限界説

憲法制定権力は全能の権力であり，憲法改正権力は，この憲法制定権力と同視し得る権力であるので，何ら法的制約は受けない。つまり，憲法改正手続きに従って改正が行われる限り，どのような内容の改正も可能となる。ゆえに，憲法改正については，その内容において，法的限界は存在せず，法理論上，いかなる内容の改正も可能である解すべきである。

2 憲法改正以外の変動態様

憲法には，改正以外にも以下のような変動態様がある。

（１）憲法の破棄

憲法の破棄とは，革命が起きた場合に，既存の憲法体系を否定することのみならず，憲法の基礎となっている憲法制定権力を排除することをいう。

（２）憲法の廃止

憲法の廃止とは，憲法の廃棄と同様，既存の憲法体系を否定することをいう。しかし，憲法の破棄の場合とは異なり，同一の憲法制定権力によって行われる。

（３）憲法の停止

憲法の停止とは，国家非常事態の場合等に，国民の自由及び権利の保障を一定期間停止させることをいう。

（４）憲法の侵害

憲法の侵害とは，国家機関が自ら憲法違反であることを認識した上で，当該憲法条項と異なる措置を採ることをいう。

（５）憲法の変遷

憲法の変遷とは，憲法の条文を変更しないまま，事実上憲法が改正されたのと同一の効果を生み出すことをいう。この憲法の変遷については，それを認めるべきかどうかで対立がある。

① 肯定説

違憲状態が反復継続されたり，また，その違憲状態に対し，国民の同意を得られたりしている場合等の，一定の要件が満たされた場合には，その違憲状態が法規的性格を帯びるため，憲法規範を改廃する効力を有し，また，その憲法規範が，国民からの信頼を失い，効力を有しなくなっている場合には，もはや法とはいえないので，憲法の変遷が肯定されるものと解すべきである。

② 否定説（通説）

憲法規範は，憲法改正手続き及び国民投票によって，その改正の意思を示されるべきであるので，憲法の変遷は否定されるものと解すべきである。

四 日本国憲法の成立

日本国憲法は，大日本帝國憲法第 73 条による帝國議会の議決を経た大日本帝國憲法の改正によって制定された憲法である。しかし，大日本帝國憲法上の主権は天皇にあるといわれているが，日本国憲法上の主権は国民であり，主権が異なっていることとなる。つまり，大日本帝國憲法から日本国憲法への改正によって，主権が天皇から国民に変更になったということである。この事実から，日本国憲法の制定行為について，どのように解すべきであろうか。

1 憲法改正限界説

先述したように，この説は，憲法改正には，法理論上，内容によっては改正することが不可能であると解す。この説を背景としつつ，日本国憲法の制定行為について以下のような学説がある。

（１）日本国憲法無効説

大日本帝國憲法の改正として日本国憲法が制定されているが，この改正は，主権の変更を伴うものであって，改正の限界を超えている。ゆえに，日本国憲法には正当性の根拠がないので無効であると解すべきである。

（２）日本国憲法有効説

① 八月革命説

国民主権原理を採用することを要求しているポツダム宣言を受諾した段階で，法的に一種の革命が起き，日本の政治体制の根本が変わった。大日本帝國憲法による改正手続きを採った理由は，大日本帝國憲法と日本国憲法が連続していることにした方が，実際上便宜的であったからである。ゆえに，日本国憲法は，実質的には革命によって制定された憲法と解すべきである。

② 新憲法制定説

ポツダム宣言を受諾した段階で，日本はその内容を履行する法的義務を課されたのであり，そのために改正の限界を超えたのだが，改正手続きを通して主権者である国民の意思の現れとして日本国憲法制定に至ったのであると解すべきである。

2 憲法改正無限界説

先述したように，この説は，憲法改正には法理論上，いかなる内容の改正も可能であると解す。この説を背景としつつ，日本国憲法の制定行為について以下のような学説がある。

（１）日本国憲法無効説

①　押しつけ憲法説

日本国憲法制定当時の日本においては，日本政府に比べると，連合国軍総司令部（ＧＨＱ）の威力は絶大であり，このような威力を背景として，日本政府側に強要した日本国憲法は，憲法の自立性を認める国際法に違反したものであるといえる。また，日本国憲法の制定については，日本国民の自由な意思の発動からなされたものではないので，このような日本国憲法は，無効または占領の終結によって失効したものと解すべきである。

②　ハーグ陸戦条約第 43 条違反説

ハーグ陸戦条約第 43 条には,「国の権力が事実上占領者の手に移った上は,占領者は絶対的な支障がない限り，占領地の現行法律を尊重して，なるべく公共の秩序及び生活を回復確保する為，施せる一切の手段を尽くさなければならない。」との規定がある。連合国軍の占領中に制定された日本国憲法は,占領軍の披占領国の法令の尊重を規定するこのハーグ陸戦条約第 43 条の規定に違反しているので，日本国憲法は無効であると解すべきである。

（２）日本国憲法有効説

憲法の改正には法的な限界は存在しないのだから，主権が，天皇主権から国民主権に変更されたとしても，大日本帝國憲法第 73 条の改正によって制定された日本国憲法は当然有効であると解すべきである。

日本国憲法が制定されて 70 年近くが経とうとしている現在，その 70 年間の積み重ねがあるため，憲法改正無限界説に立ったとしても，無効説を採用することは現実的ではないだろう。日本国憲法が，大日本帝國憲法第 73 条による帝國議会の議決を経た大日本帝國憲法の改正によって成立した憲法典であるならば，憲法改正無限界説を採用した上で，日本国憲法を有効と解すのが最も素直な解釈方法であるのかもしれない。

第２章　日本国憲法の構造

一　上諭

【日本国憲法上諭】

朕は，日本国民の総意に基いて，新日本建設の礎が，定まるに至ったことを，深くよろこび，枢密顧問の諮詢及び帝国憲法第 73 条による帝国議会の議決を経た帝国憲法の改正を裁可し，ここにこれを公布せしめる。

上諭は，日本国憲法が，大日本帝國憲法の改正によって成立したということを示す上で一定の役割があるが，日本国憲法の一部を構成するものとは考えられていない。ゆえに，上諭は，法規範性を有しない。

二　前文

【日本国憲法前文】

日本国民は，正当に選挙された国会における代表者を通じて行動し，われらとわれらの子孫のために，諸国民との協和による成果と，わが国全土にわたつて自由のもたらす恵沢を確保し，政府の行為によつて再び戦争の惨禍が起ることのないやうにすることを決意し，ここに主権が国民に存することを宣言し，この憲法を確定する。そもそも国政は，国民の厳粛な信託によるものであつて，その権威は国民に由来し，その権力は国民の代表者がこれを行使し，その福利は国民がこれを享受する。これは人類普遍の原理であり，この憲法は，かかる原理に基くものである。われらは，これに反する一切の憲法，法令及び詔勅を排除する。

日本国民は，恒久の平和を念願し，人間相互の関係を支配する崇高な理想を深く自覚するのであつて，平和を愛する諸国民の公正と信義に信頼して，われらの安全と生存を保持しようと決意した。われらは，平和を維持し，専制と隷従，圧迫と偏狭を地上から永遠に除去しようと努めてゐる国際社会において，名誉ある地位を占めたいと思ふ。われらは，全世界の国民が，ひとしく恐怖と欠乏から免かれ，平和のうちに生存する権利を有することを確認する。

われらは，いづれの国家も，自国のことのみに専念して他国を無視してはならないのであつて，政治道徳の法則は，普遍的なものであり，この法則に従ふことは，自国の主権を維持し，他国と対等関係に立たうとする各国の責務であると信ずる。

日本国民は，国家の名誉にかけ，全力をあげてこの崇高な理想と目的を達成することを誓ふ。

1 前文の法規範としての性格

前文は，日本国憲法の一部として法規範性を有するか否か問題となる。

（1）法規範性否定説

憲法の前文は，憲法制定の由来・目的・制定権者の基本精神等の理想を抽象的に宣言するに留まるものであり，日本国憲法の前文も，その例外ではないことから，日本国憲法の前文は，法規範性を有しないものと解すべきである。

（2）法規範性肯定説（通説）

日本国憲法の前文は，「日本国憲法」という題名の後に置かれ，日本国憲法の制定の由来・目的・制定権者の基本精神等に関して詳細に宣言していることから，日本国憲法の前文も日本国憲法という憲法典の一部をなしており，日本国憲法の前文は法規範性を有しているものと解すべきである。ゆえに，日本国憲法の前文を改正するには，日本国憲法第 96 条に規定する憲法改正手続きによらなければならない。

2 前文の裁判規範としての性格

日本国憲法の前文には，そもそも，法規範性はないと解した場合には，裁判規範性については論じるまでもなく有しないこととなる。他方，日本国憲法の前文は法規範性を有しているとした場合には，日本国憲法本文の各条項と同様に，裁判規範としての効力を有するかが問題となる。つまり，裁判所が違憲審査を行う際，日本国憲法の前文を直接の判断基準として用いることができるかが問題となる。

（1）裁判規範性否定説（通説）

日本国憲法の前文の内容は，一般的・抽象的であり，明白な具体性を欠いており，一般的にいって，すべての法規が裁判規範性を有しているとは限らず，日本国憲法においては，統治機構に関する規定等，性質上裁判規範ではない規定を有しており，また，前文というものは，憲法上，最上位の規範であって，その内容は本文の各条項に具体化されていることから，裁判規範性を有するのは，日本国憲法の本文各条項であり，前文ではなく，日本国憲法の前文は，日本国憲法の本文各条項の意味や内容が不明確である場合について，その解釈基準としての役割を果たすのであって，日本国憲法の前文は，裁判規範性を有していないものと解すべきである。ゆえに，違憲性の主張は，日本国憲法の本文各条項に反する場合についてのみすることができると解すべきである。

（２）裁判規範性肯定説

日本国憲法の本文各条項中にも，日本国憲法の前文と同様の一般的・抽象的な内容を持つ条項は少なくはなく，日本国憲法の前文が，一般的・抽象的な内容であるからといって，その裁判規範性を否定する合理的理由がないといえ，日本国憲法が裁判規範となる場合とは，具体的事件を解決する前提として，法律の憲法適合性を判断する場合であることから，法律の場合ほど個別的・具体的な裁判の基準であることを要してはおらず，また，前文というものは，憲法上，最上位の規範であり，その内容は本文に具体化されているとしても，前文の裁判規範性を否定する理由とはならず，平和のうちに生存する権利のように，本文に欠落している規定が前文に定められている場合もあることから，日本国憲法の前文は，裁判規範性を有しているものと解すべきである。ゆえに，日本国憲法の本文各条項に適用すべき条項が存在しない場合には，前文の内容を根拠に違憲性の主張をなし得ると解すべきである。

三　日本国憲法の施行【日本国憲法第 100 条】

【日本国憲法第 100 条】

この憲法は，公布の日から起算して６箇月を経過した日から，これを施行する。

２　この憲法を施行するために必要な法律の制定，参議院議員の選挙及び国会召集の手続並びにこの憲法を施行するために必要な準備手続は，前項の期日よりも前に，これを行ふことができる。

日本国憲法は，公布の日（1946 年 11 月３日）から起算して６箇月を経過した日（1947 年５月３日）に施行された（日本国憲法第 100 条第１項）。

日本国憲法を施行するために必要な法律の制定及び準備手続きは，日本国憲法施行期日以前に行うことができるとされた（日本国憲法第 100 条第２項）。

四　日本国憲法施行以前からの公務員の地位

【日本国憲法第 103 条】

この憲法施行の際現に在職する国務大臣，衆議院議員及び裁判官並びにその他の公務員で，その地位に相応する地位がこの憲法で認められてゐる者は，法律で特別の定をした場合を除いては，この憲法施行のため，当然にはその地位を失ふことはない。但し，この憲法によつて，後任者が選挙又は任命されたときは，当然その地位を失ふ。

日本国憲法施行の際に，現に在職する国務大臣，衆議院議員及び裁判官並びにその他の公務員で，その地位に相応する地位が，日本国憲法で認められている者は，法律で特別の規定をした場合を除いて，日本国憲法の施行によって，当然に，その地位を失うことはないとされた。（日本国憲法第103条本文）。但し，日本国憲法によって，後任者が選挙で選出されたり，任命されたりした場合には，当然にその地位を失うとされた（日本国憲法第103条但し書き）。

第６編　人権保障論

第１章　人権保障総論

第１節　人権の観念及び人権の類型

一　人権の観念

人権とは，人間がただ人間であるという理由だけで，生まれながらにして，当然に有することができる権利（生来的権利）のことをいう。

この人権は，人権の固有性，人権の普遍性，人権の不可侵性という３つの性質を有するとされている。

１　人権の固有性

人権の固有性とは，人権が，個人に対して，憲法や国家から，恩恵として与えられたものではなく，人間がただ人間であるという理由だけで，生まれながらにして，当然に有することができる権利であるという人権の性質のことをいう。

この人権の固有性によって新しい人権が認められることとなる。

また，この人権の固有性は，日本国憲法第11条後段の「現在及び将来の国民に与へられる」及び日本国憲法第97条「信託されたものである」という文言に現れている。

【日本国憲法第11条】

国民は，すべての基本的人権の享有を妨げられない。この憲法が国民に保障する基本的人権は，侵すことのできない永久の権利として，現在及び将来の国民に与へられる。

２　人権の普遍性

人権の普遍性とは，人権が，人種や性別，身分等に関係なく，人間がただ人間であるという理由だけで，当然に有することができる権利であるという人権の性質のことをいう。

この人権の普遍性については，外国人の人権等で特に問題となることとなる。

また，この人権の普遍性は，第11条前段の「国民は，すべての基本的人権の享有を妨げられない」という文言に現れている。

3　人権の不可侵性

人権の不可侵性とは，人権が，原則として，公権力によって侵害されてはならない権利であるという人権の性質のことをいう。

この人権の不可侵性は，日本国憲法第 11 条後段及び第 97 条の「侵すことのできない永久の権利」という文言に現れている。

また，この人権の不可侵性は，あらゆる人権が絶対無制約であるということを意味しているわけではない。人権には一定の限界があり，その限界がどのようなもので，どのような基準によって，その制約を必要最小限度としていくかということが重要となる。

二　人権の類型

日本国憲法上の人権規定は，様々な種類の権利・自由・義務を国民に対して規定している。これらの基本権の性質に応じて分類し，その法的特徴を明らかにすることは，人権規定を正しく理解するために重要である。日本国憲法の規定する基本的人権の分類については，包括的基本権，平等権，自由権，社会権，参政権，国務請求権に分類される。また，この他に国民の義務が規定されている。

1　包括的基本権

包括的基本権とは，生命，自由及び幸福追求権のことをいう。この幸福追求権は，個人の人格的生存に不可欠の根源的な権利と解されている。また，包括的基本権に平等権を含む場合もある。

2　平等権

平等権とは，各人が平等に取り扱われる権利，または，差別により不利益を被らない権利のことをいう。

3　自由権

自由権とは,「国家からの自由」ともいわれ，その意義は，国家の干渉を受けずに個人の自由な活動を保障し，同時に，個人が他者によってその自由を侵害されないことを国家が保障するという意味の権利のことをいう。この自由権には，身体的自由権，精神的自由権，経済的自由権の３つが含まれる。また，自由権は自由権的基本権ともいわれる。

4　社会権

社会権とは,「国家による自由」ともいわれ，その意義は，社会的・経済的弱者が人間たるに値する生活を営むことができるように，国家の積極的な施策や援助を求めることができる権利のことをいう。また，社会権は社会権的基本権ともいわれる。

5　参政権

参政権とは,「国家への自由」ともいわれ，国民が広く国政に参加できる権利であり，民主主義の根幹をなす基本権である。

6　国務請求権（受益権）

国務請求権（受益権）とは，個人が国家に対して，各人の利益となる一定の行為を要求・請求できる権利のことをいう。

7　国民の義務

国民の義務とは，国家の存立と発展のために，国民自身が負わねばならない義務のことである。

三　人権の権利的保障

1　プログラム規定

プログラム規定とは，個人に対して裁判による救済を受け得るような具体的権利を付与するものではなく，国家に対して，その実現に努めるべき政治的・道徳的目標と指針を示すに留まる種類の規定のことをいう。プログラム規定は，法規範性すら有せず，裁判規範性も当然に有しないことから，政治部門による救済がその中心となる。

2　制度的保障

制度的保障とは，憲法がある既存の制度に対して，法律によってもその制度の核心や本質的内容を侵害してはならないという保障を与えているもののことをいう。日本国憲法上，信教の自由と政教分離，学問の自由と大学の自治，財産権の保障と私有財産制，地方自治制度そのものが制度的保障であると解されている。

第２節　人権享有主体性

第１款　法人の人権

一　法人の意義

１　法人の定義

自然人とは，権利及び義務の主体である個人のことをいうが，これに対して，法人とは，自然人以外のもので法律上の権利及び義務の主体とされているもののことをいう。

この法人をどのように解すべきかについては，見解が分かれていたが，現在は，法人実在説が通説的見解である。

（１）法人否定説

個人または財産の他に法人の実体はなく，法人とは，法律関係における権利及び義務の帰属点としてのみ認められる観念上の主体であると解すべきである。

（２）法人擬制説

権利及び義務の主体となり得る実体は，本来，自然人に限るべきであり，法人とは，法が特に権利及び義務の帰属主体として擬制したものであると解すべきである。

（３）法人実在説（通説）

法人とは，実質的に法的主体たり得る実体を有するところの１つの社会的実在であると解すべきである。

２　法人の種類

（１）社団法人と財団法人

①　社団法人

社団法人とは，その実体が人の集まりにあるものとして構成された法人のことをいう。あくまでも人の集まりが主であるということであるので，財産がないわけではない。

②　財団法人

財団法人とは，その実体が財産の集まりにあるものとして構成された法人のことをいう。あくまでも財産の集まりが主であるということであるので，人がいないわけではない。

（２）公益法人と営利法人

①　公益法人【民法第 33 条２項】

【民法第 33 条２項】
２　学術，技芸，慈善，祭祀，宗教その他の公益を目的とする法人，営利事業を営むことを目的とする法人その他の法人の設立，組織，運営及び管理については，この法律その他の法律の定めるところによる。

公益法人とは，公益を目的とする法人のことをいう。民法（明治 29 年法律第 89 号）上の法人は公益法人であり，営利性（利益を得かつその利益を構成員に分配すること）を有しないのが特徴である。

②　営利法人

営利法人とは，利益を得かつその利益を構成員に分配することを目的とする法人のことをいう。会社法（平成 17 年法律第 86 号）上の会社は営利法人であり，営利性を有するのが特徴である。

二　法人の人権享有主体性

１　法人の人権享有主体性の肯否

そもそも，人権とは，人が生まれながらに有する権利のことをいうことから，自然人が人権享有主体となるのは当然であるが，法人は自然人ではないことから，人権享有主体となり得るかが問題となる。

（１）否定説

本来，人権というのは自然人に対して認められたものであり，法人はその構成員である自然人の活動を通して成立しているのであるから，自然人にのみ人権享有主体性を認めれば足り，法人の人権享有主体性は否定されるものと解すべきである。

（２）肯定説（判例及び通説）

法人は，社会における重要な構成要素であり，自然人同様に活動する社会的実体であることから，法人の人権享有主体性を肯定されるものと解すべきである。

また，法人に保障される人権の範囲については，性質上可能な限り人権規定が法人にも適用されると解されている。最高裁判所も，『八幡製鉄事件』判決（最高裁判所昭和 45 年６月 24 日大法廷判決）において，日本国憲法第３章に規定される国民の権利及び義務の各条項は，性質上可能な限り，内国の法人にも適用されるものと解すべきであると判示している。

2 法人の人権享有主体性の限界

（1）法人とその外部との関係

① 法人と一般国民との関係

法人に人権享有主体性が認められるものと解した場合に，その法人の人権と自然人である一般国民の人権とが衝突することがある。

例えば，法人の政治活動の自由とその他の個人との政治活動の自由とが衝突した場合等が挙げられる。

そもそも，法人にも政治活動の自由が認められるのかという点については，最高裁判所は，『八幡製鉄事件』判決（最高裁判所昭和45年6月24日大法廷判決）において，会社は自然人たる国民と同様，国や政党の特定の政策を支持，推進しまたは反対する等の政治的行為をなす自由を有すると判示していることから認められるものと解されている。

しかし，強大な法人が政治的影響力を発揮すると，個人の政治的影響力を相対的に低下させ，国民主権原理に矛盾を生ずることから，無制限には認められず，個人としての国民が，国家の政治的意思形成に参加するという国民主権の建前に矛盾しない限度で保障されると解すべきである。

② 特定私人との関係（私人間効力の問題）

法人もその法人と権利衝突をしている個人も私人である。そこで，このような私人対私人の関係において，日本国憲法上の人権保障規定を用いることが可能であるか，つまり，私人間効力の問題がある。

そもそも，日本国憲法をはじめとして，憲法という法は，対国家規範である。ゆえに，想定されている人権の侵害者は国家権力であって，私人ではない。このことから，日本国憲法上の人権保障規定を私人間に適用することは，私人間適用を明文で規定していない限り，原則として，できないものと解すべきである。但し，明文上規定がなかったとしても，その趣旨から，人間に適用可能である場合は，例外として，認められるものと解すべきである。

しかし，本来想定されている人権の侵害者は，国家権力のみではあったが，資本主義経済が高度に発達した現代社会においては，大企業等の国家と同視し得る団体が数多く発生し，それらが個人の人権にとっての脅威となるようになった。日本国憲法をはじめとして，憲法という法は，対国家規範ではあるが，個人の人権を保障するのも重要な役割である。そこで，憲法上の人権保障規定を私人間で起きた人権侵害事由に適用できないかが問題となるのである。

私人間効力の是非については，３つの見解がある。

A 非適用説

憲法という法は，あくまでも対国家規範であり，特別の規定がない限り，日本国憲法上の人権保障規定は対公権力のものであり，そもそも，人権保障規定は，国家の権力的作用を規制するものであって，民事関係とは関係がないことから，日本国憲法上の人権保障規定は，私人間の問題には適用し得ないものと解すべきである。

この見解に対しては，社会的権力が，公権力に匹敵する程の力を有するに至っている現代において，私人間に日本国憲法上の人権保障規定が適用されないとすることは，日本国憲法上の人権保障規定の趣旨が実質的に失われ，人権保障の実効性が欠けるとの批判がある。

B 直接適用説

憲法という法は，公法・私法の双方に通ずる客観的法秩序であることから，日本国憲法上の人権保障規定は，私人間の問題に対しても直接適用され，私人に対して，直接，自己の日本国憲法上の権利を主張し得ると解すべきである。ゆえに，日本国憲法上の人権に対して，私人間において，合理的な理由なく，不当に侵害することは，違憲無効となる。

この見解に対しては，具体的な立法がされる以前に，予測し得ない義務が日本国憲法から直接的に引き出される危険を有していること，また，個人の自律的領域，つまり，私的自治の原則を否定することになるとの批判がある。

C 間接適用説（判例及び通説）

社会的権力が，公権力に匹敵する程の力を有するに至っている現代においては，私人間に日本国憲法上の人権保障規定が全く適用しないということは妥当ではなく，また，私人間に日本国憲法上の人権保障規定を直接適用することは，私的自治を侵害することとなることから，人権保障の精神に反する行為については，民法第 90 条等の私法の一般条項を媒介として，日本国憲法上の人権保障規定の価値を私人間にも及ぼすものと解すべきである。ゆえに，日本国憲法上の人権に対して，私人間において，合理的な理由なく，不当に侵害することは，民法第 90 条における公序良俗違反となり違法無効となる。

この見解に対しては，人権価値を導入して行う私法の一般条項の意味充填解釈は振り幅が大きいこと，純然たる事実行為に基づく私的な人権侵害行為が，日本国憲法による規制の範囲外に置かれてしまうことがあるとの批判がある。

【民法第 90 条】

公の秩序又は善良の風俗に反する事項を目的とする法律行為は，無効とする。

（2）法人とその構成員との関係

現代は価値観が多様化しており，ゆえに，法人とその法人の構成員である個人との間で各種人権をめぐる対立が生じている。そのような対立の中において，法人がその法人の構成員である個人の人権を侵害することもある。そこで，このような場合，法人の権利とその法人の構成員の権利との調和をどのように図るかが問題となる。法人もその法人の構成員も私人であることから，私人間効力の問題となることに留意しなければならない。

その問題となっている法人の権利行使が，その法人の「目的の範囲内」（民法第34条）の行為といえるかを判断する。法人の権利とその法人の構成員の権利との矛盾や衝突は，当該法人の目的・性格や問題となる権利・自由の性質の違いに応じて，個別具体的に調整することが必要となる。そこで，その法人の権利行使が当該法人の「目的の範囲内」といえるかどうかは，当該法人が強制加入団体かどうか，当該法人が公的性格の強い法人かどうか，問題となっている当該法人の人権がどのような性質を有するか等を総合的に考慮して判断すべきである。

【民法第34条】

法人は，法令の規定に従い，定款その他の基本約款で定められた目的の範囲内において，権利を有し，義務を負う。

最高裁判所は，『南九州税理士会事件』判決（最高裁判所平成8年3月19日判決）において，当該法人の構成員にとって，当該法人が強制加入か否かを問題とし，『八幡製鉄事件』判決（最高裁判所昭和45年6月24日大法廷判決）とは異なる結論を下した。

第2款　外国人の人権

一　外国人の意義

1　日本国憲法上問題となる外国人

日本国憲法上問題となる外国人とは，日本国内に定住する日本国籍を有しない者のことをいう。

これに対して，外国に定住する日本国籍を有しない者は，日本国憲法上問題とはならない外国人である。

また，日本国内に定住する日本国籍を有する者，外国に定住する日本国籍を有する者は日本国民となる。

2　日本国民たる要件【日本国憲法第10条】

【日本国憲法第10条】
　日本国民たる要件は，法律でこれを定める。

　日本国憲法第10条は，「日本国民たる要件は，法律でこれを定める」と規定し，国籍法（昭和25年法律第147号）が制定されている。
　「日本国民たる要件」とは，国籍の取得及び喪失の要件を意味し，国籍法では，国籍の取得に関して，以下の２つの方法を認めている。

（１）血統主義【国籍法第２条第１号】

【国籍法第２条】
　子は，次の場合には，日本国民とする。
一　出生の時に父又は母が日本国民であるとき。
二　出生前に死亡した父が死亡の時に日本国民であつたとき。
三　日本で生まれた場合において，父母がともに知れないとき，又は国籍を有しないとき。

　国籍法第２条第１号においては，出生による国籍の取得が規定されている。この出生による国籍の取得を血統主義という。

（２）許可主義【国籍法第４条】

【国籍法第４条】
　日本国民でない者（以下「外国人」という。）は，帰化によつて，日本の国籍を取得することができる。
２　帰化をするには，法務大臣の許可を得なければならない。

　国籍法第４条第１項及び第２項においては，帰化による国籍の取得が規定されている。この帰化による国籍の取得を許可主義という。

二　外国人の人権享有主体性

1　外国人の人権享有主体性の肯否

　外国人は人権享有主体となり得るのだろうか。
　そもそも，日本国憲法は，日本国民の権利を保障するのは当然である。また，日本国憲法の第３章の表題は，「国民の権利及び義務」である。ゆえに，日本国民が人権享有主体であることは明白である。
　しかし，外国人は国民ではないことから，どう解すべきかが問題となる。

（1）否定説

日本国憲法の第３章の表題には,「国民の権利及び義務」とあるので，この表題の文言通り，日本国憲法上，人権享有主体となり得るのは日本国民のみであって，外国人には人権享有主体性は認められないと解すべきである。

（2）肯定説（通説）

そもそも，人権は前国家性を有しており，また，日本国憲法は，日本国憲法前文第３段及び日本国憲法第 98 条第２項において，国際協調主義を採用していることから，日本国民のみならず，外国人にも日本国憲法上の人権享有主体性が認められると解すべきである。

2　外国人の人権享有主体性の限界

外国人が日本国憲法上の人権享有主体性を有するとしても，その享有し得る人権の範囲はどこまでであろうか。その限界と判断方法が問題となる。

（1）文言説

日本国憲法の条文上,「何人は」という文言が使用されている規定は，外国人にも及ぶが,「国民は」という文言が使用されている規定は国民のみにその保障が限定され，外国人には保障が及ばないと解すのが日本国憲法の条文に素直であることから，このように解すべきである。

この見解に対しては，日本国憲法は,「国民は」と「何人も」という文言を厳格に区別して規定していないとの批判がある。

（2）性質説（通説）

日本国憲法が保障する権利の性質により，外国人に適用するかしないかを判断することと解すべきである。

最高裁判所も,『マクリーン事件』判決（最高裁判所昭和 53 年 10 月４日大法廷判決）において，日本国第３章の諸規定による基本的人権の保障は，権利の性質上日本国民のみを対象としていると解されるものを除き，我が国に在留する外国人に対しても等しく及ぶと判示している。

三　外国人の人権が問題となる事例

外国人に人権享有主体性があるとしても，日本国民と全く同様に解することはできない。日本国と日本国民との関係は身分上の恒久的結合関係であるが，日本国と外国人との関係は場所的居住関係に過ぎず，全く同様と解すると，日本国民の人権を侵害することになりかねず，ゆえに，日本国民と外国人とは，異なる扱いを受けることは当然許容されなければならない。

（1）人権の区分

外国人に日本国憲法上の権利の保障が及ぶかについて，人権の性質毎に個別的に判断を行うことが必要となる。

①　前国家的権利

前国家的権利とは，その性質上，国家を前提としていない人権のことをいう。国家を前提としていないため，前国家的権利については，日本国民と外国人とを別異に取り扱う意義は，原則として，存在しない。

②　後国家的権利

後国家的権利とは，その性質上，国家を前提としている人権のことをいう。国家を前提としているため，後国家的権利については，日本国民と外国人とを別異に取り扱う意義は，原則として，存在する。

（2）外国人の区分

外国人に日本国憲法上の権利の保障が及ぶかについて，外国人の種類毎にも個別的判断を行うことが必要となる。

①　永住者

永住者とは，日本国に永住権を得て居住する外国人のことをいう。この永住者は，一般永住者と特別永住者に分けられる。就労活動に制約がない。

Ａ　一般永住者

一般永住者とは，出入国管理及び難民認定法（昭和26年政令第319号）の規定する一定の要件を満たして永住許可申請をし，許可され，日本国に永住している外国人のことをいう（出入国管理及び難民認定法第22条）。

【出入国管理及び難民認定法第22条】

在留資格を変更しようとする外国人で永住者の在留資格への変更を希望するものは，法務省令で定める手続により，法務大臣に対し永住許可を申請しなければならない。

２　前項の申請があつた場合には，法務大臣は，その者が次の各号に適合し，かつ，その者の永住が日本国の利益に合すると認めたときに限り，これを許可することができる。ただし，その者が日本人，永住許可を受けている者又は特別永住者の配偶者又は子である場合においては，次の各号に適合することを要しない。

一　素行が善良であること。

二　独立の生計を営むに足りる資産又は技能を有すること。

３　法務大臣は，前項の許可をする場合には，入国審査官に，当該許可に係る外国人に対し在留カードを交付させるものとする。この場合において，その許可は，当該在留カードの交付のあつた時に，その効力を生ずる。

B　特別永住者

特別永住者とは，日本国との平和条約に基づき日本の国籍を離脱した者等の出入国管理に関する特例法（平成３年法律第73号）により規定された在留資格を有する者のことをいう。具体的には，日本国が降伏文書に調印した1945（昭和20）年９月２日以前から引き続き日本内地に居住している平和条約国籍離脱者とその子孫をいう。

②　定住者

定住者とは，出入国管理及び難民認定法別表第２に規定される，法務大臣が，特別の理由を考慮し一定の在留期間を指定して居住を認めた外国人のことをいう。永住者と同様，就労活動に制約はない。

③　在留者

在留者とは，在留資格を有する日本国内にて生活をしている外国人のことをいう。留学生等が在留者に該当する。

④　旅行者等

旅行者等とは，海外旅行等で，一時的に日本国内へ訪れた外国人をいう。

（３）問題となる事例による区分

①　出入国の自由

A　入国の自由

国際慣習法上，外国人の入国に対して，それを許可するかどうかについては，各国の自由裁量権の範疇にあるので，外国人についての入国の自由は否定されると解されている。

最高裁判所も，同様の見解を判示している（最高裁判所昭和32年６月19日大法廷判決）。

B　出国の自由

国際協調主義から，生活の本拠が外国にある場合，出国の自由は特に強く保障する必要があるので，外国人についての出国の自由は肯定されると解されている。

最高裁判所も，外国移住の自由は，その権利の性質上，外国人に限って保障しないという理由はないと判示している（最高裁判所昭和32年12月25日大法廷判決）。

C　再入国の自由

再入国の自由とは，在留外国人が，在留期間満了前に再び入国する意思を有して出国することをいう。

このような再入国の自由が，日本国憲法上，外国人に保障されるかについては，見解が分かれている。

a　肯定説

再入国の場合は，その外国人についての人柄やその行動は，日本国にとっての既知事項であるので，再入国の自由は，質的に入国の自由とは異なり，また，外国人の再入国の自由は，日本国憲法上保障される日本国民の海外旅行の自由と同視し得，また，外国人には出国の自由が保障されるが，出国の自由を保障するためには再入国の自由が保障されている必要があることから，外国人についての再入国の自由は保障されると解すべきである。

b　否定説（判例）

再入国の自由は，質的に入国の自由と同じなので，外国人についての再入国の自由は否定されると解すべきである。

最高裁判所は，『森川キャサリン事件』判決（最高裁判所平成４年 11 月 16 日判決）において，我が国に在留する外国人は，憲法上，外国への一時旅行する自由を保障されているものではないとして，外国人についての再入国の自由は憲法上保障されないと判示した。

D　在留の自由

在留の自由とは，在留期間更新の自由のことをいう。

外国人に在留の自由を認めるかどうかについては，在留更新も入国の延長であることから，入国の自由と質的に同じものとして，否定する見解もある。しかし，法務大臣の広範な裁量権の範囲内にあるとして，無制限に在留期間の更新を拒絶することは裁量権の濫用として違法となる。

この点，最高裁判所は，『マクリーン事件』判決（最高裁判所昭和 53 年 10 月４日大法廷判決）において，外国人に対する基本的人権の保障は，法務大臣に広範な裁量の認められた外国人在留制度の枠内で与えられているのに過ぎないとしている。

しかし，在留期間中の正当な人権の行使を理由として，その前提となる在留の自由という権利を奪うことは背理であるし，外国人は，その結果として，正当な人権の行使を控えざるを得なくなり，萎縮的効果を生むことから，外国人の日本国内における人権の行使を不利益に評価し，在留更新を拒絶することは裁量権の濫用として認められないと解すべきである。

②　政治活動の自由

政治活動の自由は，個人の人格形成及び発展に不可欠である自己実現の価値と民主政の維持及び発展に不可欠である自己統治の価値とを有することから，日本国憲法上においても保障される重要な権利である。

この政治活動の自由が，外国人に対しても日本国民と同様に保障されているのかが問題となる。

A 完全保障説

外国人の政治活動は，国民の主権的意思決定に何らかの影響を与えるものではあっても，主権的意思決定それ自体に関与するものではないし，国民が多様な政治的見解に触れることは，国民の主権的意思決定にとって必要なことであるから，外国人の政治活動の自由は，日本国民と同様に完全に保障されると解すべきである。

B 限定保障説（判例・通説）

政治活動の自由は，参政権的機能を果たすために，国民主権原理から，外国人に対しては，特別の制約を受けるものと解すべきである。

最高裁判所も，『マクリーン事件』判決（最高裁判所昭和 53 年 10 月 4 日大法廷判決）において，政治活動の自由についても，我が国の政治的意思決定またはその実施に影響を及ぼす活動等外国人の地位に鑑みて，これを認めることが相当でないと解されるものを除き，その保障が及ぶと判示している。

③ 参政権

A 外国人に参政権が日本国憲法上保障されるかの肯否

外国人には，参政権が憲法上保障されているのだろうか。

a 肯定説

日本国内に生活の本拠があり，日本国内で生活をしている定住外国人については，日本の政治の在り方に対して関心を持つのが常であるから，定住外国人に対しては，参政権が日本国憲法上保障されていると解すべきである。

b 否定説（通説）

そもそも参政権は，前国家的権利ではなく，国家の存在を前提として成り立っている後国家的権利であり，また，外国人に対して参政権を保障することは，国政が国民の自律的意思に基づいて運営されるべきとする国民主権原理に反することとなるので，外国人に対しては，参政権が日本国憲法上保障されていないと解すべきである。

B 外国人に参政権が法律上の保障が許容されるかの肯否

a 選挙権

憲法上，外国人に参政権が保障されない場合，法律によって，外国人に選挙権を付与することが許容されるのだろうか。

α 禁止説

日本国憲法上，「国民」と「住民」とは，全体と部分の関係であり，「住民」とは「国民」である「住民」をいうので，国政選挙についても地方選挙についても外国人に対して選挙権を法律によって付与することは，国民主権原理に反するので禁止されることと解すべきである。

β 許容説（通説）

国政選挙について外国人に対して選挙権を法律によって付与することは，国民主権原理に反するので禁止されるが，地方選挙については，住民自治の理念から，外国人に対して選挙権を法律によって付与することは許容されていると解すべきである。

b 公務就任権

一般の公務員について，公権力の行使または国家意思の形成への参画に携わる公務員となるためには，日本国籍が必要とされてきた。しかし，公務員の職種も非管理的・非権力的な職務等多様であるし，公務員の活動は日本国憲法及び法律に基づいて行われるのだから，国家主権の独立性を侵害せず，国民主権の原理とも矛盾しないのであるならば，外国人にも，公務就任権を認めるべきであると解すべきである。

最高裁判所は，『東京都管理職就任事件』判決（最高裁判所平成17年1月26日大法廷判決）において，地方公共団体が日本国民である職員に限って管理職に昇任することができるとする措置をとることは平等権侵害に該当しないと判示した。

なお，本件は，原告は，既に，東京都の地方公務員として採用されていることから，厳密には，外国人に公務就任権が認められるかが問題になった事件ではない。管理職登用試験の受験資格について，日本国籍を有する者と限定することの適法性が問われた事案である。

④ 社会権

外国人に対しては，社会権は保障されるのであろうか。社会権が後国家的権利であることから問題となる。

A 否定説

社会権は，国家の財政事情の影響を受けるし，国家の存在を前提とした後国家的権利であり，本来，その外国人の所属する国家によって保障されるべきであることから，社会権は外国人に対しては，日本国憲法上保障されないと解すべきである。

B 肯定説

社会権は，社会の構成員として労働し，生活を営むことに基づく権利であるという性格を有することから，永住外国人，定住外国人については，日本国に居住し，日本国民と同様の法的負担や社会的負担を負っているので，それら一定の外国に対しては，社会権の人権享有主体として認められると解すべきである。

第3款　天皇及び皇族の人権

一　天皇及び皇族の人権享有主体性

1　天皇及び皇族の法的性格

天皇及び皇族は，日本国憲法第3章及び第10条に規定する「国民」に含まれるのであろうか。天皇及び皇族のその地位の特殊性から，一般国民と同様の「国民」と解すべきか問題となる。

（1）肯定説（通説）

天皇及び皇族は，日本国憲法第3章及び第10条に規定する「国民」に含まれることから，日本国憲法上の人権享有主体性を有しているということとなるが，日本国憲法自身が規定している象徴という地位やその地位の世襲制という一般国民と比べて特殊な地位を有していることから，当然に，一般国民とは異なる制約を受けるものと解すべきである。

（2）否定説

天皇及び皇族は，「門地」によって一般国民とは区別された特別な存在であることから，日本国憲法第3章及び第10条に規定する「国民」には含まれず，日本国憲法上の人権享有主体性を有していないということとなるが，天皇制維持のために必要最低限度のものを除き，天皇及び皇族に対しても可能な限り一般国民と同様に扱うものと解すべきである。

2　天皇及び皇族に対する人権制約の程度

天皇及び皇族は，その地位の特殊性，すなわち，日本国憲法自体が，象徴天皇制を採用し，地位の世襲制を認めたことから，一般国民とは異なる取扱いを受けるものと解すべきである。

具体的には，天皇は，「象徴」であり，政治的中立性が要請されることから，天皇には，選挙権及び被選挙権は認められないし，政治活動の自由も認められないものと解されている。

また，その地位の世襲制から，職業選択の自由・外国移住の自由・国籍離脱の自由は制限されるものと解されている。

皇族については，天皇とは同様ではないが，選挙権及び被選挙権については，国民主権に直結するものであることから認められないものと解すべきである。

第４款　未成年者の人権

一　未成年者の人権享有主体性

未成年者は，自然人であり，日本国憲法第３章及び第 10 条に規定する「国民」であることから，日本国憲法上の人権享有主体性を有していることは当然である。

しかし，未成年者に対しては，成年者とは異なった取り扱いが可能であると解されている。これは，将来の主権者である未成年者を保護するための措置であって，法人の場合に，自然人の人権保障を貫徹するために法人の人権を制限することや，外国人の場合に，日本国民の人権保障を貫徹するために外国人の人権を制限することとは，その人権制限の性質が異なっている点に注意を要する。この点，未成年者の人権というよりは，未成年者であるがゆえの特権であると解すべきである。

未成年者については，あくまでも成年者と同様の権利が保障されているが，将来の主権者である未成年者の健全な成長及び発達に寄与するという前提に立ち，その目的のために，自己加害防止のために必要最低限度の制約であるパターナリズムによる制約が許されると解すべきであり，未成年者であるからという理由だけで，成年者と比べて不当に人権侵害をしたり，異なった取り扱いをしたりすることは許されない。また，未成年者の思考や行動の持つ特異性に留意しつつ，日本国憲法上の諸権利について実質的に保障していくことが必要となる。

第５款　特殊的法律関係

一　特別権力関係理論

１　特別権力関係の意義

（１）一般権力関係

一般権力関係とは，一般国民が，その国民たる地位に基づいて，国家または地方公共団体の統治権に服し，人権を享有する関係のことをいう。

（２）特別権力関係

特別権力関係とは，特定の国民が，法律上の規定やその国民の同意等の特別の原因に基づく，国家または地方公共団体との特別な関係のことをいう。

2 特別権力関係理論

特別権力関係において一般権力関係とは異なる原則が支配するとする理論のことを特別権力関係理論という。

(1) 特別権力関係理論の内容

特別権力関係理論とは，公法上の特別の権力関係に基づき，一般的権力関係とは異なる特殊な支配・服従関係にある者については，①法治主義は認められず，②人権を制約するについて法律の根拠を要せず，③人権を制約する処分についても司法審査は及ばないとする理論である。

(2) 特別権力関係理論の是非

日本国憲法の下では，そもそも，人権は永久不可侵であることが日本国憲法上明文化されているし，①法の支配を徹底し，②基本的人権の尊重を基本原理としており，③司法的救済が強化されていることから，日本国憲法との関係で整合性を有しておらず，特別権力関係論は採用できないと解すべきである。また，特別権力関係論は，全く性質の異なる法律関係にある者をすべて「公権力に服している」という形式的な分類によって，同じ性質のものとして一括して解した上で，そこに特別の法原則が妥当すると説くものであるが，それぞれの法律関係において，構成員の人権制約の根拠・目的・程度等はまったく異なるからである。従って，このような特別の法律関係においては，特別権力関係論を用いるのではなく，それぞれの法律関係において，いかなる根拠で，いかなる人権をどの程度制約することができるのかを個別具体的に検討する必要がある。

(3) 特別権力関係理論の修正

特別権力関係理論においては，公法上の特別の権力関係に基づき，一般的権力関係とは異なる特殊な支配・服従関係にある者については，①法治主義は認められず，②人権を制約するについて法律の根拠を要せず，③人権を制約する処分についても司法審査は及ばないとする。しかし，このような特別権力関係理論を日本国憲法の下で採用し得ない。

そこで，特別権力関係という概念は維持しつつ，このような権力関係においても基本的人権の保障が原則として及び，その制限は，このような権力関係の目的を達成するために必要合理的なものでなければならないとする修正した特別権力関係理論という理論もある。しかし，このような修正した特別権力関係理論に対しても，全く性質の異なる法律関係を，すべて「公権力に服している」という理由で一括して解する点について特別権力関係理論と同様に批判されている。

二　公務員の人権

1　公務員の人権への制約の根拠

公務員の人権への制約根拠について，かつては，公務員は国家と特別権力関係を有し，特別権力関係においては，法治主義が排除され，基本的人権が包括的に制限され，司法的救済も廃除されるとの特別権力関係理論から導いていた。しかし，このような特別権力関係理論の下において，様々な「公権力に服している」関係を一律に考えることには無理があり，徹底した法治主義を採用し，人権尊重主義を採用する日本国憲法の下においては，このような理論を採用し得ないことは当然である。

また,『猿払事件』判決（最高裁判所昭和 49 年 11 月 6 日大法廷判決）においては，公務員が,「全体の奉仕者」であることから，制約が認められるとしたが,「全体の奉仕者」とは，公務員が一部の利益のために行動すべきではないということを意味し，このような抽象的かつ不明確な根拠によって一律に人権制約を認めることは妥当ではない。

そこで，公務員の人権制約の根拠は，日本国憲法自体が，公務員関係という特別の法律関係の存在とその自立性とを日本国憲法秩序の構成要素として認めていることに求めるべきである。ゆえに，公務員関係の存在と自立性の確保のために必要最小限度の制約は認められ得ると解すべきである。

2　公務員の人権への制約の具体例

（1）公務員の政治活動への制約

公務員も国民であることには変わりはない。ゆえに，公務員も政治活動の自由を有する。日本国憲法自体が，公務員関係という特別の法律関係の存在と，その自立性とを日本国憲法秩序の構成要素として認めていることから，公務員の人権への制約は，公務員関係の存在と自立性の確保のために必要最小限度の制約は認められ得ると解すべきである。

公務員関係の存在と自立性の確保のためには，公務員の政治的中立性が確保されなければならず，そのために必要最小限度の制約は日本国憲法自体が認めていると解され，また，必要最小限度か否かの判断根拠は，政治活動の自由が，精神的自由権である表現の自由に由来することから,「より制限的でない他の選びうる手段の基準（ＬＲＡの基準)」によるべきであり，さらに，公務員の職務の多様性に配慮し，その職務の種類や態様毎に個別的かつ具体的に解すべきである。

（2）公務員の労働基本権への制約

公務員もその労働の対価として賃金を得ているため，勤労者に該当することから，労働基本権を有する。労働基本権は，劣位にある労働者の地位を引き上げることによって，使用者と対等の地位を与えることによって，人間たるに値する生活を確保しようとする極めて重要な意義を有する権利である。しかし，公務員の職務が停滞すると国民生活に対して，重大な支障を来すことになり得ないこととなるため，一定の制約を受けざるを得ない。そこで，労働基本権が，勤労者と使用者を対等の立場に立たせることによって，その生活基盤を強固にするために必要不可欠な権利であることと，公務員の職務の公共性との調和を図る必要が生じる。権利の重要性と職務の公共性から，公務員の労働基本権に対する制約は，公務員だからといって一律に制限すべきではなく，必要最小限度のものであり，その基準は「厳格な合理性の基準」によるべきであり，目的が重要であり，かつ，その目的と手段との間に実質的関連性があるかによって判断すべきである。

三　在監者（刑事収容施設被収容者）の人権

1　在監者の人権への制約の根拠

在監者（刑事収容施設被収容者）の人権への制約根拠について，かつては，在監者は国家と特別権力関係を有し，特別権力関係においては，法治主義が排除され，基本的人権が包括的に制限され，司法的救済も廃除されるとの特別権力関係理論から導いていた。しかし，このような特別権力関係理論の下において，様々な「公権力に服している」関係を一律に考えることには無理があり，徹底した法治主義を採用し，人権尊重主義を採用する日本国憲法の下においては，このような理論を採用し得ないことは当然である。

しかし，このような特別権力関係理論は否定されるとしても，日本国憲法自体が，在監関係という特別の法律関係の存在と，その自立性とを日本国憲法秩序の構成要素として認めていることから，在監者の人権への制約は，在監関係の存在と自立性の確保のために必要最小限度の制約は認められ得ると解すべきである。また，拘禁の目的を異にする判決確定前の未決拘禁者と判決確定後の受刑者は分けて考えなければならず，前者の拘禁目的は逃亡及び罪証隠滅の防止にあり，後者の拘禁目的は身柄を拘束し矯正教化することにあることから，これらの目的に照らし，合理的かつ必要最小限度の制約のみが許されると解すべきである。

2 在監者の人権への制約の具体例

（1）在監者の閲読の自由への制約

拘置所長が，未決拘禁者に対して，『日航機「よど号」ハイジャック事件』に関する新聞記事を全面的に抹消したことから，当該被告人が知る権利等の侵害を理由に国家賠償を求めた事案で，最高裁判所は，被拘禁者の新聞紙，図書等の閲読の自由の制限が許されるためには，当該閲読を許すことにより，監獄内の規律及び秩序が害される一般的，抽象的な危険があるというだけでは足りず，被拘禁者の性向，行状，監獄内の管理，保安の状況，当該新聞紙，図書等の内容その他の具体的事情の下において，その閲読を許すことにより監獄内の規律及び秩序の維持上放置することのできない程度の障害が生ずる相当の蓋然性があると認められることが必要であり，かつ，その場合においても，制限の程度は，障害発生の防止のために必要かつ合理的な範囲内に留まるべきものと解するのが相当であり，また，当該新聞紙・図書等の閲読を許すことによって監獄内における規律及び秩序の維持に放置することができない程度の障害が生ずる相当の蓋然性が存するかどうか，及び，これを防止するためにどのような内容，程度の制限措置が必要と認められるかについては，監獄の長による個々の場合の具体的状況の下における裁量的判断に待つべき点が少なくないから，障害発生の相当の蓋然性があるとした長の認定に合理的な根拠があり，その防止のために当該制限措置が必要であるとした判断に合理性が認められる限り，長の措置は適法として是認すべきものと解するのが相当であると判断した（最高裁判所昭和 58 年 6 月 22 日大法廷判決）。しかし，本来であれば，相当の蓋然性の有無については，客観的な裏付けを要求すべきであろう。

（2）在監者の喫煙の自由への制約

拘置所長が，未決拘禁者に対して，拘置所内における喫煙を禁止し，その被疑者が釈放後に損害賠償を請求した事案で，最高裁判所は，未決勾留は，逃走または罪証隠滅の防止を目的として，被疑者または被告人の居住を監獄内に限定するものであり，監獄内においては，多数の被拘禁者を収容し，これを集団として管理するに際して，その秩序を維持し，正常な状態を保持するよう配慮する必要があり，また，喫煙を許すことにより，罪証隠滅の危険があり，火災発生の場合には，被拘禁者の逃走が予想され，直接拘禁の本質的目的を達することができないことは明らかであることから，喫煙禁止という程度の自由の制限は，必要かつ合理的なものであると解するのが相当であると判断した（最高裁判所昭和 45 年 9 月 16 日大法廷判決）。

第３節　人権保障の限界

第１款　公共の福祉による制約

一　公共の福祉の内容

基本的人権は，永久不可侵をその本質とするが，これは，人権が絶対的な存在であり，一切の制約が認められないということを意味しているわけではない。人は社会の中で生活しており，日々多くの人々と関わって生活している。ゆえに，人権と人権が衝突するということは充分にあり得ることである。そこで，日本国憲法は人権に対して一定の制約を加える際の，一般的根拠として，「公共の福祉」という他者加害防止のための規定を置いている。

１　一元的外在制約説

人権はすべて，日本国憲法第 12 条後段の「公共の福祉」によって，外在的（政策的）に制約することができる。

【日本国憲法第 12 条】

この憲法が国民に保障する自由及び権利は，国民の不断の努力によつて，これを保持しなければならない。又，国民は，これを濫用してはならないのであつて，常に公共の福祉のためにこれを利用する責任を負ふ。

また，人権はすべて，日本国憲法第 13 条後段の「公共の福祉」によっても，外在的（政策的）に制約することができる。

【日本国憲法第 13 条】

すべて国民は，個人として尊重される。生命，自由及び幸福追求に対する国民の権利については，公共の福祉に反しない限り，立法その他の国政の上で，最大の尊重を必要とする。

しかし，日本国憲法第 22 条第１項における「公共の福祉」は，日本国憲法第 12 条後段及び第 13 条後段の「公共の福祉」を再び記しただけであって，特別な意味を持たない。

【日本国憲法第 22 条】

何人も，公共の福祉に反しない限り，居住，移転及び職業選択の自由を有する。

２　何人も，外国に移住し，又は国籍を離脱する自由を侵されない。

また，日本国憲法第 29 条第２項における「公共の福祉」も，同様に特別な意味を持たないと解すべきである。

【日本国憲法第 29 条】
財産権は，これを侵してはならない。
2　財産権の内容は，公共の福祉に適合するやうに，法律でこれを定める。
3　私有財産は，正当な補償の下に，これを公共のために用ひることができる。

この見解に対しては，法律さえ制定されていれば人権制約が可能であるという意味の法律の留保が付された人権保障と同様に，法律による人権制限が容易に肯定され得るとの批判がされている。

2　内在・外在二元的制約説

人権を「公共の福祉」によって制約できるのは，外在的（政策的）制約を定めた日本国憲法第 22 条第１項及び第 29 条第２項の「公共の福祉」の公共の福祉であって，日本国憲法第12条後段及び第13条後段の「公共の福祉」は，単なる訓示規定に過ぎず，人権の制約根拠とはならず，また，すべての人権は明文なき内在的制約に服するが，これは「公共の福祉」とは関わりがないと解すべきである。

この見解に対しては，「公共の福祉」の概念を国の政策的考慮に基づいて公益のために外から加える制約という意味に限定して考えるのが妥当であるかは疑問であるし，日本国憲法第 13 条後段を倫理的・訓示規定として解してしまうと，「新しい人権」の基礎となる根拠を失わせることとなるとの批判がされている。

3　一元的内在制約説（通説）

「公共の福祉」には，自由権を各人に公平に保障するために加えられる必要最小限度の制約である自由国家的公共の福祉と，社会権を実質的に保障するための経済的自由権に加える必要な限度の制約である社会国家的公共の福祉との２種類があり，日本国憲法第 12 条後段及び第 13 条後段の「公共の福祉」は，人権相互の矛盾，衝突を調整するための実質的公平の原理であり，すべての人権に必然的に内在するものであり，自由国家的公共の福祉であり，一方，日本国憲法第 22 条第１項及び第 29 条第２項の「公共の福祉」は，社会国家的公共の福祉であると解すべきである。

この見解に対しては，何が，「必要最小限度」または「必要な限度」の制約なのかを明らかにしないと「公共の福祉」の名の下に不当な人権侵害が引き起こされることになり得，結局，一元的外在制約説と変わらなくなってしまうとの批判がされている。

二　公共の福祉の具体化

「公共の福祉」について，一元的内在制約説，つまり，「公共の福祉」の意味を，人権相互の矛盾，衝突を調整するための実質的公平の原理であり，すべての人権に必然的に内在するものと解したとしても，そもそも，「公共の福祉」の内容は不明確であるため，「公共の福祉」のみでは，具体的な事件を解決する基準とはなり得ないこととなる。そこで，「公共の福祉」の内容を具体的に明らかにし，人権を制約する法規範の違憲審査基準を具体化することが必要となる。

1　比較衡量論

「公共の福祉」を理由として，国民の基本的人権を制約することができるのは，人権を制約することによって得られる社会的利益と，それを制限しないことにより確保される利益とを比較衡量し，前者の利益が高いと判断された場合に限定されるべきであるとする考え方を比較衡量論という。

この見解に対しては，２つの異質な価値を比較衡量することは，そもそも，困難であり，比較の基準が明確でないため裁判所の恣意的判断の危険があること，国家権力と国民との関係でそれぞれの利益の衡量が行われる場合が多いことから，どうしても国家的価値が優先されることが多くなることから批判をされている。

このような批判がありつつも，そもそも，人権問題については，結局のところ，矛盾対立する価値や利益のいずれかを優先させるかという価値選択をすることに他ならないし，また，「公共の福祉」という抽象的な原理によって人権制約の合憲性を判定するよりは，比較衡量の方法の方が優れているともいえる。しかし，批判にもあるように，比較衡量論には，一般的に，比較の準則が必ずしも明確ではなく，特に，国家権力と国民との間で利益衡量が行われる分野においては，概して，国家的価値が優先される可能性が強いという問題がある。そこで，同じ程度に重要な２つの人権を調節するために裁判所が仲裁者として働くような場合に限定して用いたり，比較衡量を枠づける基準として各種の違憲審査基準を用意することにより合憲性判断の恣意性を排除しようとしたりしている。

最高裁判所は，『全逓東京中郵事件』判決（最高裁判所昭和 41 年 10 月 26 日大法廷判決），『都教組事件』判決（最高裁判所昭和 44 年４月２日判決），『全農林警職法事件』判決（最高裁判所昭和 48 年４月 25 日大法廷判決）等で比較衡量論を採用している。

2 二重の基準論

精神的自由権は，個人の人格形成・発展に直接関係する重要な権利であり，精神的自由に対して不当に制約をする法律が制定されると，民主政の過程による自己回復を期待できず，裁判所による積極的な介入が要請されるが，それと比較して，経済的自由権に対して不当に制約をする法律が制定された場合には，民主政の過程を通じてそれを排除することができ，また，社会・経済政策的理由に基づく経済的自由の制約立法の合意性については，裁判所よりも資料収集能力に優れた政治部門の判断を裁判所は尊重すべきであることから，精神的自由権を制約する立法の合意性は，経済的自由権を制約する立法の合意性よりも厳格に審査されなければならないとする， 違意審査方法と違意審査基準についての考え方のことを二重の基準論という。

第２款 パターナリズムによる制約

一 パターナリズムの意義

パターナリズムとは，充分な判断能力のない子ども（未成年者）に対して，親が干渉して面倒をみるような方法で，国家が干渉をすることをいう。

二 パターナリズムによる制約

従来，人権は「公共の福祉」による制約原理（日本国憲法第 12 条後段，第 13 条後段，第 22 条第１項，第 29 条第２項）によって，他人の権利・利益を侵害してはならない他者加害の防止という観点での制約原理を検討してきたが，今日，自己の権利・利益を侵害しないように干渉する自己加害の防止という観点での制約原理もあり得るとされ，このような自己加害を防止するための制約をパターナリズムによる制約という。

子ども（未成年者）は判断能力が未成熟であるため，パターナリズムによる制約が認められると解されている。また，自己の個人的事柄について自ら決定する自己決定権については，自己加害の危険性が大きいため，パターナリズムによる制約が認められやすいと解されている。しかし，このような自己加害を防止するための制約は，あくまでも例外的なものであるから，未成年者などの人格的自律の助長・促進にとって必要やむを得ないと認められる場合に限って許されると解すべきである。

第2章　包括的基本権

第1節　個人の尊重

一　個人の尊重の原理【日本国憲法第13条前段】

日本国憲法第13条前段は,「すべて国民は,個人として尊重される」と規定している。この「個人の尊重」とは,個人の平等かつ独立な人格的価値を承認することを意味する。

日本国憲法第13条前段は,国家が,国民個人に対して,個人を立法その他の国政のあらゆる場面において最大限尊重するという個人主義の原理を採用することを表明している。この個人主義の原理は,日本国憲法における根本原理であり,すべての法秩序における原則的規範となる。ゆえに,国家は,個人を何よりも最高の価値を有する存在として扱わなければならない。

憲法とは,この「個人の尊重」原理を達成するための人権保障の体系である。ゆえに,人権保障を通して,「個人の尊重」という究極の目的が達成される。また,人権保障という目的を達成するための手段として,統治機構が存在する。

第2節　生命,自由及び幸福追求権

一　生命,自由及び幸福追求権【日本国憲法第13条後段】

日本国憲法第13条後段は,「生命,自由及び幸福追求に対する国民の権利については,公共の福祉に反しない限り,立法その他の国政の上で,最大の尊重を必要とする」と規定し,幸福追求権を保障している。

この規定は,アメリカ独立宣言(1776年)にある「創造主によって,生命,自由および幸福の追求を含む不可侵の権利を与えられている」に由来している。

この幸福追求権は,個人の人格的生存に不可欠の根源的な権利と解されている。また,幸福とは,私的幸福のみならず公的幸福も含むと解されている。この幸福追求権が保障するのは,幸福の追求であって,幸福そのものではない。幸福の内容自体については,個人が個々に決定することであって,国家の関与する事柄ではないが,幸福の追求については,国家が幸福追求のための自由確保についての諸条件を整備することが求められている。

第３節　新しい人権

第１款　新しい人権総論

一　新しい人権

1　新しい人権の問題

日本国憲法は，第 14 条以下に，具体的な人権保障規定を配置しているが，社会の著しい発展に伴い，日本国憲法の制定当初には全く想定されていなかった様々な人権問題が起こり，日本国憲法上規定されている人権保障規定のみでは対処ができなくなってきている。しかし，日本国憲法上，明文の規定がないからといって，このような人権問題を放置することは，さらなる人権侵害を招来することにもなる。それでは，このような新しい人権問題を解決するにはどうしたらよいのだろうか。ここで，新しい人権についてどう考えるかが問題となる。

2　新しい人権と幸福追求権

憲法制定当初に，すべての人権侵害事例を予見することは困難であり，将来生じ得るあらゆる権利を明文で保障することは不可能である。また，人権は前憲法的性格を有している。ゆえに，憲法は人権の発展及び創設を予定しているということができるし，個人の尊重を確保するために，社会の変化に応じて新しい人権を認める必要があるということもできる。それでは，新しい人権を保障するための根拠として，日本国憲法第 13 条後段の保障する幸福追求権を利用することは可能だろうか。日本国憲法第 13 条後段の規定がどのような法的性格を有しているかが問題となる。

（1）権利性否定説

日本国憲法第 13 条後段が規定する幸福追求権は，その意味が漠然としているため，プログラム的性格しか有さず，国政の在り方や基本的人権についての通則的性格を有するに留まる。また，日本国憲法自体に詳細な基本権規定が置かれており，また，国政の一般原理の宣言という客観的規範と個別的・具体的権利という主観的権利とは同一規定中に両立し得ない。ゆえに，日本国憲法第 13 条後段の規定する幸福追求権は，権利性を有さず，日本国憲法の保障する人権は，第 14 条以下に列挙されているものに限定されるものと解すべきである。

（2）権利性肯定説（判例及び通説）

憲法制定当時，将来生じ得るあらゆる権利を個別的に明文で定めることは不可能であり，社会の変化に伴い，個人の尊重を達成するために必要な権利を日本国憲法上保障する必要があることから，日本国憲法第 13 条後段が規定する幸福追求権は，人格的生存に不可欠な権利を包摂する包括的権利である。また，内容が包括的であることと，内容が漠然的であることとは，必ずしも結びつかず，同一規定中にも客観的規範と主観的権利は両立し得る。ゆえに，日本国憲法第 13 条後段の規定する幸福追求権は，権利性を有し，日本国憲法の保障する人権は，第 14 条以下に列挙されているものに限定されず，新しい人権を保障するための根拠となると解すべきである。

最高裁判所は，『京都府学連事件』判決（最高裁判所昭和 44 年 12 月 24 日大法廷判決）において，日本国憲法第 13 条後段について具体的権利性を認めている。

3　新しい人権を認める基準

日本国憲法第 13 条後段によって，新しい人権が認められるとしても，無制限に新しい人権を認めるべきであろうか。それとも，ある程度限定して認めるべきなのであろうか。

（1）一般的自由説

日本国憲法第 13 条後段が保障する幸福追求権は，あらゆる生活領域に関する行為の自由を内容としているし，その新しい人権が人格的生存に不可欠なものかどうかは不明確であるし，また，新しい人権を限定的に捉えると人権保障の範囲が狭くなりすぎる危険もある。ゆえに，新しい人権は，広く保障するべきである。

つまり，新しい人権は，日本国憲法第 13 条後段を根拠に，無限定に認められることとなる。

（2）人格的利益説（通説）

日本国憲法第 13 条後段が保障する幸福追求権は，日本国憲法第 13 条前段の個人の尊重原理と不可分に解されるものであり，また，新しい人権を無制限に認めてしまうと，既存の人権の価値が相対的に低下する人権のインフレ化を招来することとなる。また，新しい人権を理由に既存の人権制約を招来することともなり得ない。ゆえに，新しい権利とは，個人の人格的生存に不可欠な権利に限定すべきである。

つまり，新しい人権は，日本国憲法第 13 条後段を根拠に，個人の人格的生存に不可欠な権利に限定して認められることとなる。

二　新しい人権と既存の人権との関係

日本国憲法第 13 条後段を根拠として新しい人権が認められるとして，日本国憲法第 14 条以下に配置されている既存の人権との関係をどのように解すべきであろうか。

１　保障競合説

日本国憲法第 13 条後段が保障する幸福追求権は，日本国憲法第 14 条以下の既存の具体的人権との関係で競合関係に立つと解すべきである。

２　補充的保障説

日本国憲法第 13 条後段が保障する幸福追求権は，日本国憲法第 14 条以下の既存の具体的人権との関係で，一般法・特別法の関係が成り立ち，日本国憲法第 14 条以下の既存の具体的人権で対応可能な場合には，日本国憲法第 13 条後段を持ち出す必要はなく，あくまでも対応できない場合に補充的に用いることと解すべきである

第２款　プライバシー権

一　プライバシー権の意義

プライバシー権は，現代的人権であるといえる。日本国憲法上，プライバシー権についての明文の規定は存在していない。つまり，日本国憲法の制定当初，個人にとって不可欠の権利とはみなされていなかったのである。しかし，現在では，その権利としての重要性から，高度に発達した文明社会における極めて成熟した高級な人格権の１つとして認知されている。

プライバシー権には，２つの意義があるとされている。

１　１人にしておいてもらう権利（放っておいてもらう権利）

最初期のプライバシー権は，「１人にしておいてもらう権利」であると定義された。この意味でのプライバシー権は，「放っておいてもらう権利」とも定義される。

この権利は，私生活において他者から干渉を受けることなく，平穏に生活を送ることを目的とした権利のことを意味する。ゆえに，私生活において他者から干渉を受けた時点でプライバシー権の侵害となる。

2 私生活をみだりに公開されない権利

次に，プライバシー権は，「私生活をみだりに公開されない権利」であると定義される。

日本において，プライバシー権が本格的に取り扱われたのは，『「宴のあと」事件』判決（東京地方裁判所昭和39年９月28日判決）でのことである。この事件において，個人の尊重という思想は，相互の人格が尊重され，不当な干渉から自我が保護されることによってはじめて確実なものとなることから，プライバシー権は，「私生活をみだりに公開されない権利」として理解されるものとされた。また，プライバシーの侵害に対して法的救済が与えられる要件として，①公開された内容が，私生活上の事実または私生活上の事実らしく受け取られる危険のある内容であること，②公開された内容が，一般人の感受性を基準にして当該私人の立場に立った場合公開を欲しないであろうと認められる内容であること，③公開された内容が，一般の人々に未だ知られていない内容であること，④公開された内容が，このような公開によって当該私人が実際に不快，不安の念を覚えたこと，の４つの要件を挙げた。

この意味でのプライバシー権は，私生活上の情報を公開された時点で侵害を受けたこととなる。

3 自己に関する情報をコントロールする権利

現在のプライバシー権は，「自己に関する情報をコントロールする権利」として定義されている。この「自己に関する情報をコントロールする権利」は「自己情報コントロール権」ともいわれる。

日本において，自己情報コントロール権とは，次のように定義されている。まず，個人情報は，個人の道徳的自律の存在にかかわる情報（プライバシー固有情報）と，個人の道徳的自律の存在に直接かかわらない外的事項に関する個別的情報（プライバシー外延情報）とに区別される。プライバシー外延情報については，正当な目的・方法により情報を取得・利用する限りにおいては，違法なプライバシー侵害は生じない。しかし，プライバシー外延情報であっても，そうした情報が悪用または集積されるならば，個人の自律的生存に影響を及ぼすことになる。このため，自己に関する情報の収集・管理・利用・開示・提供のすべてについて，原則として本人の意思に反してはならない。

この意味でのプライバシー権は，他者が自己に関する情報を収集した段階で侵害を受けたこととなる。

二　プライバシー権の憲法上の根拠

プライバシー権は，当初，『「宴のあと」事件』判決（東京地方裁判所昭和39年9月28日判決）における「私生活をみだりに公開されないという保障ないし権利」として考えられてきた。しかし，情報化社会が高度化した現在では，プライバシーの権利はこれまでのような理解だけでは収まらず，「私生活をみだりに公開されないという保障または権利」であることに加えて，より積極的に「自己の存在にかかわる情報を開示する範囲を選択できる権利」または「自己に関する情報をコントロールする権利」，いわゆる「自己情報コントロール権」として解するようになってきている。

ここで，このプライバシー権が，新しい人権として日本国憲法第13条後段によって保障されるかが問題となる。つまり，プライバシー権が，個人の人格的生存に不可欠の権利であるかが問題となる。

この点，高度情報化社会といわれる現代においては，企業や国家が，個人の各種情報を収集しており，そのため，個人の自律的領域である個人の秘密が脅威にさらされるという状況が発生している。このことから考えると，自己に関する情報をコントロールする権利としてのプライバシー権の保護は，個人の人格的生存に不可欠であるといえる。ゆえに，プライバシーの権利は，日本国憲法第13条後段によって保障されると解すべきである。

《重要論点Q＆A／憲法001》

Q　指紋押捺を拒否する自由は，日本国憲法上保障されると解すべきか？

A　プライバシー権の内容には争いがあり，「私生活をみだりに公開されない権利」とする見解もあるが，今日においては，国家及びマスメディアに情報が集中していることから，自己に関する情報を自由に管理し得なければ，個人の尊重の確保を達成することはできない。ゆえに，プライバシー権を「自己の情報を自由にコントロールし得る権利」として解すべきである。とすると，指紋も個人に関する情報の1つであり，指紋押捺を拒否する自由も，プライバシーの権利の一環であるとして保障されるべきと解する。では，その制約に対する合憲性判定基準はどのように解すべきであろうか。この点，指紋は外延情報に過ぎないとして，やや緩やかな基準により判断することを認める見解もあるが，指紋は個人を特定する上で，極めて重要な情報であり，単なる外延情報に過ぎないとすることは妥当ではない。ゆえに，人格的生存そのものに密接な関連性を持つものとして，厳格な基準によって合憲性の判定がなされるべきであると解すべきである。

三　プライバシー権の法的性格

プライバシー権は，自由権的側面と社会権的側面の双方を有する複合的性格を持つ人権であると解されている。

１　プライバシー権の自由権的側面

プライバシー権の自由権的側面とは，国家が個人の意思に反して，接触を強要し，みだりに，その人に関する情報を収集し利用することが禁止されるということを意味する。

２　プライバシー権の社会権的側面

プライバシー権の社会権的側面とは，国家機関の保有する自己に関係する情報についての開示を求めたり，訂正を求めたり，削除を求めたりできるということを意味する。

四　プライバシー権の裁判規範性

１　プライバシー権の自由権的側面

プライバシー権の自由権的側面については，権利内容が明確で，裁判所の判断が容易であることから，裁判規範性は肯定されると解されている。

２　プライバシー権の社会権的側面

（１）肯定説

個人に関係する情報は，当該個人にとっては，人格的生存に不可欠のものであり，国家は正しい情報を保有すべき義務があり，それに対して，個人は正しい情報を保有される権利があるので，具体的な法律の規定がない場合でも，国家に対して，自己に関係する情報の開示・訂正・削除を請求することができる。

（２）否定説

プライバシー権は，内容が不明確であるので，具体的な法律がない場合は，自己に関係する情報の開示・訂正・削除を請求することができない。請求の対象は，個人に関係する情報の開示・訂正・削除をすることであり，これには国家の作為を要するから，法律による行政の観点から，具体的な法律の規定が必要となる。

第３款　環境権

一　環境権の意義

１　環境権の意義

環境権とは，よりよい健康で快適な生活を送れるような環境を享受する権利のことをいう。

人間の生活及び生存は，本質的に環境に依存しており，自然環境の破壊は，生命及び健康の安全を脅かすことから，人格的生存に不可欠の権利として，環境権が主張されるようになっている。

２　環境権の内容

環境権の内容については，学説の対立がある。

（１）自然環境に限られるとする説（多数説）

環境権の内容に，歴史的環境や社会的環境まで含めると，環境権が茫漠としたものとなり，内部に矛盾撞着を抱える危険があること，自然環境の保持という環境権登場の背景を理由に，自然環境に限られると解するべきである。

（２）自然環境に限られないとする説

環境権の内容は，人間生活を豊かにする価値ある資源という意味で，歴史的環境や社会的環境も含むことから，自然環境に限られないと解すべきである。

二　環境権の憲法上の根拠

１　日本国憲法第 25 条により保障されるとする説

健康で文化的な最低限度の生活を可能にするためには，健康が確保されるための生活環境が必要である以上，環境権は生存権の１つの形態であるから，直接の根拠は，日本国憲法第 25 条に求めるものと解すべきである。

【日本国憲法第 25 条】

すべて国民は，健康で文化的な最低限度の生活を営む権利を有する。

２　国は，すべての生活部面について，社会福祉，社会保障及び公衆衛生の向上及び増進に努めなければならない。

2 日本国憲法第 13 条及び第 25 条により保障されるとする説

環境破壊は，人格的生存にとって脅威であることから，日本国憲法第 13 条により保障される。また，環境を保全することによって，個人の生命及び健康を保持し，人間らしい生活を営むことを可能となることから，このような権利は日本国憲法第 25 条により保障される。ゆえに，環境権は，日本国憲法第 13 条及び第 25 条により，二重に保障されていると解すべきである。

三 環境権の法的性格

1 具体的権利性肯定説

環境権は，所有権や人格権と同様の具体的私権であり，裁判においても損害賠償請求や差止め請求の根拠となる権利であることから，環境権には，具体的権利性が認められると解すべきである。

2 具体的権利性否定説

環境権の概念は，未だ不明確で抽象的であることから，日本国憲法第 25 条に含まれる権利として位置付けた場合，環境権を具体的権利として位置付けることは，かなり困難であり，また，日本国憲法第 13 条によって位置付けた場合であってもそれだけでは権利内容が不明確であることから，環境権には，具体的権利性が認められないと解すべきである。

第４款 名誉権

一 名誉権の意義

名誉とは，人に対する社会的評価のことをいう。人は，社会の中に生活しており，その生活は，他人の評価の上に成り立っているともいえる。

このような名誉に対する権利である名誉権は，人格的生存に不可欠であるといえるので，名誉権の保障が必要となる。

名誉権については，『北方ジャーナル事件』判決（最高裁判所昭和 61 年 6 月 11 日大法廷判決）において，その侵害行為に対して，その差し止めを請求することができると判示されている。

第５款　肖像権

一　肖像権の意義

肖像権とは，本人の承諾なしに，自己の容貌等をみだりに撮影されたり公表されたりすることのない自由を意味する権利のことをいう。

この肖像権は，プライバシー権の１類型として解されている。

肖像権については，『京都府学連事件』判決（最高裁判所昭和44年12月24日大法廷判決）において示されている。

第６款　自己決定権

一　自己決定権の意義

自己決定権とは，個人が，公権力の干渉を受けずに，一定の個人的事柄について自ら決定することができる権利のことをいう。

１　人格的自由説

自己決定権の保障対象は，個人の人格的生存に不可欠な権利に限られると解すべきである。

２　一般的自由説

自己決定権は，個人の自由な行動を広く保障していると解すべきである。

第７款　嫌煙権

一　嫌煙権の意義

嫌煙権とは，受動喫煙を本人の可否に拘わらず強いられることについて異議を申し立てる権利のことをいう。

この権利は，嗜好の問題として，人権問題に該当しないとする論者が多いが，最近の研究では，受動喫煙によって被る健康上の損害の重大さについては証明されていることから，喫煙権は単なる嗜好の問題ではあるが，嫌煙権については，個人の生命に直結する問題であり，単なる嗜好の問題とはいえず，新しい権利として保障するのが妥当であると解すべきである。

第3章　平等権

第1節　平等権総論

一　平等原則と平等権

平等思想の歴史は古く，自然法思想は，個人に対して，「自由」と並んで「平等」が保障されることを理論化した。「人間は生まれながらに自由であり平等である」ということは，人権思想の根底にある考え方となる。

1　平等原則の意義

平等の原則とは，政府に対して不平等扱いを禁止するという客観的原理のことをいう。

2　平等権の意義

平等権とは，各人が平等に取り扱われる権利，または，差別により不利益を被らない権利のことをいう。

3　平等原則と平等権

平等原則については，当然に裁判規範性を有するとされており，また，平等権についても個人の主観的権利として裁判規範性を有するものとされている。ゆえに，平等原則違反と平等権侵害は重なり合うことも多いといえるが，不平等扱いによる不利益ではなく，利益を受ける者については平等権を侵害されたとはいえないことから，平等原則違反はあるが，平等権侵害はないといえる。

二　平等の種類

1　形式的平等と実質的平等

（1）形式的平等（機会の平等）

形式的平等とは，現実の様々な差異を一切捨象して，すべての国民に対して，原則的に，一律平等に扱うことをいう。近代立憲主義の下では，「平等」とは「機会の平等」のことを意味し，形式的に取扱いを平等にすればよく，機会を平等に与えればよいとされた。

（２）実質的平等（条件の平等）

実質的平等とは，すべての国民に対して，機会の平等を実質的に確保するための基盤形成という意味で，そのための条件を平等にしていこうとすることをいう。現代立憲主義の下では，貧困等の不利な立場にある者には援助をすることで「条件の平等」を実現すべきである。さらに，条件を整えるだけでなく，結果の差別をなくすという「結果の平等」の考え方もあるが，これは自由の否定につながる危険性を有することから妥当ではない。

２　絶対的平等と相対的平等

（１）絶対的平等

絶対的平等とは，個々の事実上の差異を一切考慮に入れずに，機械的に均等に扱うことをいう。絶対的平等の立場に立つと，一切の差別的取り扱いが禁止されることとなる。

（２）相対的平等

相対的平等とは，個々の事実上の差異を考慮に入れた上で，そのような差異について，同一事情や同一条件の下において均等に扱うことをいう。個人の人格を支える生活環境には個人差があり，この個人差を全く無視して機械的に均等に扱うことは，かえって人格価値の不平等を招来することにつながる。ゆえに，個々の特質に応じた合理的区別を許すものと解すべきである。

第２節　法の下の平等

一　法の下の平等

１　法の下の平等の意味【日本国憲法第 14 条第１項】

【日本国憲法第 14 条第１項】

すべて国民は，法の下に平等であつて，人種，信条，性別，社会的身分又は門地により，政治的，経済的又は社会的関係において，差別されない。

（１）「法の下」の意味

日本国憲法第 14 条第１項は，法の下の平等について規定しているが，この「法の下」とはどのように解釈すべきであろうか。つまり，法適用のみの平等を意味するのか，法内容の平等まで意味し，立法者を拘束するのかが問題となる。

① 立法者非拘束説

日本国憲法第 14 条第1項前段の一般的平等原則については，立法者を拘束しないが，日本国憲法第 14 条第1項後段は，立法者を拘束すると解すべきである。ゆえに，日本国憲法第 14 条第1項は法適用の平等のみを規定しているとする解すべきである。

② 立法者拘束説（通説）

日本国憲法第 14 条第1項は，一般的に立法者を拘束すると解すべきである。法適用の平等を図っても，その内容が不平等であっては，平等の保障は実現されず，無意味であることから，日本国憲法第 14 条第1項は，法適用のみならず，法内容の平等まで規定していると解すべきである。

③ 立法者義務説

現代社会には，様々な不平等や差別が，なお多数存在しており，国家の不作為により，事実上の不平等等がそのまま放置される場合には，平等原則の侵害と考える必要がある。つまり，日本国憲法第 14 条第1項は，国家，特に，立法者には，国民の自由と平等を事実上否定する差別行為を是正しなければならないという義務を立法上負っていることを規定していると解すべきである。

（2）「平等」の意味

日本国憲法第 14 条第1項は，「平等であつて」と規定しており，この「平等であって」とは，国家は，個人を人格的価値において等しいものとして取り扱うべきである根源的平等を意味すると解されている。もっとも，「平等」とは一切の差別的取扱いを禁止するものか，条文上明らかでなく問題となる。

この点，「平等」とは，すべての者を全く同一に取り扱うことを要求する絶対的平等ではなく，各個人の特質に応じて合理的差別を許す相対的平等を意味すると解されており，最高裁判所も，『尊属殺重罰規定違憲事件』判決（最高裁判所昭和 48 年4月4日大法廷判決）において，日本国憲法第 14 条第1項の「平等」とは，相対的平等を意味するとの立場に立っている。

（3）後段列挙事由

① 後段列挙事由の意味

日本国憲法第 14 条第1項後段には，差別を許さない事由として，「人種，信条，性別，社会的身分又は門地」が列挙されているが，これらの意味をどのように解すべきであろうか。

A 限定列挙説

後段列挙事由は，限定列挙事由であると解すべきである。ゆえに，ここに列挙されている事由以外での立法上の差別は許されることとなる。

B 例示列挙説（判例）

後段列挙事由は，単なる例示列挙事由であると解すべきである。ゆえに，日本国憲法第14条第1項後段の規定には，格別の存在意義は認められない。最高裁判所は，『尊属殺重罰規定違憲事件』判決（最高裁判所昭和48年4月4日大法廷判決）において，日本国憲法第14条第1項後段は，不合理な差別自由の列挙ではなく，単なる差別自由の例示であるとしている。

C 限定的例示列挙説

後段列挙事由は，例示列挙事由であると解すべきである。なぜなら，平等の内容は時代により変化するから，立法上の差別禁止事由を限定的に解するのでは，平等が侵害される危険性を生じ，妥当ではない。ゆえに，個々に列挙されている事由以外でも立法上の差別は許されない。しかし，後段列挙事由は，歴史上，特に問題となった差別事由を列挙し，例示したものであり，条文上わざわざ列挙してある以上，そのことに特別な意味を与えるべきであることから，このような差別は全面的に禁止されると解すべきである。

D 同一内容説

後段列挙事由は，日本国憲法第 14 条第1項前段の保障する法の下の平等を具体化したものであるので，それと同一内容であると解すべきである。

② 後段列挙事由の内容

日本国憲法第14条第1項後段は，「人種，信条，性別，社会的身分又は門地」の5つの差別禁止事由を挙げている。

A 人種

人種とは，皮膚・毛髪・眼等の色，体格，体型といった身体的特徴や，言語，風俗，習慣等で区別した人類学上の種別のことをいう。人種を理由とする差別は，平等思想の根源に反して許されないものと解されている。民族は，人種とは同一のものではないが，民族を原因とする差別は，人種による差別に通ずる。ゆえに，民族差別は，人種差別の一内容を構成することとなる。

B 信条

信条とは，歴史的には，主に，宗教や信仰のことを意味していたが，現在では，宗教的信仰のみならず，人生や政治に関する考え方，思想，世界観，政治観等を含むとされている。このような信条は，人間の存在及び民主主義にとって，基本的に重要な価値を有することとなる。ゆえに，それを理由とする不利益な取扱いは，絶対的に禁止されると解すべきである。

C 性別

性別とは，男女の別を意味する。男女には，体力差や体格差等があることから，これらに基づく合理的な区別は許されることとなる。

D　社会的身分

a　広義説

社会的身分とは，個人が社会において，ある程度継続的に占めている地位または身分のことをいう。最高裁判所も，この見解を採用しているとされている（最高裁判所昭和39年5月27日大法廷判決）。

b　中間説

社会的身分とは，個人が社会において，継続的に占めている地位のことを意味し，個人の自らの力では，そこから脱却することはできず，それについて，ある種の社会的評価を伴うものをいう。

c　狭義説

社会的身分とは，個人の生まれによって決定される社会的な地位または身分のことをいう。

門地とは類似しているが，門地は家柄といった家族的身分であることから，社会的身分とは異なるとされる。

E　門地

門地とは，家系や血統等の家柄のことをいう。家柄には，貴族制度や華族制度が含まれる。

2　違憲審査基準

（1）日本国憲法第14条第1項の後段列挙事由に該当する場合

日本国憲法第14条第1項の後段列挙事由は，「信条」を除けば，いずれも「生まれ」による差別に該当するものであり，また，民主主義の理念の下では，本来許されない差別であり，特に差別が禁止されるべきものを限定的に列挙したものと解すべきである。ゆえに，日本国憲法第14条第1項の後段列挙事由に該当する差別の場合においては，厳格な審査基準に基づいて審査されるべきであり，やむにやまれぬ政府利益達成のために，その別異の取扱いが必要不可欠のものであるかを厳格に問うべきである。

（2）日本国憲法第14条第1項の後段列挙事由に該当しない場合

日本国憲法第14条第1項の後段列挙事由に該当しない差別の場合には，立法目的が正当であり，立法目的と差別的取扱いとの間に合理的関連性があれば，合理的差別といえる合理性の基準によって審査すべきである。

もっとも，日本国憲法第14条第1項の後段列挙事由に該当しない差別の場合であっても，民主政の過程に不可欠な人権における差別については，合理性の基準では不充分であり，厳格な合理性の基準によって審査すべきである。

（３）積極的差別是正措置の場合

積極的差別是正措置とは，国家が，歴史的に差別を受けていた特別のグループ等に対して，人種や性等を考慮した一定数の枠を設け，教育や雇用の機会等を優先的に与える措置のことをいう。積極的差別是正措置は，アファーマティブ・アクションともいわれる。

積極的差別是正措置については，いきすぎると逆差別となる危険性を有することから，その合憲性判定基準が問題となる。

①　緩和説

積極的差別是正措置は，差別を是正し実質的平等を実現することを目的としているが，その反面，社会的強者の集団に属する人々の機会の形式的平等を損なうことから，相矛盾した性格を有する。このことから，人種や性別がただ疑わしい差別であるという一般論を機械的にあてはめると，人種や性別に関する積極的差別是正措置が一律に違憲とされてしまうこととなり，不都合である。ゆえに，積極的差別是正措置の合憲性判定基準は，通常の場合より緩和されると解すべきである。

Ａ　厳格な合理性の基準説

積極的差別是正措置が集団的属性を強調するため，個人主義の憲法理念に反し，むしろ，優遇措置がなければならないという劣等の偏見や固定観念を生み，逆差別の危険性を有することから，合理性の基準よりもやや厳しい基準である厳格な合理性の基準をもって審査することと解すべきである。

Ｂ　合理性の基準説

通常の差別とは異なることから，積極的政策的立法に随伴する不平等と同様に，合理性の基準をもって審査することと解すべきである。

②　厳格説

積極的差別是正措置によって直接に不利益を被る人は，本来であれば自分たちが属する集団全体で負担すべきものを一部の者で負担していることとなることから，不公平が生じ，違憲の疑いが強いものと解すべきである。

二　貴族制度の廃止と栄典の授与

１　貴族制度及び華族制度の廃止【日本国憲法第 14 条第２項】

【日本国憲法第 14 条第２項】

２　華族その他の貴族の制度は，これを認めない。

日本国憲法第 14 条第２項は，「華族その他の貴族の制度は，これを認めない。」と規定し，第 14 条第１項後段にある「門地」による差別の禁止を改めて規定している。

２　栄典の授与とその効力【日本国憲法第 14 条第３項】

【日本国憲法第 14 条第３項】
３　栄誉，勲章その他の栄典の授与は，いかなる特権も伴はない。栄典の授与は，現にこれを有し，又は将来これを受ける者の１代に限り，その効力を有する。

日本国憲法第 14 条第３項は，栄典の授与にまつわる特権について，いかなる特権も伴わないことと，その栄典の効力は，１代限りであり，世襲されてはならない旨を規定している。

三　家族生活における平等

１　両性の本質的平等【日本国憲法第 24 条】

【日本国憲法第 24 条】
婚姻は，両性の合意のみに基いて成立し，夫婦が同等の権利を有することを基本として，相互の協力により，維持されなければならない。
２　配偶者の選択，財産権，相続，住居の選定，離婚並びに婚姻及び家族に関するその他の事項に関しては，法律は，個人の尊厳と両性の本質的平等に立脚して，制定されなければならない。

婚姻は，両性の合意のみに基づいて成立し，夫婦が同等の権利を有することを基本として，相互の協力により，維持されなければならない（日本国憲法第 24 条第１項）。

家族生活に関する事項について，法律を制定する場合には，個人の尊厳と両性の本質的平等に立脚してなされなければならない（日本国憲法第 24 条第２項）。

そもそも，日本国憲法第 14 条は，法の下の平等を保障するとともに，「性別」を差別禁止事項の１つとして挙げている。これに対して，日本国憲法第 24 条も家族生活における両性の本質的平等を規定している。このことから，家族生活における男女の平等については，規定上，日本国憲法第 14 条及び第 24 条によって，二重に保障されることとなる。これに対して，家族間における男女問題以外については，日本国憲法第 14 条のみが保障することとなる。

2　家族生活における平等の問題

（1）婚姻適齢の問題【民法第 731 条】

【民法第 731 条】

男は，18 歳に，女は，16 歳にならなければ，婚姻をすることができない。

民法第 731 条には，婚姻をすることが可能な最低年齢は，男性は満 18 歳，女性は満 16 歳と規定されていることから，婚姻最低年齢の男女における異なる取扱いが，日本国憲法第 14 条第 1 項に反しないか問題となる。

①　合憲説

そもそも，民法第 731 条には，これは早婚防止のための規定であり，男女の性的成熟度の差を考慮すれば，合理的な規定であるといえるので，民法第 731 条の規定は合憲であると解すべきである。

②　違憲説

そもそも，性的成熟度というものは，個人差に大きく左右されるものであり，仮に，平均的に，女性が男性よりも早く成熟するとしても，このような男女の典型化された性による特性を根拠として，男女を別異に扱うことは，平均像とは異なった個人にとっては不公正な扱いであるといえることから，民法第 731 条の規定は違憲であると解すべきである。

（2）女子の再婚禁止期間の問題【民法第 733 条】

【民法第 733 条】

女は，前婚の解消又は取消しの日から起算して 100 日を経過した後でなければ，再婚をすることができない。

2　前項の規定は，次に掲げる場合には，適用しない。

一　女が前婚の解消又は取り消しの時に懐胎していなかった場合

二　女が前婚の解消又は女が前婚の解消又は取消しの前から懐胎していた場合には，その出産の日から，前項の規定を適用しない。

女子が再婚をする場合には，100 日の再婚禁止期間がある。男性にはこのような法律上の制限は存在しないが，女子については，離婚または配偶者の死亡による婚姻の解消や，婚姻の取り消し後，100 日が経過した後でなければ再婚をすることができない。民法第 733 条の規定は，妻がこの期間内に再婚をした場合に，出生した子が前婚の夫の子であるかどうか明らかではない場合が生ずることを防止することを目的としているが，この 100 日の再婚禁止期間が目的達成手段として日本国憲法第 14 条第 1 項に反しないかが問題となる。

① 合憲説

民法第733条の規定は，女性のみが妊娠・出産するという肉体的・生理的差異のみに基づくものであり，その目的は，主として父子関係の混乱を防止し，子どもの法的地位を安定させる点にあることから，民法第733条の規定は合憲であると解すべきである。

② 違憲説

今日では医学技術の進歩によって父子関係の確認が容易となっていることから，再婚禁止期間を設ける必要はなく，民法第733条の規定は違憲であると解すべきである。

第4章　自由権

第1節　自由権総論

一　自由権の意義

自由権とは，国家からの自由，つまり，個人の活動に対する国家権力の不当な干渉を排除し，個人の自由な意思決定と活動とを保障するための権利のことをいう。

このような自由権には，分類すると，身体的自由権，精神的自由権，経済的自由権の3つがあるとされている。

第2節　身体的自由権

第1款　身体的自由権総論

一　身体的自由権の意義

身体的自由権（人身の自由）は，歴史上，不当な逮捕・監禁，拷問，恣意的な刑罰権の行使，秘密裁判等の行使によって不当に侵害されてきた。そこで近代憲法はこのような歴史的経緯から，身体的自由権を保障するに至った。

日本国憲法では，この身体的自由権について第18条及び第31条以下に詳細に規定している。特に第31条以下では，刑事裁判手続きにおける原則を諸外国に例を見ないほど詳細に規定している。また，ここで規定されている原則は刑事訴訟法（昭和23年法律第131号）によって，さらに具体化され，運用されている。

第2款　奴隷的拘束・苦役からの自由

一　奴隷的拘束・苦役からの自由の保障の意義

1　奴隷的拘束からの自由の意義【日本国憲法第18条前段】

> 【日本国憲法第18条】
>
> 何人も，いかなる奴隷的拘束も受けない。又，犯罪に因る処罰の場合を除いては，その意に反する苦役に服させられない。

日本国憲法第 18 条前段が保障する奴隷的拘束からの自由の保障は，アメリカ合衆国憲法修正第 13 条第 1 節「奴隷制もしくは自発的でない隷属は，アメリカ合衆国内およびその法が及ぶ如何なる場所でも存在してはならない。ただし犯罪者であって関連する者が正当と認めた場合の罰とするときを除く。」に由来している。しかし，日本の場合は，アメリカ合衆国の場合と異なり，大日本帝國憲法下においても奴隷制度が存在しなかった。ゆえに，日本国憲法第 18 条前段は，本来的意味である奴隷制度の禁止を規定していると解するよりも，個人の人格を無視するような非人道的な状況において，個人を直接的に拘束や束縛することを禁止している規定であると広く解し，奴隷という文言はあくまでも比喩的な表現と解すべきである。日本国憲法第 18 条前段は，「いかなる」とあることから，本人の意思の有無に拘わらず，無条件に奴隷的拘束を禁止している。その意味で，仮に契約という形に基づいていたとしても，実質的には，その内容が奴隷的拘束にあたる場合には，日本国憲法第 18 条前段に違反することとなる。

この奴隷的拘束からの自由は，私人間にも直接適用されることとなる。

2　苦役からの自由の意義【日本国憲法第 18 条後段】

苦役とは，一般通常人からみて，それが苦痛と感じるような労役のことをいう。この苦役は，奴隷的拘束が，個人の人格を無視するような非人道的な状況において，個人を直接的に拘束や束縛することを意味していることに対して，個人の人格を無視するような非人道的な状態にまでは至っていない状況において，労役を強制するという点で異なる。奴隷的拘束は当該個人が同意していようが同意してなかろうが禁止されることに対して，苦役は当該個人が同意している場合はこれに該当せず，意に反してなされた場合のみこれに該当し，日本国憲法第 18 条後段に違反することとなる。

この苦役からの自由は，奴隷的拘束からの自由と同様，私人間にも直接適用されることとなる。

第3款　適正手続きの保障

一　適正手続きの保障の意義【日本国憲法第 31 条】

【日本国憲法第 31 条】

何人も，法律の定める手続によらなければ，その生命若しくは自由を奪はれ，又はその他の刑罰を科せられない。

1　日本国憲法第 31 条の保障内容

日本国憲法第 31 条の規定している「法律の定める手続」の内容をどのように解すべきか。つまり，「法律の定める」という文言，及び，「手続」という文言をどのように解すべきかが問題となる。

（1）手続き法定説

日本国憲法第 31 条の文言は「手続」に限定しているのであって，「実体」の法定までは要求しておらず，手続きの適正や実体要件の法定及び適正については他の条項において規定されていることから，日本国憲法第 31 条が要求しているのは，あくまでも手続き面に限定しているのであって，実体面の法定までは要求されていない。つまり，日本国憲法第 31 条は，手続き面の法定のみを要求していると解すべきである。

（2）適正手続き法定説

日本国憲法が保障する諸自由を守るためには，適正な手続き的保障こそが重要であることから，日本国憲法第 31 条が要求しているのは，告知・聴聞といった適正な手続きを法律で規定することである。つまり，日本国憲法第 31 条は，手続き面の法定のみならず，その手続き面の内容の適正までをも要求していると解すべきである。

（3）手続き・実体法定説

日本国憲法第 31 条が規定する「法律の定める手続」とは，「法律の定める方法」を意味するのであって，それには，手続きのみならず，実体面までをも法律で規定することを含み，また，実体法も訴訟上で適用される規範であることから，手続法と解すこともでき，日本国憲法第 31 条が規定しているのは，手続き・実体の両面とも法律で規定することである。つまり，日本国憲法第 31 条は，手続き面のみならず，実体面の法定までをも要求していると解すべきである。このことから，日本国憲法第 31 条は，罪刑法定主義の根拠規定と解すことができる。

（4）適正手続き・実体法定説

人権を制限する手続き面や実体面の法定は当然のことであり，日本国憲法第 31 条の存在理由は，手続き面の内容の適正を要求することであり，罪刑法定主義については，日本国憲法第 31 条に含まれるとしても，実体面の適正については，他の条文に含まれる。つまり，日本国憲法第 31 条は，手続き面についてはその法定のみならずその内容の適正までをも要求しているが，実体面についてはその法定を要求するに留まり，その内容までをも要求してはいないと解すべきである。

（5）適正手続き・適正実体法定説（判例及び通説）

日本国憲法第31条が規定する「法律の定める手続」とは，法律の規定する仕方・方法という意味であり，人権保障のためには，実体法の内容の適正が不可欠であることから，日本国憲法第31条は適正な実体までも要求する。また，日本国憲法上，どの条文に反しているかは不明確であっても，日本国憲法の精神や趣旨に反すると解さざるを得ない事態が生じた場合に，日本国憲法第31条によって救済するのが妥当であるし，日本国憲法上の人権保障規定は排他的独占的な守備範囲を有しているわけではなく，他の条項と競合的に人権を保障していると解すことができることから，日本国憲法第31条は適正な実体までも要求すると解すべきである。つまり，日本国憲法第31条は，手続き面及び実体面の双方とも法定され，かつ，その法律の内容まで適正であることまでをも要求されると解すべきである。『第三者所有物募集事件』判決（最高裁判所昭和37年11月28日大法廷判決）においても，この見解が採用されている。

《重要論点Ｑ＆Ａ／憲法002》

Ｑ　日本国憲法第31条は何を要求したものと解すべきか？

Ａ　日本国憲法第31条は，その文言上，手続きの法定を規定したものではあるが，単に手続きを法定しただけでは，手続き面から人権保障の実効性を図るという日本国憲法第13条の趣旨を実現することは困難である。そこで，日本国憲法第31条の内容には，手続きの内容の適性も含まれると解すべきである。さらに，手続きのみの法定及び適性が保たれたとしても，実体面がこれを欠けば，やはり，個人の尊重は確保し得ない。ゆえに，実体面についても，法定及び適正が要求されていると解すべきである。

2　刑罰法規の明確性の原則

刑罰を規定した法規の適用範囲が不明確であると，その適用を受ける国民に対して，刑罰の対象となる行為を予め告知するという罪刑法定主義の趣旨を達成することができず，また，当該法規の恣意的な適用による人権侵害の危険等の重大な弊害が生じることとなる。ゆえに，通常の判断能力を有する一般人の理解において，具体的場合に当該行為が，当該法規の適用を受けるものかどうかの判断をすることが可能であるような基準が読みとれない場合には，当該法規は違憲となると解すべきである。『徳島市公安条例事件』判決（最高裁判所昭和50年9月10日大法廷判決）においても，この見解が採用されている。

二　委任による刑罰法規

１　政令における刑罰法規

日本国憲法第 73 条第６号但し書きにおいて，「政令には，特にその法律の委任がある場合を除いては，罰則を設けることができない」と，罰則の制定を政令に委任し得ることを予定している。

しかし，国家による不当な刑罰権の行使を防止することによって，国民の権利及び自由を保障していくという日本国憲法第 31 条の趣旨からすると，このような罰則の政令への委任については，特に厳格な要件が必要となるかが問題となる。

この点，『猿払事件』判決（最高裁判所昭和 49 年 11 月６日大法廷判決）においては，一様に委任するものであるからといって，許容する委任の限度を超えることになるものではないとしている。しかし，罰則の制定について，他の罰則の制定していない法規と同様に解することは，国家による不当な刑罰権の行使を防止することによって，国民の権利及び自由を保障していくという日本国憲法第 31 条の趣旨に反すると解する。

ゆえに，犯罪の構成要件については，立法目的と概括的構成要件とが，法律によって規定されなければならないと解すべきである。加えて，刑罰を規定することについては，その原則を法律によって規定しなければならないと解すべきである。さらに，罰則の制定を政令に委任する場合においては，法律に刑罰の規定が存在しないものや，刑罰の上限を規定していたとしても行政権の裁量範囲が広範であるものについては，違憲となると解すべきである。

【日本国憲法第 73 条】

内閣は，他の一般行政事務の外，左の事務を行ふ。

一　法律を誠実に執行し，国務を総理すること。

二　外交関係を処理すること。

三　条約を締結すること。但し，事前に，時宜によつては事後に，国会の承認を経ることを必要とする。

四　法律の定める基準に従ひ，官吏に関する事務を掌理すること。

五　予算を作成して国会に提出すること。

六　この憲法及び法律の規定を実施するために，政令を制定すること。但し，政令には，特にその法律の委任がある場合を除いては，罰則を設けることができない。

七　大赦，特赦，減刑，刑の執行の免除及び復権を決定すること。

2 条例における刑罰法規

条例で罰則を制定することは，法律の規定する手続きによらなければ刑罰を科せられないとする日本国憲法第 31 条に反するのであろうか。また，政令に委任する日本国憲法第 73 条第６号に反するのであろうか。地方自治法（昭和 22 年４月 17 日法律第67 号）第 14 条第３項との関係で問題となる。

【地方自治法第 14 条】

普通地方公共団体は，法令に違反しない限りにおいて第２条第２項の事務に関し，条例を制定することができる。

2 普通地方公共団体は，義務を課し，又は権利を制限するには，法令に特別の定めがある場合を除くほか，条例によらなければならない。

3 普通地方公共団体は，法令に特別の定めがあるものを除くほか，その条例中に，条例に違反した者に対し，２年以下の懲役若しくは禁錮，100 万円以下の罰金，拘留，科料若しくは没収の刑又は５万円以下の過料を科する旨の規定を設けることができる。

（1）一般的・概括的法律授権説

日本国憲法第 94 条の規定する条例制定権は，当然に刑罰制定権を認めるものではなく，刑罰制定権は国家的事務であり，地方自治の範囲には含まれず，また，条例は政令とは異なり，地方住民の代表機関である議会の議決によって制定されることから，実質的に法律に準ずるものであり，政令への委任が個別的・具体的委任を必要とするのとは異なることから，条例における刑罰権の規定については，法律による授権は必要ではあるが，条例への罰則の委任については，一般的・概括的なもので充分であると解すべきである。

【日本国憲法第 94 条】

地方公共団体は，その財産を管理し，事務を処理し，及び行政を執行する権能を有し，法律の範囲内で条例を制定することができる。

（2）限定的法律授権説

地方議会の議決を経た民主的自治立法である条例への委任については，政令への委任と比較して，委任の個別性・具体性が緩和されることと解する。条例の規定の範囲は，地方自治法第２条第２項に規定される事務の範囲内であり，罰則の範囲も限定されていることから，地方自治法第 14 条第３項は個別的委任となり，日本国憲法第 31 条に反しないことから，条例における刑罰権の規定については，法律による授権は必要ではあるが，その内容が相当な程度に具体的であり，限定されている必要があることと解すべきである。

【地方自治法第２条第２項】
2　普通地方公共団体は，地域における事務及びその他の事務で法律又はこれに基づく政令により処理することとされるものを処理する。

（3）憲法直接授権説

日本国憲法第 94 条が，「法律の範囲内」として認めた条例制定権は，その実効性を担保するための罰則設定権を当然に含み，日本国憲法第 31 条の例外として認められるものであることから，罰則を規定するための法律による条例への特別の委任規定を必要とせず，地方自治法第 14 条第３項は，罰則の範囲を「法律」によって示したものであると解すべきである。

《重要論点Ｑ＆Ａ／憲法 003》

Ｑ　条例で罰則を制定することは，可能であろうか？
Ａ　地方自治が憲法上保障されることから，その実効性を確保するためには，刑罰を科すことは不可欠の要請であり，日本国憲法は地方公共団体に対して刑罰権を認めたものと解す必要がある。また，日本国憲法第 31 条及び第 73 条但し書きの規定は，刑罰が人権に対する重大な制約となることから，これに対する民主的コントロールを図る趣旨であり，条例は民主的基板を有する地方議会が規定するものであることから，この趣旨には反せず，許容し得る。ゆえに，地方自治法第 14 条第３項は，条例に対する授権法ではなく，刑罰の最高限度を法定したものであり，条例によって刑罰を科すことは，特に法律の委任がなかったとしても日本国憲法第 31 条に反するものではないものと解すべきである。

三　行政手続きにおける適正手続きの保障

日本国憲法第 31 条は，「何人も，法律の定める手続によらなければ，その生命若しくは自由を奪はれ，又はその他の刑罰を科せられない」と規定し，主として刑事手続きを想定しているように解されるが，行政手続きにも適用可能かどうか争いがあり，特に，行政手続き上の申請を行った者に対して，告知・聴聞の機会を付与するかどうかについて問題となる。

1　不適用説

日本国憲法第 31 条の文言とその位置から，刑事手続き以外の生命や自由の剥奪を想定しているとは解し得ないことから，行政手続きには日本国憲法第 31 条の規定は適用できないと解すべきである。

2　直接適用説

日本国憲法第 31 条が，刑事手続きのみを規定しているのは，国家の刑罰権が，個人にとっての最大の脅威であったからに過ぎず，現在では，国家は多様な形で国民生活に関わっており，国家の行政権の行使が，国民の権利を侵害する危険性が高まっていることから，行政手続きにも日本国憲法第 31 条の規定を直接適用するものと解すべきである。

3　類推適用説（判例）

日本国憲法第 31 条が，刑事手続きのみを規定しているのは，国家の刑罰権が，個人にとっての最大の脅威であったからに過ぎず，現在では，国家は多様な形で国民生活に関わっており，国家の行政権の行使が，国民の権利を侵害する危険性が高まっていることから，行政手続きにも日本国憲法第 31 条の規定を適用する余地がないとはいえない。しかし，刑事手続き以外の行政手続きに直接適用をすると，行政手続きによる人権侵害を防止することはできるが，その反面，第 31 条が明文で規定する刑事手続きにおける保障を弱体化させる危険性もある。ゆえに，刑事手続き以外の行政手続きについては，直接適用するのではなく，類推適用や準用することができると解すべきである。『成田新法事件』判決（最高裁判所平成４年７月１日大法廷判決）もこの見解を採用している。

《重要論点Ｑ＆Ａ／憲法 004》

Ｑ　行政手続きにも適正手続きの保障が及ぶのであろうか？

Ａ　日本国憲法第 31 条は，その沿革及びその文言から，本来は刑事手続きにおいて，その手続き面から人権保障の実効性を確保しようとした規定であると解され，行政手続きに直接的に適用することはできない。しかし，今日においては，社会国家の理念の下，行政国家化が進み，行政が国民生活に介入する機会が増大し，国民への人権侵害の危険性も増大している。ゆえに，行政手続きについても，日本国憲法第 31 条の規定を類推適用し，適正手続きの保障を及ぼすべきである。もっとも，行政手続きは，その目的及び態様が極めて多様であり，刑事手続きと同程度の保障を及ぼすのでは，迅速性等が要求される行政手続きの目的が達し得なくなる。ゆえに，行政においては，その専門性・技術性から，行政機関の裁量の余地が認められ，必ずしも刑事手続きと同程度の補償は要求されるものではないと解すべきである。

第４款　不当逮捕からの自由

一　不当逮捕からの自由の保障の意義

１　不当逮捕からの自由の意義【日本国憲法第 33 条】

【日本国憲法第 33 条】

何人も，現行犯として逮捕される場合を除いては，権限を有する司法官憲が発し，且つ理由となつてゐる犯罪を明示する令状によらなければ，逮捕されない。

（１）逮捕の意味

逮捕とは，捜査機関又は私人が被疑者の逃亡及び罪証隠滅を防止するため強制的に身柄を拘束する行為のことをいう。

逮捕には，現行犯逮捕の場合を除いては，①権限を有する司法官憲が発した令状によらなくてはならないこと，②その令状には逮捕の理由となっている犯罪が明示されていること，の２つの要件が必要となる。

（２）私法官憲が発する令状の意味

司法官憲とは，裁判官のことをいう。

令状とは，逮捕の根拠を公証する文書のことをいう。

この令状には，逮捕の理由となっている犯罪を明示する必要があるが，この場合には，逮捕の理由となっている犯罪の罪名のみならず，その犯罪事実についても逮捕前に明示しなければならない。

二　逮捕の種類

１　通常逮捕

通常逮捕とは，予め裁判官から発付された逮捕令状に基づいて，被疑者を逮捕することをいう。

２　現行犯逮捕

現行犯逮捕とは，現に犯罪を行っている者，または，現に犯罪を行い終わった者を逮捕することをいう。

この場合，逮捕令状は必要とはならない旨を日本国憲法第 33 条は規定している。

3 緊急逮捕

緊急逮捕とは，急を要するために，裁判官の逮捕令状を請求することができない場合に，その理由を告げて被疑者を逮捕し，その後，直ちに裁判官の逮捕状を請求することをいう。

このような緊急逮捕に対しては，合憲説と違憲説があるが，合憲説が通説であり，最高裁判所も，これを支持している(最高裁判所昭和 30 年 12 月 14 日大法廷判決)。

第5款 理由なき抑留及び拘禁の禁止

一 理由なき抑留及び拘禁の禁止の保障の意義

1 抑留及び拘禁の意義【日本国憲法第 34 条】

【日本国憲法第 34 条】

何人も，理由を直ちに告げられ，且つ，直ちに弁護人に依頼する権利を与へられなければ，抑留又は拘禁されない。又，何人も，正当な理由がなければ，拘禁されず，要求があれば，その理由は，直ちに本人及びその弁護人の出席する公開の法廷で示されなければならない。

抑留とは，一時的な身体の拘束のことをいい，拘禁とは，より継続的な身体の拘束のことをいう。

刑事訴訟法の規定する逮捕・勾引に伴う身体の留置は抑留に該当し，勾留・鑑定留置は拘禁に該当する。

行政処分として，人身の自由を制限する場合も，抑留及び拘禁に該当する。

2 理由の告知

日本国憲法第 34 条前段が規定する理由の告知とは，単に被疑事実を告知することのみならず，逮捕を必要とする事実を告知することまでをも含む。

3 正当な理由

日本国憲法第 34 条後段が規定する正当な理由とは，拘禁のみならず抑留に対しても，それを必要とする実質的理由や合理的理由のことをいう。

また，拘禁については，その正当な理由を，公開の法廷で示すように要求する権利がある。

二　弁護人依頼権

日本国憲法第 34 条前段に規定されている「弁護人」とは，日本国憲法第 37 条第３項に規定されている「資格を有する弁護人」とほぼ同じ意味であるとされている。弁護人には，さらに，刑事事件における特別弁護人や行政処分による被拘束者に対しての代理人のような同様な制度による保護も含まれるとされている。この弁護人に依頼する権利の内容は，捜査官等からその権利が保障されていることについての告知を受ける権利，弁護人の選任を妨げられない権利，弁護人選任についての照会，連絡，時間的保障の配慮を受ける権利，弁護活動，とりわけ接見交通権や尋問中の弁護士の立会いを保障される権利，を含むと解されている。

【日本国憲法第 37 条】
すべて刑事事件においては，被告人は，公平な裁判所の迅速な公開裁判を受ける権利を有する。
２　刑事被告人は，すべての証人に対して審問する機会を充分に与へられ，又，公費で自己のために強制的手続により証人を求める権利を有する。
３　刑事被告人は，いかなる場合にも，資格を有する弁護人を依頼することができる。被告人が自らこれを依頼することができないときは，国でこれを附する。

第６款　不法な捜索・押収からの自由

一　不法な捜索・押収からの自由の保障の意義

１　不法な捜索・押収からの自由の意義【日本国憲法第 35 条】

【日本国憲法第 35 条】
何人も，その住居，書類及び所持品について，侵入，捜索及び押収を受けることのない権利は，第 33 条の場合を除いては，正当な理由に基いて発せられ，且つ捜索する場所及び押収する物を明示する令状がなければ，侵されない。
２　捜索又は押収は，権限を有する司法官憲が発する各別の令状により，これを行ふ。

日本国憲法第 35 条は，証拠収集方法の代表例たる捜索または押収について，裁判官の発する令状を要求することで，プライバシー権・財産権等の侵害に対する司法的抑制，捜査機関の権限濫用を助長する一般令状の禁止，被捜索・押収者の防御権の保障，の実現を図っている。

2 「住居」等の不可侵の対象

住居には，住宅の他，会社，学校，宿舎，店舗等が含まれる。

住居への侵入とは，物理的に内部に進入するだけではなく，プライバシー保護の点から，盗聴器等によって，屋内や室内の会話を盗聴することも含む。

3 「書類及び所持品」の意味

書類及び所持品とは，現に身につけている物品に限らず，その者の占有に属するすべての物のことをいう。

4 「捜査又は押収」の内容

捜査とは，捜査機関が，犯罪があると思料したときに，公訴の提起及び維持のために，被疑者及び証拠を発見，収集，保全する手続きのことをいう。

押収とは，刑事手続きにおける物の占有を取得する処分のことをいう。

5 令状主義

（1）令状主義の意味

日本国憲法第35条第1項における「令状」とは，捜査令状や差押令状を意味する。

日本国憲法第35条第2項における「各別の令状」とは，個々の捜査や押収につき，別個の令状が必要であると解されているが，最高裁判所は，1つの事件につき，同一の場所で捜査と押収を併せて行う場合には，1本の令状であっても，違憲ではないとする（最高裁判所昭和27年3月19日大法廷判決）。

（2）令状主義の例外

通常逮捕及び現行犯逮捕の場合には，捜査令状及び押収令状は必要ではない。なぜなら，逮捕が正当に行われる以上，その逮捕に随伴する必要かつ合理的範囲内での捜査及び押収は，令状なしでも特定化し得るし，証拠物件の存在する蓋然性も強いからである。

二 行政手続きと令状主義

日本国憲法第35条は，主に刑事手続きにおける令状主義について規定したものであるが，行政手続きの過程においても住居等の捜索・押収により，プライバシー権の侵害がされる場合がある。このような行政手続きは令状なくしてできるか，行政手続きについて令状主義が適用されるか問題となる。

１　適用否定説

行政手続きにおいて，裁判官の発する令状を必要となるとすることは，行政を指揮監督する権能を裁判所に与えることとなり，権力分立原則に反することから，行政手続きに日本国憲法第 35 条が規定する令状主義は適用されないことと解すべきである。

２　適用肯定説（判例）

日本国憲法第 35 条の人権保障の精神からすれば，日本国憲法第 35 条 が行政手続きに及ばないとすると，行政手続きを通じて，日本国憲法第 35 条の保障を有名無実化させる可能性があり，犯罪の嫌疑を受けている人が令状なしで家宅を捜索されることから守られる権利があるのに対して，犯罪の嫌疑を受けていない人にそうした保障がないというのは不合理であること，また，行政が多種・多様化し，国民生活のあらゆる分野に介入するに至っている今日の状況下においては，行政手続きの合理性を担保する要請は強いことから，行政手続きであっても，性質上可能な限り，日本国憲法第 35 条が規定する令状主義は適用されるものと解すべきである。『川崎民商事件』判決（最高裁判所昭和 47 年 11 月 22 日大法廷判決）もこの見解を採用している。

第７款　拷問及び残虐な刑罰の禁止

一　拷問及び残虐な刑罰の禁止の保障の意義

１　拷問及び残虐な刑罰の禁止の意義【日本国憲法第 36 条】

【日本国憲法第 36 条】
公務員による拷問及び残虐な刑罰は，絶対にこれを禁ずる。

（１）拷問の禁止の意義

拷問とは，公務員が，被疑者や被告人等に対して，自らが犯罪行為を行った等の自白を強要するために行われる，精神的・肉体的苦痛を与える行為のことをいう。

日本国憲法第 36 条において，特に公務員による拷問を絶対的に禁止したのは，公務員は，国家権力の担い手であり，その公務員の公権力の行使方法を制御する必要があるからである。

(2) 残虐な刑罰の禁止の意義

残虐な刑罰とは，不必要な精神的・肉体的苦痛を内容とする人道上残酷と認められる刑罰と定義される（最高裁判所昭和23年6月30日大法廷判決）。

この残虐な刑罰に，死刑が含まれるかどうか，①死刑制度の合憲性，②死刑執行方法としての絞首刑の合憲性，の2点が問われることとなる。

① 死刑制度の合憲性

A 違憲説

日本国憲法第31条は，罪刑法定主義の原則を宣言したものであり，特定の種類の刑罰を承認したものではなく，その執行方法の如何に拘わらず，死刑は残虐な刑罰に該当すると解する。

B 合憲説

日本国憲法第31条は，死刑の存在を前提にしているし，死刑は残虐の刑罰には該当しない。最高裁判所も，同様に判示している（最高裁判所昭和23年3月12日大法廷判決）。

② 死刑執行方法としての絞首刑の合憲性

A 違憲説

現在行われている絞首刑による死刑制度は，残虐な刑罰に該当する。

B 合憲説

現在行われている絞首刑による死刑制度は，残虐な刑罰には該当しない。最高裁判所も，絞首刑が他の死刑執行方法と比較して，特に，人道上残虐であるとする理由は認められないと判示している（最高裁判所昭和30年4月6日大法廷判決）。

第8款 刑事被告人の権利

一 刑事被告人の権利の保障の意義

刑罰は，人の自由に対する重大な侵害であるから，それを科する手続きは，慎重かつ公明正大なものでなければならない

1 裁判を受ける権利【日本国憲法第37条第1項】

裁判を受ける権利自体は，日本国憲法第32条によって一般的に保障されている。日本国憲法第37条第1項は，すべての刑事事件について，つまり，刑事裁判において，刑事被告人が，公平，迅速，公開の3要件を満たす裁判を受ける権利を有することを特に規定したものである。

【日本国憲法第 32 条】
何人も，裁判所において裁判を受ける権利を奪はれない。

(1)「公平な裁判所」の意義

日本国憲法第 37 条第１項が規定する「公平な裁判所」をどう解すべきであろうか。つまり，「公平な裁判所」が，文言通りの「裁判所」のことを意味するのか，そこで行われている「裁判」まで意味するのか問題となる。

① 公平裁判説

日本国憲法第 37 条第１項が規定する「公平な裁判所」とは，文言通りの「裁判所」とは解さずに，そこで行われている「裁判」まで含むと解すべきである。つまり，裁判所の構成が公平であるに留まらず，実質的に公平な裁判まで要求される。

② 公平裁判所説（判例及び通説）

日本国憲法第 37 条第１項が規定する「公平な裁判所」とは，文言通りの「裁判所」と解すべきである。つまり，偏頗や不公平の危険性のない組織と構成からなる裁判所による裁判を意味し，実際に個々の事件について，判決の内容や実質が，具体的に公正妥当でなければならないという意味ではないとされる。本説が通説であり，最高裁判所も，この見解を採用している(最高裁判所昭和 23 年５月 26 日大法廷判決)。

(2)「迅速な」裁判の意義

日本国憲法第 37 条第１項が規定する「迅速な」裁判とは，適正な裁判を確保するのに，必要な期間を超えて，不当に遅延した裁判ではない裁判のことを意味する。この「迅速」な裁判を受ける権利を実現するために，何らかの手段を採ることが可能なのであろうかが問題となる。

① プログラム規定説

迅速な裁判の保障は，憲法上の基本的人権ではあるが，これは，迅速な裁判を一般的に保障するために必要な立法上及び司法上の措置を要請するものに過ぎないと解すべきである。

② 具体的権利説

被告人の権利を侵害するような審理の著しい遅延が発生した場合には，迅速な裁判の保障を基本的人権として認めつつ，下位法の欠缺を理由とする救済の拒否は，憲法上の被告人の権利が保障されていないというに等しいことから，日本国憲法第 37 条第 1 項の規定する迅速な裁判を受ける権利の規定は，具体的権利性を有する規定と解すべきである。『高田事件』判決（最高裁判所昭和 47 年 12 月 20 日大法廷判決）もこの見解を採用している。

（３）「公開裁判を受ける権利」の意義

公開裁判とは，その対審および判決が公開法廷で行われる裁判のことをいう。

公開裁判と対になる概念に秘密裁判がある。秘密裁判は，歴史上，その名の通り秘密裏に，かつ，恣意的に行われてきた。その弊害は多大なものがあった。このような反省から，日本国憲法第 37 条第１項は，刑事被告人の権利として，公正な裁判を受けるための「公開裁判」を保障している。日本国憲第 82 条第１項には，「裁判の対審及び判決は，公開法廷でこれを行ふ」と規定してあり，裁判の公開の原則を定めているが，日本国憲法第 37 条第１項は，この公開の原則を，特に刑事被告人の権利保障の立場から規定したものである。ゆえに，この「公開裁判」の公開の範囲は，日本国憲法第 82 条第１項と同様，対審及び判決ということになり，裁判官の合議には及ばないと解されている。

刑事訴訟法上の略式手続きは，簡易裁判所において，非公開の書面審理で行われるため問題となるが，迅速な裁判を確保することによって，被告人の利益になる場合もあるので，正式の裁判請求権を保障する限りは，違憲とはならないと解されている。

【日本国憲法第 82 条】

裁判の対審及び判決は，公開法廷でこれを行ふ。

２　裁判所が，裁判官の全員一致で，公の秩序又は善良の風俗を害する虞があると決した場合には，対審は，公開しないでこれを行ふことができる。但し，政治犯罪，出版に関する犯罪又はこの憲法第３章で保障する国民の権利が問題となつてゐる事件の対審は，常にこれを公開しなければならない。

２　証人審問権及び証人喚問権【日本国憲法第 37 条第２項】

日本国憲法第 37 条第２項は，被告人に対して，反対尋問権や攻撃防御権を充分に行使できることを保障している。

これは，刑事裁判における直接審理の原則を徹底し，被告人に審問の機会が与えられない証言は証拠としてはならないという伝聞証拠禁止の原則を定めたものと解されている。

（１）証人審問権

日本国憲法第 37 条第２項前段は，刑事被告人に対して，証人審問権を保障した規定である。証人審問権とは，刑事被告人が，証人に対して，自らが尋ねたいことを尋ねることができるという権利のことをいう。

（２）証人喚問権

日本国憲法第 37 条第２項後段は，刑事被告人に対して，証人喚問権を保障した規定である。証人喚問とは，刑事被告人が，自らが尋ねたいと考えている証人を，公費によって強制的に呼び出すことができる権利のことをいう。

通説では，被告人には，必要な証言の確保が保障されていると解されている。しかし，最高裁判所は，裁判所は被告人が申請したすべての証人を喚問する必要はなく，裁判をする上で，必要で適切な証人を喚問すれば足りるとしている（最高裁判所昭和 23 年７月 29 日大法廷判決）。

３　弁護人依頼権【日本国憲法第 37 条第３項】

（１）弁護人依頼権

日本国憲法第 34 条でも弁護人依頼権を保障しているが，日本国憲法第 37 条第３項前段は，特に「資格を有する弁護人」と規定し，刑事被告人の充分な攻撃防御権の確保を図っている。この「資格を有する弁護人」とは，弁護士法（昭和 24 年６月 10 日法律第 205 号）による弁護士の資格を有する者を意味する。この他，法令等により，さらに一定の資格要件を規定することもできると解されている。

（２）国選弁護人依頼権

日本国憲法第 37 条第３項後段は，刑事被告人の国選弁護人依頼権について規定している。この規定は，日本国憲法第 37 条第３項前段の規定する弁護人依頼権の実質化を図っている規定であると解されている。

第９款　不利益供述強要からの自由

一　不利益供述強要からの自由の保障の意義

１　不利益供述強要からの自由の意義【日本国憲法第 38 条】

【日本国憲法第 38 条】

何人も，自己に不利益な供述を強要されない。

２　強制，拷問若しくは脅迫による自白又は不当に長く抑留若しくは拘禁された後の自白は，これを証拠とすることができない。

３　何人も，自己に不利益な唯一の証拠が本人の自白である場合には，有罪とされ，又は刑罰を科せられない。

（1）不利益供述強要の禁止

日本国憲法第38条第1項は，「何人も，自己に不利益な供述を強要されない」と規定し，不利益供述の強要を禁止している。

「何人」とは，被疑者や被告人，これに加え，訴訟手続きや議員における証人を含むと解されている。

「自己に不利益な供述」とは，本人の刑事責任に関する不利益な供述，つまり，有罪判決の基礎となる事実や量刑上不利益となる事実についての供述のことをいう。ゆえに，民事責任を問われるに過ぎないような事実の供述や，自己の名誉が傷つくような事実の供述は保障の対象とはならない。一方，行政法規において，報告・申告等の義務違反に対して，罰則を加える場合に，刑事訴追を受け有罪判決を下される危険性がある事項については，保障の対象となる。

「強要」とは，法律上の供述義務による強要のみならず，捜査段階においてなされる事実上の強制も含む。

（2）自白の証拠能力

日本国憲法第38条第2項は，「強制，拷問若しくは，脅迫による自白又は不当に長く抑留若しくは拘禁された後の自白は，これを証拠とすることができない」と規定し，これらの場合になされた自白の証拠能力を制限している。

（3）自白の証明力の制限

日本国憲法第38条第3項は，「何人も，自己に不利益な唯一の証拠が本人の自白である場合には，有罪とされ，又は刑罰を科せられない」と規定している。この規定は，自白について補強証拠を要求していることとなる。公判廷における任意の自白が，補強証拠を要するかについて，最高裁判所は，他の補強証拠なしに犯罪事実の認定ができるとしている（最高裁判所昭和23年7月29日大法廷判決）。

二　行政手続きと不利益供述強要の禁止

行政手続きにおいても自己に不利益な供述を義務付ける場合があり得るため，日本国憲法第38条第1項の規定を類推適用し得るかが問題となる。

1　適用否定説

日本国憲法第 38 条第1項を根拠として，行政手続きにおける自己に不利益な陳述や申告の拒否を認めると，行政目的が達成し得なくなるため，行政手続きに日本国憲法第38条第1項の規定は適用し得ないと解すべきである。

2　適用肯定説

行政権が肥大化し，行政権による人権侵害の危険性の存在する現代においては，刑事手続き以外の行政手続きについても黙秘権の保障を及ぼす必要があることから，行政手続きにおいても日本国憲法第 38 条第１項の規定は類推適用し得ると解すべきである。

3　限定適用説

行政目的を達成するためには，一定の場合において，申告や報告の義務を課す必要があることも否定できないことから，行政目的達成のために答弁や申告・報告等の義務を課すことが必要不可欠であるという場合に限定して，当該義務を課し，それ以外の場合については，行政手続きにおいても日本国憲法第 38 条第１項の規定は類推適用し得ると解すべきである。

また，実質上刑事責任追及のための手続きではなくても，それを刑事責任追及のために用いられる危険性を有し，行政手続きの過程で採取された自己に不利益な供述によって，刑事責任を負わされる結果が生じる場合もあることから，行政手続きであっても，自己の刑事責任追及に結びつく可能性を有する場合については，日本国憲法第 38 条第１項の規定を類推適用し得ると解すべきである。『川崎民商事件』判決（最高裁判所昭和 47 年 11 月 22 日大法廷判決）もこの見解を採用している。

第 10 款　刑罰不遡及及び一事不再理の原則

一　刑罰不遡及の原則の意義

1　刑罰不遡及の原則【日本国憲法第 39 条前段】

【日本国憲法第 39 条】
何人も，実行の時に適法であつた行為又は既に無罪とされた行為については，刑事上の責任を問はれない。又，同一の犯罪について，重ねて刑事上の責任を問はれない。

刑罰不遡及の原則とは，何人も実行時に適法であった行為については，刑事上の責任を問われないとする原則のことをいう。

この刑罰不遡及の原則は，事後法の禁止の原則，訴求処罰の禁止の原則ともいう。

2 刑罰不遡及の原則の内容

日本国憲法第 39 条前段は，適法な行為について事後に違法な行為として扱うことのみならず，違法な行為についても事後的な刑罰の加重や強化を禁じている。

（1）実行時には適法であった行為

日本国憲法第 39 条前段は，実行時には適法であった行為について，事後に違法な行為として新たに罰則を規定し，それによって処罰することを禁じている。

（2）実行時には違法であったが罰則が存在しなかった行為

日本国憲法第 39 条前段は，実行時には違法であったが，罰則が存在しなかった行為について，事後に罰則を規定し，それにより処罰することを禁じている。

（3）実行時には違法な行為であり罰則も存在していた行為

日本国憲法第 39 条前段は，実行時には違法な行為であり，罰則も存在していた行為であったが，事後により重い刑罰を規定し，それにより処罰することを禁じている。

二 一事不再理の原則及び二重処罰の禁止の原則の意義

日本国憲法第 39 条前段は，刑罰不遡及の原則以外に，一事不再理の原則についても規定している。

また，日本国憲法第 39 条後段は，二重処罰の禁止の原則について規定している。

1 一事不再理の原則【日本国憲法第 39 条前段】

一事不再理の原則とは，ある刑事事件の裁判について，確定した判決がある場合には，その事件について再度，実体審理をすることは許さないとする刑事訴訟法上の原則のことをいう。

2 二重処罰の禁止の原則【日本国憲法第 39 条後段】

二重処罰の禁止の原則とは，被告人が際限なく処罰を受ける危険を負うことになるのは不公正であるので，そのような危険，つまり，処罰を求められるのは１度だけであるという原則のことをいう。

第３節　精神的自由権

第１款　精神的自由権総論

一　精神的自由権の意義

精神的自由権とは，個人の精神活動に関係する自由権のことをいう。

個人の精神活動は大きく分けて２つある。心の内側の活動である内面的精神活動と，心の外側の活動である外面的精神活動である。前者の代表が，思想及び良心の自由であり，後者の代表が，表現の自由である。

これらの他に，憲法上，精神的自由権には，信教の自由と学問の自由とがある。これらの権利は，内面的精神活動の自由と外面的精神活動の自由の双方の性格を有する権利である。信教の自由も学問の自由も，歴史的に侵害される可能性が高い権利であるため，憲法は，内面的精神活動の自由における原則的規定である思想及び良心の自由，外面的精神活動の自由における原則的規定である表現の自由とは別に，これらの自由についても規定を置いている。

第２款　思想及び良心の自由

一　思想及び良心の自由の保障の意義

１　思想及び良心の自由の意義【日本国憲法第 19 条】

【日本国憲法第 19 条】

思想及び良心の自由は，これを侵してはならない。

日本国憲法第 19 条が保障する思想及び良心の自由とは，人の内心における自由のことをいい，すべての精神的自由権の基礎となる自由のことをいう。具体的には，特定の思想及び良心の強制禁止，特定の思想及び良心を理由とする不利益取り扱い禁止をその内容とする。また，公権力との関係においては，思想及び良心の自由は，人の内面に留まるものである限り，絶対無制約であり，公共の福祉による制約を受けない。

一方，私人間の関係においては，私的自治の観点から，思想及び良心の自由の保障の程度は相対化されることとなる。

2 思想及び良心の意義

思想及び良心の自由の保障は，個人の内心に留まる限り，公共の福祉による制約を受けない絶対的無制約なものである。ここで，思想及び良心の意義が問題となる。

（1）信仰説

思想及び良心の自由を，思想の自由と信仰の自由とに分けて考えた上で，良心の自由を信仰の自由と解する。しかし，信仰の自由は，日本国憲法第20条によって保障されており，重複して保障する必要性もないことから解釈的に妥当ではないとの批判がある。

（2）内心説

思想と良心とは一体のものであり，個人の内心領域一般を意味し，思想及び良心の自由の保障とは，世界観に限らず事物に関する是非弁別を含む内心領域一般を保障対象であるとする。日本国憲法は，内心領域における自由を保障しているが，保障されるものと保障されないものの区別は難しいし，外部行為ではなく内心的態様を保障する以上，保障対象は広く捉えるべきであって限定すべき必然性はないことから，内心領域一般を保障対象とする。

（3）信条説

思想と良心とは一体のものであり，個人の内心領域一般を意味し，良心とは思想の内面化であり，信仰に準じる世界観や主義，思想を全自覚的に持つことであるとする。人格形成に役立つもののみが内面活動に該当するのであって，単なる事実の知・不知のような人格形成に関係のない活動は，思想及び良心の自由の保障するところではなく，また，このようなものまで保障の対象に含めると，思想及び良心の自由の高位の価値を希薄にし，その自由の保障を軽くするのであるから，あくまでも人格形成に関係のある内面的活動に限定して保障する。また，思想及び良心の自由は，信教の自由及び学問の自由との関係において，一般法的な地位に立つことから，これらとの内的関連性を持つものというべきものであり，信仰に準じる世界観・主義・思想・主張を対象とするものと解すべきである。

二 沈黙の自由

公権力が，個人に対して，思想及び良心そのものを告白するように強制することや，何らかの手段を用いて思想及び良心を推知することは許されず，このことを沈黙の自由という。

1　日本国憲法第19条によって保障されるという説

沈黙の自由を，思想及び良心の自由の一態様として捉え，沈黙の自由は，思想及び良心の自由と同様，絶対的無制約となる。但し，信条説に立つ場合は，単なる事実の知・不知に関する事柄については，日本国憲法第19条の保障対象とはならず，消極的表現の自由として，日本国憲法第21条の保障対象となる。

2　日本国憲法第21条によって保障されるという説

沈黙の自由を，表現しない自由として，表現の自由の一態様として捉え，沈黙の自由は，表現の自由と同様，制約され得る権利となる。つまり，沈黙の自由も公共の福祉による制約を受けることとなるため，その保障は相対化することとなる。

三　謝罪広告

裁判所が，被告に対して，名誉毀損に対する民事救済として，謝罪広告の掲載を命じることがあるが，被告がまったく意図しない陳謝や謝罪のような言説を新聞紙上に掲載させることが可能であるのかどうか，沈黙の自由の侵害に該当するかが問題となる。

1　内心説

謝罪広告が，事実の誤りだけを表示させるのであれば，沈黙の自由の侵害には該当しないが，それを非と認め謝罪するかどうかは本人の自律的判断に委ねられるものであって，そこに謝罪の強制を含むと，特定の思想を裁判所が強制することになるので許されない。ゆえに，謝罪広告は，沈黙の自由の侵害に該当することとなる。

2　信条説

思想及び良心の自由は，信教の自由及び学問の自由との関係において，一般法的な地位に立つことから，これらと内的関連性を持つものというべきであり，信仰に準ずる世界観・主義・思想・思想・主張を対象とするものと解すべきである。であるならば，謝罪広告が，単に事態の真相を告白し，陳謝の意を表明するに留まるものであるならば，世界観等に関係するとはいえず，沈黙の自由の侵害に該当するとはいえないこととなる。

第3款　表現の自由

一　表現の自由の保障の意義と優越的権利性

1　表現の自由の意義【日本国憲法第21条第1項】

【日本国憲法第21条第1項】
集会，結社及び言論，出版その他一切の表現の自由は，これを保障する。

日本国憲法第21条第1項が保障する表現の自由とは，人の内心における精神作用を心の外部に公表する精神活動の自由のことをいう。

日本国憲法第19条の保障する思想及び良心の自由は，個人の尊重という基本価値から鑑みて，公権力による規制を一切受けるべきではなく，絶対的に保障されなければならない。

他方，表現の自由は，内心に留まらず，外部への発表を通じて実現されることから，他者に対して影響力を有することとなり，ゆえに，思想及び良心の自由のように絶対的に無制約な権利とはならず，公共の福祉（日本国憲法第13条後段）による必要最低限の制約を受けることは免れない。

つまり，表現の自由と思想及び良心の自由との違いは，心の内側の問題であるか，心の外側の問題であるかという点にあり，ある思想が内心に留まる限りは無害であったとしても，一度心の外側に出てしまったら，その思想が他者を害する可能性があるため，必要最低限の制約を受けるのである。

2　表現の自由の優越的権利性

表現の自由は，以下の機能を有することから，他の諸権利と比較して優越的地位を持つと解されている。

（1）自己実現の価値

自己実現の価値とは，個人が表現活動を通じて，個人の人格を形成・発展させることをいう。個人的な価値のことを意味し，自由主義の現れである。

（2）思想の自由市場

思想の自由市場とは，他者の意見と自己の意見とを洗練・収束させていく本質的な過程のことをいう。

（3）自己統治の価値

自己統治の価値とは，表現活動を通じて，国政に対して，主権者としての意思を反映させることをいう。民主主義の前提となる社会的な価値である。

二　表現の自由に対する制約の判断基準

先述したように，表現の自由は他の諸権利と比較して優越的な地位を有している。しかし，いかに優越的な地位を有していたとしても，表現の自由は絶対的に無制約な権利ではなく，公共の福祉（日本国憲法第 13 条後段）による必要最低限の制約を受けることは免れない。ここで，その制約が，必要最低限の制約であるかどうかが問題となる。

1　二重の基準論

二重の基準論とは，精神的自由権を制約する立法の合憲性については，経済的自由権を制約する立法の合憲性について判断する場合よりも，特に厳しい基準によって審査されなければならないという基準のことをいう。

精神的自由権（主に表現の自由）については，個人の尊重と密接な関連性を有し，個人の人格を形成・発展させる重要な価値（自己実現の価値）を有し，民主主義の前提となる価値（自己統治の価値）を有する重要な権利である。このような精神的自由権に対する侵害は，民主政の過程を侵害する危険があり，この場合，自己回復が困難となる。また，精神的自由権への制約については，裁判所でも充分に審査し得る。ゆえに，裁判所は，精神的自由権への制約については，厳格な基準をもって判断すべきである。

他方，経済的自由権（主に財産権）については，その制約により直ちに個人の尊重が達成し得なくなるとはいえない。また，経済的自由権への制約については，他の社会政策及び経済政策と密接な関係性を有することから，裁判所には充分な判断資料及び能力が存せず，裁判所では充分に判断し得ない。ゆえに，裁判所は，経済的自由権への制約については，判断資料及び判断能力を有する立法府の判断を尊重すべきであり，より緩やかな合理性の基準をもって判断すべきである。

2　厳格な違憲審査基準

（１）事前抑制の原則禁止の法理

事前抑制とは，表現行為が行われることに先立ち，公権力が何らかの方法をもってこれを抑制すること，または，実質的にこれと同視し得るような影響を表現行為に及ぼす制約方法のことをいう。このような事前抑制は，表現行為以前に制約することによって国民の知る権利を全面的に奪うこととなり，また，事後規制と比較すると抑止的効果が大きいこと，手続き的保証がされていないことから，濫用の危険性が高いことから，原則的に禁止される。

（２）文面審査

文面審査とは，ある法律が合憲かどうかを判定する際に，その内容（実体）について判定する前に，その法律の文面（法文）が適しているかどうかを判定する審査方法のことをいう。

①　漠然性ゆえに無効の法理（明確性の原則）

漠然性ゆえに無効の法理とは，表現の自由の制約を目的とする法律の文面が不明確であると，当該法律の恣意的適用の可能性があること，不明確な法文の存在自体が表現行為に及ぼす萎縮的効果が生じることから，そのような法律は違憲と解し，文面上無効にすることをいう。明確性の原則ともいう。具体的には，通常の判断能力を有する一般人の理解において，適用範囲が不明確な法律は，この法理から違憲無効となる。

②　過度の広汎性ゆえに無効の法理

過度の広汎性ゆえに無効の法理とは，法律がある表現行為について，合憲的に制約し得る範囲を超えて，包括的に制約している場合には，合憲限定解釈をすることは許されず，当該法律は違憲無効となる法理のことをいう。

（３）実体審査

実体審査とは，ある法律が合憲かどうかを判定する際に，その内容（実体）が，適しているかどうかを判定する審査方法のことをいう。

表現の自由に対する制約には，内容規制と内容中立規制とがある。内容規制とは，表現の自由に対する制約のうち，表現内容そのものに対する制約のことをいう。内容中立規制とは，表現の自由に対する制約のうち，表現内容とは無関係に，時・場所・方法に対する制約のことをいう。

内容規制の方が，内容中立規制と比較して，表現の自由に対する強度の制約であることから，内容規制については，厳格な基準の中でも特に厳しい基準によって実体審査をすべきであり，内容中立規制については，厳格な基準の中でもより緩やかな基準によって実体審査をすべきである。

①　明白かつ現在の危険の基準

明白かつ現在の危険の基準とは，表現内容に着目した制約である内容規制に対する極めて厳格な違憲審査基準のことをいう。具体的には，表現内容に対する制約は，思想弾圧の危険性が高いことから，①近い将来，その表現行為が実質的害悪を引き起こす蓋然性が明白であること，②この実質的害悪が重大であり，かつ，その発生が時間的に切迫していること，③この実質的害悪を避けるために，当該立法が必要不可欠なものであること，の３つの要件が認められる場合についてのみ，表現内容の制約が可能であり，当該制約立法が合憲であると判断される。

② より制限的ではない他の選び得る手段の基準（ＬＲＡの基準）

より制限的ではない他の選び得る手段の基準とは，表現内容に着目せずに，表現行為が行われる時・場所・時間に着目した制約である内容中立規制に対する厳格な違憲審査基準のことをいう。ＬＲＡ（Less Restrictive Alternative）の基準ともいわれる。具体的には，表現の自由を制約するような立法がなされた際，その立法目的が正当であっても，より制限的ではない他の選び得る手段によって，その立法目的が達成可能だと判断された場合には，当該制約立法が違憲と判断される。

《重要論点Ｑ＆Ａ／憲法 005》

Ｑ　屋外広告物条例において，広告物を貼ることを一律に禁止することは合憲であると認められるか？

Ａ　広告は表現であることから表現の自由によって保障される。表現の自由は，個人が表現活動を通じて，個人の人格を形成・発展させる自己実現の価値，表現活動を通じて，国政に対して，主権者としての意思を反映させる自己統治の価値とを有することから優越的地位を持つ。しかし，表現の自由は絶対的に無制約な権利ではなく，公共の福祉（日本国憲法第 13 条後段）による必要最低限の制約を受ける。表現の自由のような精神的自由権については，個人の尊重と密接な関連性を有し，その制約により，民主政の過程を侵害する危険があるため，その制約については，経済的自由権への制約の場合とは異なり，厳格な基準をもって判断すべきである。また，表現の自由に対する制約には，内容規制と内容中立規制とがあり，　内容規制の方が，内容中立規制と比較して，表現の自由に対する強度の制約であることから，内容規制については，厳格な基準の中でも特に厳しい基準によって実体審査をすべきであり，内容中立規制については，厳格な基準の中でもより緩やかな基準によって実体審査をすべきである。以上のことから，屋外広告物条例において，広告物を貼ることを一律に禁止することについては，表現の自由が精神的自由権であることから，厳格な基準によって判断すべきであり，また，広告の内容自体ではなく，方法を一律に禁止していることから内容中立規制であるといえ，この場合には，より制限的ではない他の選び得る手段の基準によって判断すべきである。とすると，美観風致の維持という制約目的自体は正当であるが，この目的を達成するためには，必ずしも一律に禁止する必要はなく，枚数や位置，色等の制限で足ることから，より制限的でない他の選び得る手段が存在するといえる。ゆえに，当該屋外広告物条例は違憲であると解すべきである。

《重要論点Ｑ＆Ａ／憲法 006》

Ｑ　公職選挙法第 138 条第１項が規定する戸別訪問の禁止は合憲であると認められるか？

Ａ　公職選挙法第 138 条第１項は，選挙運動の自由を制約しているが，選挙運動の自由は，選挙における表現の自由として保障される（日本国憲法第21 条第１項）。表現の自由は，個人が表現活動を通じて，個人の人格を形成・発展させる自己実現の価値，表現活動を通じて，国政に対して，主権者としての意思を反映させる自己統治の価値とを有することから優越的地位を持つ。また，選挙運動の自由は，特に自己統治の価値と密接な関係を有するため重要であるといえる。しかし，表現の自由は絶対的に無制約な権利ではなく，公共の福祉（日本国憲法第 13 条後段）による必要最低限の制約を受ける。表現の自由のような精神的自由権については，個人の尊重と密接な関連性を有し，その制約により，民主政の過程を侵害する危険があるため，その制約については，経済的自由権への制約の場合とは異なり，厳格な基準をもって判断すべきである。また，表現の自由に対する制約には，内容規制と内容中立規制とがあり，　内容規制の方が，内容中立規制と比較して，表現の自由に対する強度の制約であることから，内容規制については，厳格な基準の中でも特に厳しい基準によって実体審査をすべきであり，内容中立規制については，厳格な基準の中でもより緩やかな基準によって実体審査をすべきである。以上のことから，当該規定によって戸別訪問を禁止することについては，選挙運動の自由が精神的自由権であることから，厳格な基準によって判断すべきであり，また，選挙運動の内容自体ではなく，その方法の１つである戸別訪問を禁止していることから内容中立規制であるといえ，この場合は，より制限的ではない他の選び得る手段の基準によって判断すべきである。戸別訪問は，不正の温床となる危険性があること，選挙人の生活の平穏を害すること，候補者の過度の負担となること，情実による投票が行われること等の理由から，公正な選挙の弊害となると解されている。しかし，不正の温床となる危険性や情実による投票が行われることについては，必ずしもそうなるという確たる証拠があるわけでもなく，選挙人の生活の平穏を害することや候補者の過度の負担となることについては，このような事実があるとしても，戸別訪問の時・場所・方法・費用等を制限することにより防止し得ることから，より制限的ではない他の選び得る手段が存在するといえる。ゆえに，当該規定は違憲であると解すべきである。

【公職選挙法第 138 条第１項】

何人も，選挙に関し，投票を得若しくは得しめ又は得しめない目的をもつて戸別訪問をすることができない。

3 緩やかな違憲審査基準

本来，二重の基準論の根本的な考え方からすると，表現の自由をはじめとする精神的自由権については，個人の尊重と密接な関連性を有し，その制約により，民主政の過程を侵害する危険があるため，その制約については，経済的自由権への制約の場合とは異なり，厳格な基準をもって判断すべきである。

しかし，最高裁判所は，『猿払事件』判決（最高裁判所昭和 49 年 11 月６日大法廷判決）において，国家公務員の政治活動の自由という精神的自由権が問題となった事案について，合理的関連性の基準という非常に緩やかな基準を用いて判断している。

この合理的関連性の基準とは，①人権制約の目的が正当であり，②人権制約の目的と手段との間に合理的関連性があり，③人権制約によって得られる利益と失われる利益とを比較衡量して，前者の方が大きい場合には，その人権制約が合理的であり，必要やむを得ない限度を超えていないとする基準である。

しかし，この合理的関連性の基準によると，広汎な立法裁量を認めることとなり，表現の自由の優越性を前提とする二重の基準論の根本的な考え方に反し採用し得ない。

また，観念的・抽象的な関連性しかなかったとしても，人権制約の目的が正当でありさえすれば，合理的関連性があると判断し得ることとなり妥当ではない。

さらに，得られる利益と失われる利益とを比較衡量した場合に，得られる利益として，国家的な利益が抽象的に指定されてしまうと，失われる利益と比較において，常に重要であるとの判断がなされることにより，形式的・名目的な比較衡量しかなされないこととなることから妥当ではない。つまり，常に国家的な利益が優先され，人権制約を許すこととならざるを得ないこととなるのである。

ゆえに，以上のことから，一般的に，この合理的関連性の基準に基づいて，政治活動の自由をはじめとする表現の自由等の精神的自由権に対する制約立法について判断することは，極めて不当な結論とならざるを得ないため，この合理的関連性の基準を用いることは妥当ではない。

《重要論点Ｑ＆Ａ／憲法 007》

Ｑ　公安条例が，集団行進について，「交通秩序を維持しなければならない」と規定していることは合憲であると認められるか？

Ａ　集団行進は，動く公共集会として，集会の自由として保障される（日本国憲法第 21 条第１項）。集会の自由は，表現の自由の一形態であり，個人が表現活動を通じて，個人の人格を形成・発展させる自己実現の価値，表現活動を通じて，国政に対して，主権者としての意思を反映させる自己統治の価値とを有することから優越的地位を持つ。また，集会の自由は，一般国民が有効な表現手段を有しない現代社会において，実効的に自らの意思を表明し得る重要な手段であることから，重要な意義を有する。しかし，集会の自由は絶対的に無制約な権利ではなく，公共の福祉（日本国憲法第 13 条後段）による必要最低限の制約を受ける。集会の自由のような精神的自由権については，個人の尊重と密接な関連性を有し，その制約により，民主政の過程を侵害する危険があるため，その制約については，経済的自由権への制約の場合とは異なり，厳格な基準をもって判断すべきである。ここで，漠然性ゆえに無効の法理によって判断すると，「交通秩序を維持しなければならない」との文言は，一般通常人にとって，何を意味しているのか明確に読み取ることは不可能であり，萎縮的効果を生じる危険性がある。ゆえに，当該公安条例は違憲であると解すべきである。

《重要論点Ｑ＆Ａ／憲法 008》

Ｑ　公安条例が，集団行進について，事前に許可を得ることを要求していることは合憲であると認められるか？

Ａ　集会の自由のような精神的自由権については，個人の尊重と密接な関連性を有し，その制約により，民主政の過程を侵害する危険があるため，その制約については，経済的自由権への制約の場合とは異なり，厳格な基準をもって判断すべきである。ここで，より制限的ではない他に選び得る手段の基準によって判断すると，交通阻害の防止・集会競合による混乱防止という目的自体は正当であるが，この目的を達成するためには，必ずしも事前に許可を得ることを要求する必要はなく，事前に届出を要求することによって調整することで足ることから，より制限的でない他の選び得る手段が存在するといえる。ゆえに，当該公安条例は違憲であると解すべきである。もっとも，許可という文言を用いていたとしても，その許可基準が明確であり，その実質が届出と何ら異ならない場合においては，当該公安条例は合憲であると解すべきである。

三 表現の自由に対する制約

１ 選挙運動の自由への制約

（１）選挙運動の自由の意義及び法的根拠

選挙運動の自由とは，特定の選挙について行われる行為であり，特定の公職の候補者の当選を得ることを目的とする行為であって，投票を得または得させるために，直接的または間接的に必要かつ有利となり得る一切の行為を行う自由のことをいう。

国民の権利及び自由を保障するためには，国民の意思が国政に反映されること（民意の反映）が必要となる。そのためには，各個人が選挙権を保持すること（選挙制度の民主化）が必要となる。また，そのための選挙運動の自由も必要となる。選挙権の保持は，国民の意思が代表者に伝わるために必要であり，選挙運動の自由は，候補者の意思が国民に伝わるために必要となる。

選挙権の保持については，日本国憲法上，明文の規定があるが，これに対して，選挙運動の自由については，日本国憲法上，明文の規定がない。ゆえに，日本国憲法上，選挙運動の自由が保障されるかが問題となる。

選挙運動も表現活動であり，国政に関する情報を国民に伝え，国民の知る権利を実現するために必要不可欠なものであることから，選挙運動の自由は，表現の自由を規定する日本国憲法第 21 条第１項によって保障されるものと解されている。

（２）選挙運動の自由の限界

選挙運動の自由が，日本国憲法上，保障されるとしても，選挙の公正を保つためには，無制限に認めるわけにはいかないことから，選挙運動の自由がいかなる程度まで保障されるかが問題となる。

確かに，選挙が公正に行われなければ，国民の民意が国政等に正確に反映されなくなることから，議会制民主主義が充分に機能しない危険が生じる。しかし，間接民主制の下では，選挙運動の自由は，国政に関する情報を国民に伝達するものとして，特に重要な人権であり，いかに選挙が公正に行われたとしても，選挙運動の自由が保障されていなければ，その選挙は無意味なものとなり得ない。ゆえに，あくまでも選挙運動の自由を保障することが原則であり，その制約は，選挙の公平確保のために必要最小限のものであることが必要である。

選挙運動の自由を制限するものとして公職選挙法（昭和 25 年法律第 100 号）がある。

① 事前運動の禁止

公職選挙法第129条は，立候補届出前の一切の選挙活動を禁止している。

このような制約規定は，選挙運動の自由を過度に制約するものとして，日本国憲法第21条第１項が保障する表現の自由に違反しないかが問題となる。

【公職選挙法第129条】

選挙運動は，各選挙につき，それぞれ第86条第１項から第３項まで若しくは第８項の規定による候補者の届出，第86条の２第１項の規定による衆議院名簿の届出，第86条の３第１項の規定による参議院名簿の届出（同条第２項において準用する第86条の２第９項前段の規定による届出に係る候補者については，当該届出）又は第86条の４第１項，第２項，第５項，第６項若しくは第８項の規定による公職の候補者の届出のあつた日から当該選挙の期日の前日まででなければ，することができない。

Ａ 合憲説（判例）

常時選挙運動が行われると，不当，無用な競争を招来し，選挙の公正を害することとなるし，経費及び労力が多大に必要となり，経済上の不平等が生ずる結果となり，選挙の腐敗をも招来する危険性を有することから，表現の自由に対する許された合理的な制限であるとして，公職選挙法第129条の規定は合憲であると解すべきである。

最高裁判所も，選挙が公平に行われることを保障することは，公共の福祉を維持するために必要であることから，公職選挙法第129条の規定によって，選挙運動をすることができる期間を規制し，事前運動を禁止することは，「表現の自由に対し許された必要かつ合理的な制限である」として合憲としている（最高裁判所昭和44年４月23日大法廷判決）。

Ｂ 違憲説

規制の対象とはされていない日常の政治活動と規制の対象とされている事前運動との区別は付け難く，このような日常の政治活動においても高額な費用が必要となることもあり，事前運動の制限が刑の軽減に必ずしも直結しておらず，また，新人候補に不利に作用する危険性を有することから，表現の自由に対する許されない不合理な制限であるとして，公職選挙法第129条の規定は違憲であると解すべきである。

② 泡沫新聞の排除

公職選挙法第148条第３項は，選挙運動期間中に選挙の報道または評論を掲載することができる新聞を限定している。

このような制約規定は，選挙運動の自由を過度に制約するものとして，日本国憲法第21条第１項が保障する表現の自由に違反しないかが問題となる。

【公職選挙法第 148 条】

この法律に定めるところの選挙運動の制限に関する規定（第 138 条の３の規定を除く。）は，新聞紙（これに類する通信類を含む。以下同じ。）又は雑誌が，選挙に関し，報道及び評論を掲載するの自由を妨げるものではない。但し，虚偽の事項を記載し又は事実を歪曲して記載する等表現の自由を濫用して選挙の公正を害してはならない。

２　新聞紙又は雑誌の販売を業とする者は，前項に規定する新聞紙又は雑誌を，通常の方法（選挙運動の期間中及び選挙の当日において，定期購読者以外の者に対して頒布する新聞紙又は雑誌については，有償でする場合に限る。）で頒布し又は都道府県の選挙管理委員会の指定する場所に掲示することができる。

３　前２項の規定の適用について新聞紙又は雑誌とは，選挙運動の期間中及び選挙の当日に限り，次に掲げるものをいう。ただし，点字新聞紙については，第１号ロの規定（同号ハ及び第２号中第１号ロに係る部分を含む。）は，適用しない。

一　次の条件を具備する新聞紙又は雑誌

イ　新聞紙にあつては毎月３回以上，雑誌にあつては毎月１回以上，号を逐つて定期に有償頒布するものであること。

ロ　第三種郵便物の承認のあるものであること。

ハ　当該選挙の選挙期日の公示又は告示の日前１年（時事に関する事項を掲載する日刊新聞紙にあつては，６月）以来，イ及びロに該当し，引き続き発行するものであること。

二　前号に該当する新聞紙又は雑誌を発行する者が発行する新聞紙又は雑誌で同号イ及びロの条件を具備するもの

Ａ　合憲説（判例）

選挙目当ての新聞または雑誌を排除し，選挙の公正を維持する必要があることから，表現の自由に対する許された合理的な制限であるとして，公職選挙法第 148 条の規定は合憲であると解すべきである。

最高裁判所も，公職選挙法第 148 条の規定は，「選挙目当ての新聞紙・雑誌が選挙の公正を害し特定の候補者と結びつく弊害を除去するためにやむを得ず設けられた規定」として合憲としている（最高裁判所昭和 54 年 12 月 20 日判決）。

Ｂ　違憲説

泡沫新聞の排除という目的は，事後的処罰という，より制限的でない他の選び得る手段によっても達成することが可能であり，合理的にして必要最小限の範囲を超えていることから，表現の自由に対する許されない不合理な制限であるとして，公職選挙法第 148 条の規定は違憲であると解すべきである。

③　文書及び図画による選挙運動への制限

公職選挙法第 142 条は，選挙運動期間中に頒布または掲示できる文書及び図画について種類及び数量を制限している。

このような制約規定は，選挙運動の自由を過度に制約するものとして，日本国憲法第 21 条第１項が保障する表現の自由に違反しないかが問題となる。

【公職選挙法第 142 条第１項柱書のみ以下省略】

衆議院（比例代表選出）議員の選挙以外の選挙においては，選挙運動のために使用する文書図画は，次の各号に規定する通常葉書並びに第１号から第３号まで及び第５号から第７号までに規定するビラのほかは，頒布することができない。この場合において，ビラについては，散布することができない。

A　合憲説（判例）

選挙運動における不当な競争を防止できること，立候補者の経済力による不平等，選挙をめぐる経済的負担を回避し得ること，文書及び図画の頒布は街の景観を損ねる危険性を有していること，文書の無制限な頒布により街の美観が損なわれること，怪文書等の横行を回避する必要があることから，表現の自由に対する許された合理的な制限であるとして，公職選挙法第 142 条の規定は合憲であると解すべきである。

最高裁判所も，選挙の自由公正を害し，その公明を保持し難い結果を招来する弊害を防止するために，選挙運動期間中に限り，文書図画の頒布，掲示につき一定の規制をした公職選挙法第 142 条の規定は，「表現の自由に対し許された必要かつ合理的な制限と解すことができる」として合憲としている（最高裁判所昭和 30 年３月 30 日大法廷判決）。

B　違憲説

一般国民にとっては，文書及び図画による表現は，比較的手軽な方法として自己の主張の伝達に欠くことができず，経済力による選挙運動の不平等は，選挙関係者の道義と自覚あるいは選挙制度全体の在り方の問題であり，また，街の美観より，選挙における表現の自由の意義の方を重要視すべきであり，一部の怪文書等による弊害のために文書及び図画全体を制限することは，必要最小限の範囲を超えることとなることから，表現の自由に対する許されない不合理な制限であるとして，公職選挙法第 142 条の規定は違憲であると解すべきである。

④　戸別訪問の禁止

公職選挙法第 138 条は，戸別訪問を一律に禁止している。

このような制約規定は，選挙運動の自由を過度に制約するものとして，日本国憲法第 21 条第１項が保障する表現の自由に違反しないかが問題となる。

A　合憲説（判例）

戸別訪問は，買収や利益誘導等，不正行為が行われ易く，情実による投票が起こり易いとの危険性を有しており，また，国民の生活の平穏が害される危険性も有しており，過当競争が発生し選挙運動の実質的公平が害されることとなることから，表現の自由に対する許された合理的な制限であるとして，公職選挙法第138条の規定は合憲であると解すべきである。

最高裁判所も，戸別訪問の禁止は，意見表明そのものの制約を目的とするものではなく，意見表明の手段方法のもたらす弊害を防止し，もって選挙の自由と公正を確保することを目的としており，戸別訪問を一律に禁止することと禁止目的との間に合理的な関連性があるということができることから，戸別訪問を一律に禁止した公職選挙法第 138 条の規定は，「合理的で必要やむをえない限度を超えるものとは認められず」合憲としている（最高裁判所昭和56年7月21日判決）。

B　違憲説

戸別訪問は，一般国民にとっては，候補者の政治に対する意見等を知るのにもっとも効果的な方法であり，戸別訪問を一律に禁止せずとも，不正行為等の弊害防止は，表現の自由に対する許されない不合理な制限であるとして，公職選挙法第138条の規定は違憲であると解すべきである。

2　差別的表現行為の自由への制約

（1）差別的表現行為の自由の意義及び法的根拠

差別的表現行為とは，人の属性に着目して，ある属性を共有する人々全体を一般的に誹謗中傷したり，特定の無能力と結びつけたりする一連の表現行為のことをいう。このような差別的表現は，ヘイトスピーチともいわれる。

このような差別的表現行為は，表現行為であることには間違いないことから，表現の自由を規定する日本国憲法第 21 条第1項によって保障されるものと解されている。

（2）差別的表現行為の自由の限界

差別的表現行為の自由が，日本国憲法上，保障されるとしても，その表現行為の内容が差別的であることを理由に，無制限に認めるわけにはいかないことから，差別的表現行為の自由がいかなる程度まで保障されるかが問題となる。

ここで重要な点は，差別的表現行為を規制することは，内容に注目した規制ということである。このような規制を果たして公権力がすることが許されるのかが問題となる。

①　差別的表現立法規制違憲説

そもそも，人種や差別の明確な定義付けや差別的表現についての類型の確定は困難であり，表現の自由のように，優越的地位を有する人権に関して，本来，表現活動に対して中立的であるべき国家が積極的に介入するのは表現の自由に対する著しい脅威となる可能性を有していること，また，差別的表現行為に対しては，対抗言論や社会への教化及び啓発によってその効果を封じるべきであることから，差別的表現行為に対する立法規制は困難であり，そのような差別的表現行為への立法規制は違憲であると解すべきである。

②　差別的表現立法規制条件付合憲説

そもそも，差別的表現行為は価値の低い表現行為類型であり，悪質な差別的表現行為に対しては,対抗言論では害悪の除去には不充分であることから，規制の対象となる差別的表現行為を限定したり，多様かつ柔軟な対応をしたりすることを条件に，差別的表現行為に対する法的規制を認めるべきであることから，差別的表現行為への立法規制は合憲であると解すべきである。

３　営利的広告の自由への制約

（１）営利的広告の自由の意義及び法的根拠

営利的広告の自由とは，経済活動の一環として，事業や商品の宣伝や広告を行う自由のことをいう。

営利的広告については，自己実現・自己統治という表現の自由の価値と関係がないとして，表現の自由に含まれないとする見解もあるが，純然たる営利広告と精神活動的要素を含むものとの区別が判然としないことや，純然たる営利的広告も消費者の側からみると，１つの重要な生活情報としての意味を有し，消費者の知る権利の観点から，表現の自由の保障の範囲外として扱うことには疑問であること，また，営利的広告の場合においても，一定の生活様式の提案となっている場合等，自己実現と無関係であるとは判断し得ないことから，営利的広告の自由も表現の自由を規定する日本国憲法第 21 条第１項によって保障されると考えるのが妥当である。

（２）営利的広告の自由の限界

営利的表現の自由に対する規制の合憲性については，政治的表現の自由に対する規制と同様に厳しい違意審査基準によって判断すべきか，経済的自由権と同様に緩やかな基準によって判断すべきかが問題となる。

営利的広告の自由を規制する立法に対しては，原則として，緩やかな基準によって判断し，一切の広告を禁止するような場合は厳格な審査基準によって判断すべきである。

４ 名誉権を侵害する表現の自由への制約

（１）名誉権を侵害する表現の自由の意義及び法的根拠

表現によっては，他者の名誉を侵害するものもある。このような表現も表現であることから，表現の自由を規定する日本国憲法第 21 条第１項によって保障される。

表現の自由は，個人の自己実現及び自己統治に不可欠な権利である。それに対し，名誉権も，個人の尊重（日本国憲法第 13 条前段）にとって不可欠な権利である。ゆえに，双方が衝突する場合には，等価値的な利益衡量によって双方の調整を図るべきである。

（２）名誉権を侵害する表現の自由の限界

名誉権侵害に該当する表現行為に対しては，刑法（明治 40 年法律第 45 号）に名誉毀損罪についての規定がある（刑法第 230 条）。

【刑法第 230 条】

公然と事実を摘示し，人の名誉を毀損した者は，その事実の有無にかかわらず，３年以下の懲役若しくは禁錮又は 50 万円以下の罰金に処する。

２ 死者の名誉を毀損した者は，虚偽の事実を摘示することによってした場合でなければ，罰しない。

公然と事実を摘示し，人の名誉を毀損した者は，その事実の有無に拘わらず，名誉毀損罪となる（刑法第 230 条第１項）。但し，公共の利害に関する事実に関して，その目的が専ら公益を図ることにあったと認める場合には，事実の真否を判断し，真実であることの証明があったときは，罰せられない（刑法第 230 条の２第１項）。

【刑法第 230 条の２】

前条第１項の行為が公共の利害に関する事実に係り，かつ，その目的が専ら公益を図ることにあったと認める場合には，事実の真否を判断し，真実であることの証明があったときは，これを罰しない。

２ 前項の規定の適用については，公訴が提起されるに至っていない人の犯罪行為に関する事実は，公共の利害に関する事実とみなす。

３ 前条第１項の行為が公務員又は公選による公務員の候補者に関する事実に係る場合には，事実の真否を判断し，真実であることの証明があったときは，これを罰しない。

また，事実を摘示しなくても，公然と人を侮辱した者は，侮辱罪となる（刑法第 231 条）。

【刑法第231条】
事実を摘示しなくても，公然と人を侮辱した者は，拘留又は科料に処する。

5　プライバシー権を侵害する表現の自由への制約

（1）プライバシー権を侵害する表現の自由の意義及び法的根拠

表現によっては，他者のプライバシーを侵害するものもある。このような表現も表現であることから，表現の自由を規定する日本国憲法第21条第1項によって保障される。

表現の自由は，個人の自己実現及び自己統治に不可欠な権利である。それに対し，プライバシー権も，個人の尊重（日本国憲法第13条前段）にとって不可欠な権利である。ゆえに，双方が衝突する場合には，等価値的な利益衡量によって双方の調整を図るべきである。

（2）プライバシー権を侵害する表現の自由の限界

表現の自由は自己実現及び自己統治に不可欠な権利であるが，他方で，プライバシー権は人格的生存に不可欠な権利である以上，等価値的な利益衡量によって違法性の有無を判断すべきである。

具体的には，①公開された内容が私生活上の事実または私生活上の事実らしく受け取られる危険性を有する事柄であること，②一般人の感受性を基準にして当該私人の立場に立った場合，公開を欲しないであろうと認められる事柄であること，③一般の人々に未だ知られていない事柄であること，④このような公開によって当該私人が実際に不快・不安の念を覚えたこと，以上４つの要件を充たす場合には，当該表現行為の違法性が認められ，損害賠償が認められるとすべきである。

『「宴のあと」事件』判決（東京地方裁判所昭和39年9月28日判決）において，「プライバシーの侵害に対し法的な救済が与えられるためには，①公開された内容が私生活上の事実または私生活上の事実らしく受け取られるおそれのあることがらであること，②一般人の感受性を基準にして当該私人の立場に立った場合公開を欲しないであろうと認められることがらであること，③一般の人々に未だ知られていないことがらであることを必要とし，このような公開によって当該私人が実際に不快，不安の念を覚えたことを必要とする」との４要件が示された。この４要件を充たした場合，表現行為者は，被害者に対して，損害賠償責任を負うこととなる。

なお，名誉権侵害の場合とは異なり，プライバシー権侵害に該当する表現行為に対しては，刑罰法規による制約はない。

６　わいせつな表現の自由への制約

（１）わいせつな表現の自由の意義及び法的根拠

わいせつな表現とは，いたずらに性欲を興奮または刺激し，普通人の正常な性的羞恥心を害し，善良な性的道義観念に反する表現のことをいう。

この定義は，『チャタレイ事件』判決（最高裁判所昭和32年３月13日大法廷判決）において示されたものである。

このようなわいせつな表現は，表現行為であることには間違いないことから，表現の自由を規定する日本国憲法第 21 条第１項によって保障されるものと解されている。

（２）わいせつな表現の自由の限界

わいせつな表現は，わいせつな文書の頒布等の行為が刑法上の犯罪として規制されていることから（刑法第175条），従来は，日本国憲法によって保障される表現の自由の範囲には属しないと考えられていた。

【刑法第175条】

わいせつな文書，図画，電磁的記録に係る記録媒体その他の物を頒布し，又は公然と陳列した者は，２年以下の懲役若しくは250万円以下の罰金若しくは科料に処し，又は懲役及び罰金を併科する。電気通信の送信によりわいせつな電磁的記録その他の記録を頒布した者も，同様とする。

２　有償で頒布する目的で，前項の物を所持し，又は同項の電磁的記録を保管した者も，同項と同様とする。

①　刑法第175条合憲説

わいせつな表現は，それを見たくない人にとって苦痛であり，大量陳列等がその周辺の生活環境にある種の衝撃を与えることは否定できないし，好色的興味に訴えて商業的利益追求の対象としていると認められるものは，埋め合わせできるような社会的価値を認め難いことから，刑法第175条は，わいせつ文書の頒布等の方法に着眼しつつ，通常人にとって明白に嫌悪的なもので，かつ，埋め合わせできるような社会的価値を全く欠いている文書類の規制に限定するよう適用される必要がある，と，表現の自由との関連で刑法第175を限定的に解釈した上で（合憲限定解釈），刑法第175条の規定自体は，表現の自由の保障について規定した日本国憲法第 21 条第１項に違反せず合憲であると解すべきである。

最高裁判所も，『チャタレイ事件』判決（最高裁判所昭和32年３月13日大法廷判決）において，刑法第175条の規定は，日本国憲法第21条第１項に違反せず，合憲であるとしている。

② 刑法第175条違憲説

わいせつな文書の頒布等を全面的に禁止する刑法第175条の規定は，過度に広汎な規制を規定するものとして，表現の自由の保障について規定した日本国憲法第21条第1項に違反し，違憲であると解すべきである。

（3）わいせつ概念の定義

わいせつな表現は，従来，日本国憲法によって保障される表現の自由の範囲には属しないと考えられていたが，わいせつ概念をどのように解するかによって，本来的に，日本国憲法上，保障されるべき表現についてまで日本国憲法の保障の外に置かれてしまう危険性を有することとなる。

また，わいせつな表現を規制することは，内容に注目した規制ということになり，わいせつ概念をどのように解するかは非常に重要である。

そこで，わいせつな表現についても，日本国憲法第21条第1項によって保障される表現の自由の範囲に含まれると解した上で，最大限の保障が及ぶ表現の範囲を画定していくという考え方が採用されるようになった。

この考え方は，わいせつ文書の罪の保護法益との衡量を図りながら，表現の自由の価値に比重を置いてわいせつな文書の定義を厳格に絞り，それにより表現の内容の規制をできるだけ限定しようとするものである（定義付け衡量論）。

① 『チャタレイ事件』における判断

最高裁判所は，『チャタレイ事件』判決（最高裁判所昭和32年3月13日大法廷判決）においては，刑法第175条のわいせつな文書とは，「徒らに性欲を興奮又は刺戟せしめ，且つ普通人の正常な性的羞恥心を害し，善良な性的道義観念に反するもの」をいうとわいせつな文書を定義付け，刑法第175条のわいせつな文書に該当するかどうかの判断規準については，「一般社会において行われている良識すなわち社会通念である」とした。また，「芸術性と猥褻性とは別異の次元に属する概念であり，両立し得ないものではない」とした上で，「芸術的作品であるという理由からその猥褻性を否定することはできない」とし，「猥褻性の存否は純客観的に，つまり作品自体からして判断されなければならず，作者の主観的意図によって影響さるべきものではない」とした。

本判決においては，刑法第175条を合憲とした上で，科学性・芸術性とわいせつ性は，次元を異にする観念であるする別次元説を採用した。

また，本判決においては，わいせつ概念を文書の有する芸術性や思想性との関係において，相対的に解するべきか否かという概念である相対的わいせつ概念については，それを否定している。

② 『「悪徳の栄え」事件』における判断

最高裁判所は,『「悪徳の栄え」事件』判決（最高裁判所昭和44年10月15日大法廷判決）においては,「芸術的・思想的価値のある文書であっても,これを猥褻性を有するものとすることはなんらさしつかえのないもの」として,『チャタレイ事件』判決（最高裁判所昭和32年3月13日大法廷判決）の立場を維持しつつ,「文書がもつ芸術性・思想性が,文書の内容である性的描写による性的刺激を減少,緩和させて,刑法が処罰の対象とする程度以下に猥褻性を解消させる場合があることは考えられる」とし,「文書の個々の章句の部分は,全体としての文書の一部として意味をもつものであるから,その章句の部分の猥褻性の有無は,文書全体との関連において判断されなければならないものである」とした。

本判決においては,『チャタレイ事件』判決（最高裁判所昭和32年3月13日大法廷判決）の基本的立場を維持しつつ,相対的わいせつ概念を肯定した。また,わいせつ性の有無は文書全体との関連で判断されるとした。

③ 『「四畳半襖の下張」事件』における判断

最高裁判所は,『「四畳半襖の下張」事件』判決（最高裁判所昭和55年11月28日判決）においては,「文書のわいせつ性の判断にあたっては,当該文言の性に関する露骨で詳細な描写叙述の程度とその手法,右描写叙述の文書全体に占める比重,文書に表現された思想等と右描写叙述との関連性,文書の構成や展開,さらには芸術性・思想性等による性的刺激の緩和の程度,これらの観点から該文書を全体としてみたときに,主として,読者の好色的興味にうったえるものと認められるか否かなどの諸点を検討することが必要であり,これらの事情を総合し,その時代の健全な社会通念に照らして,それが『徒らに性欲を興奮又は刺激せしめ,かつ,普通人の正常な性的差恥心を害し,善良な性的道義観念に反するもの』といえるか否かを決すべきである」とした。

本判決においては,『「悪徳の栄え」事件』判決（最高裁判所昭和44年10月15日大法廷判決）において示された,わいせつ性の有無は文書全体との関連で判断する方法をより具体化し,①当該文言の性に関する露骨で詳細な描写叙述の程度とその手法,②右描写叙述の文書全体に占める比重,③文書に表現された思想等と右描写叙述との関連性,④文書の構成や展開,さらには⑤芸術性・思想性等による性的刺激の緩和の程度,⑥これらの観点から該文書を全体として見たたときに,主として,読者の好色的興味に訴えるものと認められるか否か,を総合的に判断し,その上で「その時代の健全な社会通念」を基準に,わいせつ概念を判断するとした。

（４）青少年の保護

各地方公共団体は，青少年の健全な育成を阻害する危険性を有するわいせつな表現等が含まれる図書等（有害図書）の販売・頒布や自動販売機への収納を規制する内容の条例を制定している。

このような有害図書の規制は，青少年との関係においては規制の必要性が存するが，一方，成年者に対しては，販売・頒布する自由及び知る権利の制限が問題となる。

最高裁判所は，『岐阜県青少年保護育成条例事件』判決（最高裁判所平成元年９月 19 日判決）において，成人に対してなされる規制についても合憲であるとした。

《重要論点Ｑ＆Ａ／憲法 009》

Ｑ　わいせつな文書等の頒布を規制する刑法第 175 条の規定は合憲か？

Ａ　わいせつな表現の自由が，日本国憲法第 21 条第１項の保障する表現の自由の一類型として保障されるかについては，自己統治や自己実現との関係において，全く無関係であるとはいい難いことから，日本国憲法第 21 条第１項によって保障されると解すべきである。但し，無制約というわけではなく，公共の福祉による制約は認められる（日本国憲法第 13 条）。それでは，刑法第 175 条の合憲性判断について，どのような基準によって判断すべきであろうか。表現の自由の問題であると解す以上，その優越的権利性により，厳格な基準によって判断すべきである。まず，「わいせつ」という文言自体は明確であるといえるのであろうか。「わいせつ」とは，いたずらに性欲を興奮または刺激せしめ，普通人の正常な性的羞恥心を害し，善良な性的道義的観念に反するものを意味し，それを一般通常人が知り得ることから不明確とはいい難い。次に，実定面において必要最小限度の制約といえるか。ＬＲＡの基準によって検討する。わいせつな表現の規制の目的は，わいせつな文書が性犯罪の増大を招来すること，及び，性行為非公然の原則に基づく善良な性風俗の維持に求められ，その目的は正当であるといえる。また，手段については，規制対象は先述の通りであり，その頒布を禁止することについて，より制限的でない他の選び得る手段があるとはいえない。最後に，わいせつ性の判断をどのようになすか，科学性や芸術性との関係が問題となるが，表現の自由が保障される趣旨から，両者の関連を認めるべきであり，科学性や芸術性が高まれば，わいせつ性は弱められ，解消される場合もあり得る。ゆえに，刑法第 175 条の規定は，日本国憲法第 21 条第１項に違反せず，合憲であると解すべきである。

四　知る権利

1　知る権利の意義及び法的性格

（1）知る権利の意義

知る権利とは，国民が，国家機関やマス・メディアから，自由に情報を受け取り，国家機関に対して，情報の開示を求める権利のことをいう。今日においては，情報の送り手と受け手が分化しており，国民にとって重要な情報が，国家やマス・メディアに集中していることから，表現の自由（日本国憲法第21条第１項）を再構成する必要があり，知る権利も同条によって保障されると解されている。

（2）知る権利の法的性格

①　自由権的性格

表現の自由は，情報を相手に伝達する自由であることから，そもそも相手方，つまり，情報の受け手の存在を前提とした権利であるといえる。また，表現をなすためには，その前提となる情報の入手は不可欠である。ゆえに，知る権利を保障する必要性がある。

また，現代においては，マス・メディアの発達により，情報媒体が独占されており，情報の送り手と受け手が，分化及び固定化されており，個人が独力で必要な情報を収集することが困難となっている。

そこで，表現の自由を一般国民の立場から再構成をし，表現の受け手の自由を保障する必要性，つまり，知る権利を保障する必要性が生じたのである。

以上のことから，個人の情報収集活動が，国家機関によって妨げられないという意味における知る権利が保障される（日本国憲法第21条第１項）。

このような知る権利の自由権的性格，つまり，国家に対する不作為請求権については，具体的権利として，裁判規範性を有するものと解されている。

②　社会権的性格

国民が，国家機関に対して情報の開示を請求する権利が保障されなければ，国民は必要な情報を入手することができず，知る権利を認めた意味を没却することになり得ない。ゆえに，国家機関に対して，情報の開示を請求するという意味での知る権利も保障される必要があるといえる（日本国憲法第21条第１項）。

しかし，知る権利の社会権的性格，つまり，国家に対する作為請求権については，具体的権利として認めることはできず，裁判規範性を有するものとはいえないと解されている。

2　報道の自由

（1）報道の自由の意義

報道の自由とは，報道機関が，新聞・ラジオ・テレビ等の表現手段を通じて，事実を国民に伝達する自由のことをいう。

知る権利の実効性を確保するために必要な権利である。

（2）報道の自由の保障の可否

表現の自由は，内面的精神活動を外部に発表し，個人の人格を発展させる（自己実現）という趣旨から，思想及び意見の表明のための自由であったが，報道の自由は，事実の発表の自由に過ぎない。そこで，報道の自由が，日本国憲法第 21 条第１項によって保障されるのかが問題となる。

思想及び意見と報道される事実との区別は困難であり，報道のための報道内容の編集という知的な作業により主観的価値値観が入り得ること，報道機関の報道は,国民が国政に関与するにつき,重要な判断の資料を提供し，国民の知る権利に奉仕するものであることから，報道の自由も日本国憲法第 21 条第１項の保障に含まれると解されている。

3　取材の自由

（1）取材の自由の意義

取材の自由とは，報道機関が，自由な報道を全うするために，公権力の不当な干渉を受けることなく報道源として資料を収集し得る自由のことをいう。

報道の自由の実効性を確保するために必要な権利である。

（2）取材の自由の保障の可否

取材の自由は，報道の自由の前提をなす。そこで，取材の自由が，日本国憲法第 21 条第１項によって保障されるのかが問題となる。

最高裁判所は,『博多駅テレビフィルム提出命令事件』判決（最高裁判所昭和 44 年 11 月 26 日大法廷判決）において，報道のための取材の自由も，日本国憲法第 21 条第１項の精神に照らし，充分尊重に値するものといわなければならないと述べるに留まっている。

一方，通説は，取材の自由は報道にとって不可欠の前提をなすものであること，また，報道が成立するためには，情報の収集・編集・発表という一連の過程を切り離すことができないことから，より積極的に，取材の自由も報道の自由の一環として，日本国憲法第 21 条第１項で保障されるものであるとしている。

4 取材源秘匿の自由

（1）取材源秘匿の自由の意義

取材源秘匿の自由とは，公衆に対する情報の伝達を目的として，取材源との信頼関係を通じて取材した場合に，その取材源の開示を強要されない自由，または，取材源との信頼関係を通じて得られた情報の開示を強要されない自由のことをいう。

取材の自由の実効性を確保するために必要な権利である。

（2）取材源秘匿の自由の保障の可否

取材源秘匿の自由も，表現の自由（日本国憲法第21条第1項）に含まれると解すべきである。なぜなら，取材源と取材者と間には，取材源を公開しないという信頼関係があってはじめて正確な情報の提供が期待できるのであり，また，安易な公開を認めるときは将来の取材にも支障を来すからである。この点，最高裁判所は，取材源秘匿の自由については正面から論じていない。

5 アクセス権

アクセス権とは，市民が何らかの形でマス・メディアを利用して，自己の意見を表明することを要求する権利のことをいう。

このアクセス権は，私人間において，憲法規定が直接に適用される請求権的側面を有する権利であり，主に報道機関との関係で問題となり，公権力の力によって，表現の自由の主体であるマス・メディアの消極的表現の自由を直接侵害することによって実現される。このことは，国家に対して干渉の排除を求めるという日本国憲法第 21 条第1項の趣旨から二重の意味で乖離していることを意味する。

6 情報公開請求権

国家に対して情報の公開を求める権利は，日本国憲法第 21 条第1項によって保障される。しかし，個々の国民が裁判上，情報公開請求権を行使するためには， 公開の基準や手続き等について規定した法律による具体的な規定が必要となる。つまり，この情報公開請求権は抽象的権利であるといえる。

従来，地方公共団体が情報公開条例を制定し，これらの情報公開条例によって情報公開請求権は具体的権利となり，司法上の救済を受けることができるようになった。現在，法律でも「行政機関の保有する情報の公開に関する法律（平成11年法律第42号)」（情報公開法）が成立したことによって，情報公開請求権は具体的権利となっている。

五 集会及び結社の自由【日本国憲法第 21 条第１項】

１ 集会の自由

（１）集会の自由の意義

集会とは，多数人が共通の目的を有して，一定の場所に，一時的に集合することをいう。

集会の自由は，集会を開催し，または，集会に参加することを公権力によって妨害されない自由（積極的集会の自由）であるだけではなく，集会を開催すること，集会に参加することに関して，公権力による強制を受けない自由（消極的集会の自由）をも含む。

集会の自由は，民主政の過程の維持にとって不可欠の権利である。特に，情報の「送り手」と「受け手」の分離・固定化が顕著になった現代社会においては，「受け手」である一般国民が主体的に意見表明を行う手段として，極めて重要な役割を果たす。

（２）集会の自由への制限

① 公共施設における集会

集会をするためには一定の場所が必要となる。集会をするのに適した場所の１つとして，道路，公園，市民会館等といった公共施設がある。集会の自由の行使として，そのような公共施設を利用することを妨げられない権利を含むか否かが問題となる。

そもそも，集会の自由とは，集会をすることを公権力によって妨げられないという国家に対する不作為請求権をいう。一方，集会をするために公共施設を利用することを妨げられない権利は，国家に対する作為請求権である。ゆえに，集会の自由の行使として，そのような公共施設を利用することを妨げられない権利を含むことは認めることができない。しかし，公共施設は，一般公衆が自由に出入りすることができる場所として，表現のための場所として役立つことが多いことから，公共施設において集会をすることは，可能な限り尊重されるべきである（パブリック・フォーラム論）。

② 自己所有地等における集会

自己の所有する土地及び建物における集会をする自由については，その場所を使用する権利のある者による集会であることから，原則として，集会の自由が制約されることはない。しかし，例外として，自己の所有地等における集会であっても制約されることがある。『成田新法事件』判決（最高裁判所平成４年７月１日大法廷判決）によって，その例外が示された。

③ 他人の所有地等における集会

他人の所有する土地及び建物における集会をする自由については，その土地の所有者や管理者の承認がない限り認められることはない。最高裁判所も，『立川反戦ビラ配布事件』判決（最高裁判所平成20年４月11日判決）において,「たとえ思想を外部に発表する手段であっても，他人の権利を不当に害することは許されない」として，他人の所有する土地及び建物における集会をする自由について，一定の制限があることを判示した。

（３）パブリック・フォーラム論

① パブリック・フォーラム論の意義

パブリック・フォーラム論とは，表現活動のために公共の場所を利用する権利については，場合によっては，その場所における他の利用を妨げることになったとしても保障されるとする理論のことをいう。

パブリック・フォーラム論は，情報の「送り手」と「受け手」の分離・固定化が顕著になった現代社会においては,「受け手」である一般国民に対して，表現行為を行う場所を確保させるという重要な役割を果たす。

② パブリック・フォーラム論の類型

パブリック・フォーラム論は，公共財産を３つの類型に分類し，それぞれの場における表現活動に対する規制に適用される司法審査基準を論じていく手法である。

Ａ 伝統的パブリック・フォーラム

伝統的パブリック・フォーラムとは，伝統や政府の政策によって，集会や討論に委ねられてきた場所のことで，道路や公園，広場等の公共財産がこれに該当する。

伝統的パブリック・フォーラムにおいては，政府は表現行為を全面的に禁止することは許されず，表現内中立規制についても，厳密に規定された規制であり，他の充分な表現手段が確保されていない限り許されないとされる。

Ｂ 限定的パブリック・フォーラム

限定的パブリック・フォーラムとは，政府が公衆の表現活動一般，または特定の集団ないし主題の表現活動のための場所として開放してきた場所のことで，公立学校の講堂，公立公会堂，公営劇場等の公共財産がこれに該当する。指定パブリック・フォーラムともいう。

限定的パブリック・フォーラムにおいては，その施設の開かれた性質をいつまでも保ち続けることを政府は要求されないが，政府がそのような公共財産を提供している限りは伝統的パブリック・ フォーラムで適用されるのと同じ基準に拘束される。

C　非パブリック・フォーラム

非パブリック・フォーラムとは，伝統的パブリック・フォーラムにも，限定的パブリック・フォーラムにも該当しない公共財産であり，公衆の出入りが自由であったとしても，表現行為ための開かれた場所とはされてこなかった公共財産であり，公立病院，福祉事務所，刑務所，軍事施設等の公共財産がこれに該当する。

伝統的パブリック・フォーラム及び限定的パブリック・フォーラムとは異なり，管理権者の広範な裁量を認め，政府が特定の見解を理由として制約しない限り，合理的制約として認められるとされる。

（4）集団行動の自由

①　集団行動の自由の意義

集団示威行動等の集団行動も，一定の場所に留まらずに場所を移動しつつ行う「動く集会」であることから，日本国憲法第21条第1項にある「集会」に該当する。ゆえに，集団行動も日本国憲法第21条第1項の保障する集会の自由の一類型であるとして保障される。

また，集団行動の自由を日本国憲法第21条第1項にある「その他一切の表現の自由」に含めることによって，日本国憲法第21条第1項の保障の範囲内とする見解もある。

いずれにせよ，集団行動の自由は，日本国憲法第21条第1項によって保障される。

②　集団行動の自由への制約

集会は，特定の場所に留まるのに対して，集団行動は，移動を伴うことから，一般市民の利用や交通安全の維持等，調整すべき対立利益が多い点で異なる。

また，集団行動は，集団外の人々に対して，一定の働きかけをするものであることから，平穏かつ整然とした行動を逸脱して過激化した場合に，社会の安全及び秩序との関係において難しい問題が生じる場合もあり得る。最高裁判所は，このような場合を，「平穏静粛な集団であっても，時に昂奮，激昂の渦中に巻きこまれ，甚だしい場合には一瞬にして暴徒と化し，勢いの赴くところ実力によって法と秩序を蹂躙し，集団行動の指揮者はもちろん警察力を以てしても如何ともし得ないような事態に発展する危険が存在する」と表現し，「集団暴徒化論」を『東京都公安条例事件』判決（最高裁判所昭和35年7月20日大法廷判決）において採用している。このように，集団行動の自由との関係においては，集団行動を取り締まる目的で制定する地方公共団体の公安条例との関係で問題となることが多い。

２　結社の自由

（１）結社の自由の意義

結社とは，多数人が，共通の目的のために継続的に集まって構成される団体を結成することをいう。

結社の自由は，民主政の過程の維持にとって不可欠の権利である。特に，情報の「送り手」と「受け手」の分離・固定化が顕著になった現代社会においては，「受け手」である一般国民が主体的に意見表明を行う手段として，極めて重要な役割を果たす。

また，日本国憲法上，結社を結成する目的は，表現目的に限定されず，結社の自由の保障の対象となる結社の範囲については，政治的結社のみならず，経済的・宗教的・学問的・芸術的・社会的等すべての結社に及ぶとするのが通説的見解である。

結社の自由には，結社を構成する個人ばかりではなく，結社それ自体もこれを享有すると解されている。

個人の結社の自由には，個人が団体を結成し，団体に加入し，団体の構成員であり続けることについて，公権力の介入を受けない自由や結社に所属していることを理由に公権力により不利益を受けない自由である積極的結社の自由，及び，個人が団体を結成せず，団体に加入せず，団体から脱退する自由である消極的結社の自由が含まれる。

団体の結社の自由には，団体自体の存立，及び，団体が団体としての意思を形成し，その意思実現のための諸活動について，公権力の干渉を受けないことが含まれる。

（２）結社の自由への制約

結社の自由の限界として，犯罪を行うことを目的とする結社は禁止され得ることとなる。

①　個人の結社の自由への制約

個人の結社の自由に関しては，消極的結社の自由について，弁護士会や司法書士会等といったある種の職業団体において，加入を義務付けていることが，結社の自由を侵害しないかが問題となる。

当該強制加入団体の職業が高度の専門技術性及び公共性を有し，その専門技術的水準及び公共性を維持するための措置としての必要性があり，その団体の目的及び活動の範囲が，その職業従事者の職業倫理の確保と事務の改善進歩を図ることに厳格に限定されている限りにおいては，結社の自由を侵害するとはいえないとするのが通説的見解である。

② 法人の結社の自由への制約

法人の結社の自由に関しては，法人格の剥奪が，結社の自由への侵害となるかが問題となる。

『オウム真理教開催命令事件』決定（最高裁判所平成8年1月30日決定）において，最高裁判所は，宗教法人法（昭和26年法律第126号）の規定する宗教法人の解散命令（宗教法人法第81条第1項）を合憲とした。

【日本国憲法第81条第1項】

裁判所は，宗教法人について左の各号の一に該当する事由があると認めたときは，所轄庁，利害関係人若しくは検察官の請求により又は職権で，その解散を命ずることができる。

一　法令に違反して，著しく公共の福祉を害すると明らかに認められる行為をしたこと。

二　第2条に規定する宗教団体の目的を著しく逸脱した行為をしたこと又は1年以上にわたつてその目的のための行為をしないこと。

三　当該宗教法人が第2条第1号に掲げる宗教団体である場合には，礼拝の施設が滅失し，やむを得ない事由がないのにその滅失後2年以上にわたつてその施設を備えないこと。

四　1年以上にわたつて代表役員及びその代務者を欠いていること。

五　第14条第1項又は第39条第1項の規定による認証に関する認証書を交付した日から1年を経過している場合において，当該宗教法人について第14条第1項第1号又は第39条第1項第3号に掲げる要件を欠いていることが判明したこと。

（3）政党

政党とは，政治上の信条，意見等を共通にする者が，任意に結成する政治結社のことをいう。

この定義は，『共産党袴田事件』判決（最高裁判所昭和63年12月20日判決）において示されたものである。

日本国憲法上，政党についての規定はない。最高裁判所は，『八幡製鉄事件』判決（最高裁判所昭和45年6月24日大法廷判決）において，政党について，議会制民主主義を支える不可欠の要素であり，国民の政治意思を形成する最も有力な媒体であることから，日本国憲法も政党の存在を当然に予定しているものとしている。

政党の日本国憲法上の根拠は，結社の自由（日本国憲法第21条第1項）であり，政党には，政治性があることから，政党に関する結社の自由の保障は，日本国民にのみ及び，外国人には及ばないこととなる。

六　検閲の禁止【日本国憲法第 21 条第２項前段】

【日本国憲法第 21 条第２項】
2　検閲は，これをしてはならない。通信の秘密は，これを侵してはならない。

1　検閲の意味

検閲とはどのような行為を意味するのであろうか。検閲の意味については，その意味を広く捉える広義説と，その意味を狭く捉える狭義説がある。

（1）広義説

広義説は，検閲の禁止の実効性を確保するために，検閲の意味をできる限り広く解すべきと考える。

①　主体

広義説においては，検閲の主体は公権力と解する。ゆえに，裁判所による事前抑制も検閲に該当することとなる。

②　対象

広義説においては，検閲の対象は表現内容と解する。ゆえに，思想と区別される一定の表現を審査することも検閲に該当することとなる。

③　時期

広義説においては，検閲の時期は発表前に限らず発表後受領前までも含むと解する。表現の自由は表現を受け取る自由までも含むものであることから，検閲は，表現の発信のみならず，受信をも含むべきと考える。ゆえに，発表後に表現内容を審査し，以後の伝達等を禁止する行為は検閲にあたると解すべきである。

（2）狭義説（判例の立場）

狭義説は，検閲の禁止の実効性を確保するために，検閲の絶対的禁止を貫き，例外を一切認めない立場であることから，検閲の意味を狭く限定して解すべきと考える。

①　主体

狭義説においては，検閲の主体は行政権と解する。ゆえに，裁判所による事前抑制は検閲に該当しないこととなる。検閲は，歴史的にも，現実的にも，主として行政権との関係で問題となってきたことから，検閲の禁止の絶対性を貫徹するためには，検閲の主体を行政権に限定すべきである。

②　対象

狭義説においては，検閲の対象は思想内容等の表現物と解する。

③　時期

狭義説においては，検閲の時期は発表前と解する。ゆえに，思想内容の全部または一部の発表の禁止を目的として，対象とされる一定の表現物について，網羅的・一般的に発表前に審査することとなる。

《重要論点Ｑ＆Ａ／憲法 010》

Ｑ　検閲の意味をどのように解すべきか？

Ａ　検閲の禁止が規定された趣旨は，歴史的沿革から，検閲という行為によって表現の自由への侵害が顕著であったことに基づいている。であるならば，表現の自由への保障を確保すべく，その保障内容は広く解すべきである。この点，最高裁判所は，検閲とは，行政権が主体となって，思想内容等の表現物を対象とし，その全部または一部の発表の禁止を目的として，対象とされる一定の表現物につき，網羅的・一般的に発表前にその内容を審査することとしているが，この見解においては，検閲の範囲が限定され過ぎており，検閲の禁止を規定した趣旨を没却しかねず妥当ではない。ゆえに，検閲の主体は，行政権に限定されず，公権力と解すべきであり，検閲の対象は，思想内容に限定されず，表現内容一般と解すべきであり，検閲の時期についても，発表前に限らず発表後受領前までも含むものと解すべきである。

《重要論点Ｑ＆Ａ／憲法 011》

Ｑ　裁判所による事前差止めをどのように解すべきか？

Ａ　検閲の禁止が規定された趣旨は，歴史的沿革から，検閲という行為によって表現の自由への侵害が顕著であったことに基づいている。であるならば，表現の自由への保障を確保すべく，その保障内容は広く解すべきである。ゆえに，検閲の主体は，行政権に限定されず，公権力と解すべきであり，検閲の対象は，思想内容に限定されず，表現内容一般と解すべきであり，検閲の時期についても，発表前に限らず発表後受領前までも含むものと解すべきである。しかし，このように解することは，検閲の禁止と事前抑制原則禁止の法理は，その射程がほぼ重なることとなる。また，当概表現行為がなされることによって回復不可能であったり，著しく困難な障害が生じる危険があったりする場合で，告知・聴聞の機会等の手続き的保障が存する場合については，例外として，事前抑制を認める余地があるものと解すべきである。ゆえに，裁判所による事前差し止めの場合についても，これらの要件を満たしている場合に限り，認められることと解すべきである。

2　教科書検定

現在，ある図書が，小学校・中学校・高等学校において教科書として採用されるためには，文部科学省が実施する教科書検定に合格しなければならないこととされている。この教科書検定は，図書を事前に審査することから，検閲に該当しないかが問題となる。

《重要論点Q＆A／憲法 012》

Q　教科書検定制度は，検閲に該当するか？

A　検閲の禁止が規定された趣旨は，歴史的沿革から，検閲という行為によって表現の自由への侵害が顕著であったことに基づいている。であるならば，表現の自由への保障を確保すべく，その保障内容は広く解すべきである。ゆえに，検閲の主体は，行政権に限定されず，公権力と解すべきであり，検閲の対象は，思想内容に限定されず，表現内容一般と解すべきであり，検閲の時期についても，発表前に限らず発表後受領前までも含むものと解すべきである。であるならば，教科書検定制度については，教科書以外の形態での出版が事実上不可能となることから検閲にあたるとする見解もあるが，単に教科書として出版し得なくなるのであって，それ以外の一般図書のような形態での出版は禁止されるものではないことから，検閲には該当しないと解すべきである。また，学生とは異なり，批判能力に乏しい児童または生徒については，偏った教育の弊害からの保護の必要性から，教科書検定制度は必要であると解すべきであり，検閲に該当しない教科書検定制度は合憲であると解すべきである。

3　青少年保護育成条例による有害図書の規制

都道府県が，青少年の保護を目的として，条例で有害図書の自販機における収納・陳列・販売を事前に禁止することは，検閲に該当するか。

《重要論点Q＆A／憲法 013》

Q　青少年保護育成条例による有害図書の規制は，検閲に該当するか？

A　最高裁判所の見解では，検閲とは，行政権が主体となって，思想内容等の表現物を対象とし，その全部または一部の発表の禁止を目的として，対象とされる一定の表現物につき，網羅的・一般的に発表前にその内容を審査することを意味する。この点，青少年保護育成条例による有害図書の規制は，自販機における販売のみを規制するのであって，店頭での販売は規制されないのであるから，検閲には該当しないものと解すべきである。

4　公安条例

公安条例は，検閲に該当するか。

《重要論点Q＆A／憲法 014》

Q　公安条例は，検閲に該当するか？

A　最高裁判所の見解では，検閲とは，行政権が主体となって，思想内容等の表現物を対象とし，その全部または一部の発表の禁止を目的として，対象とされる一定の表現物につき，網羅的・一般的に発表前にその内容を審査することを意味する。この点，公安条例は，表現の態様（場所，方法）を外形的に規制するものであり，表現内容を対象とするものではないから，検閲には該当しないものと解すべきである。

5　裁判所による事前差止処分

裁判所による出版差止処分は，検閲に該当するか。該当しないとしても事前抑制禁止の法理に反するかが問題となる。

《重要論点Q＆A／憲法 015》

Q　裁判所による出版差止処分は，検閲に該当するか？

A　そもそも，検閲の主体は行政権であり，裁判所による差止処分はこれに該当しない（狭義説）。当該表現が公表される以前にそれを抑止し，国民の知る権利を全面的に奪うし，手続き的な保障がないために，濫用の危険が大きく，抑止的効果が事後規制の場合より大きいことから，事前抑制禁止の法理は，表現の自由の保障の趣旨（日本国憲法第 21 条第１項）から当然に導かれることとなる。もっとも，プライバシー権や名誉権を侵害する表現行為は，一旦公表されてしまうと回復不可能な場合が多く，このような権利の保護は事後的救済手段では不充分である（事前抑制の必要性）。また，行政権を主体とする場合とは異なり，裁判所が私人の申立てに基づいてなす差止処分は，公正な法の手続きに基づいてなされる（事前抑制の許容性）。ゆえに，厳格かつ明確な要件のもとにおいて例外が許容されるべきである。具体的には，実体的要件として，その表現内容が真実ではなく，または，それが専ら公益を図る目的のものでないことが明白であり，かつ，被害者が重大にして著しく回復困難な損害を被る危険性がある場合には，手続き的要件として，口頭弁論または債務者の審尋を行い，表現内容の真実性等の主張立証の機会を与えることを要件として，例外的に，事前差止処分が認められると解すべきである。

七　通信の秘密【日本国憲法第 21 条第２項後段】

１　通信の秘密の意義

日本国憲法第 21 条第２項後段の保障する通信の秘密とは，手紙や葉書だけではなく，電報や電話等の秘密を含む広い意味に解されている。また，インターネットも通信の秘密の範疇に含まれると解されている。

通信は，特定人への意思伝達を内容とする１つの表現行為であるから，通信の秘密の保障は，表現の自由（日本国憲法第 21 条第１項）の保障としての意味を有すると同時に，プライバシー保護（日本国憲法第 13 条後段）の一環としての意味も有していると解されている。

さらに，通信の秘密は，公権力による監視を排除するものであり，検閲の禁止（日本国憲法第 21 条第２項前段）とも関連すると解されている。

また，日本国憲法第 21 条第２項後段の通信の秘密は，特定人間のコミュニケーションの秘密という私生活の保護（内的コミュニケーション過程の保護）を目的とするから，外的コミュニケーション過程を保護するプライバシー権（日本国憲法第 13 条後段）や住居の不可侵原則（日本国憲法第 35 条）と同趣旨と解されている。

２　通信の秘密の保障の範囲

通信の秘密の保障の範囲は，その保障の趣旨をプライバシー保護に求める観点からは，通信の内容だけではなく，通信の存在自体に関する事柄に及ぶこととなる。

３　通信の秘密の保障の意味内容

日本国憲法第 21 条第２項後段は，「通信の秘密は，これを侵してはならない。」と規定している。

「通信」とは，手紙・葉書のみならず，電報，電話，メール交換，電子メールその他すべての方法による通信を意味する。

「これを侵してはならない」とは，①公権力によって通信の内容及び通信の存在自体に関する事柄について調査の対象とはされないこと（積極的知得行為の禁止），及び，②通信業務従事者によって，職務上知り得た通信に関する情報を漏洩されないこと（漏洩行為の禁止）の２点を内容とする。

また，通信業務従事者に対して禁止される漏洩行為の相手方は，公権力に限られず，私人も含むと解されている。

第4款　信教の自由

一　信教の自由の保障の意義

1　信教の自由の意義【日本国憲法第20条】

【日本国憲法第20条】
　信教の自由は，何人に対してもこれを保障する。いかなる宗教団体も，国から特権を受け，又は政治上の権力を行使してはならない。
2　何人も，宗教上の行為，祝典，儀式又は行事に参加することを強制されない。
3　国及びその機関は，宗教教育その他いかなる宗教的活動もしてはならない。

信教の自由とは，宗教の自由と同義であり，歴史上，宗教に対する弾圧があった経験から認められた権利である。大日本帝國憲法第28条においても保障されていた権利である。

ここにいう宗教とは,「超自然的, 超人間的本質（すなわち絶対者, 造物主, 至高の存在等，なかんずく神，仏，霊等）の存在を確信し，畏敬崇拝する心情と行為」をいい，個人的宗教たると，集団的宗教たると，はたまた発生的に自然的宗教たると，創唱的宗教たるとを問わず，すべてこれを包含するものであると定義される（名古屋高等裁判所昭和46年5月14日判決）。

日本国憲法においては第20条第1項前段及び第2項において，この信教の自由を保障するとともに，第20条第1項及び第3項，第89条前段において，国家と宗教との分離を明確に規定している。

【日本国憲法第89条】
　公金その他の公の財産は，宗教上の組織若しくは団体の使用，便益若しくは維持のため，又は公の支配に属しない慈善，教育若しくは博愛の事業に対し，これを支出し，又はその利用に供してはならない。

2　信教の自由の内容

（1）信仰の自由

信仰の自由とは，内心における信仰を持つ自由，または，信仰を持たない自由の双方を意味するとされる。信仰の自由は，内心に留まるものなので，思想及び良心の自由同様，絶対的無制約と解されている。また，信仰の告白行為も信仰そのものと不可分なものなので，信仰の自由には，信仰を告白する自由，または，信仰を告白しない自由も含まれるとされている。

（２）宗教的行為の自由

宗教的行為の自由とは，宗教上の儀式に参加する自由，または，参加しない自由，布教活動を行う自由，または，行わない自由を意味するとされる。外部的精神活動なので，表現の自由同様，必要最小限の制約に服すると解されている。

（３）宗教的結社の自由

宗教的結社の自由とは，各個人が，宗教団体の結成や不結成，宗教団体への加入や不加入，宗教団体への加入継続や宗教団体からの脱退についての自由，及び，宗教団体が，団体としての諸活動を行うにつき公権力から不当な干渉を受けないということを意味するとされる。

二　政教分離

１　政教分離の意義

（１）政教分離原則の意義

政教分離原則とは，国家と宗教を分離することによって，国家の非宗教性と宗教的中立性を定めた原則のことをいう。

日本国憲法第 20 条第１項後段は，「いかなる宗教団体も，国から特権を受け，又は政治上の権力を行使してはならない」と規定し，また，日本国憲法第 20 条第３項は，「国及びその機関は，宗教教育その他いかなる宗教的活動もしてはならない」と規定することによって，この政教分離原則を条文上，明らかにしている。

さらに，日本国憲法第 89 条は，「公金その他の公の財産は，宗教上の組織若しくは団体の使用，便益若しくは維持のため，又は公の支配に属しない慈善，教育若しくは博愛の事業に対して，これを支出し，又はその利用に供してはならない」と規定し，この政教分離原則を財政面から裏付けている。

この政教分離原則は，信教の自由の保障を確保及び強化し，民主主義を確立及び発展させることによって，国家と宗教の双方を堕落から免れさせ，破壊から救済することを目的としている。

日本国憲法が予定している政教分離原則においては，国家と宗教とを厳格に分離し，相互に干渉しないことを主義としていることと解されている。

この点，海外においては，国教制度を建前としつつ，その他の宗教に対しては，広汎な宗教的寛容を認める国等，様々な形態の政教分離が存在している。

（2） 特権の付与の禁止

日本国憲法第20条第1項後段においては，宗教団体に対する，国家の特権の付与を禁止している。

ここでいう特権とは，一切の優遇的地位及び利益のことを意味する。この特権の付与の禁止とは，特定の宗教団体に特権を付与することが許されないばかりではなく，宗教団体すべてに対して，他の団体から区別して，特権を与えることも禁止されることと解されている。但し，一定の要件を充たす国民または団体一般への利益の付与であって，それらの国民または団体の中に，たまたま宗教団体が含まれている場合においては，原則として，宗教団体に対する特権の付与には該当しないものと解されている。

（3） 政治上の権力の行使の禁止

日本国憲法第20条第1項後段においては，宗教団体が，政治上の権力を行使することを禁止している。

ここでいう政治上の権力とは，立法権・課税権・裁判権・公務員の任免権等の，本来，国家が独占すべき統治的権力のことを意味すると解されている。

この点，同じ信仰によって結集した宗教団体の政治活動は，他の政治団体がその信仰に帰依しない限り，容易に妥協を許さない性格を持つことから，民主政が自由な討論によって一致点を見出し，採決において少数意見が多数意見に服するための前提としての同質性に反するとして，政治上の権力の意味を積極的な政治活動によって政治に強い影響を与えることと解する説もあるが，宗教団体の政治活動の自由や，宗教団体の政治活動を禁止するのは宗教を理由に差別することとなることから，妥当ではない。

（4） 宗教的活動の禁止

日本国憲法第20条第3項においては，国及びその機関に対して，宗教教育その他いかなる宗教的活動を禁止している。

① 宗教的活動を包括的に捉える見解

宗教的活動とは，広く一切の宗教上の活動を含むものとして包括的に捉えるべきであり，特定の宗教の布教宣伝を目的とする行為はもちろん，祈祷・礼拝等の宗教的行為や，宗教上の儀式・式典・行事等のすべての活動が含まれると解する。もっとも，宗教的性格を失った習俗行事であれば，宗教的活動に該当しないと解する。

そこで，習俗的行事といえるためには，①行為の主催者が宗教家ではないこと，②行為の順序作法が宗教界で定められたものではないこと，③行為が一般人に違和感なく受け入れられる程度の普遍性を有することの3つの要件を満たす必要がある（名古屋高等裁判所昭和46年5月14日判決）。

② 目的・効果基準を適用する見解（判例）

宗教的活動とは，①当該行為の目的が宗教的意義を持つかどうか，②その効果が宗教を援助・助長・促進，または，圧迫・干渉するものであるかどうか，③国の行為と宗教との間に過度の関係があるかどうか，という３つの要件のうち，１つでも該当する国家行為のことをいう（目的・効果基準）。

そもそも，政教分離原則が要求する国家の宗教的中立性とは，国家と宗教との関係をすべて排除する趣旨ではない。なぜなら，ここでいう中立性には，不介入と公平という，両立し難い観念が含まれており，一方のみを強調し過ぎることは，信教の自由の保障にとって問題があるといえる。そこで，その調和を図る理論として，当該国家活動が宗教的活動か否かを判断するにあたり，目的・効果基準を用いる。

この点，最高裁判所は，国の行為と宗教との間に過度の関係があるかどうかという要件を欠くとともに，すべての要件を満たさなければ違憲とされるかどうかも明らかにしていない（最高裁判所昭和 52 年７月 13 日大法廷判決)。このことは，本来，厳格な基準であるはずの目的・効果基準が，形式的に，緩やかに用いられる危険性があり，妥当ではない。

2 政教分離の法的性格

（１）制度的保障説（判例及び通説）

政教分離原則を制度的保障と解し，政教分離原則の保障内容は，制度それ自体であって，その本質的内容を害しない程度で，法律により具体的に定められるとする。但し，最高裁判所は，分離の程度を緩やかに解す（最高裁判所昭和 52 年７月 13 日大法廷判決）が，学説は，一般に厳格に解す点で，両者は異なっている。制度的保障説に対しては，中核ならざる周辺部分の立法権による広範な制約可能性を同時に意味することから，分離の緩和が前面にあらわれる可能性が大きいとの批判がある。

（２）人権説

政教分離原則をそれ自体人権保障条項と解し，政教分離条項によって，国民は信仰に関し，間接的にも圧迫を受けない権利を保障されているとする。人権説に対しては，政教分離が，信教の自由とは異なった独自の人権規定として，どのような場合に人権侵害があったこととなるのか，誰がどのような場合に，人権侵害の除去を求めて出訴できるか等，人権としての政教分離の具体的内容が明確でなく濫訴の危険があること，また，日本国憲法第 20 条第３項は，政教分離の要請が国家に対する禁止命題であると規定しているので，人権規定であると解すのは妥当ではないとの批判がある。

3　政教分離原則違反の判断基準

（1）宗教的活動に対する目的・効果基準

政教分離原則とは，国家の宗教的中立性の原則をいうが，この宗教的中立性をどのように解すかが問題となる。なぜなら，国家と宗教との関係をすべて排除するのは困難であり，また，信教の自由の保障にとって，不適切な場面もあり得るからである。

そこで，国家が宗教とどのように関係することができるのか，その関係がどの程度まで許されるのか，その判断基準が問題となる。ここで参考となるのが，アメリカ合衆国の憲法判例で打ち出されたレーモン・テストである。このレーモン・テストは，①国家行為の目的が世俗的なものであること，②国家行為の主要な効果が，ある宗教を援助や助長をし，または，抑圧するものではないこと，③国家行為と宗教との間に過度の関係がないこと，の３つの要件のうち，１つでも該当すると，その国家行為は，政教分離原則に違反するという厳格な基準である。

（2）目的・効果基準の適用場面

この厳格な基準であるレーモン・テストは，『津地鎮祭訴訟』判決（最高裁判所昭和 52 年７月 13 日大法廷判決）において，最高裁判所において，目的・効果基準として採用された。本来は国家と宗教との分離を厳格に要求する基準であったレーモン・テストであるが，最高裁判所は，その意味を相対化し，「当該行為の目的が宗教的意義をもち，その効果が宗教に対する援助，助長，促進又は圧迫，干渉等になるような行為」が，日本国憲法第 20 条第３項で禁止された「宗教的活動」に該当すると，本来厳格な基準であるこの基準をより緩やかに適用している。

このような適用の仕方から，目的・効果基準に対して，国家の財政援助の場合には有効であるが，国家が主体となって行う宗教的行為に対しては妥当でないとの見解がある。しかし，このように緩やかな基準として適用することは，信教の自由を保障し，厳格な政教分離を規定する日本国憲法第 20 条の趣旨から許されるものではないのであって，このことから適用場面を限定するのは適切ではない。

目的・効果基準自体に問題があるのではない。そもそも，目的・効果基準の元となったレーモン・テストは相当に厳格な基準であり，本来の適用の仕方をすべきであると解される。その上で，適用場面を限定することなく厳格に適用していくべきであろう。

第５款　学問の自由

一　学問の自由の保障の意義

１　学問の自由の意義【日本国憲法第 23 条】

【日本国憲法第 23 条】
　学問の自由は，これを保障する。

学問は既存の価値観の否定や,創造活動を行うことをその性質としている。ゆえに，歴史上，時の権力者による干渉や弾圧を受けてきた。日本国憲法第 23 条が保障する，学問の自由は，このような歴史的背景から特に保障されたものである。

２　学問の自由の内容

（１）学問研究の自由

学問研究の自由とは，一般の国民や専門の研究者が国家等の公権力やその他の外部権力からの干渉や圧迫を受けずに，学問研究を自由に行うことを意味する。

この学問研究の自由においては，内心の精神活動に留まる限りは絶対的に無制約であり，思想及び良心の自由（日本国憲法第 19 条）と同様の憲法的保障が受けられるものと解されている。

（２）研究発表の自由

研究発表の自由とは，学問研究の成果を発表する自由を意味する。

研究成果を発表することができなければ，研究自体が全くの無意味となってしまうので，研究発表の自由も保障されている。

この研究発表の自由は，外部的精神活動を含むので，表現の自由（日本国憲法第 21 条）と同様の憲法的保障を受けるものと解されているが，歴史的経緯により，特に侵害される危険性が高いため，重ねて日本国憲法第 23 条によって保障されている。

（３）教授の自由

教授の自由とは，学問継承の自由を意味する。

学問が維持，発展していくためには，学問的見解の自由な承継交流が必要となることから，この教授の自由も，日本国憲法第 23 条により保障されている。

3　学問研究の自由の限界

学問研究は，その性質からいって，本来，自由である。しかし，近年の急激な科学技術の発展により，原子力研究・遺伝子技術研究・医療技術研究といった先端分野では，科学技術の規制が問題となっている。これらの研究では，事故や濫用が発生すると，人々の生命・身体・環境に対して取り返しのつかない損害をもたらす危険性がある。また，その危険性の予測も困難である。ゆえに，このような先端技術研究については，広く規制を認めるべきとの見解もある。しかし，これらの研究は，真理探究活動の核心部分であって，広く規制を認めることは，学問研究の自由の保障の意義を没却するものといえる。

ゆえに，基本的には，研究者・大学の研究機関等の自主規制に任せるべきである。

4　研究発表の自由の限界

学問の自由は，真理探求活動そのものであるから，実社会に働きかけようとする実践的な政治的・社会的活動は，学問の自由の保障の範囲外にあると解される。

ゆえに，研究発表の名において，政治的活動を行ったりすることは，学問の自由の範囲外とされる。

5　教授の自由の限界

学問の自由が保障されたのは，真理探究活動を自由になし得なければ，個人の尊重が達成できないことに基づく。とすると，高等学校以下の普通教育機関は，真理探究活動を目的とはしていないことから，普通教育機関の教員には，日本国憲法第 23 条が保障する教授の自由があると解するのは妥当ではない。また，普通教育機関で学ぶ児童及び生徒には，判断能力及び批判能力が充分に備わっているとはいえず，偏った教育による弊害が大きいことから，普通教育機関の教員には，日本国憲法第 23 条が保障する教授の自由があると解するのは妥当ではない。

この点，大学は，真理探究活動を目的としていることから，教授をはじめとする大学教員には，日本国憲法第 23 条が保障する教授の自由があり，また，大学で学ぶ学生には，判断能力及び批判能力が充分に備わっているとみなすことができることから，教授をはじめとする大学教員には，日本国憲法第 23 条が保障する教授の自由があると解すことができる。

二 大学の自治

1 大学の自治の意義

（1）大学の自治の意義

大学の自治とは，大学の運営について，大学の自主的決定に任せ，外部から干渉を受けないことをいう。

大学の自治の具体的内容としては，①研究教育の内容，方法，対象の自主的決定権，②教員，研究者の人事及び管理機関人事の自主的決定権と身分保障，③予算管理における自主的決定権，④大学施設管理上の自治権，⑤学生の管理における自治権，がある。

さらに,学生の自治権を大学の自治に含めるかに否かついては争いがある。

① 営造物利用者説（判例）

大学における学生とは，専ら大学における営造物，つまり，大学内の公共のために用いる施設の利用者であるとして，大学の自治の主体たり得ず，あくまでも，教員やその他研究者等の有する自由や自治権に基づいて，施設が大学当局によって自治的に管理されることの反射的効果として，学問の自由と施設の利用が認められているに過ぎない。

この見解は，最高裁判所が，『東大ポポロ事件』判決（最高裁判所昭和 38 年５月 22 日大法廷判決）において，採用した見解ではあるが，この見解に対しては，学生も教授の指導の下に研究に従事する存在であることから妥当ではなく，大学には，博物館や美術館等の他の営造物とは異なり，教育及び研究の場としての特殊性を軽視しているから妥当ではないとの批判がある。

② 学生を大学における不可欠な構成員と捉える説（通説）

学生を大学における不可欠な構成員として捉え,大学の運営について要望・批判・反対する権利を有する者として扱う。

しかし，学生をこのように扱うとしても，学生は教授との役割も地位も異なるので，自治の主体的構成者として管理運営に対する参加権を一般的に有することまでは認めるべきではなく，法律の規定に従い，各大学が自主的に決定する事柄であるといえる。

（2）大学の自治の法的性格

歴史的・沿革的に，学問の自由が，真理探究活動の場である大学への干渉により侵害されてきたことから，制度的保障として，大学の自治も日本国憲法第 23 条により保障されると解すべきである。

2 大学の自治と警察権力

大学には自治権が存在するとしても，それが認められるのは，学問の自由と密接不可分な関係にあるからである。ゆえに，これと無関係な，消防や衛生等については大学外の場合と同様の規制に服する。また，人事や学生の懲戒処分についても司法審査の対象となることもあり得る。

（1）司法警察との関係

大学と司法警察との関係では，具体的な刑事事件が発生した場合における，犯罪捜査のための大学構内への警察の立入りが，大学の自治を侵害するかという問題がある。

大学といっても治外法権を有しているわけではないのだから，正式な令状に基づく強制捜査を拒むことはできない。必要と事情に応じて積極的に捜査協力をすべきである。しかし，捜査に名を借りて，警備公安活動が行われ，大学の自治が侵害される危険性がないとはいえない。

ゆえに，大学構内に立ち入って行われる捜査については，大学関係者立ち会いの下で行われるべきである。

（2）公安警察との関係

公安警察は，公共の安寧秩序を保持するために，犯罪の予防及び鎮圧に備えて，情報収集活動である警備公安活動をする警察である。

このような警備公安活動は，将来起こるかも知れない犯罪の危険を見越して行われる警察活動であり，公共の安寧秩序の維持の名目で，学問の自由及び大学の自治を侵害する危険性が高い。

ゆえに，警備公安活動目的で警察官が大学の了解なしに大学構内に立ち入ることは，原則として許されず，特に，私服による立ち入りは許されないと解されている。

（3）大学構内の秩序回復との関係

予想外の規模や性質の不法行為が大学構内に発生する等，大学構内の秩序維持及び回復を図る必要がある場合には，大学が警察力の援助を求める場合がある。

警察の大学への立入りは，大学の自治を侵害する危険性があることから，真に緊急かつやむを得ない特段の事情がある場合を除き，警察権力を学内に出動させるかどうかの判断は，大学の自主的な判断に基づくものでなければならない。

ゆえに，警察が緊急の必要性が明確ではないのにも拘わらず，独自の判断で大学の構内に立ち入ることは，大学の自治を侵害するものと解される。

第４節　経済的自由権

第１款　経済的自由権総論

一　経済的自由権の意義

近代立憲主義においては，その保障は絶対的なものとされ，手厚い保護を受けていた。しかし，結果として，貧富の差の増大を招き，資本主義の危機を招来した。現代立憲主義においては，この反省から，社会権の保障が実現される。そのため，経済的自由権は，精神的自由権に比べ，法律による規制を広汎に受けると解されるようになった。とはいえ，経済的自由権も人格的生存にとって重要な人権であるので，その重要性そのものは，近代立憲主義から現代立憲主義に移行したといっても，減ぜられるものではない。社会権との調和を考える上で，絶対的保障から相対的保障へと代わっただけである。

経済的自由権は，精神的自由権と比べると，その制約に対する違憲審査基準は，緩やかな基準を用いて判断される（二重の基準論）。なぜなら，経済的自由権への侵害は，精神的自由権の場合とは異なり，民主制の過程で回復することが可能であるし，また，経済的自由権への規制は，社会・経済的政策と関連することが多く，裁判所としては，立法府の専門技術的判断を尊重すべきだからである。

また，経済的自由権への規制自体も，目的によってよりきめ細やかな基準を設定すべきである。社会・経済的弱者の保護を目的とする積極目的規制に対しては，明白性の原則を，国民の生命の保護を目的とする消極目的規制に対しては，厳格な合理性の基準によって判断すべきである（規制目的二分論）。

第２款　居住・移転の自由及び職業選択の自由

一　居住・移転の自由の保障

１　居住・移転の自由の意義【日本国憲法第 22 条第１項】

日本国憲法第 22 条第１項で保障される居住・移転の自由は，経済的自由権の１つとされているが，単に経済的自由権としての性格のみを有すのではなく，居住・移転という行為を通じることによって精神的自由権を達成する複合的な性格を有する権利である。

（１）経済的自由権としての性格

各個人が，自由に経済活動を営むためには，自由にその労働する場所を選択する自由が確保されている必要がある。そのためには，各個人に，居住・移転の自由が保障されていなければならない。

また，各個人は，自由な移動を通して，自らの経済生活を維持し，発展することが可能となることから，居住・移転の自由が保障されていなければならない。

（２）精神的自由権としての性格

各個人が，居住・移転の自由を有し，自由に移動することが可能になると，各個人の活動領域を拡大させることとなり，そのことによって，人間的成長を促すこととなる。

また，このような移動の自由は，集会の自由や集団行動の自由等の表現の自由と密接な関係を有し，新しい人間的接触の場を提供する機会を与えるので，各個人の人格形成に深く関係する不可欠の権利となる。

（３）身体的自由権としての性格

各個人が，居住・移転の自由を有し，自由に住所や居所を定め，また，自由に移動することは，人間の有する本来的自由である。

このような身体的自由権としての居住・移転の自由は，単に消極的意味での拘束されない自由を保障されているということに留まらず，積極的な意味で自らが好むところに居住し，移転するという意味である。

２　外国移住の自由の意義【日本国憲法第 22 条第２項】

（１）外国移住の自由

日本国憲法第 22 条第２項は，外国移住の自由を規定している。

この外国移住の自由は，本来的には，居住・移転の自由の一部である。しかし，移転先が国外であること，移転先の外国が入国を認めること等の特殊性から，憲法は第 22 条第１項とは別に規定したものである。

この外国移住の自由は，公権力によってその移住を禁じられないことをその内容としている。

（２）海外旅行の自由

海外旅行の自由は，憲法上保障されている。なぜなら，外国移住の自由が日本国憲法第 22 条第２項によって保障されている以上，その前提となる海外への一時出国の自由が，海外旅行の自由と同視し得るからである。

このような海外旅行の自由が保障されていることについては，特に異論はないが，その根拠をどこに求めるかについては，学説上の対立がある。

① 第13条説

海外旅行の自由は，日本国憲法第 13 条の保障する幸福追求権の一部として保障される。

旅行は，移住とも移転とも異なるので日本国憲法第22条ではなく，日本国憲法第13条によって保障されるべきである。

② 第22条第１項説

海外旅行の自由は，日本国憲法第 22 条第１項が保障する移転の自由によって保障される。

一時的な渡航を，永久的または半永久的な移住に含めることは，解釈上，無理があり，移転に含めることが自然な解釈であることから，海外旅行の自由は，移転の自由の１つとして，日本国憲法第22条第１項によって保障されるべきである。

③ 第22条第２項説（判例及び通説）

海外旅行の自由は，日本国憲法第 22 条第２項が保障する海外移住の自由に含まれることから，憲法上，当然に保障されている。

憲法が永住のための出国を保障しておきながら，一時的な海外渡航のための出国を保障しないというのは不合理であるし，日本国憲法22条は，第１項において，国内における居住・移転の自由を，第２項において，外国に関連する自由を保障していると解すべきことから，海外旅行の自由は日本国憲法第22条第２項により保障されると解すべきである。

3　国籍離脱の自由の意義【日本国憲法第22条第２項】

国籍とは，特定の国家の構成員である資格のことをいう。

国籍法（昭和25年５月４日法律第147号）は，第11条において，本人の志望に基づき国籍離脱をする旨，及び，外国の国籍を有する日本人について，一定の条件の下で国箱を喪失させる旨を規定し，重国籍の解消を図っている。

国籍離脱の自由は，無国籍になる自由までは含まないと解されている。なぜなら，無国籍となることについて，積極的な防止が求められているという国際社会の現状があるからである。

【国籍法第11条】

日本国民は，自己の志望によつて外国の国籍を取得したときは，日本の国籍を失う。

2　外国の国籍を有する日本国民は，その外国の法令によりその国の国籍を選択したときは，日本の国籍を失う。

二　職業選択の自由の保障

１　職業選択の自由の意義【日本国憲法第 22 条第１項】

職業選択の自由には，自己の従事すべき職業を選択する自由である狭い意味での職業選択の自由と，選択した職業を遂行する自由である営業の自由とがある。

２　営業の自由

（１）営業の自由の根拠

日本国憲法は第 22 条第１項において，職業選択の自由を保障している。しかし，選択した職業を遂行する自由である営業の自由については明文の規定がない。

①　人権説

Ａ　第 22 条説（判例及び通説）

営業の自由は，国家権力からの自由として，基本的人権の１つであるとし，職業選択の自由の保障は，選択した職業を遂行する自由を保障することで初めて実質化されることから，営利を目的とする自主的活動の自由である営業の自由は，職業を選択する自由および職業を遂行する自由からなる職業選択の自由に含まれ，日本国憲法第 22 条第１項により保障される。

この見解は，『薬事法距離制限違憲』判決（最高裁判所昭和 50 年４月 30 日大法廷判決）において採用されている。

Ｂ　第 22 条及び第 29 条説

営業の自由は，国家権力からの自由として，基本的人権の１つであるとし，営業の自由は，営業することの自由だけではなく，個々の営業活動の自由も含むものであるから，日本国憲法第 22 条第１項で保障するのは，営業すること（開業・維持・廃業）の自由であり，営業活動を行う自由は，自らの財産権を行使する自由であり，この自由は，財産権を保障している日本国憲法から第 29 条から専ら導かれる自由である。

②　公序説

営業の自由は，歴史的には国家による営業・産業規制からの自由であるだけではなく，営業の独占及び制限からの自由という私人間の実質的自由の確保の問題であったことから，人権として追求されたものではなく，公序として追求されたものである。

(2) 営業の自由に対する制約への違憲審査基準

営業の自由は，無制約な権利ではなく，当然に，必要最低限度の制約を受ける。

① 積極目的による規制の場合

積極目的による規制とは，社会・経済的弱者保護のために行われる規制のことをいい，電気やガス等のライフラインや，鉄道やバス等の公共交通機関のように，生活に必要なものであるが，自由競争に馴染まない性質の事業について，その経営能力を有する者に特許を与える場合や供給過剰防止や税収確保，中小企業の保護といった政策目的から，許可制によって市場への新規参入を規制するもの等がある。

このような積極目的に対しては，目的達成のために，必要かつ合理的な範囲に留まる限り，規制が許されるとされている。

また，積極目的による規制に対しては，立法府がその裁量権を逸脱し，当該規制が著しく不合理であることが明白である場合に限って違憲となる明白性の原則が違憲審査基準として用いられる。なぜなら，積極目的による規制は，立法府の政策や専門技術的判断に基づいて行われており，このような背教目的による規制に対しては，立法府の裁量に委ねた方がより妥当な判断ができるからである。

② 消極目的による規制の場合

消極目的による規制とは，国民の生命・健康に対する侵害を防止するための規制のことをいう。

このような消極目的に対しては，規制の程度及び手段が，その害悪の発生を防止するための必要最小限のものであることが要請される。

また，消極目的による規制に対しては，裁判所が規制の必要性，合理性，同じ目的を達成できるより緩やかな規制手段の有無を立法の必要性・合理性を支える社会的・経済的な事実である立法事実に基づいて審査する厳格な合理性の基準が違憲審査基準として用いられる。なぜなら，消極目的による規制は，害悪が人の生命や健康に関係する場合に行われる規制である。

A 許可制

薬局や古物商等，国民の健康や善良な風俗のために，一定の職業を行うものについては，行政庁の許可が必要となる。許可は，一般に法で禁止した行為を解除して，適法に行為できるようにする行政行為をいい，申請を受けた行政庁に裁量が認められるので，申請自体に不備がなかったとしても不許可とされる場合がある。

B 登録制

建築業や毒物劇物営業者を行うには，行政庁の公簿に記載することによって，登録をすることが必要となる。許可とは異なり，行政庁に裁量が認められず，申請自体に不備がなければ登録される。

C 届出制

理容業等の営業を行うためには，行政庁への届出が必要となる。許可とは異なり，行為それ自体は，禁止されているわけではなく，事前の届出という手続き上の規制を受けるに留まる。

D 資格制

医師や弁護士等，国民の生命・財産等に関係する職業については，資格制を採っている。

《重要論点Q＆Ａ／憲法016》

Q　薬事法上の薬局開設距離制限規定は合憲と解すべきか？

A　職業選択の自由は，選択した職業を遂行する自由を当然に含み，営利を目的とする自主的活動の自由である営業の自由も日本国憲法第22条第1項により保障されているといえる。営業の自由に対しては，人権相互の調整及び経済的弱者救済の観点から，公共の福祉による制約が認められるが，いかなる基準により，その合憲性を判断すべきであろうか。経済的自由権は，精神的自由権とは異なり，その制約により直ちに個人の尊重が達成し得なくなるとまではいえず，社会政策・経済政策と密接な関連を有することから，裁判所に充分な判断能力がない。そこで，判断能力を有する立法府の判断を尊重すべきであり，より緩やかな合理性の基準で判断すべきであるといえる。経済的自由権に対する制約のうち，人権相互の調整の観点からする消極目的規制は，必要最小限度の規制でなければならず，厳格な合理性の基準により判断すべきである。弱者救済の観点からする積極目的規制の場合には，他の政策と相まって決せられることから，必要かつ合理的な範囲であればよく，より緩やかな明白性の基準で判断すべきである。本問の距離制限規定は薬局濫立により，過当競争が生じ，経営不振に陥った薬局が不良医薬品を販売することにより，国民の健康が害されるのを防止しようとするもので，消極目的規制といえる。そこで，厳格な合理性の基準に従い判断すると，目的は正当であるといえるが，この目的は保健所の立ち入り検査によっても達成し得るのであって，より制限的でない他の選び得る手段がある。ゆえに，違憲とした判断（最高裁判所昭和50年4月30日大法廷判決）は妥当であると解すべきである。

《重要論点Ｑ＆Ａ／憲法 017》

Ｑ　小売商業調整特別措置法の小売市場と小売市場との間の距離制限規定は合憲と解すべきか？

Ａ　経済的自由権に対する制約のうち，人権相互の調整の観点からする消極目的規制は，必要最小限度の規制でなければならず，厳格な合理性の基準により判断すべきである。弱者救済の観点からする積極目的規制の場合には，他の政策と相まって決せられることから，必要かつ合理的な範囲であればよく，より緩やかな明白性の基準で判断すべきである。本問の規制は，大規模小売店舗の出店により影響を受ける既存の商店街を救済しようとするものであり，積極目的規制である。ゆえに，明白性の基準で判断すべきであって，このような目的のために販売面積の制限等に対して規制をすることは著しく不合理であることが明白であるとはいえない。ゆえに，合憲とした判断（最高裁判所昭和 47 年 11 月 22 日大法廷判決）は妥当であると解すべきである。

《重要論点Ｑ＆Ａ／憲法 018》

Ｑ　公衆浴場法における公衆浴場に対する開設距離制限規定は合憲と解すべきか？

Ａ　経済的自由権に対する制約のうち，人権相互の調整の観点からする消極目的規制は，必要最小限度の規制でなければならず，厳格な合理性の基準により判断すべきである。弱者救済の観点からする積極目的規制の場合には，他の政策と相まって決せられることから，必要かつ合理的な範囲であればよく，より緩やかな明白性の基準で判断すべきである。それでは，本問の規制は，いかなる目的であると解釈すべきであろうか。この点，最高裁判所は，公衆浴場が濫立すれば，過当競争が生じ，経営不振の浴場の衛生設備が低下するとして，国民の健康が害されるという消極目的規制と解釈している（最高裁判所昭和 30 年１月 26 日大法廷判決）。しかし，競争が激化すれば，むしろ，衛生設備が向上する場合もあり得るのであって，このように解すのは妥当ではない。そもそも，本法の目的は，最高裁判所が述べるように（最高裁判所平成元年１月 20 日判決），自家風呂を持たない国民を保護する積極目的規制であると解釈すべきである。ゆえに，その合憲性は明白性の基準で判断すべきであり，このような目的のために公衆浴場に対する開設距離制限を行うことは著しく不合理であることが明白であるとはいえない。ゆえに，積極目的規制として合憲とした判断（最高裁判所昭和 30 年１月 26 日大法廷判決）は妥当であると解すべきである。

第３款　財産権

一　財産権の保障の意義

１　財産権の意義【日本国憲法第 29 条第１項】

財産権とは，所有権に限らず，その他の物権や債権の他，著作権・特許権等の知的財産権，公法上の権利等を含む，財産的価値を有するすべての権利のことをいう。

２　財産権の保障の意義【日本国憲法第 29 条第１項】

（１）私有財産制度を意味するとする説

日本国憲法第 29 条第 1 項の保障する財産権とは，個人が財産権を享有し得る客観的法秩序としての私有財産制度のことを意味する。ゆえに，財産権の保障とは，私有財産制度を制度的に保障することを意味する。

（２）具体的財産権を意味するとする説

日本国憲法第 29 条第 1 項の保障する財産権とは，基本的人権として，各個人が現に有する個別的かつ具体的な財産権を意味する。ゆえに，財産権の保障とは，個人の具体的財産権の保障を意味する。

財産権の保障が，財産権の享有を可能にするための法制度の存在を前提にしていることと，日本国憲法第 29 条第 1 項が，私有財産制度を保障していることとは別問題であり，私有財産制度を保障しているとすると，社会権の実現を阻害することとなり得ないことから，憲法第 29 条第 1 項は，各人が現に有する具体的財産権を主観的権利として保障していると解すべきである。

（３）私有財産制度及び具体的財産権を意味するとする説（判例）

日本国憲法第 29 条第 1 項の保障する財産権とは，個人が財産権を享有し得る客観的法秩序としての私有財産制度のみならず，基本的人権として，各個人が現に有する個別的かつ具体的な財産権を意味する。ゆえに，財産権の保障とは，私有財産制度の制度的保障と個人の具体的財産権の双方を保障することを意味する。

日本国憲法第 29 条第 1 項は，財産権という権利についての規定であるし，このような財産権は，一定の法制度を前提としてはじめて成り立つ人権であるから，日本国憲法第 29 条第 1 項は，私有財産制度のみならず，個人の具体的財産権も保障している意味であるとする。『森林法共有林事件』判決（最高裁判所昭和 62 年 4 月 22 日大法廷判決）においてもこの説を採用している。

二　公共の福祉による制約

1　公共の福祉による制約の意義【日本国憲法第 29 条第２項】

日本国憲法第 29 条第 1 項を個別具体的な権利保障規定でもあると解する場合，日本国憲法第29条第２項は，日本国憲法第29条第1項で保障される財産権を公共の福祉のために法律をもって規制することができるという旨を定めた規定と解される。

（１）積極目的規制

積極目的規制とは,社会･経済的弱者を保護するための規制のことをいう。

（２）消極目的規制

消極目的規制とは，国民の生命・健康に対する侵害を防止するための規制のことをいう。

2　公共の福祉による制約の合憲性判定基準

財産権は，絶対無制約な権利ではなく，日本国憲法第29条第２項により，公共の福祉に基づく制約を受ける。経済的自由権は，精神的自由権とは異なり，その制約により直ちに個人の尊重が達成し得なくなるとまではいえず，社会政策・経済政策と密接な関連を有することから，裁判所に充分な判断能力がない。そこで，判断能力を有する立法府の判断を尊重すべきであり，より緩やかな合理性の基準で判断すべきであるといえる。

経済的自由権に対する制約のうち，人権相互の調整の観点からする消極目的規制は，必要最小限度の規制でなければならず，厳格な合理性の基準により判断すべきである。弱者救済の観点からする積極目的規制の場合には，他の政策と相まって決せられることから,必要かつ合理的な範囲であればよく，より緩やかな明白性の基準で判断すべきである。

もっとも，財産権の制約に関しては,『森林法共有林事件』判決（最高裁判所昭和 62 年４月 22 日大法廷判決）が，規制目的二分論を採用しなかったことから，規制目的二分論は営業の自由にのみ妥当する，あるいは，規制目的二分論は放棄されるべきとの見解もある。しかし，財産権は，営業の自由と同様の経済的自由権であり，目的によって二分し，分析的に考えた方が，恣意的判断を排する点で望ましいと解する。ゆえに，規制目的二分論によって判断すべきである。

先述の事件については，森林の細分化による弊害防止の規制であって，消極目的規制と解すれば説明し得ると解すべきである。

3　財産権と条例

日本国憲法第29条第２項は，「財産権の内容は，公共の福祉に適合するやうに，法律でこれを定める」としている。つまり，財産権の規制は，法律によらなければならない。

そこで，法律ではない条例によって，財産権を制限することが許されるかが問題となる。

（1）否定説

財産権への規制については，日本国憲法第29条第２項の文言通り，必ず法律によらねばならず，条例で財産権を規制するためには，法律による個別的な委任規定が必要となる。

また，財産権的な取引の多くが，その対象を全国的なものとしていることに鑑みて，財産権の内容や制限は，全国均一なものが妥当であり，そのためには，法律に限定すべきである。

（2）限定説

財産権のへの規制については,条例によっても可能であり,その場合には,日本国憲法第 29 条第２項により，法律による個別的な委任規定が必要となる。

（3）肯定説（判例及び通説）

財産権への規制については，条例によっても可能であり，その場合，法律による個別的な委任規定は必要ではない。

日本国憲法第 29 条第２項の趣旨は，財産権の制約に民主的コントロールを及ぼすことよって，不当な侵害を防止するところにあるが，この点，条例は，住民によって直接公選される地方議会議員によって構成された地方議会によって制定されるため，日本国憲法第29条第２項の趣旨は損なわれず，財産権への規制が可能となる。

また，地方公共団体には，その実情に応じて財産権を制約する必要性が存在し,条例によって精神的自由権を制約することが許されているのに対して,精神的自由権よりも強い制約を課すことが可能な経済的自由権である財産権に対して,条例による制約を課すことができないのは均衡を失することから,条例による財産権への規制は可能となる。

最高裁判所も,『奈良県ため池条例事件』判決（最高裁判所昭和38年６月26日大法廷判決）において，条例による財産権への規制について肯定する見解を採用している。

三　損失補償制度

１　損失補償制度の趣旨【日本国憲法第 29 条第３項】

日本国憲法第 29 条第３項は，国家が公共目的を達成するために，特定の個人の財産権を制限・剥奪した場合には，その被った損失に対して，国家はその特定個人に対して，金銭的価値で償うという，損失補償制度について規定している。

この損失補償制度は，国家による不法行為により生じた損害に対する補償制度である国家賠償制度とは異なり，国家による適法行為により生じた損害に対する補償制度となる。

また，この損失補償制度には，特定人に対して加えられる公共目的のための経済的損失については，全体で負担すべきであるという平等原則の考え方も含まれている。

２　「公共のために用ひる」の意味

日本国憲法第 29 条第３項は，私有財産を「正当な補償の下に，これを公共のために用ひることができる」と規定している。それでは，この「公共のために用ひる」をどのような意味に捉えるべきであろうか。

（１）直接公共の用に供する公共事業のためを意味とする説

日本国憲法第 29 条第３項にある「公共のために」の意味は，日本国憲法第 29 条第３項の文言通りの意味と解すべきであり，直接公共の用に供する公共事業のために，私有財産を犠牲にする場合にのみに限定すべきであるとの意味と解すべきである。

また，日本国憲法第 29 条第３項にある「用ひる」の意味も，日本国憲法第 29 条第３項の文言通りの意味と解すべきであり，収用する場合にのみに限定すべきであるとの意味に解すべきである。

（２）広く公共の利益のためにする財産権の侵害を意味とする説

財産権制限に対する補償を拡大することによって，財産権保障を貫徹するべきであることから，日本国憲法第 29 条第３項にある「公共のために」の意味は，広く公共の利益のためにする財産権の侵害である意味と解すべきである。

また，日本国憲法第 29 条第３項にある「用ひる」の意味も，財産権制限に対する補償を拡大することによって，財産権保障を貫徹するべきであることから，私有財産の侵害をすべて含むべきであると解すべきである。

３　補償の要否

日本国憲法第 29 条第３項は，私有財産を公共のために用いた場合，「正当な補償」を要するとしている。この場合，常に補償されるべきなのかどうかが問題となる。

日本国憲法第 29 条第３項の趣旨は，日本国憲法第 29 条第１項が保障する財産権の保障の実効性の確保，及び，特定人に対して加えられる公共目的のための経済的損失については全体で負担すべきであるという日本国憲法第 14 条が保障する平等原則の徹底にある。であるならば，公共のために特別の犠牲を負った者に対しては，当然に，その損失に対して補償をする必要が生じる。

それでは，公共のために特別の犠牲を負ったかどうかの判断はどのようにすべきであろうか。特別の犠牲に該当するかどうかの判断基準が問題となる。

（１）私有財産制度と解す立場

日本国憲法第 29 条第１項を私有財産制度の保障と解す立場においては，特別の犠牲とは，その犠牲が一部の者についてのみに課されたものかどうかを基準として判断する。特別の犠牲に該当する場合，不平等な負担を是正するための補償が必要となる。

（２）具体的財産権と解す立場

日本国憲法第 29 条第１項を具体的財産権の保障と解す立場においては，特別の犠牲とは，財産権の剥奪や剥奪をするような結果となる著しい制限かどうかを基準として判断する。特別の犠牲に該当する場合，個人の財産権侵害に伴う損失に対する補償が必要となる。

（３）私有財産制度及び具体的財産権と解す立場

①　実質的基準による立場（判例）

財産権への侵害行為の内容が，財産権の剥奪や財産権の本来的効用を妨げることとなるような侵害については，これを受任すべき理由があるかどうかを基準として判断する。特別の犠牲に該当する場合に補償が必要となる。

②　形式的基準と実質的基準による立場

財産権への侵害行為の対象が，広く一般人であるか，特定の範囲に属する特定人かという形式的基準，及び，財産権への侵害行為の内容が，財産権に内在する制約として受忍し得る限度内であるか，その限度を超えて財産権の実質的・本質的内容を侵害し得る程度に強度のものかという実質的基準，これら２つの基準を総合考慮して判断する。総合考慮の結果，特別の犠牲に該当すると判断した場合には補償が必要となる。

4　補償の内容

日本国憲法第 29 条第３項は，私有財産を公共のために用いる場合には，「正当な補償」が必要だとしている。この「正当な補償」とは，どの程度の補償を意味するのであろうか。

（1）完全補償説

日本国憲法第 29 条第３項が規定する「正当な補償」とは，財産権に対する侵害や剥奪により生じた損失のすべてを補償することを意味する。財産権に対する侵害や剥奪により生じた損失のすべてを補償しなければ，失われた財産権を回復することはできず，財産権の保障の実効性を確保し得ない。また，損失のすべてを補償しなければ，平等原則の徹底も図れないこととなる。ゆえに，財産権に対する侵害や剥奪により生じた損失のすべてを補償しなければ，損失補償の趣旨に反することになるし，財産権の保障が，あまりにも相対化することとなることから，「正当な補償」とは，完全な補償を意味する。

（2）相当補償説

日本国憲法第 29 条第３項が規定する「正当な補償」とは，財産権に対する制限の目的である公共の必要性の程度と，それを必要とした社会・経済的事情等を考慮して算出した相当で合理的な額で足りる補償を意味する。財産権は，公共の福祉に適合しなければならないし，日本国憲法自身が社会国家の理念を掲げていることから，相当な補償で足りる。

（3）折衷説

日本国憲法第 29 条第３項が規定する「正当な補償」とは，直接公共の用に供するための財産権の収用や使用の場合には，完全な補償を要する意味として解すが，社会権の実現や経済・社会的弱者の保護のような積極的な目的による資源に対する補償が必要な場合には，相当な補償で足りる意味として解す。憲法が保障する社会権を実現するためには，財産権の制限が伴うことは想定できるし，その制限に対して常に完全な補償が必要とすると，社会権の実現が困難になる場合があるので，原則完全補償，例外相当補償として解す。

5　補償規定を欠く場合の合憲性

財産刑を制約する法律に補償規定がなかった場合，当該財産権を内容が不明確な抽象的権利とする見解もあるが，補償の内容は時価等を基準として規定することが可能であって，内容は明確であり，具体的権利と解すのが妥当である。ゆえに，日本国憲法第 29 条第３項を根拠として請求し得る以上，当該法律に補償規定が欠けていたとしても合憲と解すべきである。

《重要論点Ｑ＆Ａ／憲法 019》

Ｑ　個別具体的な法律ではなく，日本国憲法第 29 条第３項の規定を直接の根拠として，損失補償請求をし得るか？

Ａ　日本国憲法第 29 条第３項の趣旨は，公共のために生じた損失を，社会一般の負担に転嫁しようとする平等原則（日本国憲法第 14 条第１項）の徹底，及び，個人の財産権の保障（日本国憲法第 29 条第１項）の徹底にある。従って，直接に，日本国憲法第 29 条第３項に基づいて損失補償請求を認める必要性があり，また，被侵害利益の時価を基準として，権利内容を明確にし得るので，許容性もあるといえる。ゆえに，直接に，日本国憲法第 29 条第３項に基づいて損失補償請求をし得ると解すべきである。

《重要論点Ｑ＆Ａ／憲法 020》

Ｑ　どのような場合に，「正当な補償」が必要となるか？

Ａ　日本国憲法第 29 条第３項の趣旨は，公共のために生じた損失を，社会一般の負担に転嫁しようとする平等原則（日本国憲法第 14 条第１項）の徹底，及び，個人の財産権の保障（日本国憲法第 29 条第１項）の徹底にある。であるならば，特別の犠牲を払った者に対しては，損失補償をする必要が生じることとなる。というのも，特定人にのみ財産的制約の負担を負わせることは不公平であり，また，財産権の本質を害する程度の強度の制約をしながらにして補償を必要としないとすると，財産権の保障が相対化することとなる。そこで，形式的基準として，侵害行為が特定人を対象としたものであり，実質的基準として，侵害行為が財産権の本質的内容を侵害する程度に強度である場合には，特別の犠牲を払ったものと判定することができ，「正当な補償」が必要となると解すべきである。

《重要論点Ｑ＆Ａ／憲法 021》

Ｑ　「正当な補償」とは，どの程度の補償を意味するのか？

Ａ　学説においては，社会的・経済的事情等も考慮して算出される相当または合理的な金額について補償すれば充分であるとの見解がある（相当補償説）。しかし，生じた損失のすべてを補償するのでなければ，公共のために生じた損失を，社会一般の負担に転嫁しようとする平等原則（日本国憲法第 14 条第１項）の徹底，及び，個人の財産権の保障（日本国憲法第 29 条第１項）の徹底を目的とする損失補償の趣旨に反することとなり，妥当ではない。ゆえに，原則として，財産権の侵害や剥奪によって生じた損失のすべてを補償しなければならないと解すべきである（完全補償説）。

第５章　社会権

第１節　社会権総論

一　社会権の意義

社会権とは，社会国家・福祉国家の理念に基づき，社会的・経済的弱者を保護し，実質的平等の実現を目的に保障される，国家に対する作為請求権のことをいう。

近代立憲主義憲法下で資本主義経済は大いに発展したが，同時に，貧富の格差の増大を招来した。このような社会において，社会的・経済的弱者を放置しておくことは，憲法の究極の目的である個人の尊重の原理に反する結果をもたらすこととなる。そこで，本来，国家は国民生活に干渉することは避けなければならないが（国家からの自由），あえて干渉すること（国家による自由）によって個人の尊重の原理を達成しようとの目的から，現代立憲主義憲法によって社会権が保障された。

社会権は，国家に対して積極的な行為を要求する権利（作為請求権）であるので，国家の干渉を排除することを目的とする権利（不作為請求権）である自由権とは，その権利の性格が大きく異なっている。しかし，社会権は，国家権力による不当な侵害があった場合には，その除去を裁判所に請求できる自由権的な側面も有する。また，社会権が認められたとしても，国家からの不当な干渉が許されるわけでもなく，人権保障の原則は，あくまでも自由権であり，特に，経済的自由権と社会権との調整が問題となる。

第２節　生存権

一　生存権の保障の意義

１　生存権の意義【日本国憲法第 25 条】

生存権とは，人が健康で文化的な最低限度の生活を営む権利のことをいう。

日本国憲法第 25 条第１項は，「すべて国民は，健康で文化的な最低限度の生活を営む権利を有する」と規定し，第２項は，「国は，すべての生活部面について，社会福祉，社会保障及び公衆衛生の向上及び増進に努めなければならない」と規定している。

２　生存権の法的性格

生存権は，高度に発達した資本主義社会において，社会的・経済的弱者を救済し，そのことによって，憲法の究極の目的である個人の尊重を確保することを目的としている。

生存権を侵害された場合，侵害された当該国民は，日本国憲法第25条の規定を直接の根拠として，何らかの救済を裁判所に求めることができるのだろうか。

ここで，日本国憲法第25条第１項に法規範性が認められるのかどうか，日本国憲法第 25 条第１項に法規範性が認められる場合に，裁判規範性までも認められるのかどうかが問題となる。

（１）法規範性の有無について

①　プログラム規定説（法規範性がないとする説）

日本国憲法第 25 条第１項は，国家が国民の生存を確保するために努力すべき政治的・道徳的義務を定めたものに過ぎないのであって，国民に対する法的権利を定めたものではない。

資本主義社会においては，個人の生活は自己責任の下において，つまり，自助の原則の下において維持されることが妥当であり，また，生存権の保障を実現するためには，必ず予算を伴い，その予算の配分は国の財政政策の問題であるから，その実現は立法府の裁量に委ねられていると考えるべきであることから法規範性を否定する。

②　法的権利説（法規範性があるとする説）

国民には，国家に対して，人間に値する生存を営むための必要な措置を講ずることを要求する権利が保障されており，国家はそれに対して応答する法的義務を負っている。

生存権をはじめとする社会権の保障は，資本主義経済が生み出した種々の害悪を取り除くために保障されているのであり，この権利は当然に法的権利と捉えられるべきである。

ゆえに，日本国憲法第25条第１項には，法規範性が認められると解すべきである。

（２）裁判規範性の有無について

日本国憲法第25条第１項に法規範性を認める場合，つまり，法的権利説を採用する場合，さらに，裁判規範性まで認められるべきか。

日本国憲法第 25 条第１項に法規範性を認める場合に，抽象的権利説と具体的権利説の２つの見解がある。

① 抽象的権利説（通説）

国民が生存権について，裁判所に救済を求める場合，日本国憲法第 25 条第 1 項を直接の根拠としてすることはできないが，根拠となる法律が制定されていれば，それをもって裁判所に救済を求めることができる。

日本国憲法第 25 条第 1 項には，「健康で文化的な最低限度の生活」とあるが，この文言の内容は具体性を欠いており，この文言のみでは，直接の裁判基準とすることはできないこと，また，国民の生存権実現には，金銭給付，医療給付，住宅給付等のいかなる給付が妥当であるかは，立法府による政策的・専門的判断が必要となること，等の理由から，日本国憲法第 25 条第 1 項は直接の裁判規範とはなり得ず，立法府による具体的な立法を待ってはじめて裁判規範性が認められる。

② 具体的権利説

国民が生存権について，裁判所に救済を求める場合，日本国憲法第 25 条を直接の根拠として，立法不作為による違憲確認訴訟を提起することができる。

日本国憲法第 25 条第 1 項の文言は，憲法上の権利として，その権利主体・権利内容等，立法府と司法府を拘束するには充分明確であり，国民を救済する法整備が整っていない場合は，日本国憲法第 25 条第 1 項を直接の根拠として，立法不作為の違憲確認訴訟を提起することができるという理由から，日本国憲法第 25 条第 1 項は，裁判規範性を有するとする。

この見解に対しては，裁判所の資料収集能力には限界があるし，裁判所には，専門・技術的判断が要請される生存権についての第 1 次的判断をなすには不適切であるとの批判がある。

また，この見解に立ったとしても，日本国憲法第 25 条第 1 項によって，直接具体的に，裁判所に対して，救済を求めることはできず，あくまでも，立法不作為による違憲確認訴訟を提起することができることに過ぎない。

3　生存権の救済方法

自由権（国家からの自由）が，国家によって侵害されている場合には，裁判所は，このような侵害行為が無効であると判断することによって，権利救済がなされる。しかし，生存権は，国家の積極的な行為によって実現されるという性格を有する社会権（国家による自由）である。

ゆえに，生存権が侵害されている場合は，その侵害行為を無効であると判断するだけでは，真の権利救済にはならないこととなる。

そこで，実際に，生存権が侵害されている場合，裁判所がどのように生存権を救済すべきかが重要となる。

（1）生存権の救済方法

① 生存権を具体化するための法律の不存在を争う場合

生存権を具体化するための法律の不存在を争う場合は，生存権を保障する法律が存在しないので，立法不作為の違憲確認訴訟，立法義務付け訴訟，国家賠償請求，等で争うこととなる。

② 生存権を具体化するための法律の合憲性を争う場合

生存権を具体化するための法律の合憲性を争う場合の代表的な事例として，堀木訴訟がある。この訴訟では，生活保護の受給権を制限している法律の合憲性が争われた。

最高裁判所は，具体的な立法にあたっては，国家の財政事情等，多方面にわたる政策的判断を必要とするものであるから，どのような立法措置を講ずるかの選択決定は，立法府の広い裁量に委ねられており，著しく合理性を欠き，明らかに裁量の逸脱・濫用となるような場合を除き，裁判所の審理判断の対象にはならないと判示した(最高裁判所昭和57年7月7日大法廷判決)。

③ 生存権の自由権的側面への侵害行為を争う場合

生存権の自由権的側面への侵害行為を争う場合の代表的な事例として,『総評サラリーマン税金訴訟』がある。この訴訟では，生活困窮者に対して，通常の国民よりも高額の税金を課した規定の合憲性が争われた。

第1審判決(東京地方裁判所昭和55年3月26日判決)では，国家による国民の生存権侵害行為を排除し，生存権を阻害する立法・処分等は，日本国憲法第25条に違反し，無効であると判示し，生存権の自由権的側面の法的効力を認めた。

④ 生存権を具体化する法律の不充分性を争う場合

生存権を具体化する法律は存在するが，その法理が保障する権利内容が不充分であることを争う場合の具体例として,『学生無年金障害者訴訟』がある。この訴訟では，大学在学中に疾病にかかり，または，受傷して障害を負った上告人らが，障害基礎年金の支給裁定を申請したが，国民年金に任意加入しておらず被保険者資格が認められないことを理由に不支給処分を受けたため,その取消しや，国家賠償を請求した（最高裁判所平成19年9月28日判決)。

⑤ 生存権を具体化する行政処分の合憲性を争う場合

生存権を具体化するための法律の存在を前提とし，行政処分の合憲性を争う場合の代表的な事例として，『朝日訴訟』がある。この訴訟では，生活保護法に基づく，厚生大臣(当時)の生活保護基準設定行為の合憲性と適法性が争われた。最高裁判所は，厚生大臣の自由裁量権を認めた(最高裁判所昭和 42年5月24日大法廷判決)。

二　生存権に関する法令の審査基準

１　生存権の法的性格と審査基準

生存権を保障するに際して，いかなる意見審査基準を採用すべきであろうか。生存権が問題となる場合に，いかなる違憲審査基準を採用すべきかについては，以下の３つの見解があるとされている。但し，３つ目の明白性の原則と厳格な合理性の基準の併用をする見解については，この見解を採用している論者は今日ほとんどいないといわれている。

（１）明白性の原則

そもそも，日本国憲法第 25 条第１項が規定する「健康で文化的な最低限度の生活」という文言は，極めて抽象的かつ相対的な概念であり，このような生存権保障のためには，高度の専門技術的な政策的判断が必要となるが，裁判所は，このような判断能力を有していないことから，生存権に対する侵害行為については，その行為が著しく合理性を欠き，明らかに裁量権限を逸脱し，その濫用が認められる場合に限って，日本国憲法第 25 条に違反すると解すべきである。最高裁判所も，『堀木訴訟』判決（最高裁判所昭和 57 年７月７日大法廷判決）において，この基準を採用している。

（２）厳格な合理性の基準

日本国憲法第 25 条は，客観的な最低限度の生活水準を想定しており，国家に対して，国民が，健康で文化的な最低限度の生活を営むことができるように施策を講ずることを義務付けていることから，生存権に対する侵害行為については，裁判所が，その行為に合理性があるかどうかを厳格に判断する厳格な合理性の基準を用いると解すべきである。

（３）明白性の原則と厳格な合理性の基準の併用

最低限度の生活の保障（日本国憲法第 25 条第１項）の場合には，具体的に判断できるので，立法裁量を狭めるべきであるから，より厳格な基準を，より快適な生活の保障（日本国憲法第 25 条第２項）の場合には，抽象的であることから立法府の判断を尊重すべきであるので，立法裁量を広く認めるべきであることから，明白性の原則が適用されるとする。このような見解は，『堀木訴訟』判決（大阪高等裁判所昭和 50 年 11 月 10 日判決）のような，日本国憲法第 25 条の第１項と第２項を分離して考える場合に採用されている。但し，現在では，このような見解を採用する論者は極めて少数であるといわれている。

２ 日本国憲法第 25 条第１項と第２項との関係

生存権の違憲審査基準を考えるに際して，日本国憲法第 25 条第１項と第２項との関係をどのように解すべきかが問題となる。つまり，第１項と第２項とを分離して解釈すべきか，それとも，第１項と第２項とを一体として解釈するかという問題である。

第１項と第２項とを分離して解釈する見解においては，第１項は，救貧政策のための規定，つまり，現実問題として，生活に困窮している者をどのように保護していくかという規定として解し，第２項は，防貧政策のための規定，つまり，これからの問題として，生活に困窮するものが発生しないようにするための規定として解釈する。一方，第１項と第２項とを一体として解釈する見解ではこのような役割分担については考慮しない。

（１）日本国憲法第 25 条第１項・第２項分離説

最低限度の生活の保障と，より快適な生活の保障とを分離し，両者の間に立法府の裁量の幅の広狭を認めることにより，裁判所と立法府との関係の仕方をより具体化することができることから，現に，生活に困窮している人を救うための救貧政策については，日本国憲法第 25 条第１項の問題として，厳格な基準が適用され，それ以外の防貧政策については，日本国憲法第 25 条第２項の問題として，国家に対する努力義務を定めたものであるから，国家の広い裁量権限が認められるとして，両者を分離して解すべきである。この見解は，『堀木訴訟』控訴審判決（大阪高等裁判所昭和 50 年 11 月 10 日判決）で採用されている。しかし，先述したように，現在では，このような見解を採用する論者は極めて少数であるといわれている。

（２）日本国憲法第 25 条第１項・第２項一体説（判例及び通説）

そもそも，日本国憲法第 25 条において，第１項と第２項とで，まったく別の事柄を規定していると解すこと自体に無理があり，防貧政策とされているものの中にも救貧政策の一環としてなされているものもあるのが実情であり，最低限度の生活以下のところでは，立法裁量の余地は認められることはないはずであり，防貧政策という理由で，立法府の広汎な裁量に服するとなると，生存権保障の意義をまったく骨抜きにすることとなることから，日本国憲法第 25 条第１項は，生存権保障の目的または理念を，日本国憲法第 25 条第２項は，その目的及び理念の実現に向けて努力すべき国の責務を規定したものであり，両者は一体的に解すべきである。最高裁判所も，『堀木訴訟』判決（最高裁判所昭和 57 年７月７日大法廷判決）において，この基準を採用している。この見解は現在多くの論者が採用し，通説的見解となっている。

《重要論点Ｑ＆Ａ／憲法 022》

Ｑ　障害福祉年金と児童扶養手当の併給禁止規定をどう解すべきか？

Ａ　まず，併給禁止規定が生存権侵害となるかが問題となる。資本主義社会における自助の原則や予算の必要性から，日本国憲法第 25 条第１項は，法的権利性のないプログラム規定であるとの見解があるが，資本主義の矛盾解消のためにある生存権の権利性について，資本主義を根拠に否定したり，予算を理由に否定したりすることは本末転倒であることから，生存権の権利性は肯定すべきである。また，生存権の内容は，非常に抽象的であることから，これを具体化する法律の存在があってはじめて裁判所に対してその救済を求め得る抽象的権利であると解すべきである。さらに，「健康で文化的な最低限度の生活」の内容も時代によって変転し得ることから，生存権を具体化するには，立法府に広い裁量が認められると解すべきであることから，これを制約する規定の合憲性は，裁量を逸脱し，著しく合理性を欠くことが明白である場合に限って違憲とすべきである（明白性の原則）。ゆえに，併給禁止規定については，社会保障給付の全般的公平を図るために，著しく不合理であることが明白であるとはいえず，生存権侵害とはならないと解すべきである。次に，併給禁止規定が平等権侵害となるかが問題となる。日本国憲法第 14 条第１項は，法適用の平等のみならず，法内容の平等も要請し，また，各人は事実上の差異を有することから，これに基づく合理的区別は認め，後段列挙事由については，特に差別が禁止されるべきものであるから，その別異の取り扱いが必要不可欠なものであるかどうかを厳格に問うべきであり，それ以外の場合には，平等原則違反が問題となる人権を考慮し，優越的地位を有する人権が問題となっていれば，厳格な合理性の基準，そうでなければ合理的関連性の基準によるべきである。生存権は，個人の尊重に直結する重要な人権であって，これに関して平等原則違反が問題となった場合には，厳格な合理性の基準により判断すべきである。まず，目的については，社会保障給付の全般的公平を図るという併給禁止規定の目的は重要・合理的なものといえる。問題は，目的と手段との間に事実上の実質的な関連性が認められるかどうかであるが，障害福祉年金と児童扶養手当とは目的を異にするものであり，両給付を受けたとしても，社会保障給付の公平が害されるとはいえない。また，生活保障制度が充分に機能していないことからしても，事実上の実質的な関連性は否定すべきである。ゆえに，本問の併給禁止規定は，日本国憲法第 14 条第１項に反し，違憲であると解すべきである。

第3節　教育を受ける権利

一　教育を受ける権利の保障の意義

1　教育を受ける権利の意義【日本国憲法第26条】

【日本国憲法第26条】
すべて国民は，法律の定めるところにより，その能力に応じて，ひとしく教育を受ける権利を有する。
2　すべて国民は，法律の定めるところにより，その保護する子女に普通教育を受けさせる義務を負ふ。義務教育は，これを無償とする。

教育を受ける権利とは，国家が教育上の条件整備等をすることにより，全国民に充足される請求権的権利である。

この教育を受ける権利を保障することにはどのような意義があるのであろうか。

(1) 生存権的意義

教育というものは，経済的負担を伴うものである。ゆえに，教育を受ける権利とは，生存権の文化的側面に関係するものであり，この経済的負担を伴う教育を，経済的弱者を含むすべての国民が受けられるようにするため，国家に対して，教育の機会均等を図るための経済的配慮を要求することができる権利のことを意味する。

(2) 主権者教育的意義

教育を受けるのは，主に将来の主権者たる国民である。ゆえに，教育を受ける権利とは，その将来の主権者たる国民が一定の政治的能力を具えることができ，もって民主主義社会を充分に運用することができるようになるため，国家に対して，このような教育を受けられるよう要求することができる権利のことを意味する。

(3) 学習権的意義

すべての国民は，生まれながらにして，学習することにより人間的に成長・発達していく権利を有する。このような権利を学習権という。ゆえに，教育を受ける権利とは，この学習権を充足するために，国家に対して，条件を整備し，値するだけの教育内容を提供するよう要求できる権利を意味する。

教育を受ける権利を保障することの意義を，この学習権的意義と捉える考え方が，近時は最も有力であり，最高裁判所も基本的にはこれを認めている(最高裁判所昭和51年5月21日大法廷判決)。

２　教育を受ける権利の法的性格

教育を受ける権利は，自由権的側面と社会権的側面の両面を有する複合的な法的性格を有している。

（１）教育を受ける権利の自由権的側面

教育を受ける権利の自由権的側面としての性格は，学習権の保障を担う親権者や教師等の教育の自由に現れるとされている。

①　普通教育機関における教師の教育の自由

普通教育機関における教師の教育の自由は，大学における教授の自由（日本国憲法第 23 条）と同様に保障されているのであろうか。

Ａ　第 13 条説

普通教育機関における教師の教育の自由は,憲法上明示されてはいないが,日本国憲法第 13 条の幸福追求権の一部として保障される憲法上の権利である。

Ｂ　第 23 条説（判例）

普通教育機関における教師の教育の自由は，そもそも，学問の自由が国民の学問を学習する自由を保障していることから，大学における教授の自由と同様に，日本国憲法第 23 条の学問の自由によって保障されている。教授の自由は大学におけるものに限定されず，普通教育機関における教師の教育の自由も日本国憲法第 23 条から導くことが妥当であるとして，最高裁判所も『旭川学力テスト事件』判決（最高裁判所昭和 51 年５月 21 日大法廷判決）においてこの見解を採用している。

Ｃ　第 26 条説

普通教育機関における教師の教育の自由は，子どもの教育を受ける権利に対応して，国民全体に保障されている教育の自由として，日本国憲法第 26 条により保障されている。普通教育機関において教育を受ける者にとっては，学問の自由より，むしろ，教育を受ける権利が必要であるし，このような者は，大学で学ぶ者に比べ，批判能力や選択可能性が充分ではないことから，教育を受ける権利を中心に，普通教育機関における教師の自由は考えるべきであるとする。

判例（最高裁判所昭和 51 年５月 21 日大法廷判決）は第 23 条説を採用しているが，権利の性質上，この第 26 条説が妥当と思われる。

（２）教育を受ける権利の社会権的側面

教育を受ける権利の社会権的側面としての性格は，国家に対して，教育制度の維持や教育条件の整備等を請求できることとする。

① 教育を受ける権利の社会権的側面の法的性質

教育を受ける権利の社会権的側面は，国家に対して，教育制度の維持や教育条件の整備等を請求できるとするが，その場合，日本国憲法第26条を直接の根拠として，国家に対して，教育を受けるための必要な費用の支給を請求できるのであろうか。

この点，判例（最高裁判所昭和39年2月26日大法廷判決），学説共に，義務教育における授業料については，不徴収とするということに争いなく裁判規範性を認めている。

しかし，それ以外については，その法的性質をどう解するかに争いがある。

A プログラム規定説

日本国憲法第26条は，「法律の定めるところにより」と規定していることから，立法権に対する政治的・道徳的義務を課したに過ぎないとする。

しかし，「法律の定めるところにより」という文言は，法律が制定されなければ権利が存在しないとの意味ではないという批判がある。

B 抽象的権利説（通説）

日本国憲法第 26 条の保障する教育を受ける権利は，法的権利性は認められるが，日本国憲法第 26 条を直接の根拠として具体的請求権が発生するのではなく，具体的請求権は，法律の制定をもって発生するものであるとする。教育を受ける権利の内容は，広範性・多面性を有し，国家がどのような方策を採るべきかは，日本国憲法上規定されておらず，立法裁量に委ねられているとする。

C 具体的権利説

日本国憲法第 26 条の保障する教育を受ける権利は，日本国憲法上規定された権利であり，法律の不存在ゆえに保障されないことは許されないことから，当然に法的権利性が認められ，かつ，具体的権利としても国民に保障されたものであるとする。

② 教育内容の決定権の所在

国家は教育条件について整備する義務を負っているが，その義務を果たす中でどの程度教育内容に介入することが可能となるのであろうか。

この教育内容決定権の所在の問題は，教科書検定の合憲性が争われた，いわゆる教科書裁判（＝『家永訴訟』）を契機として論争の的となった。

教科書検定とは，小・中・高等学校等の教科書について採用されている検定制度であり，民間で著作・編集された図書について，文部科学大臣が教科書として適切か否かを審査し，これに合格したものを教科書として使用することを認める制度のことをいう。

A 国家教育権説

教育内容決定権の所在は，国家，つまり，立法府及び行政府にあるとする。

この見解は，『第1次家永訴訟』第1審判決（東京地方裁判所昭和49年7月16日判決），いわゆる，高津判決により示された考え方である。普通教育における教育の本質から，①教育の機会均等を図るためには，国家による全国画一の教育が確保されることが必要であること，及び，児童及び生徒の発達段階に応じた教育的配慮が必要であること，②議会制民主主義の原理からは，国民の総意が国会を通じて法律に反映されるから，国家は法律に準拠して公教育を運営する責務・権能を有するし，また，その反面，国のみが国民全体に対して直接責任を負うことができる立場にあること，③教育の私事性を捨象した現代公教育においては，教育は国家社会の重大な関心事であり，福祉国家においては，国家に公教育を実施する権限があること，④日本国憲法第26条は，社会権であり，国家は国民福祉のために教育水準を維持し，確定するために教育内容の決定にも関与できること，等から，国家に教育内容決定権があるとする。しかし，教育内容を，議会制民主主義を背景とした多数決の原理で決することは，子どもにとって，その精神的な営みに不当な侵害が加えられる危険が生じかねないとする批判がある。

B 国民教育権説

教育内容決定権の所在は，国民，つまり，親権者および教師にあるとする。

この見解は，『第2次家永訴訟』第1審判決（東京地方裁判所昭和45年7月17日判決），いわゆる，杉本判決により示された考え方である。①子どもの教育は，日本国憲法第26条の保障する子どもの教育を受ける権利に対する責務として行われるべきものであって，このような責務を負うのは，親権者を中心とする国民全体であって，学校においては教師であること，②教育の外的事項については，一般の政治と同様に代議制を通じて実行されてしかるべきものであるが，内的事項については，教育の特質から，一般の政治のように政党政治を背景とした多数決によって決せられることに本来的に親しまず，教師が児童，生徒との人間的なふれあいを通じて，自らの研鑽と努力によって国民全体の合理的な教育意思を実現すべきであること，③学習権は，子どもにとって生来的権利であり，このような学習権の保障は，国民的課題であること，④国家は，国民の教育責務の遂行を助成するために専ら責任を負うものであって，その責任を果たすために国家に与えられる権能は，教育内容に対する介入を必然的に要請するものではなく，子どもを育成するための諸条件を整備することであると考えられ，国家が教育内容に介入することは基本的に許されないこと，等から，国民に教育内容決定権があるとする。

C 折衷説（判例）

教育内容決定権の所在は，その役割に応じて，国民と国家が分担して有しているとする。

この見解は，『旭川学力テスト事件』判決(最高裁判所昭和51年5月21日大法廷判決)によって示された考え方である。国家教育権説も国民教育権説も極端な見解であるとし，そもそも，子どもには，将来において人間的に成長するという学習権が生来的権利として認められ，教育内容は専らこの学習権を充足させるように決定されるべきであり，①親権者には，家庭教育，学校外の教育，学校の選択について決定権があること，②教師には，教育内容決定に関して一定の裁量権限が必要であること，②国家には，社会公共の利益のため，必要かつ相当な範囲において教育内容に介入することができることから，教育内容決定権の所在を，その役割に応じて，国民と国家が分担しているというものである。

3 教育を受ける権利の内容

日本国憲法第26条第1項は，国民に対して，「その能力に応じて，ひとしく教育を受ける権利」を保障すると規定している。

また，その実質化のため，普通教育を受けさせる義務を規定し（日本国憲法第26条第2項前段)，さらに，これを確保するために，義務教育の無償を規定している（日本国憲法第26条第2項後段)。

このような規定は，教育の機会均等を保障したものであるが，この「その能力に応じて，ひとしく」の意味をどう解すべきかが問題となる。

（1）能力主義的に解釈する見解

日本国憲法第26条第1項の「能力に応じてひとしく」の意味を，教育基本法第4条第1項にある「すべて国民は，ひとしく，その能力に応じた教育を受ける機会を与えられなければならず，人種，信条，性別，社会的身分，経済的地位又は門地によって，教育上差別されない」という意味であると解し，日本国憲法第26条第1項は，この意味での教育の機会均等について国家が配慮すべきであると期待したものであると解す。この見解によると，教育を受けるために必要な差別は，当然許されることとなる。

【教育基本法第4条第1項】

すべて国民は，ひとしく，その能力に応じた教育を受ける機会を与えられなければならず，人種，信条，性別，社会的身分，経済的地位又は門地によって，教育上差別されない。

（２）発達に応じた教育の保障と解釈する見解（通説）

日本国憲法第 26 条第１項の「能力に応じてひとしく」の意味を，今日における教育を受ける権利とは，すべての国民が，生まれながらにして，学習することにより人間的に成長・発達していく権利を有するという学習権を中心として再構成すべきであり，このような考え方からは，教育の機会均等というのは，「すべて国民は，ひとしく，その能力に応じた教育を受ける機会を与えられなければならず，人種，信条，性別，社会的身分，経済的地位又は門地によって，教育上差別されない」（教育基本法第４条第１項）という，教育分野における一般的平等原則の確認に留まらず，あくまでも教育を受ける権利を平等に保障しようとする教育の条件整備に関係するものであって，すべての国民がその能力発達の仕方に応じて，可能な限り能力が発達できるような教育を保障する意味と解す。この見解によると，教育を受けるのに必要な差別は許されないということとなる。

二　義務教育の無償

１　義務教育の無償の意義

日本国憲法第 26 条第１項は，教育を受ける権利を保障しており，さらに，子どもにとって普通教育を受ける権利を保障するために，親権者が子どもに普通教育を受けさせる義務を日本国憲法第 26 条第２項前段の「普通教育を受けさせる義務」において，国家の義務教育制度を整備する義務を日本国憲法第 26 条第２項後段の「義務教育は，これを無償とする」において規定している。

２　義務教育の無償の範囲

日本国憲法第 26 条第２項後段は「義務教育は，これを無償とする」と規定している。この無償とは，具体的には，何を無償とするとしているのだろうか。条文上は「これを無償とする」とだけあり，明らかではないので問題となる。

（１）無償範囲法定説

日本国憲法第 26 条第２項後段における無償の範囲は，義務教育における必要な費用を可能な限り無償とすべきことを，国家の責務として宣言したものであり，無償の範囲は，そのときの国家の財政事情に応じて，別に法律で具体化されるとする。

（2）授業料無償説（判例）

日本国憲法第 26 条第2項後段における無償の範囲は，義務教育における授業料のみに限られるとする。日本国憲法第 26 条第2項前段が，親権者に子どもを就学させる義務を課しているのは，親権者が本来有している子どもを教育すべき責務を全うさせる趣旨から出たものである。ゆえに，義務教育に要する費用の一切を，国家が負担しなければならないものとはいえず，ここでいう無償とは，義務教育を受ける対価としての「授業料」を徴収しないことを意味するとする。

最高裁判所も『義務教育教科書費国庫負担請求事件』において，この見解を採用している(最高裁判所昭和 39 年2月 26 日大法廷判決)。

（3）就学必要費無償説

日本国憲法第 26 条第2項後段における無償の範囲は，義務教育における授業料・教科書代金・教材費・学用品その他義務教育就学に必要な一切の費用を含むとする。教育を受ける権利は，国家に対する請求権であることから，国家はこれを実現するために，積極的な役割を果たさねばならないとする。

第4節　勤労権

一　勤労権の保障の意義

1　勤労権の意義【日本国憲法第 27 条】

【日本国憲法第 27 条】

すべて国民は，勤労の権利を有し，義務を負ふ。

2　賃金，就業時間，休息その他の勤労条件に関する基準は，法律でこれを定める。

3　児童は，これを酷使してはならない。

勤労権とは，労働の意思と能力のある国民が，就労の機会が与えられるよう，国から一定の配慮を受ける権利のことを意味する。

勤労権は，労働権ともいう。

自由放任主義に基づく資本主義経済の下，労働者は，使用者から低賃金で酷使される等の劣悪な労働条件によって，その生存を脅かされてきた。これに対して，修正資本主義経済においては，このような労働者にとっての劣悪な環境を払拭することを目的として，福祉国家の理念が採用されており，日本国憲法第 27 条もこのような理念に基づいて勤労権を規定している。

２ 勤労権の法的性格

勤労権の法的性格については，生存権（日本国憲法第 25 条）の場合と同様，勤労権を侵害された場合，侵害された国民は，日本国憲法第 27 条第１項を直接の根拠として，何らかの救済を裁判所に求めることができるのだろうかという問題がある。つまり，日本国憲法第 27 条第１項に法規範性が認められるのかどうか，日本国憲法第 27 条第１項に法規範性認められる場合に，裁判規範性までも認められるのかどうかが問題となる。

（１）法規範性の有無について

①　プログラム規定説（法規範性がないとする説）

日本国憲法第 27 条第１項は，国家が国民の努力すべき政治的・道徳的義務を定めたものに過ぎないのであって，国民に対する法的権利を定めたものではなく，勤労権の実現は立法府の裁量に委ねられていると考えるべきであることから法規範性を否定する。

②　法的権利説（法規範性があるとする説）

国民には，国家に対して，人間に値する生存を営むための必要な措置を講ずることを要求する権利が保障されており，国家はそれに対して応答する法的義務を負っている。

勤労権を含む社会権の保障は，資本主義経済が生み出した種々の害悪を取り除くために保障されているのであり，この権利は当然に法的権利と捉えられるべきである。

ゆえに，日本国憲法第 27 条第１項には，法規範性が認められると解すべきである。

（２）裁判規範性の有無について

日本国憲法第 27 条第１項に法規範性を認める場合，つまり，法的権利説を採用する場合，さらに，裁判規範性まで認められるべきか。

日本国憲法第 27 条第１項に法規範性を認める場合には，生存権（日本国憲法第 25 条）の場合と同様，抽象的権利説と具体的権利説の２つの見解がある。

①　抽象的権利説（通説）

国民が勤労権について，裁判所に救済を求める場合，日本国憲法第 27 条第１項を直接の根拠としてすることはできないが，根拠となる法律が制定されていれば，それをもって裁判所に救済を求めることができる。

つまり，日本国憲法第 27 条第１項は直接の裁判規範とはなり得ず，立法府による具体的な立法を待ってはじめて裁判規範性が認められる。

② 具体的権利説

国民が勤労権について，裁判所に救済を求める場合，日本国憲法第 27 条第１項を直接の根拠として，立法不作為による違憲確認訴訟を提起することができる。この見解に立ったとしても，日本国憲法第 27 条第１項によって，直接具体的に，裁判所に対して，救済を求めることはできず，あくまでも，立法不作為による違憲確認訴訟を提起することができることに過ぎない。

二 勤労条件法定主義

資本主義経済は私的自治の原則に基づく。この原則から，契約の自由が導かれるが，労使間の契約も自由に締結できるものと解されていた。しかし，使用者は労働者に比べ，非常に大きな力を持っていることから，対等な契約ではなく，労働者に不利な契約が結ばれ，経済的弱者である労働者は，低賃金や過重労働等の不利な条件を受け入れざるを得なかった。このような歴史的経緯から，現在では，労働条件の基準を国家が法定することによって，労働者の権利を保護しようとしている（日本国憲法第 27 条第２項）。

三 児童酷使禁止

児童を酷使することは，歴史的に，その及ぼす害悪は非常に大きく，労働者保護は,労働に従事する児童の保護から始まったという経緯がある。特に，児童は，自らを防衛する能力が乏しく，その保護がこれまで充分になされてこなかったことから，日本国憲法は，一般の労働者保護規定とは別に，特に，児童を酷使することを禁じている（日本国憲法第 27 条第３項）。

第５節 労働基本権

一 労働基本権の保障の意義

1 労働基本権の意義【日本国憲法第 28 条】

【日本国憲法第 28 条】

勤労者の団結する権利及び団体交渉その他の団体行動をする権利は，これを保障する。

労働基本権とは，使用者と比較して経済的弱者である地位にある被用者に対して，団結して交渉する権利を付与することによって，労使間の実質的不平等を除去し，そのことによって使用者との実質的に対等の立場に立つことを確保するための権利のことをいう。

２　労働基本権の法的性格

労働基本権は，以上のような性格から，被用者側・労働者側にとっては権利の確保を意味するが，使用者側・資本家側にとっては権利の制限を意味することとなる。この労働基本権は，私人間においても直接適用されるという性格を有する。また，労働基本権は，自由権的側面と社会権的側面という複合的性格を有する。

（１）労働基本権の自由権的側面

労働基本権の自由権的側面は，労働基本権の行使に対して国家は不利益を課してはならないということを意味する。つまり，正当な争議行為に対しては，刑罰その他の不利益を課してはならない刑事免責が認められることとなる。このことから労働組合法（昭和 24 年６月１日法律第 174 号）においては，正当な争議行為を正当業務行為として罰しないとしている（労働組合法第１条第２項）。

【労働組合法第１条第２項】

２　刑法（明治 40 年法律第 45 号）第 35 条 の規定は，労働組合の団体交渉その他の行為であつて前項に掲げる目的を達成するためにした正当なものについて適用があるものとする。但し，いかなる場合においても，暴力の行使は，労働組合の正当な行為と解釈されてはならない。

（２）労働基本権の社会権的側面

①　使用者の経済的自由権を労働者に有利に修正する権利

被用者には，使用者の経済的自由権を自己に有利に修正する権利が認められる。このことは民法上の契約自由の原則に対する修正を意味する。ゆえに私人間の関係にも直接適用される。このことから正当な争議行為を行った結果として使用者側に損害が生じた場合でも労働者は損害賠償を負わない民事免責が認められることとなる（労働組合法第８条）

【労働組合法第８条】

使用者は，同盟罷業その他の争議行為であつて正当なものによつて損害を受けたことの故をもつて，労働組合又はその組合員に対し賠償を請求することができない。

② 国の積極的措置を求めることができる権利

被用者には，労働基本権を確実に保障するために必要な国の積極的措置を求めることができる権利が認められる。

二 労働基本権における用語の意義

1 勤労者の意義

日本国憲法第28条における「勤労者」とは，労働組合法における「労働者」と同義である。つまり，労働者とは，「職業の種類を問わず，賃金，給料その他これに準ずる収入によつて生活する者」(労働組合法第3条)のことをいう。ゆえに，公務員も「勤労者」に含まれることとなる

【労働組合法第3条】

この法律で「労働者」とは，職業の種類を問わず，賃金，給料その他これに準ずる収入によつて生活する者をいう。

2 労働組合の意義及び労働組合への加入方法

（1）労働組合の意義

労働組合とは，労働者が主体となって，自主的に労働条件の維持改善その他経済的地位の向上を図ることを主たる目的として組織する団体またはその連合団体のことをいう（労働組合法第2条柱書本文)。

【労働組合法第2条柱書】

この法律で「労働組合」とは，労働者が主体となつて自主的に労働条件の維持改善その他経済的地位の向上を図ることを主たる目的として組織する団体又はその連合団体をいう。但し，左の各号の一に該当するものは，この限りでない。

（2）労働組合への加入方法

① オープンショップ

オープンショップとは，使用者が労働者を雇い入れるに際し，特に組合員であることを雇用条件としていないもののことをいう。基本的に組合員とそうでない者との労働条件等の処遇の違いはないとされている。

② クローズドショップ

クローズドショップとは，使用者が労働者を雇い入れるに際し，組合員から雇用しなければならないとするもののことをいう。労働者が組合員の資格を失った場合には使用者はその労働者を解雇しなければならない。

③ ユニオンショップ

ユニオンショップとは，使用者が労働者を雇い入れるに際し，組合員であってもそうでなくても構わないが，労働者は雇い入れ後，組合規約で定めた期間内に組合員にならなければならないとするもののことをいう。当該期間内に組合員にならなかったり，後に組合員たる資格を失ったりした場合には，使用者はその労働者を解雇しなければならない。

④ エイジェンシーショップ

エイジェンシーショップとは，労働組合への加入は労働者の意志によるが，組合員でない者でも，団体交渉にかかる経費と苦情処理にかかる経費を会費として支払わなければならないもののことをいう。但し，組合員ではない者は，組合員のみに与えられる権利に関係する経費等のそれ以外の経費について支払う必要はないとされている。

3 争議行為の方法

労働関係調整法（昭和21年９月27日法律第25号）によると，争議行為とは，労働関係の当事者（使用者及び被用者）が，その主張を貫徹することを目的として行う正当な行為及びこれに対抗する正当な行為であって，かつ，業務の正常な運営を阻害する行為のことをいう（労働関係調整法第７条）。

【労働関係調整法第７条】

この法律において争議行為とは，同盟罷業，怠業，作業所閉鎖その他労働関係の当事者が，その主張を貫徹することを目的として行ふ行為及びこれに対抗する行為であつて，業務の正常な運営を阻害するものをいふ。

（１）同盟罷業

同盟罷業とは，労働者による争議行為の１つであり，労働法上の団体行動権の行使として，使用者の行動などに反対して，被用者または労働組合が労働を行わないで抗議をすることをいう。つまり，労働者側の集団的な労務の不提供を意味する。同盟罷業は，一般的にはストライキといわれることが多く，ストと略されることが多い。

（２）怠業

怠業とは，労働者による争議行為の１つであり，労働法上の団体行動権の行使として，被用者が団結して意識的に作業能率を低下させる争議行為のことをいう。怠業は，一般的にはサボタージュといわれるが，厳密には，サボタージュは，作業の積極的妨害や破壊行為をも含む概念であることから，怠業には，これら作業の積極的妨害や破壊行為を含まず，消極的サボタージュのみを意味するとされている。

（３）ピケッティング

ピケッティングとは，労働者による争議行為の１つであり，労働法上の団体行動権の行使として，ストライキ中の組合員が，スト破りを防ぎ，あるいは，ストライキが行われていることを他の労働者や公衆に知らせるために，ストライキが行われている事業所等の入口等に立って見張り，説得等をする行為のことをいう。ストライキ中の就労阻止や，他の労働者へのストライキ参加の促進，一般人へのストライキのアピール等を目的とする。ピケッティングはピケと略されることが多い。

三 労働基本権の種類（労働３権）

１ 団結権

（１）団結権の意義

団結権とは，労働者が，使用者と労働条件等の維持・改善のために交渉を行うにあたって，使用者と対等に渡り合うために，団体を結成したり，団体に参加したりする権利のことをいう。

（２）団結権の問題点と限界

① 団結権の問題点

団体を結成する権利は，一般に，日本国憲法第 21 条第１項において，結社の自由として保障されている。これに対して，日本国憲法第 28 条は，労働者の積極的権利として，労働組合に団結することを保障したものである。

このように，改めて労働組合を結成する権利を認めているのは，労働組合が，使用者との関係において，対等の立場において交渉し，よりよい労働条件を獲得することを目的としているためである。

であるならば，このような目的を達成するために，組織の強化・統制を図らねばならず，そのために，全労働者が同一の組合に加入し，非組合員の不存在が望まれるようになる。

しかし，このような目的達成のための強制加入は一方で労働者個人の組合に加入しない自由を制限していることにもなる。つまり，労働組合への加入を強制することは，日本国憲法第 21 条第１項が個人に保障している結社の自由に抵触することになるのである。

そこで，クローズドショップ及びユニオンショップのような強制加入形態を採用する労働組合が日本国憲法第 21 条第１項に抵触するため違憲ではないかが問題となる。

②　強制加入制労働組合の合憲性

クローズドショップ及びユニオンショップのような強制加入形態を採用する労働組合は，結社をしない自由を含む結社の自由（日本国憲法第 21 条）に反することとなるが，学説の多くは，日本国憲法第 28 条で保障される団結権において，労働者に労働組合への加入を拒否する権利を認めることは，日本国憲法第 21 条第１項で保障される結社の自由が，結社に加入しない権利をも保障していることと比べて，まったく等質の権利となり，別に規定した意味がなくなることから，このような権利を認めなくても違憲とはならないと解している。つまり，日本国憲法第 28 条において団結権を規定したのは，日本国憲法第 21 条第１項における結社の自由とはまったく異質の権利であるからであって，労働者が組合に参加しない自由を制限できるというところに結社の自由と団結権との差異を見出すのである。ゆえに，労働組合への強制加入を認めることは憲法違反であるとは解されない。

③　労働組合における内部統制権の合憲性

日本国憲法上保障される団結権を実効的なものにするためには，労働組合に，組織を維持強化し，その目的の実現を図るための強力な統制権を認める必要がある。ゆえに，日本国憲法第 28 条を根拠として，労働組合に統制権が認められる。このことから，労働組合は，組合員に対して，一定の規制を加えることができるようになり，その規制の実効性を確保するために，組合員に対して，制裁を加えることもできるようになる。

しかし，そもそも，労働組合は，労働者の経済的地位及び生活利益の向上を目的として結成される団体であることから，その統制権の範囲も労働組合の目的の範囲内にある活動に限定されるべきである。

また，労働組合は，組合員個人の思想や政治的立場の相違を超えて結成される団体であることから，組合の目的の範囲内にある活動であったとしても組合員個人の人権保障から要請される制約を受けるものと解すべきである。

以上のような労働組合の目的の範囲を逸脱し，目的の範囲内であっても組合員個人の人権保障を損なうような場合においては，労働組合の統制権の限界を超えるものとなり違憲・違法となると解すべきである。

2　団体交渉権

（１）団体交渉権の意義

団体交渉権とは，労働者が使用者との間で，労働条件等の維持・改善のために交渉を行うに際して，使用者と対等に渡り合うために，団体の代表者を通じて交渉を行う権利のことをいう。

（2）団体交渉権の問題点と限界

使用者側との交渉に際して，どのような交渉が正当な行為となるかについて，問題となる。社会通念上に是認し得る程度に平和的であり，また，秩序ある行動をするのであれば，交渉の過程において威圧的な態度で交渉したとしても正当な行為であると解されている。

3 団体行動権

（1）団体行動権の意義

団体行動権とは，労働者が使用者と労働条件等の維持・改善のために交渉を行うに際して，使用者と対等に渡り合うために，団体がその実現を図るための行動を行う権利のことをいう。団体行動権の中心となる行為は争議行為であることから，団体行動権は争議権ともいわれる。

（2）団体行動権の問題点と限界

団体行動権を含む労働基本権は，労働者と使用者との関係で，使用者の権利を制限することにより，労働者の権利を認めていくという特徴を有する。つまり，使用者は，使用者であるというだけで，労働者との関係上，権利を制限され得るということである。ゆえに，労働者の団体行動権の行使について限界があるかという問題が生じる。

労働基本権は重要な権利ではあるが，以上のような理由から，まったく無制限に認めることはできない。ゆえに，団体行動権は，あくまでも団体交渉を成功させるために行使されるべき権利である。そこで，争議行為の正当性を論じるに際し，その目的面から政治目的による争議行為である政治ストの正当性が，また，その手段面から生産管理の正当性が論じられている。

① 争議行為における目的面の問題点

A 政治ストの意義

政治ストとは，政治目的によるストライキのことをいう。

B 政治ストの合法性について

a 政治スト違法説

使用者の処分権限の範囲に属する事項でなければ使用者としてもどうしようもないことから，国の政治・政策・行政等に関係する事項を目的とする政治ストは違法であり，労働組合が使用者に対する経済的地位の向上の要請とは直接関係があるとはいえない政治的目的のために争議行為を行うことは，日本国憲法第28条の保障とは無関係なものと解すべきである。『全農林警職法事件』判決（最高裁判所昭和48年4月25日大法廷判決）においてもこの見解が採用されている。

b　政治スト合法説

日本国憲法第28条は，争議目的による制限を規定していないし，現代社会において政治と経済は密接に関連していることから，国の政治・政策・行政等に関係する事項を目的とする政治ストでも合法であると解すべきである。

c　経済的政治スト合法説

経済的要求については，使用者は対応し得るが，純粋な政治事項については，使用者には権限も責任もなく，使用者に受忍義務を強いるのは不合理であり，労働組合がその目的実現のために必要と認める政治目的実現のために争議行為を行うことは，労働組合の正当な目的の範囲内の活動であるといえ，また，労働条件の維持・改善等労働者の経済的要求と何らかの関係を持つ法律の制定及び改廃については，使用者もその実現について責任の一端を担っていると考えられることから，労働条件の維持・改善に直接または密接な関係を持つ法律の制定及び改廃や労働基本権の擁護等といった労働組合の経済的要求と関係が認められる政治ストは適法であると解すべきであるが，経済的要求と何ら関係のない純然たる政治ストは日本国憲法第 28 条では保障されず，日本国憲法第21条の問題として処理するものと解すべきである。ゆえに，日本国憲法第28条を根拠に民事免責を正当化し得ない。

②　争議行為における手段面の問題点

争議行為の手段としては，同盟罷業（ストライキ）・ 怠業・ピケッティング等が考えられるが，他人の生命や身体に対して危険を及ぼすような手段や，暴力の行使・脅迫を伴う手段は許されないことには争いがない。また，使用者の財産権を過度に制約してはならないという限界もある。この点で，生産管理が許されるかどうかが問題となる。

A　生産管理の意義

生産管理とは，労働者が争議解決のために，使用者の管理権および指揮・命令権を一時的に排除し，自ら企業経営を行うことをいう。この生産管理は，使用者の財産権を制約することから，争議行為として認められるかどうかが問題となる。

B　生産管理の合法性について

a　生産管理違法説

生産管理は所有権と所有者の意思を排除し，資本制生産関係の基礎としての私的所有権を害することとなり，私有財産制度は現行法律制度の根幹であり，財産権は保護されるべきであることから，生産管理は違法であると解すべきである。『山田鋼業事件』判決（最高裁判所昭和25年11月15日大法廷判決）においてもこの見解が採用されている。

b　生産管理合法説

労働者の争議権を認めることは，資本家の企業所有権を一定限度制約することを前提としており，労働争議の場合には，生産管理に限らず，同盟罷業や怠業によっても所有権者と経営者の自由な意思は現実的に制約されざるを得ないことから，ストライキ等と生産管理を質的にまったく区別し，生産管理の場合についてのみ自由意思制約の程度を基準にして争議権に限界を設定することは不当であり，資本家の財産権に対置されなければならないのは労働者の争議権ではなく，生存権であり，労働者の生存権は資本家の財産権を一定の限度制約することによって実現され得ることから，生産管理は合法であると解すべきである。

四　公務員に対する労働基本権の制約

公務員は，その職務の性質上，労働基本権が制約されるが，公務員の労働基本権はいかなる根拠によりどの程度制約されるかが問題となる。

1　公務員に労働基本権は認められるか

公務員も勤労者であることから，日本国憲法第 28 条が規定する労働基本権の保障は，当然公務員にも及ぶと解すべきである。

2　公務員に労働基本権は制約し得るか

公務員の使用者は，国家ではなく国民全体であることから，公務提供義務も国民全体に対して負うのであり，そのために，公務員の地位の特殊性と職務の公共性を有する。ゆえに，公務員の労働基本権に対して，必要やむを得ない限度の制限を加えることは充分な合理的な理由があると解すべきである。

3　公務員の争議行為を一律禁止することは合憲か

公務員の勤務条件については，法律及び予算によって決定されることから，政府に対する争議行為は議会制民主主義に背馳し，公務員の争議行為に対しては，私企業と異なり，ロックアウト（使用者が労働者の労務提供を拒否すること）を行使することによって，争議行為に対抗できず，市場抑制が働かず，また，公務員にとっては人事院といった代償措置が存在していることから，公務員の争議行為を一律禁止していることは，合憲であるとされている。『全農林警職法事件』判決（最高裁判所昭和 48 年 4 月 25 日大法廷判決）においてもこの見解が採用されている。

第６章　参政権

第１節　参政権総論

一　参政権の意義

参政権とは，国家への自由，つまり，国民が直接または間接に国政に参加する権利のことをいう。

第２節　公務員の選定・罷免権

一　公務員の選定・罷免権の保障の意義

１　公務員の選定・罷免権の意義【日本国憲法第 15 条第１項】

【日本国憲法第 15 条】

公務員を選定し，及びこれを罷免することは，国民固有の権利である。

２　すべて公務員は，全体の奉仕者であつて，一部の奉仕者ではない。

３　公務員の選挙については，成年者による普通選挙を保障する。

４　すべて選挙における投票の秘密は，これを侵してはならない。選挙人は，その選択に関し公的にも私的にも責任を問はれない。

日本国憲法第 15 条第１項の「国民固有の権利」とは，国民が主権者として当然に有している権利であり，他人に譲り渡すことのできない主権的権利のことをいう。これは，すべての公務員を国民が直接選定し，罷免することができるということではなく，あらゆる公務員の終極的任免権は国民にあるという国民主権の原理を表明したものであると解されている。

２　選挙権

選挙権とは，有権者団の構成員たり得る資格のことをいう。

このような選挙権は，選挙人団の構成員である地位と資格を有する国民のみに与えられる国法上の権利であることから，通常の権利とは違った特殊性を有する。その趣旨は，国民主権の具体的行使形態として国民に対して，国政への参加を保障することにあり，代表民主制の下では，国民が現実に主権を行使し得るのは，原則として，選挙においてのみであることから，選挙権は極めて重要な権利であるといえる。

（１）選挙権の法的性格

①　公務説

選挙権は，公務員という国家の機関を選定する権利であり，純粋な個人の権利とは異なった側面を持っていることから，選挙権とは，選挙人団の一員とし集団的に行われる公の職務であると解すべきである。

②　権利説

国民主権の下では，選挙権は，主権者である国民の基本的権利であると位置付けられなければならないことから，選挙権とは，個人に与えられた固有の権利であると解すべきである。

Ａ　権利説における選挙犯罪者等の公民権停止（公職選挙法第 252 条）

【公職選挙法第 252 条】

この章に掲げる罪（第 236 条の２第２項，第 240 条，第 242 条，第 244 条，第 245 条，第 252 条の２，第 252 条の３及び第 253 条の罪を除く。）を犯し罰金の刑に処せられた者は，その裁判が確定した日から５年間（刑の執行猶予の言渡しを受けた者については，その裁判が確定した日から刑の執行を受けることがなくなるまでの間），この法律に規定する選挙権及び被選挙権を有しない。

2　この章に掲げる罪（第 253 条の罪を除く。）を犯し禁錮以上の刑に処せられた者は，その裁判が確定した日から刑の執行を終わるまでの間若しくは刑の時効による場合を除くほか刑の執行の免除を受けるまでの間及びその後５年間又はその裁判が確定した日から刑の執行を受けることがなくなるまでの間，この法律に規定する選挙権及び被選挙権を有しない。

3　第 221 条，第 222 条，第 223 条又は第 223 条の２の罪につき刑に処せられた者で更に第 221 条から第 223 条の２までの罪につき刑に処せられた者については，前２項の５年間は，10 年間とする。

4　裁判所は，情状により，刑の言渡しと同時に，第１項に規定する者（第 221 条から第 223 条の２までの罪につき刑に処せられた者を除く。）に対し同項の５年間若しくは刑の執行猶予中の期間について選挙権及び被選挙権を有しない旨の規定を適用せず，若しくはその期間のうちこれを適用すべき期間を短縮する旨を宣告し，第１項に規定する者で第 221 条から第 223 条の２までの罪につき刑に処せられたもの及び第２項に規定する者に対し第１項若しくは第２項の５年間若しくは刑の執行猶予の言渡しを受けた場合にあつてはその執行猶予中の期間のうち選挙権及び被選挙権を有しない旨の規定を適用すべき期間を短縮する旨を宣告し，又は前項に規定する者に対し同項の 10 年間の期間を短縮する旨を宣告することができる。

公民権停止は，選挙権の内在的制約を超える不当な制限であり，公職選挙法 252 条の公民権停止は違憲であると解すべきである。

B　権利説における投票価値の平等

選挙区制の下では，立法府の裁量を完全に否定することはできない。ゆえに，あくまでも１対１が原則となるが，１対２以上の格差がある場合には，実質的に複数投票制を認めたことと等しくなることから，１対２以内であれば，例外を認める余地はあると解すべきである。

但し，１対２以内であっても，これを正当化する特別の事由が立証されない場合は違憲である。

C　権利説における棄権の自由

選挙権は権利であって，権利である以上，その不行使も認められることとなるから，棄権の自由は無条件に認められることと解すべきである。

D　権利説における選挙運動の自由

選挙運動の自由は，表現の自由としての側面も有することから，その制約は必要最小限度でなければならないと解すべきである。

しかし，選挙については，その期間・態様・手段等に関して，法律による規則の設定が不可避であることから，立法府の裁量を否定することはできない。

③　２元説（通説）

選挙権とは，機関としての公務という側面及び公務に参加することを通じて国政に関する自己の意思を表明することができるという個人の主観的権利という側面の２面性を有するものであると解すべきである。

A　２元説における選挙犯罪者等の公民権停止（公職選挙法第 252 条）

選挙は，選挙人団として組織された国民による公職者の選任という公的性質を有する行為であることから，選挙権が個々の国民の基本的権利として最大限尊重されなくてはならないとしても，その性質上選挙人の資格について，最小限度の規制を加えることは当然許され，公民権停止は，選挙権の公務としての性格に基づく最小限度の制限であり，合憲であると解すべきである。

B　２元説における投票価値の平等

１対１が理想ではあるが，選挙区制に伴う立法裁量の存在を理由として，１対２以内であれば例外を認める余地はあると解すべきである。

C　２元説における棄権の自由

選挙権は，国民の最も重要な権利であることから，積極的に行使されるべきものであり，選挙権の行使は選挙人の自覚に待つべきものであること，強制狩出しによる投票率の上昇はかえって選挙を不明朗なものにする危険性を有すること，選挙人が棄権する事由は複雑であること，等を根拠として，棄権の自由は認められることと解すべきである。

D　２元説における選挙運動の自由

選挙運動の自由は，表現の自由としての側面を有するから，その制約は必要最小限度でなければならないが，選挙の公正を確保する選挙権の公務的制約の見地から，選挙権の制限については，ある程度立法裁量が認められることと解すべきである。

（２）被選挙権の法的性格

被選挙権とは，選挙人団によって選挙された場合に，これを承諾し，公務員となり得る資格のことをいう。被選挙権は，立候補の自由ともいう。

被選挙権の法的性格に関しては，「選挙によって議員その他の公職に就き得るための資格」と考え，それは権利でなく，権利能力であると解されている。

被選挙権については，条文上，明確な根拠規定があるわけではないものの，被選挙権は，選挙権と表裏の関係にあることから，日本国憲法第 15 条第１項により保障されていることと解されている。『三井美唄炭鉱事件』判決（最高裁判所昭和 43 年 12 月４日大法廷判決）において，このような見解が表明された。

《重要論点Ｑ＆Ａ／憲法 023》

Ｑ　拡大連座制を規定している公職選挙法第 251 条の２第１項は，立候補の自由を制限するものとして違憲と解すべきか？

Ａ　立候補の自由は，選挙権の自由な行使と表裏一体のものとして，日本国憲法第 15 条第１項により保障されるが，国民主権及び代表民主制において，選挙の公正は，厳粛に保持されなければならず，選挙の公正確保のための必要最小限の制約は，目的が正当かつ手段が目的達成のため必要最小限といえる場合に限り認められると解すべきである。拡大連座制については，選挙の公正確保という立法目的は正当であるが，組織的運動管理者等の選挙犯罪を理由に，候補者本人の立候補を禁止することは，選挙の公正確保のための必要最小限の手段を超えるようにも思える。しかし，候補者は，選挙の公正確保のために組織的運動管理者等が選挙犯罪をしないよう努めるべきであり，５年間の立候補停止という手段は，悪質な選挙犯罪により選挙の公正を害した場合に候補者に制裁を加えて反省を促すと同時に，選挙犯罪に対する威嚇を行うことで選挙の公正を保持しようとするもので，組織的選挙運動管理者が禁錮以上の刑に処せられたときに限定しており，また，５年間という期間も候補者の政治生命を断つほど長期のものではないことから，手段が目的達成のため必要最小限であるといえる。ゆえに，拡大連座制は，合憲であると解すべきである。

【公職選挙法第 251 条の２第１項】

次の各号に掲げる者が第 221 条，第 222 条，第 223 条又は第 223 条の２の罪を犯し刑に処せられたとき（第４号及び第５号に掲げる者については，これらの罪を犯し禁錮以上の刑に処せられたとき）は，当該公職の候補者又は公職の候補者となろうとする者（以下この条において「公職の候補者等」という。）であつた者の当選は無効とし，かつ，これらの者は，第 251 条の５に規定する時から５年間，当該選挙に係る選挙区（選挙区がないときは，選挙の行われる区域）において行われる当該公職に係る選挙において公職の候補者となり，又は公職の候補者であることができない。この場合において，当該公職の候補者等であつた者で衆議院（小選挙区選出）議員の選挙における候補者であつたものが，当該選挙と同時に行われた衆議院（比例代表選出）議員の選挙における当選人となつたときは，当該当選人の当選は，無効とする。

一　選挙運動（参議院比例代表選出議員の選挙にあつては，参議院名簿登載者のために行う選挙運動に限る。次号を除き，以下この条及び次条において同じ。）を総括主宰した者

二　出納責任者（公職の候補者又は出納責任者と意思を通じて当該公職の候補者のための選挙運動に関する支出の金額のうち第 196 条の規定により告示された額の２分の１以上に相当する額を支出した者を含む。）

三　３以内に分けられた選挙区（選挙区がないときは，選挙の行われる区域）の地域のうち１又は２の地域における選挙運動を主宰すべき者として公職の候補者又は第１号に掲げる者から定められ，当該地域における選挙運動を主宰した者

四　公職の候補者等の父母，配偶者，子又は兄弟姉妹で当該公職の候補者等又は第１号若しくは前号に掲げる者と意思を通じて選挙運動をしたもの

五　公職の候補者等の秘書（公職の候補者等に使用される者で当該公職の候補者等の政治活動を補佐するものをいう。）で当該公職の候補者等又は第１号若しくは第３号に掲げる者と意思を通じて選挙運動をしたもの

3　全体の奉仕者の意義【日本国憲法第 15 条第２項】

公務員が「全体の奉仕者」であるという意味は，単に，公務員は，主権者である国民の使用人として国民に奉仕する者であるというだけではなく，公務員は，公務に従事し，国民の中の一部・一階級・一階層の利益のために行動してはならないということを意味する。

公務員が「全体の奉仕者」であることは，公務員の各種の義務の根拠とされている。

二　選挙

1　選挙の意義

選挙とは,有権者からなる選挙人団が公務員を選定する行為のことをいう。

国政においては，国会という国家機関を構成する上で，不可欠の前提となる行為であり，代表民主制の下では，国民が現実に主権を行使し得るのは，原則として，選挙においてのみであることから，選挙権（日本国憲法第15条第1項）は，国民主権の具体的行使形態として，国民に対して，国政への参加を保障する極めて重要な基本的権利であるといえる。

2　選挙の原則

（1）普通選挙【日本国憲法第15条第3項】

普通選挙とは，一定の財産や納税額や教育や性別等を要件とする制限選挙を否認し，国民または住民に対して，一般的に選挙権を付与する選挙原則のことをいう。

（2）秘密選挙【日本国憲法第15条第4項】

秘密選挙とは，投票が誰に対してなされたかを秘密にする選挙原則のことをいう。

秘密選挙の原則は，選挙の自由と公正を確保する上で不可欠の条件として選挙の基本原則とされ，有権者の自由意思に基づいて投票することを保障するものである。

選挙権のない者や代理投票をした者の投票についても，その投票が何人に対してされたかは，議員の当選の効力を決定する手続きにおいて取り調べてはならない（最高裁判所昭和25年11月9日判決）。

詐欺投票や投票偽造等の罪といった選挙犯罪に関する刑事手続きの場合についても，投票の検索を許すことは他の正当な選挙人の投票の秘密を害する危険性を有すること，投票の内容自体を審査しなくても詐欺投票や投票偽造等の犯罪構成要件は充たされ,あえて投票の検索をする必要はないことから,投票の検索は許されないとされている。

（3）平等選挙

平等選挙とは,複数投票制（特定の選挙人に2票以上の投票を認める制度）や等級選挙制（選挙人を特定の等級に分けて等級毎に代表者を選出する制度）を否定し，選挙権の平等な付与（投票機会の平等）と投票価値の平等を保障する選挙原則のことをいう。

① 投票機会の平等

A 在宅投票制度

在宅投票制度とは，身体に障碍を抱える人等に対して，投票所ではなく，自宅等において投票を可能にするための制度のことをいう。

《重要論点Ｑ＆Ａ／憲法 024》

Q 身体障碍者にも選挙権が与えられているにも拘わらず，在宅投票を認めないことは，実質的に投票の機会を奪い，選挙権侵害となり，違憲と解すべきか？

A 形式的に投票資格を保障しても，事実上投票が不可能，あるいは，著しく困難となる場合には，実質的に選挙権を奪うことと等しいことから，選挙権は形式的な投票資格のみならず，実質的な投票機会も保障されることと解すべきである。では，いかなる限度の制約までが認められるのか。選挙権は民主政の基盤をなす重要な権利であることから，その制約の合憲性は，より制限的ではない他の選び得る手段の基準（ＬＲＡの基準）によって判断すべきである。この点，在宅投票の禁止は，選挙の不正を防止するという立法目的は正当である。しかし，かかる立法目的は，在宅投票制度を認めた上で，付随的な規制を強化することによっても達成し得るから，手段は必要最小限とはいえない。ゆえに，在宅投票を認めないことは選挙権侵害となり，違憲と解すべきである。

B 在外国民の選挙権行使制度

外国に居住する日本国民も国民であることには変わりがないことから，当然に選挙権の行使が認められるべきである。ゆえに，国には，在外国民が選挙権を行使し得る制度を整備する義務があると解されている。

② 投票価値の平等

A 投票価値の平等は保障されるか

現行法上，１人１票の原則が保障されている。しかし，各選挙区の議員定数の配分に不均衡があり，人口数または有権者数との比率において，選挙人の投票価値に不平等が生じてしまっている。そこで，日本国憲法が，１人１票という投票資格の平等のみならず，投票価値の平等をも保障しているかが問題となる。

a 第 15 条根拠説

日本国憲法第 15 条第１項の選挙権の権利の本質から，規範的要請として，既に，すべての主権者が等しい価値の選挙権を有することが導かれることから，投票価値の平等をも保障されていると解すべきである。

b 第44条但し書き根拠説

日本国憲法第 44 条但し書きに列挙されている理由による差別は合理性を有しないことが歴史的経験を経て証明されているので，日本国憲法第 44 条但し書きの選挙権の平等は，日本国憲法第 14 条第 1 項の一般的平等原則における実質的平等や相対的平等の原理ではなく，画一的・算術的・形式的平等を要請する原理として特別の意味を持っていることから，投票価値の平等をも保障されていると解すべきである。

【日本国憲法第44条】

両議院の議員及びその選挙人の資格は，法律でこれを定める。但し，人種，信条，性別，社会的身分，門地，教育，財産又は収入によつて差別してはならない。

c 第14条・第15条・第44条総合解釈説（判例及び通説）

投票価値について個人差があれば，結局，複数投票制を認めるのと同様の結果となり得ることから，日本国憲法第14条第1項の「法の下の平等」の保障は全うされず，日本国憲法が「人類普遍の原理」としての民主政の原理（前文）に基づき，国民の公務員の選定・罷免権を「国民固有の権利」とし，「普通選挙を保障」している（日本国憲法第15条第1項）こと自体に，選挙区間における投票価値の平等を要請する趣旨が包含されていることから，投票価値の平等をも保障されていると解すべきである。この見解は，『衆議院議員定数不均衡事件』違憲判決（最高裁判所昭和51年4月14日大法廷判決）においても採用されている。

B 議員定数不均衡の許容範囲はどの程度までか

投票価値の平等まで保障されるとしても，議員定数の配分と人口数または有権者数との比率を，各選挙区でまったく同一にすることは現実には困難である。そこで，許容される格差はどの程度であるかが問題となる。

a 1対1説

主権者間の権利の平等を厳格に要求することによって，主権者の意思を議会に忠実に反映させるために，1対1の原則を超える限り，1対2以内であったとしても，これを正当化する特別の事由が立証されない限り，違憲の問題を生ずることから，あくまでも1対1の原則を貫くことと解すべきである。

b 1対2以内説（通説）

1票の重みが特別の合理的な根拠もなく選挙区間で2倍以上の偏差を有すると，実質上複数投票制を認めたこととなり，また，選挙区は行政区画を前提にして決められ，選挙によってできるだけ多様な国民意思が公正に国会に反映されるべきであることを考慮しなければならないことから，議員定数不均衡については，1対2以内までであれば許容範囲であると解すべきである。

C 投票価値の平等に関する各種理論

a 合理的期間論

合理的期間論とは，不断に変動する人口比率に対して，即時に定数配分に反映させることは現実的に困難であることから，定数配分規定が違憲となるためには合理的期間の経過が必要であるとする理論のことをいう。最高裁判所は，平成 21 年８月 30 日施行の衆議院議員総選挙当時において，衆議院小選挙区選出議員の選挙区割りの基準のうち，１人別枠方式に関する部分は，憲法の投票価値の平等の要求に反する状態に至っており，同基準に従って規定する選挙区割りも，憲法の投票価値の平等の要求に反する状態に至っていたが，いずれも憲法上要求される合理的期間内における是正がされなかったとはいえず，日本国憲法第 14 条第１項等に違反するものということはできないと判示した（最高裁判所平成 23 年３月 23 日大法廷判決）。

b 統治行為論

統治行為論とは，先述したように，国家統治の基本に関する高度な政治性を有する国家行為については，法律上の争訟として裁判所による法律判断が可能であったとしても，司法審査の対象から除外すべきとする理論のことをいう。

一般的に統治行為論が認められたとしても，議員定数が不均衡であるという民主政の過程それ自体に瑕疵がある場合には，国会等の政治部門による是正が不可能となるため，統治行為論はその前提を欠くこととなり，認めることはできない。

統治行為論が認められない場合には，そもそも，統治行為論自体が認められないので，議員定数が不均衡であるという民主政の過程それ自体に瑕疵がある場合にも当然認められることはない。

c 全部違憲論

全部違憲論とは，選挙区割り及び議員定数の配分は，議員総数と密接不可分の関連があることから，定数配分規定の一部の違憲の瑕疵は，その規定全体の違憲をもたらすため，定数配分規定全体が違憲となるとする理論のことをいう。『衆議院議員定数不均衡事件』違憲判決において，最高裁判所は，選挙区割り及び講員定数の配分は，議員総数と関連させながら，複雑，微妙な考慮の下で決定され，一度決定されたものは，一定の議員総数の各選挙区への配分として，相互に有機的関連し，一の部分における変動は他の部分にも影響を及ぼすべき性質を有することから，不可分一体であり，単に不平等を招来している部分のみでなく ，全体として違憲の瑕疵を帯びるものと解すべきであると判示した（最高裁判所昭和 51 年４月 14 日大法廷判決）。

d　事情判決の法理

事情判決の法理とは，裁判所が，一定要件のもとで，損害の賠償，損害の防止の程度等一切の事情を考慮して，処分または裁決が違法ではあるが，請求を棄却することができ，判決主文において，処分または裁決が違法であることを宣言する判決のことをいい（行政事件訴訟法第31条第1項），定数不均衡における違憲判決については，無効とすると違憲の定数表で当選した議員によって議決された法律や予算等の効力も無効となってしまうこと，選挙を無効にすると違憲な議員定数配分規定を改正する者がいなくなってしまうこと等，様々な混乱が生じる危険があることから，選挙自体は無効とはならず，違憲であることを宣言するのみであるとする理論のことをいう。『衆議院議員定数不均衡事件』違憲判決において，最高裁判所もこの事情判決の法理を採用し，選挙自体は違憲ではあるけれども無効とはしない旨を判示した（最高裁判所昭和51年4月14日大法廷判決）。

【行政事件訴訟法第31条】

取消訴訟については，処分又は裁決が違法ではあるが，これを取り消すことにより公の利益に著しい障害を生ずる場合において，原告の受ける損害の程度，その損害の賠償又は防止の程度及び方法その他一切の事情を考慮したうえ，処分又は裁決を取り消すことが公共の福祉に適合しないと認めるときは，裁判所は，請求を棄却することができる。この場合には，当該判決の主文において，処分又は裁決が違法であることを宣言しなければならない。

2　裁判所は，相当と認めるときは，終局判決前に，判決をもつて，処分又は裁決が違法であることを宣言することができる。

3　終局判決に事実及び理由を記載するには，前項の判決を引用することができる。

この事情判決の法理に対しては，違憲の場合は無効であるという日本国憲法上の大原則（日本国憲法第98条第1項）に反していることや，国会が裁判所の違憲判断に対して適切な是正措置を採らなかった場合に，司法の権威の失墜を招来すること等の学説上の批判がある。

また，事情判決がなされたにも拘わらず，国会が適切な是正措置を採らなかった場合における対応方法としては，国会が適切な是正措置を採るまで，あくまでも事情判決を繰り返し行うべきであるという対応方法，一定期間の経過をもって無効とするという将来効判決を下すべきであるという対応方法，そもそも，違憲であるのだから，原則通り，無効とすべき判決に踏み切るべきであるという対応方法，裁判所が自ら定数配分を行い，国会が新しく法改正を行うまで，それによって選挙を施行するという対応方法等が学説上展開されている。

D　衆議院議員総選挙の場合

衆議院議員総選挙においては，１票の格差が最大１対 4.99 にまで及んでいる状況において，投票価値の平等は，憲法原則であることを認めた上で，行政区画・面積の大小等の人口以外の要素を考慮に入れることも許されるとしながらも，本件の較差は，合理的期間内における是正が行われなかったことも考慮して，選挙権の平等の要求に違反すると判示し，定数配分規定は全体として不可分一体であるので，配分規定は全体として違憲の瑕疵を帯びるとしたが，選挙を全体として無効にすることによって生じる不当な結果を回避するために，行政事件訴訟法第 31 条の規定する事情判決の法理により，選挙を無効とせず違法の宣言にとどめる判決をした（最高裁判所昭和 51 年４月 14 日大法廷判決）。

また，１票の格差が最大１対 4.40 にまで及んでいる状況において，本件の較差は，合理的期間内における是正が行われなかったことから，選挙権の平等に違反すると判示し，定数配分規定は全体として不可分一体であるので，配分規定は全体として違憲の瑕疵を帯びるとしたが，選挙を全体として無効にすることによって生じる不当な結果を回避するために，行政事件訴訟法第 31 条の規定する事情判決の法理により，選挙を無効とせず違法の宣言にとどめる判決をした（最高裁判所昭和 60 年７月 17 日大法廷判決）。

なお，最高裁判所は，１票の格差が最大１対 3.93 にまで及んでいる状況においても，投票価値の不平等は，国会において通常考慮し得る諸般の要素を斟酌してもなお，一般的に合理性を有するものは考えられない程度に達していたというべきであり，これを正当化すべき特別の理由を見出すことができないことから，日本国憲法が要求する選挙権の平等に反する程度に至っていたものというべきであるとした（最高裁判所昭和 58 年 11 月７日大法廷判決）。この判決において，１票の格差が最大１対 3.93 であることを違憲状態にあるとしたことから，衆議院議員総選挙においては，１対３までの格差であれば，日本国憲法上許容される趣旨であると一般に解されている。

E　参議院議員通常選挙の場合

参議院議員通常選挙は，衆議院議員総選挙の場合とは異なり，半数改選制を採用しており（日本国憲法第 46 条），厳密な人口比例を要求することが困難である。そこで，衆議院議員総選挙における定数訴訟の違憲審査基準が，参議院議員通常選挙における場合にもそのまま適用できるかが問題となる。

なお，最高裁判所は，参議院議員通常選挙においては，約１対６までの格差であれば，日本国憲法上許容されるとしている（最高裁判所平成８年９月 11 日大法廷判決）。

【日本国憲法第46条】

参議院議員の任期は，6年とし，3年ごとに議員の半数を改選する。

a 参議院の特殊性を重視する説（判例）

日本国憲法が2院制を採用していることから，平等原則は相対的な代表選出制度の中で実現されるべき課題であり，また，参議院は半数改選制を採用しているため，厳密な人口比例を実現することは困難であり，衆議院と比較して都道府県またはそれよりも大きな政治単位における国民の意見や利害が均等に反映されるように構成することも多元的民意の反映という見地から合理的であることから，定数不均衡の許容程度は異なると解すべきである。最高裁判所は，参議院の特殊性を重視する見解を採用している（最高裁判所昭和58年4月27日大法廷判決）。

b 参議院の特殊性を重視しない説（通説）

参議院の地域代表的性格や，半数改選制・偶数定数制，選挙区割や定数配分をより長期間固定することで，国民の利害や意見を安定的に国会に反映させる機能，定数是正の限界等を参議院の特殊性として認定するとしても，これがすべて，当然，投票価値の平等の要請を後退させる根拠となり得るのかは問題であり，そもそも，日本国憲法上の諸制度は，人権保障の目的に奉仕するものであることからすると，選挙制度の合理性によって投票価値の平等と選挙権の侵害を正当化することは本末転倒であることから，定数不均衡の許容程度は異ならず，衆議院議員総選挙における定数訴訟に適用される違憲審査基準は参議院議員通常選挙についてもそのまま妥当することと解すべきである。

F 地方議会議員選挙の場合

公職選挙法第15条第8項本文は，「各選挙区において選挙すべき地方公共団体の議会の議員の数は，人口に比例して，条例で定めなければならない」と規定している。

このように，立法府が議員定数についての規程を設定した以上， 地方議会の条例制定に際しての裁量の幅が，衆講院の定数配分における立法府の裁量よりも限定されるかが問題となる。つまり，地方議会議員定数の場合は，衆議院議員の場合よりも厳格に解すべきであるかが問題となる。

【公職選挙法第15条第8項】

8 各選挙区において選挙すべき地方公共団体の議会の議員の数は，人口に比例して，条例で定めなければならない。ただし，特別の事情があるときは，おおむね人口を基準とし，地域間の均衡を考慮して定めることができる。

a　衆議院の場合と同様に考えるべきであるとする説

国会議員選挙における投票価値の平等という日本国憲法上の要請は，選挙権が議会制民主主義の根幹をなすことに基づいており，地方議会議員選挙の場合についても，選挙権は地方自治の根幹をなすものであることに変わりはないのであり，非人口要素を考慮する点においても同様であることから，地方議会議員定数の場合は，衆議院議員の場合と同様であると解すべきである。

b　衆議院の場合よりも厳格に考えるべきであるとする説

人口比例の原則が法定されており，選挙の実施範囲が狭く，非人口要素の考慮の度合いが少ないといえ，身近な問題を扱う地方自治では民意のばらつきが少ないといえることから，地方議会議員定数の場合は，衆議院議員の場合よりも厳格に解すべきである。

（４）直接選挙

直接選挙とは，有権者が公務員を直接に選定する制度のことを意味する（日本国憲法第 43 条第１項）。

【日本国憲法第 43 条】
　両議院は，全国民を代表する選挙された議員でこれを組織する。
2　両議院の議員の定数は，法律でこれを定める。

この直接選挙に対して，選挙人がまず選挙委員を選び，その選挙委員が公務員を選挙する制度である間接選挙，既に選挙されて公職にある者が公務員を選挙する制度である準間接選挙（複選制）がある。

《重要論点Ｑ＆Ａ／憲法 025》

Ｑ　参議院の特性を活かすために，参議院議員通常選挙に間接選挙制や複選制を採用することができるか？

Ａ　日本国憲法第 43 条第１項には，日本国憲法第 93 条第２項とは異なり，「直接」の文言がないことから，間接選挙制や複選制が，日本国憲法第 43 条第１項の「選挙」に含まれるかが問題となるが，そもそも，間接選挙は選挙人が直接に議員を選挙する能力を有しないことを前提としていることから，国民主権原理や国民に公務員の選定罷免権を与えた日本国憲法第 15 条第１項及び第３項，並びに第 44 条の趣旨に反することとなる。ゆえに，日本国憲法第 43 条第１項の「選挙」とは，直接選挙のみを意味しており，参議院議員通常選挙において，間接選挙制や複選制を採用することはできないものと解すべきである。

日本国憲法上，国家議員選挙のみならず，地方議会議員選挙においても直接選挙が採用されている（日本国憲法第 93 条第２項）。

【日本国憲法第 93 条】
地方公共団体には，法律の定めるところにより，その議事機関として議会を設置する。
2　地方公共団体の長，その議会の議員及び法律の定めるその他の吏員は，その地方公共団体の住民が，直接これを選挙する。

（５）自由選挙

自由選挙とは，棄権しても罰金・公民権停止・氏名の公表等の制裁を受けない選挙原則のことをいう。自由選挙は任意投票ともいう。

これに対し，選挙の公務性を根拠に，正当な理由なしに棄権した選挙人に制裁を加える制度である強制投票制がある。

重要論点Ｑ＆Ａ／憲法 026》

Q　強制投票制度は，投票者の選挙権（日本国憲法第 15 条第１項）を侵害するか？

A　選挙権を主観的権利とのみ解せば，棄権の自由も選挙権の一内容であり，強制投票制度は選挙権侵害になると解すべきである。確かに，選挙権は参政権の行使という意味で１つの権利である。しかし，選挙人は，選挙人団という国家機関を構成して公務員の選定という公務執行の義務を負っている。ゆえに，選挙権は参政の権利であるとともに，公務でもあるとも解すべきである（二元説）。であるならば，棄権の自由を選挙権の一内容と捉えるのは妥当ではなく，強制投票制度が常に選挙権侵害になるとは限らないといえる。ゆえに，選挙権の公務的側面からすると，選挙人に過料程度の制裁を科すことは許され得るものと解すべきである。

３　選挙区制・選挙方法・投票方法

（１）選挙区制

①　小選挙区制

小選挙区制とは，選挙人団が１人の議員を選出する選挙区に基づく選挙区制をいう。

A　小選挙区制の長所

小選挙区制の長所は，２大政党制を促し政局が安定すること及び選挙区域が狭いことから選挙費用が節約できることが挙げられる。

B　小選挙区制の短所

小選挙区制の短所は，死票が発生する確率が高いこと，情実や買収といった選挙腐敗を誘発しやすいことが挙げられる。

②　大選挙区制

大選挙区制とは，選挙人団が２人以上の議員を選出する選挙区に基づく選挙区制をいう。

A　大選挙区制の長所

大選挙区制の長所は，死票が発生する確率が低いこと，腐敗行為や選挙干渉が少なくなることが挙げられる。

B　大選挙区制の短所

大選挙区制の短所は，地域が広くなることから選挙費用がかかること，同一政党から複数の候補者が立つことから共倒れとなりやすいことが挙げられる。

③　比例代表制

比例代表制とは，得票数によって示される勢力に比例して議席を与える選挙区制をいう。

A　比例代表制の長所

比例代表制の長所は，民意を忠実に反映することができることが挙げられる。

B　比例代表制の短所

比例代表制の短所は，小党乱立により，政局が不安定になる危険があることが挙げられる。

（２）投票の方法

①　単記投票法

単記投票法とは，一選挙区から選出する議員定数の多少に関係なく，投票用紙に１人の候補者の氏名を記載することによって投票させる方法のことをいう。

②　連記投票法

連記投票法とは，一選挙区から２人以上の議員を選出する大選挙区制において，投票用紙に２人以上の候補者を記載することによって投票させる方法のことをいう。

連記投票法には，選挙区の議員定数と同数の候補者名を記載させる完全連記制，及び，議員定数より少ない候補者名を記載させる制限連記制，の２つがある。

（３）代表の方法

①　多数代表法

多数代表法とは，選挙区の多数派に対して，その選挙区から選出される議員のすべてを独占させる可能性を与える代表の方法のことをいう。

② 少数代表法

少数代表法とは，選挙区の少数派に対しても，ある程度議員を選出する可能性を与える代表の方法のことをいう。

③ 比例代表法

比例代表法とは，少数派にも合理的な代表を得ることができるように，得票数によって示させる勢力に比例して議席を与える選挙方法をいう。

4 選挙の争訟

（1）選挙争訟

選挙は法令の規定に従って公正に行われなければならないことから，選挙がその効力要件と考えられる執行規定に違反して行われ，選挙人の意思を正しく反映していないような場合には，その選挙は，効力を発生すべきではないものであるとして，選挙人に争訟手段をもって，その効力を争うことを認めている。選挙人は，選挙が選挙の規定に違反して行われ，選挙の結果に異動を及ぼす危険がある場合には，選挙管理委員会を被告として高等裁判所に出訴し，選挙の全部または一部の無効を主張することができる（公職選挙法第204条）。

【公職選挙法第204条】

衆議院議員又は参議院議員の選挙において，その選挙の効力に関し異議がある選挙人又は公職の候補者（衆議院小選挙区選出議員の選挙にあつては候補者又は候補者届出政党，衆議院比例代表選出議員の選挙にあつては衆議院名簿届出政党等，参議院比例代表選出議員の選挙にあつては参議院名簿届出政党等又は参議院名簿登載者）は，衆議院（小選挙区選出）議員又は参議院（選挙区選出）議員の選挙にあつては当該都道府県の選挙管理委員会を，衆議院（比例代表選出）議員又は参議院（比例代表選出）議員の選挙にあつては中央選挙管理会を被告とし，当該選挙の日から30日以内に，高等裁判所に訴訟を提起することができる。

（2）連座制による当選無効・立候補制限

連座制による当選無効・立候補制限連座制とは，選挙運動の責任者が買収等の悪質な選挙犯罪により有罪判決を受けた場合には，立候補者もそれに関与したとみなすことによって，当選無効等の取扱いにする制度のことをいう。

（3）当選訴訟

当選訴訟とは，選挙そのものは有効に行われたということを前提として，誰がその選挙における正しい当選人であるかを争う訴訟のことをいう。当選を失った者は，選挙管理委員会を被告として高等裁判所に出訴することができる（公職選挙法第208条）。

【公職選挙法第208条】

衆議院議員又は参議院議員の選挙において，当選をしなかつた者（衆議院小選挙区選出議員の選挙にあつては候補者届出政党，衆議院比例代表選出議員の選挙にあつては衆議院名簿届出政党等，参議院比例代表選出議員の選挙にあつては参議院名簿届出政党等を含む。）で当選の効力に関し不服があるものは，衆議院（小選挙区選出）議員又は参議院（選挙区選出）議員の選挙にあつては当該都道府県の選挙管理委員会を，衆議院（比例代表選出）議員又は参議院（比例代表選出）議員の選挙にあつては中央選挙管理会を被告とし，第101条第2項，第101条の2第2項，第101条の2の2第2項若しくは第101条の3第2項又は第106条第2項の規定による告示の日から30日以内に，高等裁判所に訴訟を提起することができる。ただし，衆議院（比例代表選出）議員の選挙においては，当該選挙と同時に行われた衆議院（小選挙区選出）議員の選挙における選挙又は当選の効力に関する事由を理由とし，当選の効力に関する訴訟を提起することができない。

2　衆議院（比例代表選出）議員の当選の効力に関し訴訟の提起があつた場合において，衆議院名簿届出政党等に係る当選人の数の決定に過誤があるときは，裁判所は，当該衆議院名簿届出政党等に係る当選人の数の決定の無効を判決しなければならない。この場合においては，当該衆議院名簿届出政党等につき失われることのない当選人の数を併せて判決するものとする。

3　前項の規定は，参議院（比例代表選出）議員の選挙の当選の効力に関する訴訟の提起があつた場合について準用する。この場合において，同項中「衆議院名簿届出政党等」とあるのは，「参議院名簿届出政党等」と読み替えるものとする

三　政党

1　政党の意義

政党とは，政治上の信条，意見等を共通にする者が任意に結成する政治結社（『共産党袴田事件』判決（最高裁判所昭和63年12月20日大法廷判決）のことをいう。政党の直接の根拠規程は，日本国憲法第 21 条第1項の「結社」の自由である。

2　政党の機能

（1）民意の形成及び反映

政党は，国民の政治意思（民意）を形成し，これを媒介し，議会における意思の統合を図る。議会制民主主義にとって最も重要な機能であるといえる。

（2）政策の実現

政党は，政策を実現すること，あるいは，これに対する批判によって，公共的利益に奉仕する。

（3）政府と議会の共働の円滑化

政党は，議院内閣制の下で政府と議会の共働を円滑にする。

（4）世論の形成及び伝達

政党は，日常の政治宣伝，選挙活動を通じて，国民の政治意思を形成する。

3　政党に対する国家の態度の歴史

政党に対する憲法（国家）の態度の移り変わりの分析としてトリーペルの説が有名である。

（1）敵視及び非合法化

政党は，議員の自由な意思決定を妨げる危険性を有する存在として，排斥される。

（2）無視

政党の存在は，有害とも無害とも判断されず無視される。

（3）承認及び合法化

政党の存在を認め，法制化する。現在の我が国はこの段階にある。日本国憲法は，政党について明示してはいないが，代表民主制における政党の果たす役割の重大さを考えると，「承認及び合法化」の段階にあると考えられる。

（4）憲法的編入

議会制民主主義を独裁制から守るために，政党そのものが独裁団体として出現しないよう，政党そのものの民主化を図ることを目的として憲法等による規制を行う。現在のドイツはこの段階にあるとされている。

4　日本国憲法下における政党の地位

日本国憲法においては，政党について格別の規定を設けていないが，政党は，現代大衆社会において，国民の政治意思を形成する最も有力な媒体であり，議会制民主主義（前文，日本国憲法第43条）の円滑な運営を支える存在として，日本国憲法においても政党の存在を当然予定しているといえる。また，日本国憲法は，政党の存在を当然に予定しているのみならず，現代大衆社会において政党は国民の政治意思を形成する最も有力な媒体であること，政党は議会制民主主義の円滑な運営を支える不可欠の存在であることから，さらに積極的活動を期待しているとするのが，判例（『八幡製鉄事件』最高裁判所昭和45年6月24日大法廷判決）・通説の立場である。

第3節　最高裁判所裁判官の国民審査

一　最高裁判所裁判官の国民審査制度の意義

1　国民審査制度の意義【日本国憲法第79条第2項】

【日本国憲法第79条】

最高裁判所は，その長たる裁判官及び法律の定める員数のその他の裁判官でこれを構成し，その長たる裁判官以外の裁判官は，内閣でこれを任命する。

2　最高裁判所の裁判官の任命は，その任命後初めて行はれる衆議院議員総選挙の際国民の審査に付し，その後10年を経過した後初めて行はれる衆議院議員総選挙の際更に審査に付し，その後も同様とする。

3　前項の場合において，投票者の多数が裁判官の罷免を可とするときは，その裁判官は，罷免される。

4　審査に関する事項は，法律でこれを定める。

5　最高裁判所の裁判官は，法律の定める年齢に達した時に退官する。

6　最高裁判所の裁判官は，すべて定期に相当額の報酬を受ける。この報酬は，在任中，これを減額することができない。

最高裁判所裁判官の任命に対する国民審査の制度は，内閣の任命行為（長たる裁判官については指名）について，国民の民主的コントロールを及ぼすことを意図し，日本国憲法第15条第1項に規定する公務員選定・罷免権を具体的に保障したものである 。

最高裁判所の裁判官は，任命された後に初めて行われる衆議院議員総選挙の際に，国民審査に付され，また，その後10年を経過した後に初めて行われる衆議院議員総選挙の際に，さらに，国民審査に付され，その後も同様に，10年ごとに国民審査に付されることとなる

2　国民審査制度の法的性格

国民審査の法的性格については，最高裁判所の裁判官は，初めて国民審査に付される以前に,既に,完全に裁判官たる地位に就いているのであるから，国民審査において罷免とするとの決定をされたとしても，その効果は将来に向かってのみ効力を有するに過ぎないと解されている（国民解職説)。最高裁判所自体も，この見解を採用している（最高裁判所昭和27年2月20日大法廷判決)。

3 国民審査法における投票方法・効果の合憲性

最高裁判所裁判官国民審査法（昭和22年法律第136号）は，投票方法として連記制を採用し，罷免を可とする裁判官について，その氏名の上欄に「×」印を記載して，罷免を可としない裁判官については何も記載しないこととなっている（最高裁判所裁判官国民審査法第15条第1項）。

【最高裁判所裁判官国民審査法第15条】

審査人は，投票所において，罷免を可とする裁判官については，投票用紙の当該裁判官に対する記載欄に自ら×の記号を記載し，罷免を可としない裁判官については，投票用紙の当該裁判官に対する記載欄に何等の記載をしないで，これを投票箱に入れなければならない。

2 投票用紙には，審査人の氏名を記載することができない。

この投票方法について，白紙投票が罷免を可としないで計算されることになり，任命の可否を問うとする日本国憲法の趣旨に反しないか，投要票用紙が分割し得ないこと及び棄権をする自由が奪われている点で，日本国憲法第19条の思想及び良心の自由を侵すのではないか，という問題が生ずる。

しかし，最高裁判所は，国民審査は解職の制度であるから，積極的に可とする者とそうでない者との２つに分かれるのは当然であること，この制度は，罷免を可とする者が多数であるか否かを知ろうとするものであるから，罷免することの是非がわからない者が罷免を可としない者として扱われるのも当然であること，国民審査では，国民はある裁判官が罷免されなければならないと思う場合において，その者に罷免の投票をするだけであって，その他の者については内閣の選定に託す建前であることから，通常の選挙の場合における良心的棄権ということは考慮する必要はない，との理由により，違憲ではないという判断をしている（最高裁判所昭和27年２月20日大法廷判決）。

二 最高裁判所長官の国民審査

最高裁判所裁判宮として任命され，既に，国民審査を受けた者であっても，後に長官に任命された場合には，長官として改めて国民審査を受ける必要はないかが問題となる。

この点，学説上，実際運用では，日本国憲法第79条第１項は，長官もその他の裁判官もともに，「最高裁判所の裁判官」として同一の扱いをしているから，１度審査を受ければそれで充分であるとして，改めて国民審査に付されることは不要であるとの見解説が採用されている。

第４節　地方公共団体における直接選挙

一　地方公共団体における首長・議員等の直接選挙の意義

１　地方公共団体における直接選挙の意義【日本国憲法第 93 条】

（１）地方公共団体の首長

大日本帝国憲法下では，地方公共団体に議事機関を設置し，議員を住民が直接選挙することは，原則として認められたが，首長の住民による直接公選は否認されていた。この点，日本国憲法第 93 条第２項は，首長や議員を直接選挙で選び，住民自治の原理を具体化している。

（２）地方議会議員

都道府県議会の議員定数は，地方自治法によって，地方公共団体の人口に従って定め，定数を増やすことは原則的にはできないこととされている（地方自治法第 90 条）。

【地方自治法第 90 条】

都道府県の議会の議員の定数は，条例で定める。

２　前項の規定による議員の定数の変更は，一般選挙の場合でなければ，これを行うことができない。

３　第６条の２第１項の規定による処分により，著しく人口の増加があつた都道府県においては，前項の規定にかかわらず，議員の任期中においても，議員の定数を増加することができる。

４　第６条の２第１項の規定により都道府県の設置をしようとする場合において，その区域の全部が当該新たに設置される都道府県の区域の一部となる都道府県（以下本条において「設置関係都道府県」という。）は，その協議により，あらかじめ，新たに設置される都道府県の議会の議員の定数を定めなければならない。

５　前項の規定により新たに設置される都道府県の議会の議員の定数を定めたときは，設置関係都道府県は，直ちに当該定数を告示しなければならない。

６　前項の規定により告示された新たに設置される都道府県の議会の議員の定数は，第１項の規定に基づく当該都道府県の条例により定められたものとみなす。

７　第４項の協議については，設置関係都道府県の議会の議決を経なければならない。

また，市区町村議会の議員定数についても，地方自治法によって，地方公共団体の人口に従って定め，定数を増やすことは原則的にはできないこととされている（地方自治法第 91 条）。

【地方自治法第 91 条】
市町村の議会の議員の定数は，条例で定める。
2 前項の規定による議員の定数の変更は，一般選挙の場合でなければ，これを行うことができない。
3 第7条第1項又は第3項の規定による処分により，著しく人口の増減があつた市町村においては，前項の規定にかかわらず，議員の任期中においても，議員の定数を増減することができる。
4 前項の規定により議員の任期中にその定数を減少した場合において当該市町村の議会の議員の職に在る者の数がその減少した定数を超えているときは，当該議員の任期中は，その数を以て定数とする。但し，議員に欠員を生じたときは，これに応じて，その定数は，当該定数に至るまで減少するものとする。
5 第7条第1項又は第3項の規定により市町村の設置を伴う市町村の廃置分合をしようとする場合において，その区域の全部又は一部が当該廃置分合により新たに設置される市町村の区域の全部又は一部となる市町村（以下本条において「設置関係市町村」という。）は，設置関係市町村が2以上のときは設置関係市町村の協議により，設置関係市町村が1のときは当該設置関係市町村の議会の議決を経て，あらかじめ，新たに設置される市町村の議会の議員の定数を定めなければならない。
6 前項の規定により新たに設置される市町村の議会の議員の定数を定めたときは，設置関係市町村は，直ちに当該定数を告示しなければならない。
7 前項の規定により告示された新たに設置される市町村の議会の議員の定数は，第1項の規定に基づく当該市町村の条例により定められたものとみなす。
8 第5項の協議については，設置関係市町村の議会の議決を経なければならない。

また，選挙区ごとに定数配分は，人口に比例して条例で定めることとなっている（公職選挙法第 15 条第8項）。

この点，最高裁判所も人口比例の原則を強く支持している（最高裁判所昭和 59 年5月 17 日判決）。

（3）その他の吏員

「法律の定めるその他の吏員」の直接選挙とは，一般的には住民によって直接選挙される吏員を法律で規定することが，憲法上は可能であるとの趣旨であって，必ずしもそうしなければならないとするわけではない。

この点，教育委員は，教育行政の地方分権化と政治的中立性の要請から，かつては，住民による直接公選で選出されていた。しかし，1956 年の地方教育行政の組織及び運営に関する法律（昭和 31 年法律第 162 号）の制定により，地方公共団体の長の任命に切り替えられた。従って，現行法上「その他の吏員」に該当する者はいないとされている。

第５節　地方特別法の住民投票

一　地方特別法の住民投票の意義【日本国憲法第 95 条】

【日本国憲法第 95 条】
一の地方公共団体のみに適用される特別法は，法律の定めるところにより，その地方公共団体の住民の投票においてその過半数の同意を得なければ，国会は，これを制定することができない。

１　住民投票の必要性

地方特別法の制定に住民投票を求めた理由として，一般に以下のものが挙げられる。①地方公共団体の個性の尊重，②地方公共団体の平等権の保障，③国の特別法による地方自治権の侵害の防止，④地方行政における民意の尊重である。多数説は，とりわけ③の理由に重点を置いている。

２　「一の地方公共団体のみに適用される特別法」の意味

「一の地方公共団体」とは「特定」の公共団体を意味し，当該法律の適用される公共団体が１つであることを要しない。また，「特別法」とは特定の地域ではなく，特定の公共団体に適用される例外を定める法律を意味すると解されている。 特定の公共団体を対象とする法律であっても，国の事務・組織について規定し，当該公共団体に関係のないものは「特別法」に該当しない。

３　地方特別法の制定手続きの仕組み

日本国憲法第 95 条は，地方特別法の制定手続きを「法律の定めるところにより」として，法律に委ねている。この法律とは，国会法（昭和 22 年法律第 79 号）と地方自治法である。この点，国会法第 67 条は，国会の議決がまず先行し，その後住民投票に付し，過半数の同意を得たときに，先の国会の議決が確定して，法律となると定める。

【国会法第 67 条】
一の地方公共団体のみに適用される特別法については，国会において最後の可決があつた場合は，別に法律で定めるところにより，その地方公共団体の住民の投票に付し，その過半数の同意を得たときに，さきの国会の議決が，確定して法律となる。

住民投票に付される手続きは，地方自治法第 261 条に規定されている。

【地方自治法第 261 条】

一の普通地方公共団体のみに適用される特別法が国会又は参議院の緊急集会において議決されたときは，最後に議決した議院の議長（衆議院の議決が国会の議決となつた場合には衆議院議長とし，参議院の緊急集会において議決した場合には参議院議長とする。）は，当該法律を添えてその旨を内閣総理大臣に通知しなければならない。

2　前項の規定による通知があつたときは，内閣総理大臣は，直ちに当該法律を添えてその旨を総務大臣に通知し，総務大臣は，その通知を受けた日から５日以内に，関係普通地方公共団体の長にその旨を通知するとともに，当該法律その他関係書類を移送しなければならない。

3　前項の規定による通知があつたときは，関係普通地方公共団体の長は，その日から 31 日以後 60 日以内に，選挙管理委員会をして当該法律について賛否の投票を行わしめなければならない。

4　前項の投票の結果が判明したときは，関係普通地方公共団体の長は，その日から５日以内に関係書類を添えてその結果を総務大臣に報告し，総務大臣は，直ちにその旨を内閣総理大臣に報告しなければならない。その投票の結果が確定したことを知つたときも，また，同様とする。

5　前項の規定により第３項の投票の結果が確定した旨の報告があつたときは，内閣総理大臣は，直ちに当該法律の公布の手続をとるとともに衆議院議長及び参議院議長に通知しなければならない。

4　投票に参加する「住民」の範囲

「住民」の範囲については，学説の争いがあるが，国会法第 67 条は，日本国憲法上の要請としては，特別法が直接に適用される住民による投票をもって足りるとする狭義説に従っている。

第７章　国務請求権

第１節　国務請求権総論

一　国務請求権の意義

国務請求権とは，国民が自己のために国家に作為を求める権利のことをいう。

国務請求権は，国務要求権や受益権ともいう。

第２節　請願権

一　請願権の保障の意義

1　請願権の意義【日本国憲法第16条】

【日本国憲法第16条】
何人も，損害の救済，公務員の罷免，法律，命令又は規則の制定，廃止又は改正その他の事項に関し，平穏に請願する権利を有し，何人も，かかる請願をしたためにいかなる差別待遇も受けない。

請願とは，国・地方公共団体の機関に対して，その職務事項について，希望・苦情・要望等を述べることをいう。陳情も請願に含まれる。

日本国憲法第16条の規定は単なる例示であり，その対象は一切の国務・公務に関する事項に及び，かつ，請願者の利害に関係する事項のみならず，広く一般的な公共的事項についても及ぶ。但し，請願は，これを受理した官公庁に対し特別の拘束を課するものではない。その意味で，請願権は法的な効果を有する判定を求める権利ではなく，適法な請願の受理を要求する権利に留まると解される。

請願権は，専制君主の絶対的支配に対して，国民が自己の権利の確保を求める手段として発達してきた権利であり，国民が自らの政治的意思を表明するための有力な手段であったが，現代においては，国民主権原理に基づく議会政治が発達し，表現の自由の保障の下に国政を批判することも広く認められるようになったため，請願権の意義は相対的に低下している。

しかし，議会制の機能不全等の実態から，今日でも，国民の意思表明の重要な手段として，参政権を補完する役割を果たしているものといえる。

2　請願権における主体

日本国憲法第 16 条にある「何人も」とは，自然人のみならず，法人も含まれると解されており，自然人であっても，外国人や未成年者も含まれると解されている。

3　請願権の行使方法

請願権は，「平穏に」行使する必要がある。

これに加えて，請願法（昭和 22 年法律第 13 号）第２条は，請願権の行使について文書によることを求めている。

【請願法第２条】

請願は，請願者の氏名（法人の場合はその名称）及び住所（住所のない場合は居所）を記載し，文書でこれをしなければならない。

また，国会法第 79 条は，国会への提出については議員の紹介によることを求めている。

【国会法第 79 条】

各議院に請願しようとする者は，議員の紹介により請願書を提出しなければならない。

さらに，地方自治法第 124 条は，地方議会への提出についても議員の紹介によることを求めている。

【地方自治法第 124 条】

普通地方公共団体の議会に請願しようとする者は，議員の紹介により請願書を提出しなければならない。

なお，請願権行使に対しては，何人も，かかる請願をしたために，公的・私的にいかなる差別待遇（不利益）も受けないこととされている。このことによって請願権の行使を担保している。

二　請願権と裁判批判

日本国憲法第 16 条は，「その他の事項に関し」てと，広く請願権の行使の対象を規定している。この条文の文言に着目すれば，請願権の行使によって裁判批判を行うことは，条文上，当然に認められているものと解すべきである。

第3節　国家賠償責任

一　国家賠償責任の意義

1　国家賠償制度の意義

国家賠償制度とは，公権力の不法な行使に対する国民の賠償請求と国家の賠償責任を認める制度のことをいう。つまり，違法な行政活動に起因する国民の損害を金銭に見積もって，国・地方公共団体に賠償責任を負わせることで，被害者の救済を図る制度のことである。

大日本帝国憲法においては，国家無答責の原則から，大日本帝国憲法及び法律によって，国家賠償については一切規定されておらず，国家の不法行為についての国家責任は一般に否定されていた。但し，国家の私経済的な活動については，民法上の損害賠償請求は認められていた。

日本国憲法においては，国家の賠償責任を明らかにして国民の権利救済に仕えようとしており，さらに具体的な立法として国家賠償法（昭和22年法律第125号）が存在する。なお，国家賠償請求権は，あくまでも，国家の違法行為に対する賠償の請求を認めたものであるから，国家の適法行為による損害については，日本国憲法第29条第3項（損失補償制度）及び第40条（刑事補償制度）による救済が認められる。

【日本国憲法第40条】

何人も，抑留又は拘禁された後，無罪の裁判を受けたときは，法律の定めるところにより，国にその補償を求めることができる。

2　国家賠償請求権の法的性格【日本国憲法第17条】

【日本国憲法第17条】

何人も，公務員の不法行為により，損害を受けたときは，法律の定めるところにより，国又は公共団体に，その賠償を求めることができる。

日本国憲法第17条は，損害賠償請求権行使の要件を「法律の定めるところにより」として，法律の規定に全面的に委ねている。そこで，請求権の法的性格をどのように考えるべきかという問題が生ずる。この点，学説上争いがあるが，国家賠償請求権は単なるプログラム的確利ではなく，また，条文上，要件を一義的に詳細に定めているわけではないから，具体的な法律が必要とされることは確かであり，抽象的権利を定めた規定と解すべきである。

３　国家賠償請求権の内容

（１）公権力の行使に基づく賠償責任【国家賠償法第１条】

【国家賠償法第１条】

　国又は公共団体の公権力の行使に当る公務員が，その職務を行うについて，故意又は過失によつて違法に他人に損害を加えたときは，国又は公共団体が，これを賠償する責に任ずる。

２　前項の場合において，公務員に故意又は重大な過失があつたときは，国又は公共団体は，その公務員に対して求償権を有する。

①　国家賠償責任の法的性質

　国または地方公共団体の公権力を行使する公務員が，その職務を行うについて，故意または過失によって，違法に，他人に損害を加えた場合には，国または地方公共団体が，これを賠償する責任を負うこととなる（国家賠償法第１条第１項）。また，この場合において，当該公務員に，故意または重大な過失があった場合については，国または地方公共団体は，その公務員に対して求償権を有することとなる（国家賠償法第１条第２項）。

《重要論点Ｑ＆Ａ／憲法 027》

Ｑ　国家賠償法第１条の法的性質をどう解すべきか？

Ａ　国家賠償法第１条第１項は，公務員について，故意または過失が存することを要件としており，また，国家賠償法第１条第２項においては，公務員に対する求償権について規定していることから，公務員の不法行為を前提としている。この場合，本来は，当該公務員個人が，賠償責任を負うべきであるが，公務遂行について萎縮する危険性を鑑み，その責任を国または地方公共団体が，当該公務員に代わって負担することとしている。つまり，国家賠償法第１条の法的性格については，国または地方公共団体が，当該公務員に代わって負担する代位責任であると解すべきである。

②　国家賠償責任の要件

Ａ　公権力の行使

ａ　公権力の行使の意義

　国家賠償法第１条第１項に基づく責任については，加害行為が公権力の行使に該当する場合に認められる。

　国または地方公共団体の私経済活動による損害については，民法上の使用者責任の規定（民法第 715 条）に基づいて相手方の救済を図ることとなる。

【民法第 715 条】

ある事業のために他人を使用する者は，被用者がその事業の執行について第三者に加えた損害を賠償する責任を負う。ただし，使用者が被用者の選任及びその事業の監督について相当の注意をしたとき，又は相当の注意をしても損害が生ずべきであったときは，この限りでない。

2　使用者に代わって事業を監督する者も，前項の責任を負う。

3　前２項の規定は，使用者又は監督者から被用者に対する求償権の行使を妨げない。

《重要論点Ｑ＆Ａ／憲法 028》

Ｑ　国家賠償法第１条第１項の「公権力の行使」の意義をどう解すべきか？

Ａ　国家賠償法第１条第１項の「公権力の行使」に該当しない場合は，民法上の使用者責任の規定（民法第 715 条）によって，相手方の救済を図ることとなるが，これには，免責事由が規定されていることから，相手方の救済を図るには充分ではなく妥当ではない。そこで，「公権力の行使」の範囲を広く捉え，私経済的作用のみならず，純粋な私経済活動や営造物の設置・管理作用を除く，すべての行政作用を含むと解すべきである。

b　立法権または司法権の権限行使

「公権力の行使」については，本来，行政権の行使を念頭に置いたものである。しかし，判例においては，立法権の立法行為や，司法権の裁判作用についても，極めて限定的ではあるが，「公権力の行使」に該当するとしている。

α　立法行為における国家賠償責任

立法行為については，判例上，立法の内容が，憲法の一義的な文言に違反しているにも拘わらず，国会が，あえて当該行為を行うというような，容易に想定し難い，例外的な場合でない限り，国家賠償法第１条第１項の規定の適用上，違法の評価を受けないと解されている。

β　司法作用における国家賠償責任

司法作用については，判例上，裁判官がした争訟の裁判に，上訴等の訴訟法上の救済方法によって是正されるべき瑕疵が存在していたとしても，当然に国家賠償法第１条第１項に規定されている違法な行為があったとして国家賠償責任の問題が生ずることはなく，当該裁判官が違法または不当な目的をもって裁判をした等，付与された権限の趣旨に明らかに背いてこれを行使したものと認め得るような特別の事情のあることが必要であると解されている。

c　権限の不行使

「公権力の行使」とは，本来的に，公務員の積極的行為のことを意味し，権限の不行使の場合には，「公権力の行使」に該当しないと解されている。

《重要論点Ｑ＆Ａ／憲法 029》

Ｑ　行政庁がその権限を行使しない場合には，国家賠償責任を負うか？

Ａ　学説には，国民の利益とは，法が公益を保護するために，行政庁に権限を賦与したことへの反射的利益に過ぎないとして，権限の不行使については，賠償請求し得ないとの見解があるが，行政庁の権限行使は，究極的には，国民の利益を目的としており，国民の利益を単なる反射的利益として捉えることは妥当ではない。また，学説には，権限を行使するかは行政庁の裁量の範囲内であることを理由として，権限の不行使については，違法の問題は生じないとする見解もあるが，行政庁の裁量といえども，その範囲は無制限であるとはいえず，一定の場合においては，行政庁の権限の不行使について，違法と評価をすることは可能であることから妥当ではない。しかし，行政庁に，判断権限があることには異論はなく，また，その判断権限については尊重せざるを得ないことから，権限の不行使であるからといって直ちに違法であるとは判断し得ない。ゆえに，国または地方公共団体による権限の不行使については，その権限を規定している法令の趣旨や目的，その権限の性質等から判断し，具体的事情の下において，その権限の不行使が許容される限度を逸脱し，著しく合理性を欠くものであると認められる場合には，国家賠償法第１条第１項の賠償責任を負うと解すべきである。また，著しく合理性を欠いているかどうかの判断基準については，国民の生命・身体・健康に対する危険があり，行政庁の権限行使によって，その危険を容易に回避し得，また，行政庁の権限行使がなければ，結果の発生を防止し得ず，国民が行政庁の権限行使に対する期待がやむを得ないものであることが必要であると解すべきである。

Ｂ　公務員

国家賠償法第１条第１項に基づく責任については，公務員が，公権力を行使する場合に認められる。

《重要論点Ｑ＆Ａ／憲法 030》

Ｑ　国家賠償法第１条第１項の「公務員」の意義をどう解すべきか？

Ａ　本来，「公務員」とは，行政主体のために公権力を行使するもののことを意味する。ゆえに，行政主体のために公権力を行使すれば，国家賠償法第１条第１項の「公務員」に該当するといえ，国家公務員法及び地方公務員法によって規定される公務員には限定されず，公庫や後段等の特殊法人の職員はもちろんのこと，民間人であっても，公権力を行使する権限を与えられた者は，「公務員」に含まれると解すべきである。

《重要論点Ｑ＆Ａ／憲法 031》

Ｑ　国家賠償法第１条第１項の責任を追及するにあたり，加害者である「公務員」の特定及び加害行為の特定が必要となるか？

Ａ　国家賠償法第１条第１項は，公務員について，故意または過失が存することを要件としており，また，国家賠償法第１条第２項においては，公務員に対する求償権について規定していることから，公務員の不法行為を前提としている。この場合，本来は，当該公務員個人が，賠償責任を負うべきであるが，公務遂行について萎縮する危険性を鑑み，その責任を国または地方公共団体が，当該公務員に代わって負担することとしている。つまり，国家賠償法第１条の法的性格については，国または地方公共団体が，当該公務員に代わって負担する代位責任であると解すべきである。であるならば，加害公務員及び加害行為について特定すべきである。しかし，一般国民が，被害を被った場合，公務員の誰の，どのような行為によって被害を被ったのかを特定することは非常に困難である場合もあり，被害者の保護に欠け，また，被害者に過度の負担をかけることとなり，妥当ではない。そこで，一連の行為のうちのいずれかに，行為者の故意または過失によらなければ被害が生ずることがなかったと認められ，かつ，それがどの行為であるにせよ，これによる被害について，行為者の所属する国または地方公共団体が賠償責任を負うべき関係にある場合には，加害公務員の特定及び加害行為の特定については必ずしも必要ではないと解する。

Ｃ　職務を行うについて

国家賠償法第１条第１項に基づく責任については，公務員が，その職務を行うについて他人に損害を加えた場合認められる。

《重要論点Ｑ＆Ａ／憲法 032》

Ｑ　国家賠償法第１条第１項の「職務を行うについて」の意義をどう解すべきか？

Ａ　被害者保護の観点から，「職務を行うについて」，つまり，職務行為の範囲内であると判断できるためには，加害行為が客観的に職務行為の外形を備えるものであれば足り，公務員個人の主観的意図については問う必要はないと解すべきである（外形標準説）。

Ｄ　違法性

国家賠償法第１条第１項に基づく責任については，公務員が，違法に，他人に損害を加えた場合に認められる。この場合の「違法」とは，判例上，厳密な法規違反を意味するのではなく，客観的に正当性を欠くことを意味する。

《重要論点Ｑ＆Ａ／憲法 033》

Ｑ　行政処分の違法を理由に国家賠償請求を行う場合，予め取消判決を得る必要はあるか？
Ａ　学説においては，国家賠償制度と行政争訟制度は，ともに「法律による行政の原理」の実現を担保する制度であることから，同種のものであり，国家賠償法第１条第１項の規定する「違法」とは，行政活動における違法性とは異ならないとする見解がある。しかし，国家賠償請求訴訟は，違法な国家行為による損害の填補を目的とする訴訟であり，これに対し，取消訴訟は，行政行為の効果を否定し，法的義務を免れることを目的とするものであることから，両者はその目的を異にするまったく別個の訴訟制度であると解すべきである（違法性二元論）。ゆえに，国家賠償請求を行う場合には，予め取消し判決を得ておく必要はないと解すべきである。

Ｅ　公務員の故意または過失

国家賠償法第１条第１項に基づく責任については，公務員が，故意または過失によって，他人に損害を加えた場合に認められる。

《重要論点Ｑ＆Ａ／憲法 034》

Ｑ　国家賠償法第１条第１項の「過失」の意義をどう解すべきか？
Ａ　国家賠償法第１条第１項は，公務員について，故意または過失が存することを要件としており，また，国家賠償法第１条第２項においては，公務員に対する求償権について規定していることから，公務員の不法行為を前提としている。この場合，本来は，当該公務員個人が，賠償責任を負うべきであるが，公務遂行について萎縮する危険性を鑑み，その責任を国または地方公共団体が，当該公務員に代わって負担することとしている。つまり，国家賠償法第１条の法的性格については，国または地方公共団体が，当該公務員に代わって負担する代位責任であると解すべきである。であるならば，「過失」については，行為を行った個々の公務員の主観を基礎として判断すべきである（具体的過失論）。しかし，そのように判断すると，加害公務員の能力や主観的認識によって結論が異なることとなり，被害者保護の観点から公平性を欠き，妥当ではない。そこで，「過失」とは，公務員の客観的な注意義務違反と解し，通常の公務員に要求される知識・能力を前提として，当該公務員が，その被害の発生について予見し得たにも拘わらず，その予見を怠り，かつ，結果を回避し得たにも拘わらず，その回避を怠った場合に，「過失」を認定し得ると解すべきである（抽象的過失論）。

F　損害の発生

国家賠償法第１条第１項に基づく責任については，他人に損害を加えた場合に認められる。この「損害」には，生命・健康・財産の他に，精神的損害も含まれるものと解されている。

G　因果関係

公務員の行為と損害の発生との間に因果関係のあることが必要となる。

③　国家賠償責任の効果

国家賠償責任を追求するための要件が充足された場合，国または地方公共団体に賠償義務が発生することとなる。この賠償義務は，民法上の使用者責任とは異なり，免責されることはない，つまり，国または地方公共団体が，加害公務員について，その選任・監督について過失がないことを立証したとしても賠償責任を免れることができず，賠償責任が生ずることとなる。

また，この場合，加害公務員に故意または重過失がある場合に限り，国または地方公共団体は，求償権を有することとなる（国家賠償法第１条第２項）。

（２）公の営造物についての賠償責任【国家賠償法第２条】

【国家賠償法第２条】

道路，河川その他の公の営造物の設置又は管理に瑕疵があつたために他人に損害を生じたときは，国又は公共団体は，これを賠償する責に任ずる。

２　前項の場合において，他に損害の原因について責に任ずべき者があるときは，国又は公共団体は，これに対して求償権を有する。

①　公の営造物についての賠償責任の法的性質

道路，河川その他の公の営造物の設置または管理に瑕疵があったために他人に損害を生じた場合には，国または地方公共団体は賠償責任を負う（国家賠償法第２条第１項）。また，この場合において，他に損害の原因について責任を負う者がいる場合には，国または地方公共団体は，この者に対して求償権を有する（国家賠償法第２条第２項）。

《重要論点Ｑ＆Ａ／憲法 035》

Ｑ　国家賠償法第２条の法的性質をどう解すべきか？

Ａ　国家賠償法第２条第１項は，国または地方公共団体が，道路・公園等の公の施設を設置し，これを広く提供する以上は，その安全性を担保する高度な安全確保義務を負い，施設から生じる危険については，その責任を負担すべきという危険責任の法理に基づき規定されている。ゆえに，国家賠償法第２条第１項は，国家賠償法第１条第１項とは異なり，国または地方公共団体の無過失責任を認めたものと解すべきである。

② 公の営造物についての賠償責任の要件

A 「公の営造物」についての損害

「公の営造物」とは，行政主体によって，直接，公の目的に供用される有体物または物的設備のことをいう。「公の営造物」については，国または地方公共団体の所有物である必要はないと解されている。

B 設置・管理の瑕疵に基づく損害

a 設置または管理

公の営造物の設置または管理については，国または地方公共団体が，事実上，設置または管理がし得る状態にあれば足り，必ずしも法令所定の権原に基づく必要はないと解されている。

b 設置または管理の瑕疵

公の営造物の設置または管理の瑕疵については，判例上，営造物が通常有すべき安全性を欠き，他人に危害を及ぼす危険性のある状態のことをいい，当該営造物の構造・用途・場所的環境及び利用状況と諸般の事情を総合的に考慮し，個別具体的に判断されると解されている。

③ 公の営造物についての賠償責任の効果

公の営造物についての賠償責任を追求するための要件が充足された場合，国または地方公共団体に賠償義務が発生することとなる。また，他に損害の原因について責任を負う者がいる場合には，国または地方公共団体は，その者に対して，求償権を有することとなる（国家賠償法第２条第２項）。

（３）国家賠償における責任主体【国家賠償法第３条】

【国家賠償法第３条】

前２条の規定によつて国又は公共団体が損害を賠償する責に任ずる場合において，公務員の選任若しくは監督又は公の営造物の設置若しくは管理に当る者と公務員の俸給，給与その他の費用又は公の営造物の設置若しくは管理の費用を負担する者とが異なるときは，費用を負担する者もまた，その損害を賠償する責に任ずる。

２ 前項の場合において，損害を賠償した者は，内部関係でその損害を賠償する責任ある者に対して求償権を有する。

① 賠償の請求先【国家賠償法第３条第１項】

国家賠償請求訴訟の被告は，国または地方公共団体である。国家賠償法第１条第１項の規定については，加害公務員の選任・監督者と，俸給・給与その他の費用の負担者が異なる場合には，被害者はそのどちらに対しても賠償請求をすることができる。国家賠償法第２条第１項の規定については，営造物の設置・管理者と，費用負担者が異なる場合には，被害者はそのどちらに対しても賠償請求をすることができる。

②　内部関係における費用負担者【国家賠償法第３条第２項】

損害を賠償した者は，内部関係でその損害を賠償する責任ある者に対して求償権を有することとなる。

《重要論点Ｑ＆Ａ／憲法 036》

Ｑ　内部関係における最終的な費用負担者についてどう解すべきか？

Ａ　学説においては，管理責任の主体が最終の負担者となるとする見解がある（管理者説）。しかし，管理責任の主体については，選任者と管理者がいるため，具体的な場合において，選任上の過失と監督上の過失の寄与度に応じて賠償費用を分配することは極めて不可能であるといえ妥当ではない。損害賠償も行政の実施に伴う経費であると解すことができることから，判断の明確性の観点から，当該事務の費用を負担する者が損害賠償についても最終の責任者と解すべきである（費用負担者説）。

《重要論点Ｑ＆Ａ／憲法 037》

Ｑ　単に，補助金を支出したに過ぎない公共団体であっても，費用負担者として国家賠償法第３条第１項の責任を負うと解すべきか？

Ａ　国家賠償法第３条第１項は，危険責任の法理に基づいており，危険を支配する者は，その危険が具体化した場合には，責任を負うのが公平であるとの考え方に基づいている。であるならば，選任監督者と同等か，もしくは，これに近い費用を負担し，実質的には，この者と当該営造物による事業を共同して執行していると認められる者であって，当該営造物の瑕疵による危険を効果的に防止することができる者も含むものと解すべきである。ゆえに，この要件を満たす限りにおいては，単に，補助金を支出したに過ぎない者であっても責任を負うと解すべきである。

（４）民法の適用【国家賠償法第４条】

【国家賠償法第４条】

国又は公共団体の損害賠償の責任については，前３条の規定によるの外，民法の規定による。

国家賠償法は，損害賠償に関する民法の特別法である。

①　国家賠償請求が不可能な場合

国家賠償請求をすることができない事項については，民法上の規定を根拠として，損害賠償請求をすることとなる。

②　国家賠償請求が可能な場合

国家賠償請求がなされた場合，民法上の不法行為に関する規定が，補充的に，適用される。

（５） 他の法律の適用【国家賠償法第５条】

【国家賠償法第５条】

国又は公共団体の損害賠償の責任について民法以外の他の法律に別段の定があるときは，その定めるところによる。

国または地方公共団体の損害賠償責任について，民法以外の法律に別段の規定がある場合には，その規定が優先的に適用される。

（６） 相互保証主義【国家賠償法第６条】

【国家賠償法第６条】

この法律は，外国人が被害者である場合には，相互の保証があるときに限り，これを適用する。

相互保証主義とは，ある外国人の本国において，日本人が被害者になった場合には，国家賠償制度によって救済される場合に限り，その外国人に対しても，日本の国家賠償法による救済を認める制度のことをいう。国家賠償法は，外国人が被害者である場合，相互の保証があれば適用される。

４ 不法行為の意味

不法行為の意味については，①民法上の不法行為と同義であるとする説，②模然たる不法行為の意味であり， 立法に際しては，その要件を法律で任意に定め得るという説，③広く違法な行為を意味するものと解し，故意・過失に関係なく，無過失責任を認めるとする説，④行為の適法・違法と関係なく，その行為のもたらす結果が不法であるものを包含すると解し，「結果責任」を肯定する方向で解釈する説がある。この点， 国家賠償法第１条第１項は過失責任主義を採用しているので，③及び④の立場からすると，国家賠償法第１条第１項は，日本国憲法第 17 条の趣旨に反するということになる。

５ 賠償請求の主体・賠償責任の主体

賠償請求権の主体は，公務員の不法行為により損害を受けた者である。日本国憲法第 17 条は「何人も」と定めているので，外国人も請求権者に含まれるかが問題となる。この点，国家賠償法第６条は，相互保証のない外国人には請求権の主体性を否認している。また，「公務員」とは，国・公共団体の公務員だけではなく，公務員の身分を有する者に限らず，およそ公務を託され，それに従事するすべての者を意味する。また，「公共団体」には地方公共団体のみならず，公共企業体・公団・公共組合など，広くすべての公法人も含まれる。

6 賠償責任の性格

公務員の不法行為に基づく国等の賠償責任の根拠をどのように考えるか。

（１）代位責任説

不法行為の責任は，本来加害公務員個人が負うべきであるが，被害者救済の実効性を図るため，国等が公務員に肩代わりして負うと解すべきである。

（２）自己責任説

国家活動は常に損害を与えるという危険を内包しているから，このような危険から生ずる損害に対し，国等は自ら責任を負うと解すべきである。

7 立法・司法行為に対する損害賠償の可否

最高裁判所は，立法行為について，憲法の文言に違反しているにも拘わらず，国会があえて立法行為を行うという例外的な場合でない限り，国家賠償法第１条第１項規定の適用において，違法の評価を受けないと判示（最高裁判所昭和 60 年 11 月 21 日判決）し，国家賠償法に基づく違憲訴訟の提起を認めていない。

また，裁判官が明らかに不当な権限行使をしたような特別の事情がある場合を除き，裁判官がした争訟の裁判に上訴等の訴訟上の救済方法によって是正されるべき瑕疵が存在したとしても，これによって当然に国家賠償法第１条第１項の違法行為があったとする国の損害賠償責任の問題が生ずるわけではないと述べ（最高裁判所昭和 57 年３月 12 日判決），裁判についての不法行為責任の成立をほぼ全面的に否認している。

なお，最高裁は，検察・警察活動についても，同様な姿勢を示している（最高裁判所昭和 53 年 10 月 20 日判決）。

二 国家賠償請求訴訟

国家賠償を請求する訴訟手続きは，行政訴訟ではなく民事訴訟に属する。

国家賠償法第１条に関する訴訟においては「公権力の行使」に違法があったかどうかが，常に問題となるので，実質的な損害の補填のための請求もされ，その他に行政の違法や違憲を追及する訴訟として活用されることも多い。

なお，「公権力の行使」に国会の立法行為や立法不作為までが含まれるかどうかについて学説は分かれており，下級審では肯定された例があるが，最高裁判所は，国会の立法行為や立法不作為は原則として国家賠償法上の違法の問題を生じさせないとしている（最高裁判所平成 18 年７月 13 日判決）。

第４節　裁判を受ける権利

一　裁判を受ける権利の保障の意義

１　裁判を受ける権利の意義【日本国憲法第32条】

裁判を受ける権利とは，政治権力から独立した公平な司法機関に対して，すべての個人が平等に権利及び自由の救済を求め，かつ，そのような公平な裁判所以外の機関から裁判されることのない権利のことをいう。

裁判所に違憲審査権を行使させ，救済を受けられるためには，裁判所に訴えを起こす権利が保障されていることが必要であることから，裁判を受ける権利は，法の支配を実現するための不可欠の手段であり，人権保障のための前提となる重要な権利である。

２　裁判を受ける権利の２つの側面

裁判を受ける権利は２つの側面を有する。

（１）自由権的側面

裁判を受ける権利の自由権的側面については，刑事事件において，適正な裁判によるのでなければ刑罰を科せられない権利のことを意味する。この自由権的側面については，人権侵害の危険性が高いことから，日本国憲法第37条第１項においても重ねて保障している。

（２）受益権的側面

裁判を受ける権利の受益権的側面については，民事事件・行政事件において，訴訟を提起し裁判を求める権利を意味する。

３　法律上の争訟

裁判を受ける権利は，当事者間の権利及び義務に関する具体的な法的紛争，すなわち，法律上の争訟について，裁判所の法的判断を求めるものであることから，そのような裁判を求めることを必要とする者が，法的判断を求めるのに適した事件につき，実際に判定を求める必要性が存在する場合に，はじめて裁判所へ訴訟による救済を求めることの利益（訴えの利益）が認められる。ゆえに，法律上の争訟（裁判所法第３条第１項）として成立し得ない場合，裁判所が訴えを不適法として却けても，日本国憲法第32条違反，つまり，司法拒絶とはならない（最高裁判所昭和35年12月7日大法廷判決）。

【裁判所法第３条】

裁判所は，日本国憲法に特別の定のある場合を除いて一切の法律上の争訟を裁判し，その他法律において特に定める権限を有する。

2　前項の規定は，行政機関が前審として審判することを妨げない。

3　この法律の規定は，刑事について，別に法律で陪審の制度を設けることを妨げない。

4　裁判を受ける確利の対象

裁判を受ける確利は，「何人」に対しても保障されるわけであるから，日本国民だけではなく，外国人にも裁判を受ける権利が保障されることとなる。

二　裁判所の意義

1　「裁判所」の意味

日本国憲法第 32 条の「裁判所」とは，「最高裁判所及び法律に定めるところにより設置する下級裁判所」（日本国憲法第 76 条第１項）のことをいう。ゆえに，これ以外のいかなる機関も，「裁判所」とは認められないこととなる。

これらの裁判所は，法律に定めた資格を有し，身分保障がなされている職業裁判官によって構成され，法律上当該事件について正当な管轄権を有する裁判所でなければならない。

【日本国憲法第 76 条】

すべて司法権は，最高裁判所及び法律の定めるところにより設置する下級裁判所に属する。

2　特別裁判所は，これを設置することができない。行政機関は，終審として裁判を行ふことができない。

3　すべて裁判官は，その良心に従ひ独立してその職権を行ひ，この憲法及び法律にのみ拘束される。

2　特別裁判所の禁止

日本国憲法は，特別裁判所の設置を禁じている（日本国憲法第 76 条第２項前段）。この点，家庭裁判所については，一般的に司法擁を行う通常裁判所であって，日本国憲法第 76 条第２項のいわゆる特別裁判所ではないと判示されている（最高裁判所昭和 31 年５月 30 日大法廷判決）。

3　終審としての行政機関による裁判の排斥

行政機関が裁判することは，「終審として」でなければ，排斥していないことから（日本国憲法第 76 条第２項後段），行政機関が「前審」として審判し，司法的処分を行うことは許される。ゆえに，日本国憲法第 32 条の「裁判所において」という保障も，「終審として，裁判所において」裁判を受ける権利が保障されることを意味する。

三　非訟事件との関係

1　訴訟事件と非訟事件

（１）訴訟事件

訴訟事件とは，一定の権利及び義務に関する紛争について，事実を確定し，当事者の権利及び義務の関係の存否を確定する裁判のことをいう。

訴訟事件の特徴としては，公開主義・当事者主義・口頭弁論主義が挙げられ，その判定は判決といわれる。

（２）非訟事件

非訟事件とは，非紛争的な民事関係について，当事者間の権利及び義務に関する法的紛争を前提とせず，裁判所が紛争の予防のため後見的に介入し，一定の法律関係を形成する裁判のことをいう。

非訟事件の特徴としては，非公開主義・職権探知主義・非口頭弁論主義が挙げられ，その判定は決定といわれる。

2　訴訟の非訟化

福祉国家理念から，裁判所の後見的役割の要請が増大し，また，国家の積極的行為による人権保障の実質化を図る目的から，従来，訴訟手続きで処理されてきた事件を非訟事件（家事事件・借地非訟制度・労働審判事件等）として取り扱うことが増加している。

3　非訟事件の問題点

非訟事件の裁判を非公開とすることは，裁判を受ける権利を保障する日本国憲法第 32 条，裁判の公開を規定する日本国憲法第 82 条に反しないのであろうか。日本国憲法第 32 条における「裁判」，及び，日本国憲法第 82 条における「裁判」の意味に関連して問題となる。

【日本国憲法第 82 条】

　裁判の対審及び判決は，公開法廷でこれを行ふ。

2　裁判所が，裁判官の全員一致で，公の秩序又は善良の風俗を害する虞があると決した場合には，対審は，公開しないでこれを行ふことができる。但し，政治犯罪，出版に関する犯罪又はこの憲法第３章で保障する国民の権利が問題となつてゐる事件の対審は，常にこれを公開しなければならない。

（1）公開非公開政策説

日本国憲法第 32 条は，裁判所ではない機関によって裁判が行われることがないことを保障したに過ぎず，ある事件の裁判に際して，伝続的な公開・対審・判決の訴訟手続きによるか，そうでない非訟手続きによるかは，事件の性質によって政策的に決定されるものと解すべきである。

つまり，日本国憲法第 32 条における「裁判」の意味と，日本国憲法第 82 条における「裁判」とは，異なると解すべきである。

（2）純然たる訴訟事件公開説（判例）

日本国憲法第 32 条の「裁判」は，純然たる訴訟事件について当事者の主張する権利義務の存否を終局的に確定する確認裁判のことをいい，このような「裁判」は，日本国憲法第 82 条の規定する公開・対審・判決の訴訟手続きによることを要すると解すべきである。ゆえに，非訟事件については，実体的な権利及び義務を確定することを目的としない場合や，権利及び義務について審理判断することがあっても，その判断が終局的ではなく，訴訟手続きでその権利及び義務の存否を争い得る場合には，公開法廷における対審及び判決による必要はないと解すべきである。よって，非訟事件の裁判の手続きをどう定めようと日本国憲法第 32 条及び第 82 条違反の問題は生じないと解すべきである（最高裁判所昭和 35 年７月６日大法廷判決）。

つまり，日本国憲法第 32 条における「裁判」の意味と，日本国憲法第 82 条における「裁判」とは，同義であると解すべきである。

（3）折衷説

日本国憲法第 32 条は，日本国憲法第 82 条において保障される公開・対審・判決の手続きを原則としつつ，その事件の内容及び性質に応じた最も適切な手続きの整った裁判を受ける権利を保障したものであると解すべきである。ゆえに，公開及び対審の原則に対する例外を，事件の性質及び内容によって決することから，非訟事件においてもそれが適切である場合には日本国憲法第 82 条の 「裁判」 として公開が要請されることとなると解すべきである。

つまり，日本国憲法第 32 条における「裁判」の意味と，日本国憲法第 82 条における「裁判」とは，異なると解すべきである。

《重要論点Ｑ＆Ａ／憲法 038》

Ｑ　公開を必要とする裁判の範囲をどう解すべきか？

Ａ　学説の中には，公開するか否かは，政策的に決し得るものであるとの見解があるが，公開は裁判の公正を担保する重要な手段であり，政策的判断に過ぎないと解することは，日本国憲法第 82 条の存在意義を没却するものであり妥当ではない。職業裁判官による公平な裁判を保障する日本国憲法第 32 条と裁判の公正確保という趣旨に基づく日本国憲法第 82 条の要請からすると，日本国憲法第 82 条の「裁判」も，日本国憲法第 32 条の「裁判」と同様に，権利及び義務の存否に争いが生じた場合である性質上純然たる訴訟事件を意味するものと解すべきである。これに対して，権利及び義務の存在を前提に，その態様等について，裁判所が判断を下す非訟事件については，本質的には行政作用であって，裁判所は，むしろ，後見的立場から判断を下すことから，公開を要しないものと解すべきである。

四　行政事件との関係

日本国憲法は，民事事件及び刑事事件のみならず，行政事件を含むすべての裁判を司法裁判所の権限に属するものとし（日本国憲法第 76 条第１項及び第２項），裁判を受ける権利が行政事件訴訟を含むすべての法律上の争訟に及ぶことを明確にしている。行政訴訟の出訴期間の規定は，その期間が著しく不合理で実質上裁判の拒否と認められるような場合以外は，日本国憲法第 32 条違反とはならない（最高裁判所昭和 24 年５月 18 日大法廷判決）。

五　裁判の限界

１　法律上の争訟

司法裁判の対象は，法律上の争訟であることから，法令の解釈及び効力をめぐる一般的及び抽象的な問題は，裁判所の審理の対象とはならない。

２　具体的な権利及び義務

民衆訴訟や機関訴訟のような，当事者の具体的な権利及び義務に関係しない事件については，特に法律の規定により裁判所への出訴が認められる場合でなければ，裁判所は裁判権を有しない。

3　実体的権利及び義務

司法権の固有の作用は,「法律上の実体的権利義務自体を確定すること」(最高裁判所昭和 40 年６月 30 日大法廷決定）にあるから，政治問題の解決を裁判所に提起することはできない。

4　行政処分

行政庁の自由裁量に属する行政処分には，司法権は及ばない。しかし，自由裁量処分もその裁量の眼界を逸脱したり，裁量権を濫用したりした場合には，当然司法審理の対象となる。

第５節　刑事補償

一　刑事補償制度の意義

1　刑事補償の意義【日本国憲法第 40 条】

刑事裁判は，有罪か無罪かを判定する手続きであるから，抑留または拘禁された者が結果として無罪となる場合があることは，制度上当然予想されていることであり，それは国家の違法行為ということはできない。しかし，結果的に無罪となった者は，その刑事裁判の遂行によって，本来必要のない拘留または拘禁等の人権制限措置を受けたのであり，それに対して相応の補償をすることによって公平の要請を充たす必要がある。そこで，日本国憲法第 40 条は，刑事補償請求を認めている。

2　刑事補償請求の意義

刑事補償請求権とは，抑留または拘束された後に，無罪判決を受けた場合に，国に対して，補償を求めることができる権利のことをいう。

刑事補償請求権は，国家の無過失損害賠償責任を認めたものであり，身体を拘束され起訴された者は,その国家の行為が適法な行為であったとしても,多大なる犠牲を被ったのであるから，無罪放免するだけでは正義及び衡平に反する。そこで刑事補償請求権を規定することによって，金銭による事後的救済を与えようとしたのである。

具体的な立法として刑事補償法（昭和 25 年１月１日法律第１号）が存在する。

３　刑事補償請求権の法的性格

刑事補償請求権の法的性格については，通説的見解は，日本国憲法第 17 条の国家賠償請求権と法的性格を同じくするけれども，日本国憲法第 40 条は故意または過失を要件としないことから，国家の無過失責任を定めたものであると考えている。

二　刑事補償の決定と内容

刑事補償法は，本人が捜査・審判を誤らせる目的で虚偽の自白をし，または，他の有罪の証拠を作為することにより，起訴・未決の抑留・拘禁，もしくは，有罪の裁判を受けるに至ったものと認められる場合には，裁判所の健全な裁量により，補償の一部または全部をしないことができると規定している（刑事補償法第３条）。

【刑事補償法第３条】
　左の場合には，裁判所の健全な裁量により，補償の一部又は全部をしないことができる。
一　本人が，捜査又は審判を誤まらせる目的で，虚偽の自白をし，又は他の有罪の証換を作為することにより，起訴，未決の抑留若しくは拘禁又は有罪の裁判を受けるに至つたものと認められる場合
二　一個の裁判によつて併合罪の一部について無罪の裁判を受けても，他の部分について有罪の裁判を受けた場合

さらに，刑事補償法は，抑留または拘禁による場合や，懲役，禁錮もしくは拘留または拘置による場合の補償金額について，１日あたり 1,000 円以上 12,500 円以下の割合によるものとしている（刑事補償法第４条第１項）。

【刑事補償法第４条第１項】
　抑留又は拘禁による補償においては，前条及び次条第２項に規定する場合を除いては，その日数に応じて，１日 1,000 円以上 12,500 円以下の割合による額の補償金を交付する。懲役，禁錮若しくは拘留の執行又は拘置による補償においても，同様である。

また，補償額の決定に際しては，拘束の種類・期間の長短，本人が受けた財産上の損失，精神上の苦痛・身体上の損傷，警察・検察・裁判所の各機関の故意または過失の有無等を考慮しなければならないとしている（刑事補償法第４条第２項）。

【刑事補償法第４条第２項】
２　裁判所は，前項の補償金の額を定めるには，拘束の種類及びその期間の長短，本人が受けた財産上の損失，得るはずであつた利益の喪失，精神上の苦痛及び身体上の損傷並びに警察，検察及び裁判の各機関の故意過失の有無その他一切の事情を考慮しなければならない。

加えて，刑事補償法は，「補償を受けるべき者が国家賠償法その他の法律の定めるところにより損害賠償を請求することを妨げない」としている（刑事補償法第５条第１項）。

【刑事補償法第５条第１項】
この法律は，補償を受けるべき者が国家賠償法（昭和22年法律第125号）その他の法律の定めるところにより損害賠償を請求することを妨げない。

三　刑事補償の要件

１　抑留・拘禁の意味

日本国憲法第40条における「抑留・拘禁」は，刑事手続き上のものを意味する。この抑留・拘禁には，未決の抑留（留置）及び未決の拘禁（勾留）だけではなく，刑の執行としての自由の拘束（自由刑の執行・死刑執行のための拘置）も含まれるとされている。

２　無罪の裁判の意味

日本国憲法第40条の「無罪の裁判を受けたとき」の意味については，形式的な無罪判決の有無に関係なく，自由を拘束したことの根拠がないものであったことが明らかになったときと解すのが通説的見解である。

また，刑事補償の必要性は，上記のように，無罪の確定判決の場合のみならず，不起訴の場合にも存在するが，刑事補償法は，前者についてのみ規定し，後者については規定していない。不起訴の場合には，憲法上，必ずしも刑事補償は必要ないと解されてはいるが，上記のように，直接憲法上の要請ではなかったとしても，法律上の権利として認められるものと解すべきである。

第８章　国民の義務

一　一般的義務

1　自由及び権利のための義務【日本国憲法第 12 条前段】

日本国憲法が保障する自由及び権利は,「人類の多年にわたる自由獲得の努力の成果であつて，これらの権利は，過去幾多の試練に堪へ，現在及び将来の国民に対し，侵すことのできない永久の権利として信託されたもの」(日本国憲法第 97 条）である。ゆえに，このような自由及び権利が侵害されるような事態の発生を防止するために，「この憲法が国民に保障する自由及び権利は，国民の不断の努力によつて，これを保持しなければならない」(日本国憲法第 12 条前段)。つまり，国民には，自由及び権利を保持するための努力義務が課されている。また，もしこのような事態が発生してしまった場合は，原状回復に向けて努力しなければならない。

2　自由及び権利の濫用禁止【日本国憲法第 12 条後段】

「国民は，すべての基本的人権の享有を妨げられない」(日本国憲法第 11 条前段)。また,「この憲法が国民に保障する基本的人権は，侵すことのできない永久の権利として，現在及び将来の国民に与へられる」(日本国憲法第 11 条後段)。つまり，憲法が保障する自由及び権利は，すべての国民が享有している。ゆえに,「国民は，これを濫用してはならないのであつて，常に公共の福祉のためにこれを利用する責任を負ふ」(日本国憲法第 12 条後段)。自己の自由及び権利を濫用することによって，他者の自由及び権利を侵害することが許されないのは当然のことだからである。

3　法的性格

日本国憲法第 12 条前段に規定されている努力義務は，あくまでも精神的指針としての要請であり，公権的に強制し得る法的意味を持つものではないとされている。

日本国憲法第 12 条後段に規定されている濫用禁止についても，同様に解されている。また，公共の福祉に対する責任についても，濫用してはならないという消極的義務だけではなく，公共の福祉のために利用すべきとする積極的義務もあると解する説もあるが，一般には，あくまでも精神的指針としての要請であり，何ら強制力を伴うものではないと解されている。

二　個別的義務

１　教育を受けさせる義務【日本国憲法第 26 条第２項前段】

「すべて国民は，法律の定めるところにより，その保護する子女に普通教育を受けさせる義務を負ふ」。子女に教育を受けさせる義務とは，親権者等の保護者は，その保護する子どもたちに対して，普通教育（義務教育）を受けさせなければならないという義務をいう。義務教育とは，子どもたちが小・中学校に通わなくてはならない義務であるとする誤解が多いが，子どもたちの親権者等が負っている義務であることに注意を要する。この義務は，形式的には，親権者等の保護者が国家に対して負っているが，実質的には，その保護する子どもたちに対して負っていると解されている。

２　勤労の義務【日本国憲法第 27 条第１項】

「すべて国民は，勤労の権利を有し，義務を負ふ」。勤労の義務とは，勤労能力を有する者は，その勤労により自らの生活を維持すべきであるという義務をいう。この義務は，あくまでも精神的指針であるので，この義務があることを理由として，強制労働の可能性を認めることは許されない。また，勤労能力を有しているにも拘わらず，勤労意思を有さずにいる者に対してまで国家は社会的給付を与える必要はないものと解されている。

３　納税の義務【日本国憲法第 30 条】

【日本国憲法第 30 条】
　国民は，法律の定めるところにより，納税の義務を負ふ。

納税の義務とは，主権者である国民が，自ら国家を運営・維持するための原資となる税を負担すべきであるという義務をいう。具体的に，誰が，どのようにして，どれだけの額の税を納めるべきかについては，すべて法律によって規定されるとされている（租税法律主義）。

４　国民の３大義務の相互関係

現代社会において，国民の権利を保障するには，国家の運営・維持を担う資金が必要となる。つまり，納税の必要が生じる。税を納めるには労働しなければならず，労働するためには教育を受けなければならない。ゆえに，国民には，納税・勤労・教育という３つの義務が課せられているのである。

三　特殊義務

1　憲法尊重擁護義務【日本国憲法第 99 条】

「天皇又は摂政及び国務大臣，国会議員，裁判官その他の公務員は，この憲法を尊重し擁護する義務を負ふ」。日本国憲法は，国家権力の担い手である公務員等に，憲法を尊重し擁護することを義務付けている。

先述したように，国民はこの義務を負うものとして明記されていないことに注意を要する。ゆえに，一般国民には，精神的指針としての一般的義務（日本国憲法第 12 条），個別的義務である子女に教育を受けさせる義務（日本国憲法第 26 条第 2 項），勤労の義務（日本国憲法第 27 条第 1 項），納税の義務（日本国憲法第 30 条）のみが課せられることとなる。

これに対し，公務員は，これらの義務に加え，憲法尊重擁護義務（日本国憲法第 99 条）も負うこととなる。

第７編　統治機構論

第１章　統治機構総論

一　権力分立制

１　権力分立制の意義

権力分立制とは，国家権力を，立法権・行政権・司法権の各権力に分割し，互いに独立した別個の機関に担当させ，各権力間において，相互に抑制と均衡を図ることによって，個人の自由を保障する制度のことをいう。

２　権力分立制の趣旨

権力分立制の趣旨は，国家権力の集中によって生じる権力の濫用を防止し，個人の人権保障を確保することにある。

個人の人権保障を確保するためには，国家権力を分割するだけではなく，各権力が互いに抑制し合い，均衡を保つようにすることが必要となる。ゆえに，権力分立制においては，権力を分割し，抑制及び均衡を図ることを内容とする。

３　権力分立制の類型

（１）立法権優位型

権力分立制における三権は，まったく同格ではなく，国民代表機関である立法権が，法律による行政及び法律による裁判の原理から，国政の中心的地位にあり，権力分立制は，立法権の優位を中核とする。

このような権力分立制を採用した場合，司法権である裁判所が，立法権が制定した法律に対して違憲審査権を行使することは，権力分立制と矛盾することとなり，許されないこととなる。

（２）三権対等型

権力分立制における三権は，まったく同格であり，相互に，独立・不可侵であり，権力相互間の抑制及び均衡に重点が置かれる。

このような権力分立制を採用した場合，司法権である裁判所が，立法権が制定した法律に対して違憲審査権を行使することは，権力分立制と矛盾することにはならないので，許されることとなる。

二　国民主権の原理

1　主権の意義

（1）統治権

国家権力そのもの，つまり，国家の統治権力としての主権を意味する。国家が有する支配権を包括的に示すものである。

（2）対外的最高独立性

国家が対外的に独立しており，国家への権力の集中としての主権を意味する。つまり，国内にあっては最高，国外に対しては独立ということである。

（3）国政の最終決定権

国の政治のあり方を最終的に決定する力または権威としての主権を意味する。

2　国民主権の意義

国民主権とは，国政の最終決定権の所在が国民にあることをいう。つまり，主権者は国民となる。

日本国憲法においては，国の政治のあり方を最終的に決定する力または権威という意味での主権は国民に存するが，この国民の意味をどのように解するかが問題となる。

つまり，国民主権における主権者である国民について，全国民であると解するか，実際に権限を行使する有権者の総体と解するかという問題である。

国民主権の原理には，正当性の契機と権力性の契機がある。

（1）正当性の契機

正当性の契機とは，国家の権力行使を正当付ける究極的な権威は国民に存するというものをいう。

正当性の契機においては，主権の主体は，全国民となる。

また，正当性の契機においては，その政治形態は，代表民主制と密接に結合することとなる。

（2）権力性の契機

権力性の契機とは，国の政治の在り方を最終的に決定する権力を国民自身が行使するものをいう。

権力性の契機においては，主権の主体は，有権者となる。

また，権力性の契機においては，その政治形態は，直接民主制と密接に結合することとなる。

（３）国民主権における国民の意義

① 有権者主体説

国民主権における国民とは，有権者の総体であると解すべきである。

A 主権者を憲法制定権力と解する見解

主権とは，憲法制定権力，つまり，一定の資格を有する選挙人団の保持する権力権能と解すべきである。ゆえに，憲法制定権力の主体である国民には天皇を含まず，また，権能を行使する能力のない，18 歳未満の未成年者も除外されることとなる。

B フランスにおける議論を採用する見解

日本国憲法においては，リコール制を認めたと理解し得る規定が存在しており，人民主権（プープル主権）に適合するようにも思えるが，基本的な性格としては，国民主権（ナシオン主権）を基礎とする憲法と解すべきである。しかし，憲法の歴史を踏まえた将来を展望する解釈が必要であるから，日本国憲法の解釈は人民主権の論理に基づいてなされなければならない。 ゆえに，国民の意思と代表者の意思を一致させるようにしなければならない。

なお，国民主権の概念については，フランス革命期において，まったく性格の異なる２つの憲法が制定され，1791 年憲法においてはナシオン主権，1793 年憲法においてはプープル主権が採用された。

a ナシオン主権

ナシオン主権における「国民」は，抽象的な観念的統一体としての国民，すなわち，過去・現在・将来にわたる国民共同体のことを意味する。このように「国民」を抽象的存在と解する以上，国民が自ら主権を具体的に行使することはできず，国民は委任によってのみ主権を行使し得る（代表民主制）とされた。

b プープル主権

プープル主権における「人民」は，政治的意思決定能力を有する存在（有権者）のことを意味する。このように「人民」を具体的存在と解する以上，人民が自ら主権を具体的に行使することが想定され，人民による直接統治をも帰結することとなる。

② 全国民主体説

国民主権における国民とは，老若男女の区別や選挙権の有無を問わず，一切の自然人たる国民の総体を意味すると解すべきである。

③ 折衷説

国民主権における国民とは，有権者及び全国民の両者として解すべきである。

《重要論点Ｑ＆Ａ／憲法 039》

Ｑ　日本国憲法における国民主権をどのように解すべきか？

Ａ　日本国憲法においては，個人の尊重を確保するため，政治は国民の自律的意思による政治でなければならず，国政の最終決定権が国民に属するという国民主権原理を採用している。この点，主権者である国民を有権者の全体と解し，「主権」の本質を憲法制定権力であるとして，有権者としての国民が国政のあり方を直接かつ最終的に決定すること（権力性の契機）が国民主権であるとする見解がある（有権者主体説）。しかし，それでは，独裁を許す危険が生じることとなり，また，国民が主権者である国民とそうではない国民とに分けられ，治者と被治者の自同性の原理に反することとなり，妥当ではない。そこで，原則として，主権者である国民は，一切の自然人である国民の総体と解し，国民主権とは，全国民が国家権力の源泉であり，国家権力の正当性を基礎づける究極の根拠である（正当性の契機）と解すべきである（全国民主体説）。但し，憲法改正権の存在（日本国憲法第 96 条）等から，国民（有権者）が国家の政治の在り方を直接かつ最終的に決定するという権力性の契機も不可分に結合していると解すべきである（折衷説）。

３　民主制

（１）民主制の意義

民主制とは，統治する者と統治される者との間に自同性の関係が存在する原理である（治者と被治者の自同性の原理）。

民主制には，直接民主制と間接民主制とがある。

①　直接民主制

直接民主制とは，国民自身が，直接的に，立法その他の統治作用を行うことをいう。つまり，国民自身が，自ら，国家意思を決定することをいう。

②　間接民主制

間接民主制とは，国民の公選にかかる議員を全部または少なくとも一部の構成分子とする合議体としての議会が主権者である国民に代わって統治権を行使することをいう。つまり，国家の意思決定は，代表者のみが行うこととなる。ゆえに，間接民主制は，代表民主制ともいう。

（２）日本国憲法上の民主制

日本国憲法においては，間接民主制が原則である。但し，憲法改正手続き等，例外として，直接民主制を採用している規定もある。

第２章　天皇

一　天皇の地位

１　日本国及び日本国民の統合の象徴【日本国憲法第１条】

【日本国憲法第１条】
天皇は，日本国の象徴であり日本国民統合の象徴であつて，この地位は，主権の存する日本国民の総意に基く。

（１）「象徴」の意味

象徴とは，抽象的・無形的・非感覚的なものを具体的・有形的・感覚的なものによって具象化する作用またはその媒介物のことをいう。例えば，鳩は平和の象徴という場合がこれに該当し，抽象的な平和という概念を，具体的な鳩によって具象化することとなる。

以上のことから，象徴である天皇は，日本国及び日本国民統合の姿を具象化する地位にあるということとなる。

そもそも，君主は，本来，象徴としての地位と役割とを与えられてきた。ゆえに，日本国憲法下のみならず，大日本帝國憲法の下においても，天皇は，我が国の象徴であることには変わりはない。

大日本帝國憲法下においては，天皇は，統治権の総攬者としての地位を有していたが，日本国憲法下においては，統治権の総攬者としての地位が否定され，国政に関する権能を全く有しなくなった。

以上のことから，日本国憲法第１条の主たる趣旨は，天皇が日本国及び日本国民の統合の象徴であることを強調することにあるというよりも，むしろ，天皇が日本国及び日本国民の統合の象徴たる役割以外の国政上の役割を全く有していないことを強調することにあると解すべきである。

（２）「日本国の象徴」及び「日本国民統合」の意味

日本国民の統合体が，日本国を意味することから，２つの「象徴」を区別する根拠は乏しいと解されている。

（３）「日本国民の総意」の意味

天皇の地位の根拠となる「日本国民の総意」とは，主権者である日本国民の意思を意味すると解されている。

以上のことから，天皇の地位の存続は，主権者である日本国民の自由な意思に委ねられていることとなることから，天皇の地位の存続自体が，憲法改正の対象になり得るものと解されている。

2　天皇の国家元首性の肯否

大日本帝國憲法第4条においては，天皇は国家元首とされていた。一方，日本国憲法においては，国家元首については一切言及されていない。ゆえに，日本国憲法上，我が国の国家元首は誰かという問題が生じる。

国家元首とは，対外的には，国家を代表する資格を有する者，対内的には，行政権の首長である資格を有する者のことをいうと通説的には解されている。

以上のことから，行政権の首長である資格を有していない日本国憲法上の天皇は，国家元首には該当しないこととなる。ゆえに，天皇の国家元首性は否定されることとなる。この点，大日本帝國憲法下において国家元首とされていた天皇が，日本国憲法下においては国家元首に該当しないということとなると，我が国の国家元首は一体誰なのかという問題が残る。この点，①それでも天皇は国家元首であると解する見解，②内閣総理大臣が国家元首であると解する見解，③合議体である内閣が国家元首であると解する見解，④我が国においては，国家元首は存在しないと解する見解，等がある。

3　天皇の君主性の肯否

大日本帝國憲法下においては，天皇は君主とされていた。この点，日本国憲法下においては，天皇は，依然として，君主であるかが問題となる。

君主とは，独任機関であり，統治権の重要な部分，少なくとも行政権を有しており，対外的に，国家を代表する資格を有し，その地位は世襲によって継承されており，その地位に何らかの伝統的・精神的・心理的権威が伴い，また，国の象徴たる役割を果たす者のことをいうと通説的には解されている。

以上のことから，統治権の重要な部分を有していない日本国憲法上の天皇は，君主には該当しないこととなる。ゆえに，天皇の君主性は否定されることとなる。

二　皇位の継承

1　皇位世襲制の原則【日本国憲法第2条】

【日本国憲法第2条】

皇位は，世襲のものであつて，国会の議決した皇室典範の定めるところにより，これを継承する。

皇位とは，国家機関としての天皇の地位のことをいう。

皇位の継承とは，それまで天皇の地位にあった者に代わり，他の者がその地位に就くことをいう。

日本国憲法第２条は，皇位の継承について世襲制を採用することを規定し，詳細については，国会の議決した皇室典範の定めるところに委ねている。

皇位の世襲とは，天皇の地位に就く資格が一定の血統に属する者のみに限定されていることをいう。世襲制は，特定の血統に属することを皇位継承の根拠とするものであるから，法の下の平等を規定する日本国憲法第 14 条第１項と矛盾するが，日本国憲法第２条が規定する皇位の世襲は，日本国憲法自体が認めた平等原則の例外規定として解されている。

また，この血統とは，自然的血統と人為的血統とがあるが，皇位の世襲における血統は自然的血統のみを意味し，人為的血統は含まないことから，養子は禁じられることとなっている（皇室典範第９条）。

【皇室典範第９条】

天皇及び皇族は，養子をすることができない。

2　皇室典範

（1）皇室典範の法的性質

大日本帝國憲法下における皇室典範は，大日本帝國憲法を頂点とする法体系である政務法と区別された別の法体系である宮務法に属し，その制定及び改正については，天皇の勅裁による専管事項であった。一方，日本国憲法下における皇室典範（昭和 22 年法律第３号）は，国会の議決による法律となったことから，日本国憲法と皇室典範との関係は，日本国憲法と一般の法律との関係と同様のものである。

（2）皇位の継承

皇室典範自体は，皇位継承の原因を，天皇の崩御に限定しており，生前退位を認めてはいない。天皇が崩御された場合に，皇嗣すなわち皇位継承の第１順位の者が法律上当然に即位をすることとなる（皇室典範第４条）。この場合，何ら特別な手続きをすることなく天皇の地位に就くこととなる。

【皇室典範第４条】

天皇が崩じたときは，皇嗣が，直ちに即位する。

皇位は皇統に属する男系の男子が継承することとなる（皇室典範第１条）。

【皇室典範第１条】

皇位は，皇統に属する男系の男子が，これを継承する。

また，皇位継承の順序は，皇長子，皇長孫，その他皇長子の子孫等の順序で，予め詳細に規定されている（皇室典範第2条）。

【皇室典範第2条】

皇位は，左の順序により，皇族に，これを伝える。

一 皇長子

二 皇長孫

三 その他の皇長子の子孫

四 皇次子及びその子孫

五 その他の皇子孫

六 皇兄弟及びその子孫

七 皇伯叔父及びその子孫

2 前項各号の皇族がないときは，皇位は，それ以上で，最近親の系統の皇族に，これを伝える。

3 前2項の場合においては，長系を先にし，同等内では，長を先にする。

「即位の礼」（皇室典範第24条）については，既に天皇として即位をした後に，そのことを確認するための儀式として行われるものであることから，皇位継承の効力発生要件とはならない。

【皇室典範第24条】

皇位の継承があつたときは，即位の礼を行う。

「大喪の礼」（皇室典範第25条）についても，同様に皇位継承の効力発生要件とはならない。

【皇室典範第25条】

天皇が崩じたときは，大喪の礼を行う。

（3）皇位の継承の資格

大日本帝國憲法第2条は,「皇位ハ皇室典範ノ定ムル所ニ依リ皇男子孫之ヲ継承ス」と規定し，皇位継承の資格を男子に限っていた。一方，日本国憲法第2条は,「皇位は，世襲のものであつて，国会の議決した皇室典範の定めるところにより，これを継承する。」と規定し,「皇男子孫」との文言はない。その結果，女帝を立てることも可能となった。しかし，皇室典範第1条は,「皇位は，皇統に属する男系の男子が，これを継承する。」と規定していることから，女帝を立てることは不可能である。このことから，皇室典範が，日本国憲法第14条に違反するとの見解もあるが，そもそも，日本国憲法第2条自体が既に日本国憲法第14条の例外規定と解されていることから，皇室典範の違憲性は否定されると解すべきである。

（４）皇室制度

皇室とは，天皇を含めた天皇一族の集団，つまり，天皇及び皇族のことをいう。皇族の範囲は，皇后，太皇太后，皇太后，親王，親王妃，内親王，王，王妃，女王とされている（皇室典範第５条）。

【皇室典範第５条】

皇后，太皇太后，皇太后，親王，親王妃，内親王，王，王妃及び女王を皇族とする。

天皇及び皇族は，養子縁組をすることができず（皇室典範第９条），また，立后及び皇族男子の婚姻については，皇室会議の議を経ることを要する（皇室典範第10条）。

【皇室典範第10条】

立后及び皇族男子の婚姻は，皇室会議の議を経ることを要する。

三　天皇の権能

１　国事行為

（１）国事行為の意義

日本国憲法は，機関としての天皇の権限として，国事に関する行為（国事行為）を行うことを認めている。

国事行為とは，日本国憲法上，天皇に国家の機関として認められた国事に関する行為のことをいうが，その国事行為の法的性格については，日本国憲法第４条第１項が,「天皇は, この憲法の定める国事に関する行為のみを行ひ, 国政に関する権能を有しない。」として，国政に関する権能を除外する前提で規定していることから，国事行為は，形式的・儀礼的な行為となることとなる。象徴天皇（日本国憲法第１条）の具体的内容として，天皇は，国政に関する権能，すなわち国家の統治作用に関与・影響する行為をする権能を有さず，国事に関する行為のみを行い得るとしたのである。

【日本国憲法第４条】

天皇は，この憲法の定める国事に関する行為のみを行ひ，国政に関する権能を有しない。

２　天皇は，法律の定めるところにより，その国事に関する行為を委任することができる。

（２）国事行為の具体的内容

① 内閣総理大臣及び最高裁判所長官の任命（日本国憲法第６条）

【日本国憲法第６条】
天皇は，国会の指名に基いて，内閣総理大臣を任命する。
2 天皇は，内閣の指名に基いて，最高裁判所の長たる裁判官を任命する。

内閣総理大臣の任命は，国会の指名，最高裁長官の任命は，内閣の指名に基づいて行われることから，天皇の任命行為は形式的行為となる。

② 憲法改正・法律・政令・条約の公布（日本国憲法第７条第１号）

【日本国憲法第７条】
天皇は，内閣の助言と承認により，国民のために，左の国事に関する行為を行ふ。
一 憲法改正，法律，政令及び条約を公布すること。
二 国会を召集すること。
三 衆議院を解散すること。
四 国会議員の総選挙の施行を公示すること。
五 国務大臣及び法律の定めるその他の官吏の任免並びに全権委任状及び大使及び公使の信任状を認証すること。
六 大赦，特赦，減刑，刑の執行の免除及び復権を認証すること。
七 栄典を授与すること。
八 批准書及び法律の定めるその他の外交文書を認証すること。
九 外国の大使及び公使を接受すること。
十 儀式を行ふこと。

天皇の国事行為である公布とは，既に成立した法を国民一般に表示する行為のことを意味する。法の成立要件ではないが，公布が行われていないと，法としての施行ができないことから，公布は法の効力発生要件であると解されている。公布の方法について規定する法律は制定されてはいないが，実際には，官報に掲載することによって行われており，官報による公布があったとされるのは，一般の国民がその官報を見得るに至った最初の時点である，というのが判例の見解である（最高裁判所昭和33年10月15日大法廷判決）。

③ 国会の召集（日本国憲法第７条第２号）

召集とは，一定期日に議員を集会させると同時に会期を開始させる行為をいう。国会の召集には，日本国憲法上，常会（通常国会）・臨時会（臨時国会）・特別会（特別国会）があるが，いずれの場合も召集手続きについて，日本国憲法上規定があることから，天皇は形式的召集権限を有するのみである。

④　衆議院の解散（日本国憲法第７条第３号）

解散とは，議員の任期が満了する前に議員の身分を終了させることをいう。国会召集の場合と同様，衆議院の解散についても，天皇は形式的解散権限を有するに過ぎないものと解されている。

⑤　国会議員の総選挙の施行の公示（日本国憲法第７条第４号）

まず，国会議員の総選挙についてであるが，事実上不可能である。というのは，衆議院については総選挙が可能であるが，参議院については，半数改選であることから，日本国憲法上，必ず，参議院議員の半数の議席は残ることとなる（日本国憲法第46条）。そのため，文言上疑義があるところである。

通説的見解においては，日本国憲法第７条第４号における総選挙とは，衆議院議員の総選挙及び参議院議員の通常選挙の双方を意味し，再選挙・補欠選挙等は含まないと解されている。

とはいえ，文言上，国会議員の総選挙とあることから，私見ではあるが，まず，この条文について改正するというのも現実的ではないかと考える。

総選挙の公示とは，一定の期日において総選挙の実施を一般国民に知らせることをいう。選挙の期日及び公示の時期については，日本国憲法及び公職選挙法上一定の制限があり，その制限内において内閣が決定し，天皇が外部に公示することとなる。

⑥　国務大臣任免等の認証（日本国憲法第７条第５号）

認証とは，当該行為が正当な手続きにおいて行われたことを公に証明する行為であり，当該行為の効力発生要件に関係のない形式的行為のことをいう。

日本国憲法第７条第５号においては，国務大臣に内閣総理大臣は含まれない。国務大臣の任免権は，日本国憲法上，内閣総理大臣が有している（日本国憲法第68条）。

【日本国憲法第68条】

内閣総理大臣は，国務大臣を任命する。但し，その過半数は，国会議員の中から選ばれなければならない。

2　内閣総理大臣は，任意に国務大臣を罷免することができる。

最高裁判所裁判官・高等裁判所長官・検事総長・人事官・特命全権大使等，法律によって，その任免に天皇の認証を要する認証官と称せられる官吏についても，内閣が任免する（日本国憲法第73条第４号）。

また，全権委任状とは，特定の条約の締結に関し全権を委任する旨を表示する文書のことをいう。全権委任状や大使または公使の信任状についても天皇が認証するが，外交関係の処理権限は内閣に属していることから（日本国憲法第73条第２号），天皇の認証行為は形式的な意味に限定される。

⑦ 恩赦の認証（日本国憲法第７条第６号）

恩赦とは，行政権が，犯罪者の赦免を行うことをいい，日本国憲法上，大赦・特赦・減刑・刑の執行の免除・復権を規定している。

日本国憲法上，恩赦の実質的決定権を内閣に与えており（日本国憲法第73条第７号），天皇は，内閣が恩赦法（昭和22年法律第20号）に基づいて決定するのを単に認証するのみである。

⑧ 栄典の授与（日本国憲法第７条第７号）

栄典とは，その人の栄誉を表彰するために，特定人へと与えられる位階や勲章等のことをいう 。

日本国憲法上，栄典の授与については，いかなる特権も認めず，一代限りという制限を付している（日本国憲法第14条第３項）。

栄典の授与を天皇の国事行為としたことについては，天皇以外に栄典の授与を禁止する趣旨を有するのではなく，内閣総理大臣や都道府県知事等が授与する栄典制度を設けることも許されると解されている。

⑨ 批准書等の認証（日本国憲法第７条第８号）

批准書とは，署名・調印された条約を審査し，それを承認し，その効力を確定させる国家の最終的意思表示文書のことをいう。条約の締結権は内閣に属しており（日本国憲法第73条第３号），批准書の作成についても同様であることから（日本国憲法第73条第２号），天皇の認証行為は形式的な意味に限定される。

「法律の定めるその他の外交文書」の例としては，大使・公使の解任状，領事の委任状，外国領事の認可状等が含まれることとなるが，これらも内閣が作成することとなるので，天皇の認証行為は形式的な意味に限定される。

⑩ 外国の大使・公使の接受（日本国憲法第７条第９号）

接受とは，外国の大使・公使を儀礼的に接見するという事実上の行為のことをいう。外交使節に対して，その該当者に異議なく，受け入れる接受国の承認の意思表示を与え，信任状を受理することについては，日本国憲法第７条第９号における接受には該当せず，外交関係を処理する内閣の権限に属する（日本国憲法第73条第２号）。

⑪ 儀式を行う（日本国憲法第７条第10号）

「儀式を行ふ」とは，通説的な見解においては，天皇が主宰して行う国家的儀式を意味すると解されている。

儀式については，国家的な性格を有することから，政治的意味を有することは許されず，また，政教分離原則（日本国憲法第20条及び第89条）から宗教的意味も有することは許されない。

（3）国事行為の代行

天皇自身が国事行為を行うことができない場合に，日本国憲法上，その権能を他者に代行させる制度が存在している。

①　摂政【日本国憲法第5条】

【日本国憲法第5条】
皇室典範の定めるところにより摂政を置くときは，摂政は，天皇の名でその国事に関する行為を行ふ。この場合には，前条第1項の規定を準用する。

摂政とは，日本国憲法上，天皇の名において，国事行為を行う法定代行機関のことをいう。

摂政は，天皇が未成年である場合，及び，天皇が，精神もしくは身体の重患または重大な事故により，国事に関する行為を自らすることができないと皇室会議で判定された場合に設置される（皇室典範第16条）。

【皇室典範第16条】
天皇が成年に達しないときは，摂政を置く。
2　天皇が，精神若しくは身体の重患又は重大な事故により，国事に関する行為をみずからすることができないときは，皇室会議の議により，摂政を置く。

摂政は，臨時代行（日本国憲法第4条第2項）のように天皇の委任によって設置されるのではなく，皇室典範の規定する原因が生ずることにより，当然に，設置される。

摂政は，在任中，訴追はされないが，訴追の権利は，害されない（皇室典範第21条）。この規定は，国事行為の円滑な運営を確保するために設けられたと解されている。

【皇室典範第21条】
摂政は，その在任中，訴追されない。但し，これがため，訴追の権利は，害されない。

②　臨時代行【日本国憲法第4条第2項】

日本国憲法第4条第2項は，法律の定めるところにより，天皇が国事行為を委任することを認めている。

臨時代行は，天皇が，海外旅行や病気等で一時的に国事行為を行えない場合に対処するための制度である。

委任は，個々の国事行為についてもなされ得るし，すべての国事行為について一時的にかつ包括して行うことも可能である。国事行為を委任すること自体も国事行為であることから，内閣の助言と承認が必要となる。

③　国事行為の代行の順序

摂政となる者の順序については，皇室典範第17条に規定がある。

【皇室典範第17条】
　摂政は，左の順序により，成年に達した皇族が，これに就任する。
一　皇太子又は皇太孫
二　親王及び王
三　皇后
四　皇太后
五　太皇太后
六　内親王及び女王
2　前項第2号の場合においては，皇位継承の順序に従い，同項第6号の場合においては，皇位継承の順序に準ずる。

また，国事行為の臨時代行については，国事行為の臨時代行に関する法律（昭和39年法律第83号）が，摂政を置くべき場合を除いて，皇室典範第17条の規定により，摂政となるべき順位に当たる皇族に，内閣の助言・承認に基づいて，国事行為を委任し，臨時に代行させることができると規定している（国事行為の臨時代行に関する法律第2条第1項）。

【国事行為の臨時代行に関する法律第2条第1項】
　天皇は，精神若しくは身体の疾患又は事故があるときは，摂政を置くべき場合を除き，内閣の助言と承認により，国事に関する行為を皇室典範第17条の規定により摂政となる順位にあたる皇族に委任して臨時に代行させることができる。
2　前項の場合において，同項の皇族が成年に達しないとき，又はその皇族に精神若しくは身体の疾患若しくは事故があるときは，天皇は，内閣の助言と承認により，皇室典範第17条に定める順序に従つて，成年に達し，かつ，故障がない他の皇族に同項の委任をするものとする。

2　内閣の助言と承認【日本国憲法第3条】

【日本国憲法第3条】
　天皇の国事に関するすべての行為には，内閣の助言と承認を必要とし，内閣が，その責任を負ふ。

（1）内閣の助言と承認の意味

天皇が国事行為を行うためには，内閣の助言と承認を必要とし，その内閣の助言と承認は1つの行為であり，閣議は事前に1回開けば充分である。また，天皇は，この内閣の助言と承認を拒否または修正する権限を有しない。

（２）内閣の助言と承認についての内閣の責任

天皇の国事行為については，内閣が，その責任を負う。この責任とは，政治責任を意味する。内閣は国事行為の助言と承認に際しては，内閣が政治的な裁量を行使することとなるので，内閣が政治責任を負うこととなっている。ゆえに，この責任は，内閣の自己責任であって，天皇の代位責任ではない。

3　天皇の権能の範囲

天皇は，日本国憲法の規定する国事行為を行う以外に，当然として，私人としての行為である私的行為を行うことができる。ところが，さらに，天皇は，純然たる私的行為でもなく，また，国事行為にも該当しない行為を実際に行うことがある。このような国事行為にも私的行為にも該当しない行為については，天皇の象徴としての地位に基づく公的行為として認め，国事行為に準じて内閣のコントロールが必要となるといえるが，そのためにいかなる構成が考えられるかが問題となる。

（１）象徴行為説

日本国憲法上，天皇を象徴として認めている以上，天皇の行う国事行為以外の行為が，多かれ少なかれ公的な意味を持つことは否定できないことから，天皇の国事行為以外の公的行為を象徴としての地位に基づくものと解すべきである。

（２）公人行為説

象徴行為説のように解すると，象徴という地位に積極的意味を付与することとなることから妥当ではなく，象徴としての地位を有しない摂政や国事行為の臨時代行者は，公的行為を行うことができるかが疑わしいことから，公的行為は，天皇の公人としての地位に伴う当然の社交的・儀礼的行為と解すべきである。

（３）国事行為説

天皇の行為を限定的に解すため，天皇の公的行為を認めるべきではなく，天皇は，国事行為を行う以外には，私的行為を行うことができるのみであると解すべきである。

国会開会式への参列等の行為については，日本国憲法第７条第10号の「儀式を行ふ」に含まれると解し，その限度で国事行為の観念を拡張して解すべきである。

（４）準国事行為説

天皇の行為を限定的に解すため，天皇の国事行為に密接に関連する天皇の行う公的行為についてのみ，準国事行為として認められると解すべきである。

四 天皇の責任

（１）国事行為に対する責任

天皇の国事行為が，内閣の助言と承認に基づいて行われた場合には，日本国憲法第３条における「内閣が，その責任を負ふ。」との規定により，天皇は法的にも政治的にも一切の責任を負わないこととなる。ゆえに，天皇が内閣の助言と承認に従って国事行為を行う限り，天皇には責任は生じないこととなる（天皇の無答責）。

（２）民事責任

天皇の民事責任については，通説的見解として，特別に免除を認める理由はないと解されている。但し，最高裁判所の見解としては，天皇が実体法上の責任を負うとしても，天皇は日本国の象徴であり日本国民統合の象徴であることから（日本国憲法第１条），民事裁判権は及ばないものと解するのが相当であるとしている（最高裁判所平成元年 11 月 20 日判決）。

（３）刑事責任

天皇の刑事責任については，通説的見解として，天皇の象徴としての地位の特殊性（日本国憲法第１条），摂政について在任中刑事訴追を免除していること（皇室典範第 21 条）を理由に，否定されるものと解されている。

五 皇室経済

財政民主主義の見地から，すべての皇室財産は，国有財産とされ，また，皇室の費用は，予算に計上して，国会の議決によることとされている（日本国憲法第 88 条）。

【日本国憲法第 88 条】

すべて皇室財産は，国に属する。すべて皇室の費用は，予算に計上して国会の議決を経なければならない。

また，皇室の財産授受等についても，国会の議決によることとされている（日本国憲法第８条）。

【日本国憲法第８条】

皇室に財産を譲り渡し，又は皇室が，財産を譲り受け，若しくは賜与することは，国会の議決に基かなければならない。

天皇及び皇族の財産については，皇室経済法（昭和 22 年法律第４号）にその利用法が規定されている。

1 皇室の費用

皇室経済法によると，予算に計上して国会の議決を経なければならない皇室の費用（日本国憲法第88条第2項）については，内廷費・宮廷費・皇族費の3種類があるとされている（皇室経済法第3条）。

【皇室経済法第3条】

予算に計上する皇室の費用は，これを内廷費，宮廷費及び皇族費とする。

（1）内廷費

内廷費とは，天皇並びに皇后，太皇太后，皇太后，皇太子，皇太子妃，皇太孫，皇太孫妃及び内廷にあるその他の皇族の日常の費用その他内廷諸費に充てるもので，宮内庁の経理に属する公金ではないもののことをいう（皇室経済法第4条）。

【皇室経済法第4条】

内廷費は，天皇並びに皇后，太皇太后，皇太后，皇太子，皇太子妃，皇太孫，皇太孫妃及び内廷にあるその他の皇族の日常の費用その他内廷諸費に充てるものとし，別に法律で定める定額を，毎年支出するものとする。

2 内廷費として支出されたものは，御手元金となるものとし，宮内庁の経理に属する公金としない。

3 皇室経済会議は，第1項の定額について，変更の必要があると認めるときは，これに関する意見を内閣に提出しなければならない。

4 前項の意見の提出があつたときは，内閣は，その内容をなるべく速かに国会に報告しなければならない。

内廷費は，天皇及び内廷にある皇族の私有財産となり，その財産については，自由に使用することが認められることとなることから，その費用で賄われる限りにおいては，皇族の祭祀が，皇室の私的な宗教的行為に属するものであったとしても，基本的には自由にその財産を使用することが許されることとなる。

（2）宮廷費

宮廷費とは，内廷諸費以外の宮廷諸費，つまり，宮廷の公務に充てられる費用であり，宮内庁が管理する公金であるもののことをいう（皇室経済法第5条）。

【皇室経済法第5条】

宮廷費は，内廷諸費以外の宮廷諸費に充てるものとし，宮内庁で，これを経理する。

（３）皇族費

皇族費とは，皇族として品位保持の資に充てるために，年額により毎年支出するもの及び皇族が初めて独立の生計を営む際に一時金額により支出するもの並びに皇族であったものとしての品位保持の資に充てるために，皇族が皇室典範の定めるところによりその身分を離れる際に一時金額により支出するもののことをいう（皇室経済法第６条第１項前段）。つまり，皇族費とは，内廷にある者以外の皇族の生活費に充てられる経費のことをいう。

【皇室経済法第６条第１項】

皇族費は，皇族としての品位保持の資に充てるために，年額により毎年支出するもの及び皇族が初めて独立の生計を営む際に一時金額により支出するもの並びに皇族であつた者としての品位保持の資に充てるために，皇族が皇室典範の定めるところによりその身分を離れる際に一時金額により支出するものとする。その年額又は一時金額は，別に法律で定める定額に基いて，これを算出する。

皇族費は，宮内庁の経理に属する公金ではない（皇室経済法第６条第８項）。

【皇室経済法第６条第８項】

８　第４条第２項の規定は，皇族費として支出されたものに，これを準用する。

２　皇室の財産授受に対する制約

日本国憲法においては，皇室に大きな財産が集中したり，皇室が特定の個人または団体と特別の関係を結ぶことによって，不当な支配力を有することになったりすることを防止するために，皇室に財産を譲り渡し，または，皇室が財産を譲り受け，もしくは，賜与するには，国会の議決を要することとしている（日本国憲法第８条）。

日本国憲法８条における財産は，日本国憲法第88条の規定との関係から，天皇及び各皇族に処分を委ねられている私有財産を意味すると解されており，物権・債権・無体財産を含む，財産一般のことを意味する。

皇室に財産を譲り渡し，皇室が財産を譲り受けるとは，皇室外の者から皇室内の者への財産の移転のことを意味する。この移転については，有償・無償を問わないと解されている。

財産を賜与するとは，皇室内の者から皇室外の者への贈与のことを意味する。

皇室内の者から皇室外の者への財産の有償移転については，明文の規定はないが，財産の譲受けに含まれると解されている。但し，少額の財産授受等一定の場合については，国会の議決は不要である（皇室経済法第２条）。

【皇室経済法第２条】

左の各号の一に該当する場合においては，その度ごとに国会の議決を経なくても，皇室に財産を譲り渡し，又は皇室が財産を譲り受け，若しくは賜与することができる。

一　相当の対価による売買等通常の私的経済行為に係る場合

二　外国交際のための儀礼上の贈答に係る場合

三　公共のためになす遺贈又は遺産の賜与に係る場合

四　前各号に掲げる場合を除く外，毎年４月１日から翌年３月31日までの期間内に，皇室がなす賜与又は譲受に係る財産の価額が，別に法律で定める一定価額に達するに至るまでの場合

日本国憲法第８条は，皇室と国民との間の財産移転を規制するための規定であり，皇室内部者間での財産授受については国会の議決は不要である。

また，日本国憲法第８条における「国会の議決」については，衆議院の優越を認める明文の規定が存在しないため，衆議院・参議院の両院の意思の一致が必要となる。両院の意思が不一致の場合については，先議の院が両院協議会の開催を求め，そこでの意思の一致を求めることとなる。この議決がなければ，財産授受に関する天皇及び皇族の法律行為は有効に成立しないこととなる。

3　皇室財産の国庫移管

日本国憲法第 88 条の規定は，天皇及び皇族の所有するすべての財産を国有財産とすることを意味する。但し，日常の生活用品，身の回り品，愛用品及び皇位とともに伝わるべき由緒あるもの（皇室経済法第７条）等の純然たる個人的財産については，天皇及び皇族の私有が認められると解されている。

【皇室経済法第７条】

皇位とともに伝わるべき由緒ある物は，皇位とともに，皇嗣が，これを受ける。

第３章　国会

一　国会の地位

国会とは，立法権を行使することを主な任務とする国家機関のことをいう。

国会は，３つの地位を有する。国権の最高機関，国の唯一の立法機関，国民代表機関としての地位である。

代表民主制においては，国民は代表機関である国会を通じて行動し，国会の行動は国民の意思を反映するものとみなされる。

1　国権の最高機関【日本国憲法第41条】

【日本国憲法第41条】
国会は，国権の最高機関であつて，国の唯一の立法機関である。

日本国憲法第41条は，国会を国権の最高機関であると規定する。日本国憲法は，権力分立制を採用し，国会に立法権，内閣に行政権，裁判所に司法権を授権し，これらの３権は，それぞれ抑制と均衡を図ることとしている。つまり，日本国憲法においては，３権対等型の権力分立制を採用している。そこで，この「国権の最高機関」の意味をどのように解すかが問題となる。

（１）政治的美称説（通説）

国会は，主権者でもなく，統治権の総攬者の地位に立つものでもないし，各国家機関について考えると，内閣も裁判所も行政及び司法の分野ではそれぞれ最高機関であり，国会の指揮命令に服するものではないことから，日本国憲法第41条が，「国権の最高機関」と規定したのは，国民代表機関たる国会が，国政の中心に位置する重要な国家機関であることを政治的に強調したものであって，法律的に厳格に解釈すべきものではなく，日本国憲法においては，主権の存する国民が最高の地位にあり，国会が主権者である国民を政治的に代表するという意味において最高の地位にあり，「最高機関」とは，この政治的代表者としての国会に与えられた“美称”であり，法的な意味を持たないものと解すべきである。

（２）統括機関説

国権の発動は，多数の国家機関によって行われるのであるから，国家全体の目的を達するために，特にこれらの統括を任務とする機関が必要であり，国民全体を国権の源泉者とする日本国憲法においては，国民によって直接選出された議員で構成される国会が国権の統括機関であると解すべきである。

（３）総合調整機関説

国会は，国民代表機関であるという政治的性格と，立法を含め広汎な総合調整的機能を遂行する機能を有する国家機関であり，行政権の肥大化を防止するためには，最高機関を法的な意味を有するものと積極的に解釈し，国会の権限を強化すべきであることから，国会が国政全般について最高の責任を負う地位にある点で，「国権の最高機関」という語には法的意味があり，国家諸機関の権能及び相互関係を解す際の解釈準則となり，また，権限所属が不明確な場合には国会にあると推定すべき根拠となるものと解すべきである。

《重要論点Ｑ＆Ａ／憲法 040》

> **Ｑ　日本国憲法第 41 条における「国権の最高機関」の意義をどのように解すべきか？**
>
> **Ａ　「国権の最高機関」との文言から，国会を他の機関を統轄する機関とする見解もあるが，日本国憲法は，３権対等型の権力分立制を採用しており，国会が，他の２権に対して，優位に立つと解するのは妥当ではない。ゆえに，「国権の最高機関」とは，国会が主権者たる国民の代表機関であることに基づく政治的美称に過ぎないと解すべきである（政治的美称説）。**

２　国の唯一の立法機関【日本国憲法第 41 条】

（１）立法の意義

日本国憲法第 41 条は，国会が，「唯一の立法機関」であることを規定している。そこで「立法」の意義が問題となる。この点，日本国憲法第 41 条における「立法」とは，形式的意味の立法ではなく，実質的意味の立法，つまり，特定の内容の法規範の定立のことをいうと解するのが通説的見解である。

それでは，実質的意味の立法とは，どのような意義を有するのであろうか。

①　狭義説

実質的意味の立法とは，国家機関の相互関係及び内部組織の定めを必要的法律事項等の形式的立法で要請される法規範，及び，国民に権利を付与し，または，義務を免除する法規範を除いた，国民の権利を制限しまたは義務を課す法規範の定立のことを意味すると解すべきである。

②　広義説

実質的意味の立法とは，国家機関の相互関係及び内部組織の定めを必要的法律事項等の形式的立法で要請される法規範を除いた，国民の権利及び義務を規律する一般的・抽象的な法規範の定立のことを意味すると解すべきである。

③ 最広義説

実質的意味の立法とは，民主主義の憲法体制の下では，実質的意味の法律はより広く解されるべきであることから，およそ一般的・抽象的な法規範の定立をすべて含む意味であると解すべきである。

《重要論点Ｑ＆Ａ／憲法 041》

Ｑ 日本国憲法第 41 条における「立法」の意義をどのように解すべきか？

Ａ 日本国憲法第 41 条は，国会を「唯一の立法機関」とするが，この場合の「立法」の意義が問題となる。この「立法」を形式的意味の立法と解すると，日本国憲法第 41 条は，同語反復に過ぎなくなり，無意味な規定となることから，「立法」とは，実質的意味の立法と解すべきである。そこで，実質的意味の立法の意義が問題となる。実質的意味の立法とは，日本国憲法第 41 条が，国民の意思による政治の実現を意図し，国民の人権保障の確保をその趣旨としている規定であることから，実質的意味の立法とは，国民の権利及び義務に関する法規範を意味するとの見解もある。しかし，高度に行政国家化した今日においては，行政による国民生活への介入が広くなされていることから，可能な限り広い範囲の事項について，国会による規定をみとめ，そのことにより，行政に対する民主的コントロールを広く及ぼすことが，日本国憲法第 41 条の趣旨と解すべきである。ゆえに，実質的意味の立法とは，一般的・抽象的法規範の定立を意味すると解すべきである。

《重要論点Ｑ＆Ａ／憲法 042》

Ｑ 措置法は認められるか？

Ａ 日本国憲法第 41 条は，国会を「唯一の立法機関」とするが，この場合の「立法」とは，実質的意味の立法と解すべきである。また，実質的意味の立法とは，一般的・抽象的法規範の定立を意味すると解すべきである。であるならば，個別的・具体的な事件について法律が制定される処分的法律である措置法は，この実質的意味の立法，つまり，一般的・抽象的法規範に反していることとなり，認められないようにも思える。しかし，日本国憲法第 41 条は，一般的・抽象的法規範であるならば，それは国会が規定すべきでものであることを示すものであり，それ以外の権限，つまり，個別的・具体的な事件に対しての法規範を定立する権限を国会に与えることを否定する趣旨であると解すべきではない。ゆえに，平等原則や権力分立制等の日本国憲法におけるその他の基本原則に反しない限りは，措置法も認められると解すべきである。

（２）唯一の意義

国会を唯一の立法機関とした趣旨は，実質的意味の立法を，国民の代表機関である国会が独占することによって，国民の権利及び自由を確保するという自由主義的意義，及び，国民が直接コントロールを及ぼすことができない行政権による国民生活への不当な介入を防ぐという民主主義的意義の両立を図るところにある。

また，「唯一の立法機関」には，国会中心立法の原則及び国会単独立法の原則の２つの意味が含まれている。

《重要論点Q＆A／憲法 043》

Q　日本国憲法第 41 条における「唯一」の意義をどのように解すべきか？

A　日本国憲法第 41 条は，治者と被治者の自同性の確保という民主主義の要請に基づいて規定されたものであることから，日本国憲法第 41 条の規定する「唯一の立法機関」とは，国会以外の機関による立法は，日本国憲法に特別の規定がある場合を除いて許されないとする国会中心立法の原則，及び，国会による立法には国会以外の機関の参与を必要としないとする国会単独立法の原則からなる立法機関を意味するものと解すべきである。

①　国会中心立法の原則

A　国会中心立法の原則の意義

国会中心立法の原則とは，国の行う立法手続きは，日本国憲法に特別の規定がある場合を除いて，唯一，常に，国会を通してなされなくてはならないという原則のことをいう。

大日本帝國憲法下においては，帝國議会の関与なく，法律と同じ効力を有し，行政権によって制定される緊急勅令（大日本帝國憲法第８条）及び独立命令（大日本帝國憲法第９条）を規定していたが，国会中心立法の原則を採用する日本国憲法下においては，これら緊急勅令及び独立命令については許されないこととなる。

B　国会中心立法の原則の例外

a　両議院の規則制定権【日本国憲法第 58 条第２項】

【日本国憲法第 58 条】

両議院は，各々その議長その他の役員を選任する。

２　両議院は，各々その会議その他の手続及び内部の規律に関する規則を定め，又，院内の秩序をみだした議員を懲罰することができる。但し，議員を除名するには，出席議員の３分の２以上の多数による議決を必要とする。

《重要論点Ｑ＆Ａ／憲法 044》

Ｑ　法律と規則との関係をどのように解すべきか？

Ａ　日本国憲法第 58 条第２項における規則制定事項を法律によって規定することは可能であろうか。日本国憲法第 41 条は，国会を「唯一の立法機関」とするが，この場合の「立法」とは，実質的意味の立法と解すべきである。また，実質的意味の立法とは，一般的・抽象的法規範の定立を意味すると解すべきである。であるならば，「会議その他の手続及び内部の規律に関する規則」とは，一般的・抽象的法規範に該当するし，議会制民主主義という日本国憲法第 41 条の趣旨は，各議院の自立性の確保という日本国憲法第 58 条第２項の趣旨に優越するものであるということができる。ゆえに，日本国憲法第 58 条第２項における規則制定事項を法律によって規定することは可能であると解すべきである。では，法律と規則が競合する場合について，どちらが優先すると解すべきであろうか。先述したように，議会制民主主義という日本国憲法第 41 条の趣旨は，各議院の自立性の確保という日本国憲法第 58 条第２項の趣旨に優越するものであるということができるのであり，法律の方が，規則と比較すると，その成立要件は厳格であることから，法律と規則が競合する場合には，法律の方が優先するものと解すべきである。以上のことから，日本国憲法第 58 条第２項における規則制定事項を法律によって規定することは可能であるし，法律と規則が競合する場合には，法律の方が優先するものと解すべきである。

ｂ　最高裁判所の規則制定権【日本国憲法第 77 条第１項】

【日本国憲法第 77 条】

最高裁判所は，訴訟に関する手続，弁護士，裁判所の内部規律及び司法事務処理に関する事項について，規則を定める権限を有する。

２　検察官は，最高裁判所の定める規則に従はなければならない。

３　最高裁判所は，下級裁判所に関する規則を定める権限を，下級裁判所に委任することができる。

ｃ　執行命令【日本国憲法第 73 条第６号本文】

執行命令とは，日本国憲法及び法律の規定を実施する細則を規定する命令のことをいう。

ｄ　委任命令【日本国憲法第 73 条第６号本文】

委任命令とは，国会以外の機関が，法律の委任により，委任の範囲内で法律の所管事項について制定する命令のことをいう 。

《重要論点Q＆A／憲法 045》

Q　立法の委任は認められるか？

A　日本国憲法第 41 条は，国会を唯一の立法機関であるとしている。この唯一の立法機関には，国会以外の機関が立法してはならないという国会中心立法の原則及び国会以外の機関が立法過程に関与してはならないという国会単独立法の原則の２つの意味が含まれている。そこで，立法の委任が，国会中心立法の原則に反しないかが問題となる。日本国憲法第 73 条第６号但し書きは，罰則について委任を認めている。このことは，一般的に立法の委任を認めることを前提にしていると解されているし，行政国家化した今日においては，専門技術的判断能力を有する行政機関に委任をする必要性があるとも解されている。ここで問題となるのは，その委任の程度であるが，日本国憲法第 41 条の趣旨からすると，抽象的な白紙委任がなされる場合は，もはや国民の意思による立法とは言い難く，このような委任は妥当ではない。ゆえに，委任は，個別具体的なものでなければならず，そのためには，立法の目的と規準が明確に定められていなければならない。ゆえに，これらが充たされているのであれば，立法の委任は認められるものと解すべきである。

《重要論点Q＆A／憲法 046》

Q　立法の再委任は認められるか？

A　行政の起動性確保の強調から，一般的に再委任を認める見解もあるが，日本国憲法第 41 条の趣旨からすると，再委任まで認めることは，もはや国民の意思による立法とは言い難く，このような委任は妥当ではない。ゆえに，再委任については，委任する法律自体が再委任を求めている場合についてのみ立法の再委任は認められるものと解すべきである。

e　条例【日本国憲法第 94 条】

日本国憲法第 94 条において規定する条例の制定が，日本国憲法第 41 条において規定する国会中心立法の原則の例外に該当するかについては争いがある。

α　条例の制定は，国会中心立法の原則の例外であると解する見解

国会が，国の唯一の立法機関であるというのは，地方と対置される国において唯一の立法機関である，という意味ではなく，国内において唯一の立法機関という意味に解すべきであるし，国会の概念は地方議会を含むものではないことから，地方議会による条例の制定は，国会中心立法の原則の例外であると解すべきである。

β　条例は，国会中心立法の原則の例外ではないと解する見解（通説）

条例の制定は，国会における法律の制定と同じ性質の行為であるし，地方議会もまた，国会と同様に，住民により直接選挙された議員によって組織されるものであることから，地方議会による条例の制定は，国会中心立法の原則の例外ではないと解すべきである。

②　国会単独立法の原則

A　国会単独立法の原則の意義

国会単独立法の原則とは，国会による立法手続きは，国会以外の機関の関与は許されず，国会の議決のみで成立するという原則のことをいう。

大日本帝國憲法下においては，国民を拘束する潜在的な効力を法律に付加する制度である裁可（大日本帝國憲法第６条）が天皇に認めていたが，国会単独立法の原則を採用する日本国憲法下においては，この裁可は許されないこととなる。

B　国会単独立法の原則の例外

a　内閣の法律案提出権

国会単独立法の原則からは，法律案の提出権は，国会のみが有することとなる。しかし，実際には，内閣法（昭和22年法律第５号）の規定（内閣法第５条）により，内閣も法律案の提出権を有しており，法律案の多くは内閣から提出されている。このような内閣の法律案の提出権が，国会単独立法の原則に反しないか，そもそも，日本国憲法が内閣に対して法律案の提出権を要請しているのか，要請していない場合には，法律によって許容することが可能なのかが問題となる。

【内閣法第５条】

内閣総理大臣は，内閣を代表して内閣提出の法律案，予算その他の議案を国会に提出し，一般国務及び外交関係について国会に報告する。

α　日本国憲法は，内閣に対して，法律案の提出を要請しているのか

ア　肯定説

福祉主義実現のためには，その政策決定において，専門技術的判断能力が不可欠となるが，国会議員には，そのような能力が乏しく，専門技術的判断能力を有する行政機関を統括する内閣において法律案提出権を認める必要があるし，内閣が国会に対して連帯責任を負う以上，国会に対して相対的に自立した地位を持つためには，内閣自身の政策を追求できる手段が必要となり，また，日本国憲法第72条における「議案」の中には，法律案が含まれることから，日本国憲法は，内閣に対して，法律案の提出を要請していると解すべきである。

【日本国憲法第72条】
内閣総理大臣は，内閣を代表して議案を国会に提出し，一般国務及び外交関係について国会に報告し，並びに行政各部を指揮監督する。

イ　否定説（通説）

内閣の法律案提出権を日本国憲法上の権限として解することは，議会制民主主義の形骸化を容認することとなり，行政権への過度の権力集中を招来する危険性があるし，主権者である国民の意思とはかけ離れた国家意思形成が行われる可能性もあり，また，日本国憲法第72条においては，あくまでも内閣が提出権を有する議案について，内閣総理大臣が，内閣を代表して国会に提出することができる旨を規定したに過ぎないと解すことができることから，日本国憲法は，内閣に対して，法律案の提出を要請してはいないと解すべきである。

β　日本国憲法が，内閣に対して，法律案の提出を要請してはいないとしても，内閣が法律案の提出をすることを法律により許容することができるか

ア　肯定説（通説）

立法行為は，発案・審議・議決という過程をたどり行われるが，立法行為の本質とは，審議・議決の過程であり，発案に該当する法律案の提出だけでは，何ら国会の議決を侵害するものではないし，内閣の法律案提出権を認めることは，国会と内閣の協働を予定する議院内閣制の趣旨に合致するともいえ，また，内閣総理大臣及び国務大臣の過半数が，国会議員の資格において法律案を提出できる以上，内閣の法律案提出権を否定したとしても，それは全くの無意味な行為であり，福祉主義の実現のためには，専門技術的判断能力を有する行政府に対して，法律案提出権を認める必要性が高く，法律によって，内閣の法律案提出権を一切認めないというのは妥当ではないことから，内閣が法律案の提出をすることを法律により許容することは可能であると解すべきである。

イ　否定説

立法行為は，発案・審議・議決という過程をたどり行われるが，法律案の提出は，法律を制定する立法行為における作用のうち最も有力な働きをなすものであることから，本来的に，その作用をなす権限を有しないものである内閣が，その作用について提案するということは矛盾的な行為であり，内閣が何らかの法律を制定したいのであれば，その意思を国会に対して表明しさえすればよく，そもそも，国会単独立法の原則を貫くことが重要であることから，内閣が法律案の提出をすることを法律により許容することは不可能であると解すべきである。

《重要論点Ｑ＆Ａ／憲法 047》

Q 内閣に法律案提出権が認められるか？

A 日本国憲法第 41 条は，治者と被治者の自同性の確保という民主主義の要請に基づいて規定されたものであることから，日本国憲法第 41 条の規定する「唯一の立法機関」とは，国会中心立法の原則及び国会単独立法の原則からなる立法機関を意味するものと解すべきである。ゆえに，内閣に法律案提出権を認めることが，国会単独立法の原則に反しないかが問題となる。この点，内閣に法律案提出権を認めることが，国会単独立法の原則に反するとの見解もあるが，内閣の法律案提出権を否定したとしても，国務大臣が国会議員の資格で提出し得る以上，無意味である。立法行為は，発案・審議・議決という過程をたどり行われるが，その核心は，審議・議決にあり，これを国会でなす以上，国会単独立法の原則に反するとはいえない。また，高度に行政国家化した今日においては，専門技術的判断能力を有する行政機関を統轄する内閣に法案を作成させる必要性も認められる。ゆえに，日本国憲法第 72 条における「発案」には，法律案も含まれることとなり，内閣は，法律案提出権を有すると解すべきである。

b 最高裁判所の法律案提出権

国会単独立法の原則からは，法律案の提出権は，国会のみが有することとなる。そこで，最高裁判所に対して，法律案を提出する権限が認められるかが問題となる。法律案提出権自体については，何ら国会の議決を侵害することはないと解すことができるが，最高裁判所に対して，法律案提出権を認めることは，法の発案権者と日本国憲法への適合性判断権者とを一致させることとなり，違憲審査権の適正な行使を阻害することとなるし，最高裁判所に対して政治的作用を与えることとなることから，最高裁判所の法律案提出権は認められないと解すべきである。

《重要論点Ｑ＆Ａ／憲法 048》

Q 最高裁判所に法律案提出権が認められるか？

A 裁判所は，少数者の人権保障の確保を目的としており，司法権の独立が強く要請されている。であるならば，裁判所に法律案提出権を認めることは，司法の政治化を招来し，司法権の独立を害する危険性があり妥当ではない。また，行政国家化による内閣の場合とは異なり，裁判所に法律案提出権を認める必要性は乏しく，日本国憲法第 72 条のような根拠規定も存しない。ゆえに，最高裁判所に法律案提出権を認める必要はないと解すべきである。

c 地方特別法制定のための住民投票【日本国憲法第95条】

日本国憲法第95条は，「一の地方公共団体のみに適用される特別法は，法律の定めるところにより，その地方公共団体の住民の投票においてその過半数の同意を得なければ，国会は，これを制定することができない。」と規定する。地方特別法制定のための住民投票は，地方公共団体の自主性・平等を確保し，国会の地方公共団体に対する不当な侵害を排除するために，国会単独立法の原則の例外として認められたものと解すべきである。

d 憲法改正における国民投票【日本国憲法第96条第1項】

日本国憲法第96条第1項は，「この憲法の改正は，各議院の総議員の3分の2以上の賛成で，国会が，これを発議し，国民に提案してその承認を経なければならない。この承認には，特別の国民投票又は国会の定める選挙の際行はれる投票において，その過半数の賛成を必要とする。」と規定する。

憲法改正においては，憲法制定権者の意思確認が重要となることから，憲法改正における国民投票は，国会単独立法の原則の例外として認められたものと解すべきである。

なお，日本国憲法第96条第2項は，「憲法改正について前項の承認を経たときは，天皇は，国民の名で，この憲法と一体を成すものとして，直ちにこれを公布する。」と規定し，日本国憲法第7条第1号も「憲法改正，法律，政令及び条約を公布すること。」と重ねて規定しているが，天皇の国事行為である公布とは，既に成立した法を国民一般に表示する行為のことを意味する。この公布は，憲法改正の成立要件ではないが，公布が行われていないと，改正憲法としての施行ができないことから，公布は改正憲法の効力発生要件であると解されている。ゆえに，成立要件ではないため，公布は，国会単独立法の原則の例外には該当しない。

e 天皇による公布【日本国憲法第7条第1号】

天皇の国事行為である公布とは，既に成立した法律を国民一般に表示する行為のことを意味する。法律の成立要件ではないが，公布が行われていないと，法律としての施行ができないことから，公布は法律の効力発生要件であると解されている。ゆえに，成立要件ではないため，公布は，国会単独立法の原則の例外には該当しない。

f 国務大臣の署名・内閣総理大臣の連署【日本国憲法第74条】

【日本国憲法第74条】

法律及び政令には，すべて主任の国務大臣が署名し，内閣総理大臣が連署することを必要とする。

日本国憲法第74条は，法律には，すべて主任の国務大臣が署名し，内閣総理大臣が連署することを必要とするとしているが，この署名及び連署も法律の成立要件ではないと解されている。ゆえに，成立要件ではないため，署名及び連署は，国会単独立法の原則の例外には該当しない。

g　国民表決（レファレンダム）及び国民発案（イニシアティブ）

国民投票の制度は，日本国憲法上，採用することは可能であろうか。日本国憲法第41条の規定との関係で問題となる。

国民投票の制度には，国民表決（レファレンダム）及び国民発案（イニシアティブ）の２つがある。

α　国民表決（レファレンダム）

国民表決（レファレンダム）とは，国民一般が，議員その他公務員の選挙以外の課題について直接行う投票のことをいう。

《重要論点Ｑ＆Ａ／憲法049》

Ｑ　日本国憲法上，国民表決（レファレンダム）は認められるか？

Ａ　国民表決（レファレンダム）の制度は，国会中心立法の原則及び国会単独立法の原則（日本国憲法第41条）に反するように思われる。しかし，国民主権原理（日本国憲法前文及び第１条）との関係から，日本国憲法上の例外として許容されるかが問題となる。この点，国民主権原理において，権力性の契機を重視すれば，国民表決（レファレンダム）の制度は，日本国憲法に適合的なものと解される。しかし，国民主権原理においては，権力性の契機だけではなく，正当性の契機についても不可分に存在する。また，専門技術的判断能力の乏しい有権者団に，国政の判断を委ねるのは非合理的であると解されることから，日本国憲法は間接民主制を原則としている。であるならば，国会の立法権を拘束するような国民表決（レファレンダム）の制度，つまり，立法型の国民投票制，すなわち，国民投票によって法律を制定・改廃することができるとする制度を採用することは許されないものと解すべきである。しかし，国会に対して民意に近づく機会を与えるために，国会の立法権を拘束しない諮間的・助言的な国民表決（レファレンダム）の制度，つまり，助言型の国民投票制，すなわち，国会が意思決定をする際に，予め当該案件について国民投票をし，その結果を尊重する制度であるならば許されると解すべきである。

β　国民発案（イニシアティブ）

国民発案（イニシアティブ）とは，一定以上の国民の署名によって法律案を国会に提出できるとする制度のことをいう。

《重要論点Q＆A／憲法050》

Q　日本国憲法上，国民発案（イニシアティブ）は認められるか？
A　国民発案（イニシアティブ）の制度は，国会単独立法の原則（日本国憲法第41条）に反するように思われる。しかし，議会制民主主義の形骸化が著しい今日，これを活性化する意味で国民発案制を認める意義が大きいといえる。また，立法の本質は審議・議決の過程であるといえ，法律案の提出だけであれば，国会の決議の自由を侵害することにはならないから，国会の立法権（日本国憲法第41条）を侵害しないといえる。とはいえ，国民主権原理（日本国憲法前文及び第1条）においては，権力性の契機だけではなく，正当性の契機についても不可分に存在し，また，専門技術的判断能力の乏しい有権者団に，国政の判断を委ねるのは非合理的であると解されることから，日本国憲法は間接民主制を原則としている。ゆえに，議案の提出（日本国憲法第72条）に類する国民発案（イニシアティブ）の制度の採用については，日本国憲法上，何らかの根拠が必要となる。ゆえに，諮問的な意味での国民発案（イニシアティブ）の制度の採用に限り，日本国憲法上許されると解すべきである。

3　全国民の代表機関【日本国憲法第43条】

（1）「全国民の代表」の意義

日本国憲法第43条第1項は，「両議院は，全国民を代表する選挙された議員でこれを組織する。」と規定していることから，国会を全国民の代表機関であると解すことができる。ここで，「全国民の代表」をどのように解すかが問題となる。

①　政治的代表（純粋代表）

国家の基本的政策決定においては，国会議員は，選挙区や利益団体の利害に影響されず，国民的視野に立つことが要求されるし，日本国憲法第51条においては，国会議員の免責特権を認め，法的独立性を保障し，また，国会議員には，全国民のために活動すべき道徳的義務しかなく，国会において自由に表決する権利を有するという自由委任を原則とすべきであることから，全国民の代表とは，政治的代表であると解すべきである。

国民は代表機関を通じて行動し，代表機関の行為が国民の意思を反映するものとみなされるが，代表者の行為が，法的に被代表者に帰属し，被代表者の行為とみなされることはない。また，社会的事実として，国民の政治的意見と議員の政治的意見の一致も要求されないこととなる。

【日本国憲法第 51 条】

両議院の議員は，議院で行つた演説，討論又は表決について，院外で責任を問はれない。

② 法的代表

日本国憲法における国民主権は，人民主権の意味であると解すべきであるし，日本国憲法には命令委任の禁止についての明示的規定を設けていないことから，日本国憲法第 43 条第 1 項及び第 15 条第 1 項の規定には，命令委任の意味を含むことから，全国民の代表とは，法的代表であると解すべきである。

③ 社会学的代表（半代表）

そもそも，治者と被治者の自同性を図るという民主主義制度の下においては,国会は民意を忠実に反映すべきであるし,行政国家現象の下においては,民意を国会に忠実に反映させることを通し，国会の地位を高めることによって，議会主義の復権を図るべきであり，国民の政治的意見と議員の政治的意見の事実上の一致が必要となることから，全国民の代表とは，社会学的代表であると解すべきである。

《重要論点Ｑ＆Ａ／憲法 051》

Ｑ 国民主権原理における代表観についてどのように解すべきか？

Ａ 国民主権原理とは,国政の在り方を最終的に決定する究極の行使者は国民であるという権力性の契機のことを意味するとの見解があるが,この見解に立つと,国民の中に,主権者である者とそうでない者とが存在することとなるし,主権者の範囲が法律によって規定されてしまう（日本国憲法第 44 条）という背理を生じることとなるから妥当ではない。また，国民主権原理とは,国家権力の正統性の根拠が国民にあるという正当性の契機を意味するとの見解があるが，この見解に立つと，国民はその総体という抽象的な存在となり,代表民主制を採用する（日本国憲法第 43 条第 1 項）を採用する日本国憲法の趣旨に合致するが，これのみでは，国民の意思が国政に反映し得なくなり,国民主権の実効性が確保し得なくなることから妥当ではない。ゆえに，国民主権原理とは，正当性の契機を原則とし，権力性の契機を加味するものと解すべきである。また，正当性の契機を強調すれば，国民は抽象的な存在となることから，自由委任が原則となり，代表の意義も政治的代表と解すべきとなるが，これを徹底すると，国民主権原理の意義が無となる危険性があることから,国民の意思の反映も確保される社会学的代表の意味であると解すべきである。

二　国会の組織

１　２院制【日本国憲法第 42 条】

【日本国憲法第 42 条】

国会は，衆議院及び参議院の両議院でこれを構成する。

国会は，衆議院及び参議院の両議院で構成される（日本国憲法第 42 条）。つまり，我が国の国会は２院制を採用している。

２院制とは，それぞれ独立に意思決定を行う権能を有する２つの議院によって講会が別個に構成される（日本国憲法第 48 条）ことをいう。

【日本国憲法第 48 条】

何人も，同時に両議院の議員たることはできない。

また，両議院は，相互に独立して意思決定を行う（日本国憲法第 56 条）。

【日本国憲法第 56 条】

両議院は，各々その総議員の３分の１以上の出席がなければ，議事を開き議決することができない。

２　両議院の議事は，この憲法に特別の定のある場合を除いては，出席議員の過半数でこれを決し，可否同数のときは，議長の決するところによる。

しかし，原則として，両議院の意思の合致によって国会の意思が成立する（日本国憲法第 59 条）。

【日本国憲法第 59 条】

法律案は，この憲法に特別の定のある場合を除いては，両議院で可決したとき法律となる。

２　衆議院で可決し，参議院でこれと異なつた議決をした法律案は，衆議院で出席議員の３分の２以上の多数で再び可決したときは，法律となる。

３　前項の規定は，法律の定めるところにより，衆議院が，両議院の協議会を開くことを求めることを妨げない。

４　参議院が，衆議院の可決した法律案を受け取つた後，国会休会中の期間を除いて 60 日以内に，議決しないときは，衆議院は，参議院がその法律案を否決したものとみなすことができる。

２院制の存在意義としては，多様な民意の反映がし得ること，衆議院の専制化の危険を防止し得ること，慎重な議会活動を確保し得ること，「数の政治」に対する「理の政治」の展開という参議院の理性や良識による補正がし得ること，等がある。

（1）衆議院【日本国憲法第45条】

【日本国憲法第45条】

衆議院議員の任期は，４年とする。但し，衆議院解散の場合には，その期間満了前に終了する。

衆議院議員の任期は４年である（日本国憲法第45条本文）。但し，衆議院が解散された場合には，その任期は，期間満了前に終了する（日本国憲法第45条但し書き）。

以上から，衆議院は短期的な国民意思の反映をし得る議院であるといえる。

また，日本国憲法施行の際に，まだ参議院が成立していない間，衆議院は，１院で国会としての権限を行った（日本国憲法第101条）。

【日本国憲法第101条】

この憲法施行の際，参議院がまだ成立してゐないときは，その成立するまでの間，衆議院は，国会としての権限を行ふ。

（2）参議院【日本国憲法第46条】

参議院議員の任期は６年であり，３年毎に半数が改選される（日本国憲法第46条）。衆議院と異なり，参議院には解散がない。

以上から，参議院は長期的な国民意思の反映をし得る議院であるといえる。

また，日本国憲法による第１期の参議院議員のうち，その半数の者の任期は３年とされた（日本国憲法第102条前段）。

【日本国憲法第102条】

この憲法による第１期の参議院議員のうち，その半数の者の任期は，これを３年とする。その議員は，法律の定めるところにより，これを定める。

2　衆議院の優越

日本国憲法は，権能面及び議決面において，衆議院の優越性を認めている。

（1）権能面における衆議院の優越

①　予算の先議権【日本国憲法第60条第１項】

【日本国憲法第60条】

予算は，さきに衆議院に提出しなければならない。

2　予算について，参議院で衆議院と異なつた議決をした場合に，法律の定めるところにより，両議院の協議会を開いても意見が一致しないとき，又は参議院が，衆議院の可決した予算を受け取つた後，国会休会中の期間を除いて30日以内に，議決しないときは，衆議院の議決を国会の議決とする。

予算案は，参議院よりも先に衆議院に提出しなければならない。

② 内閣不信任案決議権【日本国憲法第 69 条】

【日本国憲法第 69 条】

内閣は，衆議院で不信任の決議案を可決し，又は信任の決議案を否決したときは，10 日以内に衆議院が解散されない限り，総辞職をしなければならない。

衆議院には，内閣に対する信任または不信任の決議権が与えられている。

（２）議決面における衆議院の優越

① 法律案の議決権【日本国憲法第 59 条第２項】

日本国憲法第 59 条第２項は，「衆議院で可決し，参議院でこれと異なつた議決をした法律案は，衆議院で出席議員の３分の２以上の多数で再び可決したときは，法律となる。」と規定し，法律案の議決において，衆議院が参議院に優越していることを示している。

② 予算案の議決権【日本国憲法第 60 条第２項】

日本国憲法第 60 条第２項は，「予算について，参議院で衆議院と異なつた議決をした場合に，法律の定めるところにより，両議院の協議会を開いても意見が一致しないとき，又は参議院が，衆議院の可決した予算を受け取つた後，国会休会中の期間を除いて 30 日以内に，議決しないときは，衆議院の議決を国会の議決とする。」と規定し，予算案の議決において，衆議院が参議院に優越していることを示している。

③ 条約締結の承認【日本国憲法第 61 条】

【日本国憲法第 61 条】

条約の締結に必要な国会の承認については，前条第２項の規定を準用する。

条約の締結に必要な国会の承認については，参議院において，衆議院と異なった議決をした場合には，両議院の協議会を開いても意見が一致しない場合や，参議院が衆議院の可決した条約締結の承認を受け取った後に国会休会中の期間を除いて 30 日以内に議決しない場合には，衆議院の議決を国会の議決とし，衆議院が参議院に優越する。

④ 内閣総理大臣の指名【日本国憲法第 67 条第２項】

【日本国憲法第 67 条】

内閣総理大臣は，国会議員の中から国会の議決で，これを指名する。この指名は，他のすべての案件に先だつて，これを行ふ。

2 衆議院と参議院とが異なつた指名の議決をした場合に，法律の定めるところにより，両議院の協議会を開いても意見が一致しないとき，又は衆議院が指名の議決をした後，国会休会中の期間を除いて 10 日以内に，参議院が，指名の議決をしないときは，衆議院の議決を国会の議決とする。

内閣総理大臣の指名において，衆議院と参議院とが異なった指名の議決をした場合には，両議院の協議会を開いても意見が一致しない場合や，衆議院が指名の議決をした後に国会休会中の期間を除いて 10 日以内に参議院が指名の議決をしない場合には，衆議院の議決を国会の議決とし，衆議院が参議院に優越する（日本国憲法第 67 条第２項）。

三 国会の活動

１ 国会の会期

（１）会期制度の意義

会期制度とは，一定の限られた期間内においてのみ，国会に活動能力を与える制度のことをいう 。

日本国憲法は，常会・臨時会・特別会についての規定を設けていることから，会期制度を導入しており，ゆえに，我が国の国会運営については，会期毎に独立し，会期を異にする国会の間には意思の継続がないものと考える会期不継続の原則，及び，同一の問題を同一の会期中に再び審議しないことを意味する一事不再議の原則が適用されると解されている。

国会法においては，会期不継続の原則を規定しており（国会法第 68 条本文），一事不再議の原則は慣行として確立している。

【国会法第 68 条】

会期中に議決に至らなかつた案件は，後会に継続しない。但し，第 47 条第２項の規定により閉会中審査した議案及び懲罰事犯の件は，後会に継続する。

なお，会期は，召集の当日から起算し（国会法第 14 条），休会中も含まれるとされている。

【国会法第 14 条】

国会の会期は，召集の当日からこれを起算する。

このような会期制度を採用した理由としては，会期によって時間的な決まりを付すことによって，国会の議事が効率化し，立法作業も円滑に進むという配慮，及び，国会の常時開会は行政の運営を著しく阻害する危険性を有することから，会期制度によって行政の能率を図るという政策的考慮が挙げられている。

大日本帝國憲法においては，会期制度（大日本帝國憲法第 42 条）及び一事不再議の原則（大日本帝國憲法第 39 条）を規定していた。

（２）会期の種類

① 常会【日本国憲法第 52 条】

【日本国憲法第 52 条】
国会の常会は，毎年１回これを召集する。

常会とは，予算の講決等のために，毎年１回必ず召集される国会のことをいう。常会は，通常国会ともいう。

常会の会期は 150 日である（国会法第 10 条本文）。

【国会法第 10 条】
常会の会期は，150 日間とする。但し，会期中に議員の任期が満限に達する場合には，その満限の日をもつて，会期は終了するものとする。

② 臨時会【日本国憲法第 53 条】

【日本国憲法第 53 条】
内閣は，国会の臨時会の召集を決定することができる。いづれかの議院の総議員の４分の１以上の要求があれば，内閣は，その召集を決定しなければならない。

臨時会とは，常会の他に，必要に応じて，臨時に召集される国会のことをいう。臨時会は，臨時国会ともいう。

臨時会の会期は，衆議院及び参議院の両議員において一致の議決で決める（国会法第 11 条）。

【国会法第 11 条】
臨時会及び特別会の会期は，両議院一致の議決で，これを定める。

また，臨時会の会期について，両議院の議決が一致しない場合，または，参議院が議決しない場合には，衆議院の議決したところによることとなる（国会法第 13 条）。

【国会法第 13 条】
前２条の場合において，両議院の議決が一致しないとき，又は参議院が議決しないときは，衆議院の議決したところによる。

③ 特別会【日本国憲法第 54 条第１項】

【日本国憲法第 54 条】
衆議院が解散されたときは，解散の日から 40 日以内に，衆議院議員の総選挙を行ひ，その選挙の日から 30 日以内に，国会を召集しなければならない。
2　衆議院が解散されたときは，参議院は，同時に閉会となる。但し，内閣は，国に緊急の必要があるときは，参議院の緊急集会を求めることができる。
3　前項但書の緊急集会において採られた措置は，臨時のものであつて，次の国会開会の後 10 日以内に，衆議院の同意がない場合には，その効力を失ふ。

特別会とは，衆議院の解散による衆議院議員総選挙の後に召集される国会のことをいう。特別会は，特別国会ともいう。

特別会の会期は，両議院一致の議決で決め（国会法第 11 条），両議院の議決が一致しない場合や，参議院が議決しない場合には，衆議院の議決したところによることとなる（国会法第 13 条）。

（３）会期の延長

国会の会期の延長は，両議院一致の議決で行うことができる（国会法第 12 条第１項）。

また，会期の延長は，常会は１回，臨時会及び特別会は２回を超えてすることはできない（国会法第 12 条第２項）。

【国会法第 12 条】

国会の会期は，両議院一致の議決で，これを延長することができる。

２　会期の延長は，常会にあつては１回，特別会及び臨時会にあつては２回を超えてはならない。

（４）休会制度

休会とは，会期中，国会または議院の議決により，その活動を休止することをいう。

休会には，国会の休会及び議院の休会がある。国会の休会については，両議院一致の議決を必要とする（国会法第 15 条第１項）。一方，議院の議決については各議院の議決で決めることとなる。

【国会法第 15 条】

国会の休会は，両議院一致の議決を必要とする。

２　国会の休会中，各議院は，議長において緊急の必要があると認めたとき，又は総議員の４分の１以上の議員から要求があつたときは，他の院の議長と協議の上，会議を開くことができる。

３　前項の場合における会議の日数は，日本国憲法及び法律に定める休会の期間にこれを算入する。

４　各議院は，10 日以内においてその院の休会を議決することができる。

国会の休会中においては，各議院は，議長において緊急の必要があると認めた場合や，総議員の４分の１以上の議員から要求があった場合には，他の議院の議長と協議の上，会議を開くことができる（国会法第 15 条第２項）。この場合における会議の日数は，日本国憲法及び法律が規定する休会の期間に算入することとなる（国会法第 15 条第３項）。また，各議院は，10 日以内においてその議院の休会を議決することができる（国会法第 15 条第４項）。

2 国会の議事

（1）定足数

定足数とは，会議体において，講事を開き，議決を行うために，最小限必要とされる出席者の数のことをいう。

定足数には，議事の定足数及び議決の定足数があり，日本国憲法第 56 条第１項は，両議院の本会議の議事及び議決の定足数について，総議員の３分の１以上と規定している。

「総議員」が法定議員数のことを意味しているのか，死亡や辞職等による欠員を除いた現在議員数を意味しているのかについては，学説上争いがあるが，先例では，大日本帝國憲法以来，法定議員数を意味すると解されている。

本会議以外の会議については，法律等で異なる定足数を規定することは可能である。

（2）表決数

① 表決数の意義

表決数とは，会議体において，意思決定を行うために，必要な賛成表決の数のことをいう 。

日本国憲法第 56 条第２項は，両議院の本会議の議事の表決数を，原則として，「出席議員の過半数」と規定している。「出席議員」に棄権者や白票・無効票を投じた者が含まれるか否かについては，争いがあるが，先例では，これらを含むと解されている。

日本国憲法上，出席議員の３分の２以上の多数を必要とする例外規定が４つある。加えて，憲法改正の場合については，発議するためには，各議院の総議員の３分の２以上の賛成を必要とする（日本国憲法第 96 条第１項)。

また，日本国憲法第 56 条第２項は，可否同数の場合における議長の決裁権を認めている。議長は，可否いずれに対して決裁権を行使し得ると解されている。但し，両議院の議院規則においては，内閣総理大臣の指名や議長の選挙等については，議長の決裁権を認めていない。

② 例外規定

A 資格争訟裁判により議席を失わせる場合（日本国憲法第 55 条但し書き）

【日本国憲法第 55 条】

両議院は，各々その議員の資格に関する争訟を裁判する。但し，議員の議席を失はせるには，出席議員の３分の２以上の多数による議決を必要とする。

両議院において，議員の資格争訟裁判により議員の議席を失わせる場合には，出席議員の３分の２以上の多数による議決を必要とする。

B　両議院で秘密会を開く場合（日本国憲法第 57 条第１項但し書き）

【日本国憲法第 57 条】

両議院の会議は，公開とする。但し，出席議員の３分の２以上の多数で議決したときは，秘密会を開くことができる。

2　両議院は，各々その会議の記録を保存し，秘密会の記録の中で特に秘密を要すると認められるもの以外は，これを公表し，且つ一般に頒布しなければならない。

3　出席議員の５分の１以上の要求があれば，各議員の表決は，これを会議録に記載しなければならない。

両議院において，秘密会を開く場合には，出席議員の３分の２以上の多数による議決を必要とする。

C　両議院で議員を除名する場合（日本国憲法第 58 条第２項）

両議院において，議員を除名する場合には，出席議員の３分の２以上の多数による議決を必要とする。

D　衆議院で法律案を再議決する場合（日本国憲法第 59 条第２項）

衆議院において，法律案を再議決する場合には，出席議員の３分の２以上の多数による議決を必要とする。

E　憲法改正の発議をする場合（日本国憲法第 96 条第１項）

国会において，憲法改正の発議をする場合には，各議院の総議員の３分の２以上の賛成を必要とする。

（３）会議公開の原則

日本国憲法第 57 条第１項は，両議院における会議公開の原則を規定している。この「公開」には，傍聴や報道の自由及び会議録の公表等が含まれているものと解されている。

これに対して，委員会については，法律上，非公開を原則としているが，報道関係者については，傍聴が許されている（国会法第 52 条第１項）。

【国会法第 52 条】

委員会は，議員の外傍聴を許さない。但し，報道の任務にあたる者その他の者で委員長の許可を得たものについては，この限りでない。

2　委員会は，その決議により秘密会とすることができる。

3　委員長は，秩序保持のため，傍聴人の退場を命ずることができる。

一方，両院協議会については，完全な非公開主義を採用している（国会法第 97 条）。

【国会法第 97 条】

両院協議会は，傍聴を許さない。

（４）内閣総理大臣及び国務大臣の議院出席【日本国憲法第 63 条】

【日本国憲法第 63 条】

内閣総理大臣その他の国務大臣は，両議院の一に議席を有すると有しないとにかかはらず，何時でも議案について発言するため議院に出席することができる。又，答弁又は説明のため出席を求められたときは，出席しなければならない。

内閣が国会に議案を提出し，行政権の行使について国会に対し連帯責任を負っていることから，内閣の構成員である内閣総理大臣及びその他の国務大臣は，いつでも各議院に出席し，発言することが必要となる。また，国会も議案を審議し，内閣をコントロールするためには，内閣の構成員である内閣総理大臣及びその他の国務大臣の出席を求め，説明や答弁等を聞くことができなければ，議院内閣制の意義は失われることとなる。ゆえに，日本国憲法第 63 条の規定は，議院内閣制における当然の帰結であるといえる。

なお，この規定は，内閣を補佐する政府特別補佐人の出席及び発言を禁ずるものではない。

（５）衆議院の解散【日本国憲法第 45 条】

衆議院の解散とは，衆議院議員の全員について，その任期満了前に議員としての身分を失わせることをいう。

権力分立制に基づく立法権と行政権における抑制及び均衡を図る意義と国民主権原理に基づき国民の意思を衆議院に反映させる意義がある。

（６）参議院の緊急集会【日本国憲法第 54 条第２項但し書き】

①　参議院の緊急集会の意義

参議院の緊急集会とは，衆議院の解散中において，国会の機能を代行するもののことをいう。

日本国憲法第 54 条第２項但し書きは，「内閣は，国に緊急の必要があるときは，参議院の緊急集会を求めることができる。」と規定する。本来は，両議院同時活動の原則が適用されるが，参議院の緊急集会は，衆議院が解散中における例外的な制度である 。

②　参議院の緊急集会の要件

Ａ　衆議院が解散中であること

参議院の緊急集会は，衆議院の解散中において，国会の機能を代行するものであることから，衆議院が解散中であることが必要となる。

Ｂ　国に緊急の必要があること

「国に緊急の必要」とは，新しい衆議院の成立による特別会の召集を待つことができない場合で，参議院のみで国会の権能を行使させる異例な状態にしてまで，処理しなければならないものがある場合のことをいう。

C 内閣の求めによること

参議院の緊急集会は，内閣が求めることができるものであることから，「国に緊急の必要」があるかどうかの判断は，内閣において行われることとなる。

③ 参議院の緊急集会の権能

参議院の緊急集会は，国会の権能を代行するものであることから，原則として，法律や予算等の国会の権能に属する事項のすべてについて代行することが可能である。

しかし，憲法改正の発議（日本国憲法第96条第1項）及び内閣総理大臣の指名（日本国憲法第67条）については，参議院の緊急集会では代行し得ないものと解されている。

④ 参議院の緊急集会において採られた措置の効力

参議院の緊急集会において採られた措置は，あくまでも「臨時のもの」であり，暫定的な効力を有するに留まることから，その効力が確定するためには，次の国会開会後，10 日以内に，「衆議院の同意」を得なければならない（日本国憲法第54条第3項反対解釈)。この「衆議院の同意」が得られなかった場合には，参議院の緊急集会において採られた措置は，将来に向かって，その効力を失う（日本国憲法第54条第3項)。

⑤ 参議院の緊急集会の期間中における参議院議員の特権

参議院の緊急集会の期間中において，参議院議員は，国会会期中の国会議員同様，不逮捕特権（日本国憲法第50条）及び免責特権（日本国憲法第51条）を保持することとなる。

【日本国憲法第50条】

両議院の議員は，法律の定める場合を除いては，国会の会期中逮捕されず，会期前に逮捕された議員は，その議院の要求があれば，会期中これを釈放しなければならない。

四 国会の権能

1 法律案の議決権【日本国憲法第41条及び第59条】

法律の制定過程は，発案，審議，議決，署名及び連署，公布という過程を辿ると解されている。

（1）法律案の発案

法律案は，国会議員による「発議」（国会法第56条第1項）によって審議されることとなる。

【国会法第 56 条】

議員が議案を発議するには，衆議院においては議員 20 人以上，参議院においては議員 10 人以上の賛成を要する。但し，予算を伴う法律案を発議するには，衆議院においては議員 50 人以上，参議院においては議員 20 人以上の賛成を要する。

2　議案が発議又は提出されたときは，議長は，これを適当の委員会に付託し，その審査を経て会議に付する。但し，特に緊急を要するものは，発議者又は提出者の要求に基き，議院の議決で委員会の審査を省略することができる。

3　委員会において，議院の会議に付するを要しないと決定した議案は，これを会議に付さない。但し，委員会の決定の日から休会中の期間を除いて７日以内に議員 20 人以上の要求があるものは，これを会議に付さなければならない。

4　前項但書の要求がないときは，その議案は廃案となる。

5　前２項の規定は，他の議院から送付された議案については，これを適用しない。

国会議員が法律案を発議するためには，衆議院において 20 人以上，参議院において 10 人以上の国会議員の賛成が必要であり，また，予算を伴う法律案の場合においては，衆議院で 50 人以上，参議院で 20 人以上の賛成を必要とする（国会法第 56 条第１項）。

内閣も法律案を「提出」することができる（日本国憲法第 72 条及び内閣法第５条）。また，委員会についても法律案の提出権が認められている（国会法第 50 条の２第１項）。

【国会法第 50 条の２】

委員会は，その所管に属する事項に関し，法律案を提出することができる。

2　前項の法律案については，委員長をもつて提出者とする。

（２）法律案の審議

法律案が発議または提出された場合には，議長がこれを適当な委員会に付託し，審議することとなる（国会法第 56 条第２項）。また，委員会において，本会議にかけることを要しないと決定した法律案は，これを審議の対象とはしない（国会法第 56 条第３項）。

（３）法律案の議決

法律案は，両議院で可決した場合に，法律となる（日本国憲法第 59 条第１項）。但し，この両議院一致の議決の原則については，日本国憲法は「特別の定のある場合」として３つの例外を規定している。

①　衆議院における再可決【日本憲法第 59 条第２項】

衆議院で可決し，参議院でこれと異なった議決をした法律案については，衆議院で出席議員の３分の２以上の多数で再び可決した場合に法律となる。

② 参議院の緊急集会における立法行為【日本憲法第 54 条第3項】

衆議院が解散中に，内閣は，国に緊急の必要があると判断した場合は，参議院の緊急集会を求め，参議院において法律案の議決をすることができる（日本国憲法第 54 条第2項但し書き）。

この参議院の緊急集会において採られた措置は，臨時のものであるので，次の国会開会の後 10 日以内に，衆議院の同意を得られれば，参議院の緊急集会での法律案の議決は効力を発することとなる（日本国憲法第 54 条第3項反対解釈）。

③ 地方特別法の制定【日本憲法第 95 条】

日本国憲法第 95 条は，「一の地方公共団体のみに適用される特別法は，法律の定めるところにより，その地方公共団体の住民の投票においてその過半数の同意を得なければ，国会は，これを制定することができない。」と規定する。

地方特別法制定のための住民投票は，地方公共団体の自主性・平等を確保し，国会の地方公共団体に対する不当な侵害を排除するために，両議院一致の議決の原則を排除したものである。

（4）署名及び連署【日本国憲法第 74 条】

法律案が可決され成立すると，主任の国務大臣が署名し，内閣総理大臣が連署する。

なお，署名及び連署は内閣の権能であり，署名及び連署は法律の成立要件ではないことから，国会の権能ではない。

（5）公布【日本国憲法第7条第1号】

主任の国務大臣が署名し，内閣総理大臣が連署した法律については，最後に議決した議院の議長から天皇に対し，その公布を奏上する（国会法第 65 条第1項）。

【国会法第 65 条】

国会の議決を要する議案について，最後の議決があつた場合にはその院の議長から，衆議院の議決が国会の議決となつた場合には衆議院議長から，その公布を要するものは，これを内閣を経由して奏上し，その他のものは，これを内閣に送付する。

2　内閣総理大臣の指名については，衆議院議長から，内閣を経由してこれを奏上する。

その後，天皇による公布（日本国憲法第7条第1号）を経て，その法律は施行日をもって施行されることとなる。

なお，公布は天皇の国事行為であり，法律の成立要件ではないことから，国会の権能ではない。

２　予算案の議決権【日本国憲法第 60 条】

（１）予算の意義及び内容

予算とは，１会計年度における国の歳入及び歳出の見積りを内容とする国の財政行為の準則のことをいう。

予算の制定過程は，作成及び提出，審議，議決という過程を辿ると解されている。

予算の内容には，予算総則，歳入歳出予算，継続費，繰越明許費，国庫債務負担行為がある。このうち継続費及び繰越明許費については，会計年度独立の原則の例外とされる。

（２）予算の種類

予算には，一般会計予算及び特別会計予算があり，単に，予算という場合には，一般会計予算のことをいう。

特別会計予算の設置については，財政法（昭和 22 年法律第 34 号）が認めている（財政法第 13 条）。

【財政法第 13 条】

国の会計を分つて一般会計及び特別会計とする。

２　国が特定の事業を行う場合，特定の資金を保有してその運用を行う場合その他特定の歳入を以て特定の歳出に充て一般の歳入歳出と区分して経理する必要がある場合に限り，法律を以て，特別会計を設置するものとする。

予算の種類としては，本予算，補正予算，暫定予算がある。

①　本予算

本予算とは，１会計年度について定められる基本的予算で，議会に最初に提出される点で補正予算と異なる予算であり，１会計年度中の一定期間にかかる暫定予算とも異なる予算である。本予算は，当初予算ともいう。

②　補正予算

補正予算には，追加予算及び修正予算がある（財政法第 29 条）。

【財政法第 29 条】

内閣は，次に掲げる場合に限り，予算作成の手続に準じ，補正予算を作成し，これを国会に提出することができる。

一　法律上又は契約上国の義務に属する経費の不足を補うほか，予算作成後に生じた事由に基づき特に緊要となつた経費の支出（当該年度において国庫内の移換えにとどまるものを含む。）又は債務の負担を行なうため必要な予算の追加を行なう場合

二　予算作成後に生じた事由に基づいて，予算に追加以外の変更を加える場合

A 追加予算

追加予算とは，法律上または契約上，国の義務に属する経費の不足を補う他，予算作成後に生じた事由に基づき，特に，緊要となった経費の支出または債務の負担を行うために必要となる予算のことをいう。

B 修正予算

修正予算とは，予算作成後に生じた事由に基づいて，予算に追加以外の変更を加える予算のことをいう。

③ 暫定予算

暫定予算とは，予算が新年度の開始前に成立しない場合に，内閣が作成し，国会に提出できる，１会計年度のうちの一定期間に関係する暫定的な予算のことをいう。ゆえに，本予算成立と同時に失効することとなる(財政法30条)。

【財政法第30条】

内閣は，必要に応じて，１会計年度のうちの一定期間に係る暫定予算を作成し，これを国会に提出することができる。

2　暫定予算は，当該年度の予算が成立したときは，失効するものとし，暫定予算に基く支出又はこれに基く債務の負担があるときは，これを当該年度の予算に基いてなしたものとみなす。

④ 予備費

予備費は，予見し難い事情のために，予算の見積りを超過した予算超過支出，及び，新たな目的の予算外支出の必要に応ずるための費用のことをいう。

日本国憲法上，国会の議決に基づいて予備費を設けることが認められており（日本国憲法第87条第１項），予備費の支出については，内閣は，事後に，国会の承諾を得なければならない（日本国憲法第87条第２項）。

【日本国憲法第87条】

予見し難い予算の不足に充てるため，国会の議決に基いて予備費を設け，内閣の責任でこれを支出することができる。

2　すべて予備費の支出については，内閣は，事後に国会の承諾を得なければならない。

予備費は，予算の中に計上はされるが，その性質は，具体的目的によって規定される他の項目の予算とは異なり，予備費を設ける場合の国会の議決は，一定の金額を予備費として計上することへの承認であり，予備費を支出することの承認ではないことから，予備費は，財務大臣の管理に委ねられ，内閣の責任で支出され（日本国憲法第87条第１項），その支出について，内閣は，事後に国会の承諾を得なければならない（日本国憲法第87条第２項）。

（３）予算の法的性格

① 予算行政説

法律とは，国家の人民に対する意思表示であり，国家と人民との間に効力を有し，双方の行為を規律するものであるのに対して，予算とは，国会が政府の財政計画を承認する意思表示であり，国会と政府との間に効力を有し，政府の権限を拘束するに過ぎず，また，法律は永続性を有し，従来の法規を変更する効力を有するのに対して，予算は１会計年度においてのみ効力を有し，法規変更の効力を有しないことから，予算とは，国会が政府に対して１年間の財政計画を承認する意思表示であって，国会と政府との間に効力を有するものに過ぎないものと解すべきである。ゆえに，予算の法規範性は否定されるべきである。

② 予算法律説

日本国憲法第73条第４号が，「官吏に関する事務」を法律所管事項と明示し，行政組織は法律で規定されている等，法律の役割は，一般国民への規制に限定されているわけではないし，法律にも限時法があり，効力が限定的か永続的かは法律と予算を区別する根拠とはならないことから，予算とは，法律であり，日本国憲法第 59 条第１項の規定における法律の形式で議決されるべきであり，日本国憲法第第60条の規定は，日本国憲法第59条の規定の特則であると解すべきである。

③ 予算法規範（予算国法形式）説（通説）

予算については，国会への提出権を内閣に専属させていること（日本国憲法第73条第５号及び第86条），衆議院の予算先議権（日本国憲法第60条第１項），衆議院の優越を認めていること（日本国憲法第 60 条第２項），公布（日本国憲法第７条第１号）についての規定が存在しないこと等からすれば，日本国憲法は，予算と法律とを区別しているし，予算は，国家機関の財政行為のみを規律し，しかも，１会計年度内の具体的行為のみを規律しているので，国民の行為を一般的に規律する法律と区別されることから，予算とは，１会計年度における財政行為の準則であり，主として，歳入歳出の予定準則を内容とし，国会の議決を経て定立される国法の一形式であると解すべきである。政府の行為を規律する準則である以上，法規範性を有するものと解すべきである。

【日本国憲法第86条】

内閣は，毎会計年度の予算を作成し，国会に提出して，その審議を受け議決を経なければならない。

《重要論点Ｑ＆Ａ／憲法 052》

Ｑ　予算の法的性格についてどのように解すべきか？

Ａ　国家と国民との間ではなく，政府と議会との間を規律すること，１会計年度しか効力を有しないこと等から，法律との違いを強調して，予算を行政であるとする見解（予算行政説）もあるが，法律は，国家と国民との間のみを規律するものではないし，限時法も認められていることから，法律と予算との差異は大きなものではなく，予算を行政とすることで，予算に対する民主的コントロールを弱める危険があることから妥当ではない。そこで，予算とは，国家の財政行為の準則として，行政府を規律する法規範であり，法律と並ぶ別個の法形式であると解すべきである（予算法規範説）。

（４）予算案の作成及び提出

日本国憲法第 73 条第５号においては，「予算を作成して国会に提出すること」を内閣の職務として規定している。

また，日本国憲法第 86 条においては，予算の作成及び提出については，内閣の権限であることを明らかにしている。

法律案とは異なり，国会議員には予算案の作成及び提出権はないものとされている。

（５）予算先議権【日本国憲法第 60 条第１項】

予算案は，参議院よりも先に衆議院に提出しなければならない。

また，予算に関係のある法律案についても，先に衆議院に提出するのが慣例となっている。

（６）予算案の審議

国会において，予算案の審議については，内閣における予算案の作成及び提出権に何ら拘束されないものと解されている。

予算案の作成及び提出を内閣に専属させたのは（日本国憲法第 73 条第５号及び第 86 条），国の行政を総合的に把握し，専門技術的判断能力を有する内閣に予算案の作成及び提出を行わせることが，最も適当でかつ合理的であると解されているからである。

（７）予算案の修正

国会は，内閣が提出した予算案について，減額修正及び増額修正をなし得るか。また，なし得るとして，その限界はあるか。国会による修正が，内閣の予算案提出権（日本国憲法第 73 条第５号及び第 86 条）を侵害しないかが問題となる。

① 予算案の減額修正について

日本国憲法下においては，予算の減額修正について，大日本帝國憲法第67条のような予算審議権を制限する規定が設けられておらず，また，日本国憲法においては，財政民主主義の原則（日本国憲法第83条）を採用しており，予算案の減額修正は， 内閣が提出した予算を削除または減額するに過ぎず，財政の裏付けのない予算を作成するものではない以上，内閣の予算案提出権を侵害することはないことから，国会の減額修正については制限がないものと解されている。

【日本国憲法第83条】

国の財政を処理する権限は，国会の議決に基いて，これを行使しなければならない。

② 予算案の増額修正について

A 予算行政説の立場

予算は，あくまでも行政計画に過ぎず，予算案提出権は，内閣に専属していることから（日本国憲法第73条第5号及び第86条），増額修正は，内閣の予算案提出権を侵害するものと解すべき。

B 予算法律説の立場

予算とは，法律であり，日本国憲法第59条第1項の規定における法律の形式で議決されるべきであり，日本国憲法第第 60 条の規定は，日本国憲法第59条の規定の特則であることから，法律の修正権を有する国会の修正には限界は存在しないことから，増額修正については，無制限にし得るものと解すべきである。

C 予算法規範（予算国法形式）説の立場

a 部分的に肯定する立場

予算は法規範であり，国会は法規範について修正権を有するが，一方で，日本国憲法は，内閣に予算案提出権を専属させることで（日本国憲法第73条第5号及び第86条），財政・経済運営の円滑化を図っていることから，国会の予算案修正権については，内閣の予算案提出権を侵害しない範囲においてのみ認められるべきであり，内閣が提出した予算の同一性を損なうような修正は許されないと解すべきである。

b 全面的に肯定する立場

国会が予算案の議決権を有する（日本国憲法第60条）以上，内閣が提出した予算案を否認し，組み替えた新たな予算案を内閣に提出させることができるのであるから，増額修正についても法的な限界は存在しないものと解すべきである。

《重要論点Q＆A／憲法 053》

Q　国会の予算案修正権についてどのように解すべきか？

A　予算法律説によると，国会が内閣の提出した予算案について，無制限に修正し得ることとなる。しかし，予算が法律とは異なる別個の法規範であるとする予算法規範（予算国法形式）説によると，国会の予算案についての修正の可否及び限界については，内閣の予算案作成権及び提出権（日本国憲法第 73 条第５号及び第 86 条）及び国会の予算議決権（日本国憲法第 60 条）の趣旨から検討を要することとなる。日本国憲法が，専門技術的判断能力を有する内閣に対して，予算の作成を委ねつつも，財政民主主義の原則（日本国憲法第 83 条）を採用し，国会の議決によって，予算に対する民主的コントロールを及ぼそうとしていることからすると，減額修正については，無制限になし得ると解すべきであり，国会が不承認とすることができることにも合致する。これに対して，増額修正については，それを無制限に認めると，内閣に予算案作成権を授権した趣旨が没却されることとなり，妥当ではない。ゆえに，増額修正については，内閣の作成及び提出した予算案との同一性を失わせるような修正についてはなし得ないものと解すべきである。

（8）予算案の議決

予算案の議決については，衆議院の優越が認められている（日本国憲法第 60 条第２項）。

衆議院と参議院とで異なった議決をした場合，両議院の協議会を開催しても意見が一致しない場合には，衆議院の議決が国会の議決となる。この場合の両院協議会の開催は，法律案の場合（任意的両院協議会）とは異なり，必須のものである（必要的両院協議会）。また，参議院が，衆議院の可決した予算を受け取った後，国会休会中の期間を除いて 30 日以内に，議決しない場合には，衆議院の議決が国会の議決となる。

《重要論点Q＆A／憲法 054》

Q　予算と法律との形式的効力の優劣についてどのように解すべきか？

A　予算とは，国家の財政行為の準則として，行政府を規律する法規範であり，法律と並ぶ別個の法形式であると解すべきである（予算法規範説）。この点，法律の方が，成立要件が厳しいことから，法律優位とする見解もあるが，予算は法律と並ぶ別個の法形式であって，予算と法律との間に不一致が生じれば国家は予算の執行行為がなし得ない以上，両者には形式的優劣がないものと解すべきである。

《重要論点Ｑ＆Ａ／憲法 055》

Ｑ　予算は成立したが，支出の根拠となる法律がない場合についてどのように解すべきか？

Ａ　内閣は，法律により行政を行うべき地位にあることから，支出の根拠となる法律がない場合には，内閣は予算の執行ができないこととなる。このような場合においては，内閣は予算を執行するための法律案を提出し，法律を成立させる政治的義務が生じるものと解すべきである。一方，国会については，自ら予算を成立させている以上，それに併せて法律も制定すべき政治的義務を負っているとも解すことができるが，国会は唯一の立法機関（日本国憲法第 41 条）である以上，国会には立法裁量があり，法律を成立させる法的義務はないものと解すべきである。

《重要論点Ｑ＆Ａ／憲法 056》

Ｑ　法律は制定されたが，予算が成立していない場合についてどのように解すべきか？

Ａ　国家の財政処理権限は国会の議決に基づいて行使しなければならず，内閣は，法律を誠実に執行する義務を負うことから（日本国憲法第 73 条第１号），内閣が法律を施行するための予算措置を執る義務を負うこととなる。具体的には，補正予算を組むことや予備費を支出すること（日本国憲法第 87 条）等の対応が必要となる。これに対して，国会は，予算については，内閣の予算案の作成及び提出を待つしかないが，国会は唯一の立法機関（日本国憲法第 41 条）であることから，国会には立法裁量がある以上，法律を改廃すべき法的義務はないものと解すべきである。

３　条約締結の承認権【日本国憲法第 61 条】

（１）条約の意義及び範囲

①　条約の意義

条約とは，文書により行われる国家間の法的合意のことをいう。

②　国会の条約締結の承認権の対象となる条約の範囲

国会の条約締結の承認を要する条約については，「条約」という名称を持った形式的な意味の条約のみならず，「協定」・「協約」・「議定書」・「宣言」・「憲章」・「覚書」等の名称が付されているものも含むと解されている。

また，国家間の法的合意文書のすべてについて国会の承認を要すると考える必要はなく，国民の権利及び義務に関係のない，執行協定や委任協定については，国会承認を要しないものと解されている。

（2）国会の条約締結の承認権の意義

相手国と交渉を行うには，専門技術的判断能力が必要となることから，条約締結権は，内閣の権能であるとされている（日本国憲法第 73 条第3号本文)。

しかし，条約は，国家の命運や国民の権利及び義務に直接関係する国家間の法的合意文書である。ゆえに，日本国憲法は，条約締結に関して，国民の代表機関である国会に対して，国民の基本的人権の保障という目的のために，外交関係に関して，行政権に対する民主的コントロールを及ぼすことを図っている（本国憲法第73条第3号但し書き）

（3）国会が条約締結の承認を行う時期

日本国憲法第73条第3号但し書きは，「事前に，時宜によっては事後に，国会の承認を経ることを必要とする。」と規定しているが，事前または事後のいずれに承認を経るかは内閣の裁量によると解すべきか，事前承認を原則とすべきか。

日本国憲法は，条約締結に関して，国民の代表機関である国会に対して，国民の基本的人権の保障という目的のために，外交関係に関して，行政権に対する民主的コントロールを及ぼすことを図っていることから，事前承認が原則であり，事後承認については，緊急やむ得ない場合等，特に理由がある場合に限られると解すべきである。

（4）国会の条約修正権

① 否定説

現実に日本を代表して外国と直接折衝し，条約案の作成を担当しているのは内閣であり，その権限を有しない国会がそれを修正できるとすることは，内閣の条約締結権を侵害することとなるし，承認の法的性格については，内閣に条約の効力を確定する批准権を授権する行為であり，一括承認または一括否認に限定されることとなり，また，国際法の原則からすれば，条約案は調印により確定するから，その後の修正は相手国の同意がなければ認められず，修正は不承認と新たな契約の申し込みを意味するに過ぎないことから，国会における条約修正権については否定されるものと解すべきである。

② 肯定説

内閣の条約締結権を制限することによって，国会の意思を尊重しようとするのが条約承認権の意義であることから，国会の意思及び審議権を尊重すべきであり，一括不承認が可能であるならば，それよりも拒否の程度が弱く，また部分的不承認とみなされる修正も可能と解すべきであることから，国会における条約修正権については肯定されるものと解すべきである。

《重要論点Q＆A／憲法057》

Q　国会の条約修正権についてどのように解すべきか？

A　条約に対する民主的コントロールを及ぼすために国会に条約承認権が与えられたとの趣旨からすると，国会に条約修正権を認めてもよいかとも思える。しかし，内閣に条約締結権が認められているのは，条約締結が相手国との交渉によって成立するのであって，そこには，専門技術的判断能力と柔軟・迅速な対応，そして，秘密性が要請されることに基づいている。であるならば，条約の締結については，本質的に行政権にその権限があるのであり，第1に，内閣による条約締結権が重視されるべきであって，国会の承認権については，受動的かつ阻止的に働くものと解すべきである。ゆえに，国会による条約修正権は認められず，修正の上，承認したとしても，それは，不承認になると解すべきである。

（5）不承認とされた条約の効力

国会の条約承認については，国内法的にも国際法的にも，条約が有効に成立するための効力発生要件であると解されている。ゆえに，国会による事前の承認が欠けている場合については，その条約は不成立となり，国内法的にも国際法的にもその効力は生じないこととなる。

これに対して，事後の承認が欠けている場合についても，国内法的には，効力は生じないと解されている。しかし，相手国がいるため，国際法的に効力が発生するかどうかについては問題となる。

①　無効説

相手国にとっても日本国憲法の下では条約締結に国会の承認を要することは客観的に明白であるから，承認がない場合に無効としても不当ではなく，また，国会の承認について，事前と事後とによって法的効力の有無を区別することは，日本国憲法の趣旨ではないし，事後の承認を軽視することは，国会の意思を軽視する結果にもなることから，事後に承認を求めてその承認が得られなかった場合については，その条約は無効となると解すべきである。

②　条件付無効説

実際上，具体的な条約が日本国憲条の手続きの必要条件を充たしたものか否かについて，容易に相手国にはわからない場合も多いし，国際法上の法的安定性に配慮するのであれば，国際法の規定に反しないように，国家が利用し得る調査方法によって一般に知られる制限に違反した場合，つまり，条約締結権者の権能を直接かつ明白に制限する規定に違反する場合等に限定して，それに該当する場合については，その条約は無効となると解すべきである。

③ 有効説

条約が確定的に成立する前と後とでは，承認の法的意味が異なることは，むしろ当然であるし，条約は国際法上の法形式であり，その国際法的効力は国際法により決定されるべきであり，国際法上の法的安定性に配慮するのであれば，事後に承認を求めてその承認が得られなかった場合についても，その条約は有効となると解すべきである。

《重要論点Q＆A／憲法058》

> Q　不承認とされた条約の効力についてどのように解すべきか？
>
> A　条約に対する民主的コントロールを及ぼすために国会に条約承認権が与えられたとの趣旨を没却しないためには，承認のない条約については，要件を欠く条約としてすべて無効とするのが望ましい。しかし，すべて無効とすると相手国の法的安定性を害することとなるため妥当ではない。そこで，国際法の規定に反しないように，国家が利用し得る調査方法によって，一般的に周知されている制限に違反した場合については，相手国の法的安定性を害する危険性はないことから，このような場合に限り無効となると解すべきである。

4　弾劾裁判所の設置権【日本国憲法第64条】

> 【日本国憲法第64条】
>
> 国会は，罷免の訴追を受けた裁判官を裁判するため，両議院の議員で組織する弾劾裁判所を設ける。
>
> 2　弾劾に関する事項は，法律でこれを定める。

（1）弾劾裁判所の意義

弾劾裁判所とは，罷免の訴追を受けた裁判官を裁判するために，国会に設置された，両議院の議員で組織する裁判所のことをいう（日本国憲法第64条第1項）。

弾劾裁判所は国会の機関ではなく，独立の裁判所として弾劾裁判を行うことから，国会の閉会中もその職務を遂行することとなる。

弾劾に関する事項は，裁判官弾劾法（昭和22年法律第137号）によって規定される（日本国憲法第64条第2項）。

（2）罷免事由

弾劾による罷免事由は，職務上の義務に著しく違反し，または，職務をはなはだしく怠った場合，及び，その他職務の内外を問わず，裁判官としての威信を著しく失うべき非行があった場合である（裁判官弾劾法第2条）。

【裁判官弾劾法第２条】

弾劾により裁判官を罷免するのは，左の場合とする。

一　職務上の義務に著しく違反し，又は職務を甚だしく怠つたとき。

二　その他職務の内外を問わず，裁判官としての威信を著しく失うべき非行があつたとき。

（３）罷免の訴追の手続き

何人も罷免の事由があると思料する場合には，訴追委員会に対して，罷免の訴追をすべきことを求めることができ，弾劾手続きについては，その請求があれば開始される（裁判官弾劾法第 15 条第１項）。

【裁判官弾劾法第 15 条】

何人も，裁判官について弾劾による罷免の事由があると思料するときは，訴追委員会に対し，罷免の訴追をすべきことを求めることができる。

2　高等裁判所長官はその勤務する裁判所及びその管轄区域内の下級裁判所の裁判官について，地方裁判所長はその勤務する裁判所及びその管轄区域内の簡易裁判所の裁判官について，家庭裁判所長はその勤務する裁判所の裁判官について，弾劾による罷免の事由があると思料するときは，最高裁判所に対し，その旨を報告しなければならない。

3　最高裁判所は，裁判官について，弾劾による罷免の事由があると思料するときは，訴追委員会に対し罷免の訴追をすべきことを求めなければならない。

4　罷免の訴追の請求をするには，その事由を記載した書面を提出しなければならない。但し，その証拠は，これを要しない。

（４）弾劾裁判

弾劾裁判所は，訴追委員会による訴追に基づき，審理を行い，罷免の判決については，審理に関与した裁判員の３分２以上の多数意見によって下される（裁判官弾劾法第 31 条第２項）。また，裁判の審理は公開されないものとされている（裁判官弾劾法第 31 条第１項）。

【裁判官弾劾法第 31 条】

裁判の評議は，これを公行しない。

2　裁判は，審理に関与した裁判員の過半数の意見による。但し，罷免の裁判をするには，審理に関与した裁判員の３分の２以上の多数の意見による。

5　内閣総理大臣の指名権【日本国憲法第 67 条】

内閣総理大臣は，国会議員の中から，国会の議決において指名される（日本国憲法第 67 条第１項）。

（１）内閣総理大臣としての指名を受ける者の資格

①　国会議員であること【日本国憲法第 67 条第１項】

内閣総理大臣は，国会議員の中から，国会において指名されることとなっているが（日本国憲法第 67 条第１項），この場合，国会議員であればよく，衆議院議員及び参議院議員については問わない。

指名を受けるには国会議員であることが要求されるが，在任するため要求されるかについては，国会議員であることが在任要件でもあると解されている。ゆえに，内閣総理大臣に就任後に，辞職・除名・当選訴訟または資格争訟による失職などによって，国会議員である地位を失った場合には，当然，内閣総理大臣の地位を失うこととなる。

一方，衆議院の解散または任期満了の場合については，日本国憲法第 70 条の規定によって，総選挙後の国会召集時まで内閣の総辞職の時期を延長している。

【日本国憲法第 70 条】

内閣総理大臣が欠けたとき，又は衆議院議員総選挙の後に初めて国会の召集があつたときは，内閣は，総辞職をしなければならない。

そして，新たな内閣総理大臣が任命されるまで，内閣は，引き続きその職務を行うこととなる（日本国憲法第 71 条）。

【日本国憲法第 71 条】

前２条の場合には，内閣は，あらたに内閣総理大臣が任命されるまで引き続きその職務を行ふ。

②　文民であること【日本国憲法第 66 条第２項】

【日本国憲法第 66 条】

内閣は，法律の定めるところにより，その首長たる内閣総理大臣及びその他の国務大臣でこれを組織する。

2　内閣総理大臣その他の国務大臣は，文民でなければならない。

3　内閣は，行政権の行使について，国会に対し連帯して責任を負ふ。

内閣総理大臣としての指名を受ける者は，文民でなければならない。日本国憲法第 62 条第２項の趣旨は，軍隊による政治的支配を防止するために，軍隊の組織及び決定を政治統制下に置くことにある。このことを文民統制（シビリアン・コントロール）という。この文民の意味については争いがある。

A　過去において軍人の経歴を持たない者とする説（過去の通説）

文民とは，過去において，軍人としての経歴を有さない者を意味すると解すべきである。

B　軍人の経歴及び軍国主義的思想を有する者以外の者とする説（政府見解）

文民とは，過去において，軍人としての経歴を有し，かつ，軍国主義的思想を有している者以外の者を意味すると解すべきである。

C　現在において軍人ではない者とする説

文民とは，現在において，軍人ではない者を意味すると解すべきである。

D　現在及び過去において軍人ではない者とする説（今日の通説）

文民とは，現在及び過去において，軍人ではない者を意味すると解すべきである。

（２）内閣総理大臣の指名手続き

内閣総理大臣の指名手続きは，他のすべての案件に先だって行われなければならない（日本国憲法第67条第１項）。

内閣総理大臣の存在は，国政運営上欠くことができない事項であることから，日本国憲法においては，その指名を最優先事項としている。

（３）内閣総理大臣の指名手続きにおける衆議院の優越

内閣総理大臣の指名において，衆議院と参議院とが異なった指名の議決をした場合には，両議院の協議会を開いても意見が一致しない場合や，衆議院が指名の議決をした後に国会休会中の期間を除いて10日以内に参議院が指名の議決をしない場合には，衆議院の議決を国会の議決とし，衆議院が参議院に優越する（日本国憲法第67条第２項）。

この場合の両議院の協議会の開催は，法律案の場合（任意的両院協議会）とは異なり，必須のものである（必要的両院協議会）。

６　憲法改正の発議権【日本国憲法第96条】

日本国憲法第96条によると，日本国憲法を改正するには，まず，国会の各議院（衆議院及び参議院）における総議員の３分の２以上の賛成をもって国会がこれを発議する必要がある。出席議員ではなく総議員であること，過半数ではなく３分の２の賛成が必要であることから，通常の法律の制定・改正手続きよりも数段厳しい手続きとなっている。

また，国会が提案した内容は，国民の過半数による賛成という承認を経なければならない。この承認手続きは，衆議院か参議院の選挙と同時になされるか，特別の国民投票を実施して行われなければならない。

このように，国民が手続きに参加するという点でも，憲法改正手続きは，通常の法律の制定・改正手続きよりも厳格な手続きを要している。これは，日本国憲法が硬性憲法であるという現れであると同時に，日本国憲法が最高法規であるがゆえに，その法的安定性を要求されていると解すことができる。

五 議院の権能

1 議院の自律権

議院の自律権とは，各議院が，それぞれの内部組織や運営等について，他の議院や他の機関からの干渉を受けることなしに，自主的に決定を行う権能のことをいう。

（1）議員資格争訟裁判権【日本国憲法第55条】

日本国憲法第55条は，「両議院は，各々その議員の資格に関する争訟を裁判する。但し，議員の議席を失はせるには，出席議員の３分の２以上の多数による議決を必要とする。」と規定する。この規定は，各議院に議院の自律権の１つとして，各議院の議員資格についての争訟の裁判権を授権している。

議員は，その地位を保持するために，法律で定める被選挙権を有し（公職選挙法第10条），かつ，兼職禁止の対象となる職務に就いていないことが必要となる（日本国憲法第48条）。

【公職選挙法第10条】

日本国民は，左の各号の区分に従い，それぞれ当該議員又は長の被選挙権を有する。

一 衆議院議員については年齢満25年以上の者
二 参議院議員については年齢満30年以上の者
三 都道府県の議会の議員についてはその選挙権を有する者で年齢満25年以上のもの
四 都道府県知事については年齢満30年以上の者
五 市町村の議会の議員についてはその選挙権を有する者で年齢満25年以上のもの
六 市町村長については年齢満25年以上の者
２ 前項各号の年齢は，選挙の期日により算定する。

両議院において，議員の資格争訟裁判により議員の議席を失わせる場合には，出席議員の３分の２以上の多数による議決を必要とする。

なお，議員の議席を失わせるのでなければ，出席議員の３分の２以上の多数による議決は必要とはならない。つまり，議員の資格争訟裁判においては，常に出席議員の３分の２以上の多数による議決が必要となるわけではない。

また，議員の資格争訟裁判（日本国憲法第55条）は，裁判官の弾劾裁判所（日本国憲法第64条）と同様，日本国憲法第76条の規定の例外となることから，この争訟の裁判について，通常の裁判所への提訴は認められないこととされている。

（２）議院規則制定権【日本国憲法第 58 条第２項】

日本国憲法第 58 条第２項は，「両議院は，各々その会議その他の手続及び内部の規律に関する規則を定め，又，院内の秩序をみだした議員を懲罰することができる。但し，議員を除名するには，出席議員の３分の２以上の多数による議決を必要とする。」と規定し，両議院に，議院の自律権の１つとして，議院規則制定権を授権している。

この権能は，議院が独立して審議及び議決を行う機関である以上，当然に前提とされる性質のものであり，この権能に基づいて，各議院において，衆議院規則・参議院規則がそれぞれ規定されている。

衆議院規則及び参議院規則と国会法との関係をどのように解すべきか，競合した場合における効力の優劣関係が問題となる。

①　法律優位説

議院規則が１院のみで制定されることに対して，法律は，両議院の意思の合致により制定されることとなることから，議院規則によって法律である国会法の規定を変更することは許されないものと解すべきである。

②　規則優位説

国会法の中の１院の内部規律または手続きに関する部分については，規則と同位にあるものと解すべきであり，両者が矛盾する場合には，国会法を一般法として，議院規則を特別法として扱い，議院規則を優先的に適用するものと解すべきである。

（３）議院の議員懲罰権【日本国憲法第 58 条第２項本文】

日本国憲法第 58 条第２項本文は，「両議院は，各々その会議その他の手続及び内部の規律に関する規則を定め，又，院内の秩序をみだした議員を懲罰することができる。」と規定し，両議院に，議院の自律権の１つとして，議院の議員懲罰権を授権している。

この権能は，議院がその組織体としての秩序を維持し，会議の円滑な運営を図るために，院内秩序を乱す議員に対して科す制裁のことを意味している。

懲罰とは，院内秩序の維持のため，国会議員という身分を有する者についてだけに科せられる一種の懲戒罰を意味することから，一般国民に対する刑事上の制裁（刑罰）ではなく，日本国憲法第 31 条の手続きに基づく必要はないとされている。

国会議員としての行動が，院内の秩序を乱した場合については，すべて懲罰の対象となる。また，「院内」とは，議事堂内に限定されず，議事堂外の行為でも，人的組織体としての議院と同視すべき場所における国会議員の院内の秩序を乱す行為はすべて懲罰の対象となる。

2　国政調査権【日本国憲法第62条】

【日本国憲法第62条】
両議院は，各々国政に関する調査を行ひ，これに関して，証人の出頭及び証言並びに記録の提出を要求することができる。

（1）国政調査権の意義

国政調査権とは，国会の有する立法権やその他国政全般に関する重要な諸権限を適切かつ充分に行使するために，国政事項に関し，各議院が正確な知識と情報の収集及び必要な調査を行うことをいう。

（2）国政調査権の法的性格

①　独立権能説

国会は国権の最高機関として，国政を統括し調整する地位にあり，国政調査権はこの地位に基づく権能であることから，国政調査権は，国会ないし議院の他の権能と並ぶ独立の権能であって，特に議院の権能に関連することなく国政全般にわたって調査し得ると解すべきである。

②　補助的権能説（通説）

日本国憲法第41条の規定は，国会が国政の中心に位置する重要な国家機関であることを政治的に強調したに過ぎず，国会が内閣や裁判所に優位する地位を導くものではないことから，国政調査権とは，代表民主制の下で，国民に代わって国政に関与する代表者が，国会が保持する諸権能を行使するために，国政に関する充分な知識や正確な認識を獲得する必要があることから，議院に対して補充的に与えられた事実の調査権能であると解すべきである。

《重要論点Q＆A／憲法059》

Q　国政調査権の法的性格をどのように解すべきか？

A　日本国憲法第41条における「国権の最高機関」の意味を，国会が統括機関である旨を規定したものであるとして，国政調査権を，他の議院の権能とは独立した権能であるとの見解もあるが，日本国憲法が，権力分立制を採用している以上，国会は他の機関に優位しているものではなく，「国権の最高機関」も，国会が主権者たる国民に近いことに基づく政治的美称に過ぎないと解すべきである。ゆえに，国政調査権についても，他の権能を補助する権能に過ぎないと解すべきである。もっとも，国政調査権が，このような補助的権能であるとしても，議院の権能は非常に広汎なものであることから，国政調査権も，結果として，国政一般に及ぶものと解すべきである。

（3）国政調査権の主体

国政調査権を有する国勢調査の主体は，衆議院及び参議院の各議院である。しかし，各議院自らが行うのは稀であり ，国政調査の性質からすると，通常は，常任委員会，特別委員会，調査特別委員会等の各委員会に調査権限を授権して調査を行わせることとなる。

（4）国政調査権の行使方法

日本国憲法第62条は，「両議院は，各々国政に関する調査を行ひ，これに関して，証人の出頭及び証言並びに記録の提出を要求することができる。」と規定するが，この国政調査権の行使を実効的なものとするために，議院における証人の宣誓及び証言等に関する法律（昭和22年法律225号）が制定されており，正当な理由なく，証言・書類の提出を拒否した場合の罰則も規定され，国政調査権は極めて強力な権能となっている。

但し，国政調査権は，刑事司法作用ではないことから，いかに，調査のために有効であったとしても，日本国憲法の認める強制手段以外については，法律をもってしても認めることができないと解されている。ゆえに，国政調査のためであったとしても，捜索・押収のような刑事訴訟法上の強制手段については許されないものと解すべきである。

裁判例（札幌高等裁判所昭和30年8月23日判決）も同様の見解を採用している。

（5）国政調査権の行使方法

国政調査権については，一般に，立法・行政・司法・財政に関する事項に広く及ぶものと解されている。

①　国政調査権と司法権との関係

裁判の内容について国政調査権を行使することは許されるのか。司法権の独立（日本国憲法第76条第3項）との関係で問題となる。

A　裁判の監督を目的とした調査について

a　独立権能説の立場からの見解

司法権の独立（日本国憲法第76条第3項）を，裁判官が裁判については，法律上，他の何者からも指揮命令を受けず，自己の自由な判断で判決を下すことができる職権行使の独立という意味であるとするのであれば，裁判の監督のために国政調査権を行使することは，担当裁判官を指揮する等の手段を採らない限り，許されるものと解すべきである。

b　補助的権能説の立場からの見解

裁判の監督のために国政調査権を行使することは，司法権の独立（日本国憲法第76条第3項）との関係から，許されないものと解すべきである。

B　審理中の事件についての並行調査について

a　独立権能説の立場からの見解

審理中の事件について，裁判所とは異なる目的で，裁判と並行して調査をすることについては，司法権の独立（日本国憲法第 76 条第３項）を侵害しない限り，当然に，認められるものと解すべきである。

b　補助的権能説の立場からの見解

審理中の事件について，裁判所とは異なる目的で，裁判と並行して調査をすることについては，司法権の独立（日本国憲法第 76 条第３項）を侵害しないように，慎重かつ適正な方法を用いるのであれば許されるものと解すべきである。

《重要論点Ｑ＆Ａ／憲法 060》

Ｑ　国政調査権と司法権との関係をどのように解すべきか？

Ａ　国政調査権と司法権との関係においても，広く国政調査権は及ぶものと解すべきである。しかし，裁判所においては，少数派の人権保障のための機関であることや裁判所が政治化することを防止する観点から，日本国憲法上，司法権の独立（日本国憲法第 76 条第３項）が強く要請されている。ゆえに，国政調査権は，司法権の独立（日本国憲法第 76 条第３項）に反しては，これをなし得ないものと解すべきである。特に，裁判と並行してなされる並行調査においては，裁判所と異なる目的で調査をなすのであれば，裁判官に影響を与えず，司法権の独立（日本国憲法第 76 条第３項）に反するものとはいえないため許されるが，同じ目的で行う場合については，許されないものと解すべきである。また，確定判決後にその当否を調査することについては，確定判決後である以上，当該事件への影響は考え難いことから許されるようにも思えるが，以後，同種の事件への影響もあり得ることから，やはり，許されないものと解すべきである。

②　国政調査権と行政権との関係

Ａ　国政調査権と行政権一般との関係

国会には，広汎な立法権が認められているのと同時に，議院内閣制（日本国憲法第 66 条第３項）の下，行政監督権が認められていることから，行政権に対しては，原則として，全面的に議院の国政調査の対象となると解されている。

しかし，公務員の「職務上の秘密」に属する事項については，調査権が及ばない場合があるとされている（議院における証人の宣誓及び証言等に関する法律第５条第１項）。

【議院における証人の宣誓及び証言等に関する法律第５条第１項】

各議院若しくは委員会又は両議院の合同審査会は，証人が公務員（国務大臣，内閣官房副長官，内閣総理大臣補佐官，副大臣，大臣政務官及び大臣補佐官以外の国会議員を除く。以下同じ。）である場合又は公務員であつた場合その者が知り得た事実について，本人又は当該公務所から職務上の秘密に関するものであることを申し立てたときは，当該公務所又はその監督庁の承認がなければ，証言又は書類の提出を求めることができない。

《重要論点Ｑ＆Ａ／憲法 061》

Ｑ　議院における証人の宣誓及び証言等に関する法律第５条第１項における「職務上の秘密」の意味をどのように解すべきか？

Ａ　国家は，行政の円滑かつ迅速な運営のため内政や外交等の事項について国家機密を維持する必要があり，国政調査権を一定の範囲に制限をする必要があるとも思える。しかし，議院内閣制（日本国憲法第 66 条第３項）の下においては，国会は行政権をコントロールする立場にある以上，国家機密の名において，国政調査権の範囲を不当に狭めるべきではない。また，今日においては，行政国家現象が顕著であることから，国政調査権をもって行政統制のための手段とする必要性は特に大きいものと解する。ゆえに，議院における証人の宣誓及び証言等に関する法律第５条第１項における「職務上の秘密」とは，公表することにより，国家の重大な利益に悪影響を及ぼすような場合に限られるものと解すべきである。

Ｂ　国政調査権と検察権との関係

検察権は，行政作用の１つであり，行政権に属するが，その一方で，準司法的作用も有する。このような準司法的作用を有する検察権に対して，国政調査権がどの程度及ぶかが問題となる。

《重要論点Ｑ＆Ａ／憲法 062》

Ｑ　国政調査権と行政権との関係をどのように解すべきか？

Ａ　国政調査権と行政権との関係については，議院内閣制（日本国憲法第 66 条第３項）の下においては，国会は行政権をコントロールする立場にある以上，全般的に調査をなし得ると解すべきである。もっとも，検察権については，司法権と密接な関連を有する準司法的作用を有することから，司法権の独立（日本国憲法第 76 条第３項）の要請に基づき，その調査範囲については限界があると解すべきである。ゆえに，目的・対象・方法の面で，検察権の行使に影響を及ぼすような国政調査権の行使は認められないものと解すべきである。

③ 国政調査権と人権保障との関係

国政調査権の行使に際しては，国民の権利及び自由を侵害するような手段または方法であってはならないことは当然のことである。

国政調査権の行使が，証人等の基本的人権を侵害する場合には，議院における証人の宣誓及び証言等に関する法律第７条第１項における「正当の理由」があることを根拠に証言拒否が認められ得る。

【議院における証人の宣誓及び証言等に関する法律第７条第１項】

正当の理由がなくて，証人が出頭せず，現在場所において証言すべきことの要求を拒み，若しくは要求された書類を提出しないとき，又は証人が宣誓若しくは証言を拒んだときは，１年以下の禁錮又は10万円以下の罰金に処する。

3 内閣不信任決議権【日本国憲法第69条】

日本国憲法上，衆議院のみに，内閣の責任を追及する方法として，内閣不信任決議案の可決または信任決議案の否決権限が認められている。

なお，個々の国務大臣に対する不信任決議は，政治的な意味しか有しないものと解されている。

六 国会議員の地位及び権能

国会議員は，全国民の代表者（日本国憲法第43条）として，法律によって規定された選挙方法によって選出される（日本国憲法第47条）。

【日本国憲法第47条】

選挙区，投票の方法その他両議院の議員の選挙に関する事項は，法律でこれを定める。

このような国会議員は，国権の最高機関（日本国憲法第41条）である国会の構成員として，他から圧力を受けることなく，自由に，かつ，独立に，重要な職責を担うことが必要となる。ゆえに，日本国憲法上，国会議員に，様々な特権が認められている。

1 不逮捕特権【日本国憲法第50条】

（1）不逮捕特権の意義

国会議員の不逮捕特権とは，行政権による逮捕権の濫用から国会議員の身体的自由を確保することによって，その自由な活動を保証し，国会の機能を充分に発揮させるために認められた国会議員の特権のことをいう。

（２）不逮捕特権が認められる時期

日本国憲法第 50 条は，「両議院の議員は，法律の定める場合を除いては，国会の会期中逮捕されず，会期前に逮捕された議員は，その議院の要求があれば，会期中これを釈放しなければならない。」と規定していることから，不逮捕特権が認められる時期については，国会の会期中であり，会期外，つまり，国会の閉会中の場合については，不逮捕特権は認められない。

但し，参議院の緊急集会が開かれている期間中については，参議院議員に対して，国会会期中と同様に，不逮捕特権が認められている（国会法第 100 条）。

【国会法第 100 条】

参議院の緊急集会中，参議院の議員は，院外における現行犯罪の場合を除いては，参議院の許諾がなければ逮捕されない。

2　内閣は，参議院の緊急集会前に逮捕された参議院の議員があるときは，集会の期日の前日までに，参議院議長に，令状の写を添えてその氏名を通知しなければならない。

3　内閣は，参議院の緊急集会前に逮捕された参議院の議員について，緊急集会中に勾留期間の延長の裁判があつたときは，参議院議長にその旨を通知しなければならない。

4　参議院の緊急集会前に逮捕された参議院の議員は，参議院の要求があれば，緊急集会中これを釈放しなければならない。

5　議員が，参議院の緊急集会前に逮捕された議員の釈放の要求を発議するには，議員 20 人以上の連名で，その理由を附した要求書を参議院議長に提出しなければならない。

（３）不逮捕特権における「逮捕」の意味

日本国憲法第 50 条における「逮捕」とは，広く公権力による身体の拘束のことを意味し，刑事訴訟手続きによる逮捕・勾引・勾留に限らず，広く公権力の行使による身体の拘束を含むものと解されている。

（４）「法律の定める場合」の意味

日本国憲法第 50 条における「法律の定める場合」とは，院外における現行犯罪の場合及び当該国会議員の所属する議院の許諾がある場合のことをいう（国会法第 33 条）。

【国会法第 33 条】

各議院の議員は，院外における現行犯罪の場合を除いては，会期中その院の許諾がなければ逮捕されない。

(5) 院内の現行犯罪

院外における現行犯罪の場合は，不逮捕特権の例外となるが（国会法第33条），院内の現行犯罪については，不逮捕特権の例外には該当せず，議長による議院内部警察権行使の対象となる（国会法第114条）。

【国会法第114条】

国会の会期中各議院の紀律を保持するため，内部警察の権は，この法律及び各議院の定める規則に従い，議長が，これを行う。閉会中もまた，同様とする。

(6)「院の許諾」の判断基準

国会法第33条における「院の許諾」の判断基準については，不逮捕特権の趣旨が，議院の活動の確保にあるとすれば，議院の活動に影響し得るかどうかによって決せられることとなるがが，行政権による逮捕権の濫用から国会議員の身体的自由を確保することによって，その自由な活動を保証し，国会の機能を充分に発揮させるために認められた趣旨であると解すると，逮捕に正当な理由があれば，不当に国会議員の身体の自由を害するものとはいえない。ゆえに，国会法第33条における「院の許諾」の判断基準については，正当な理由の有無によって決すべきである。

(7)「院の許諾」に条件・期限を付すことは可能か

不逮捕特権の趣旨が，議院の活動の確保にあるとすれば，これに必要な範囲で，条件・期限を付し得ることとなるが，不逮捕特権の趣旨が，行政権による逮捕権の濫用から国会議員の身体的自由を確保することによって，その自由な活動を保証し，国会の機能を充分に発揮させることにあるとすると，逮捕に正当な理由がある限り，不当な身柄拘束とはいえないことから，条件・期限を付し得ないこととなる。

(8) 不起訴特権の肯否

日本国憲法第50条が規定する不逮捕特権に不起訴特権を含むかについては，日本国憲法第50条の規定は，原則として，国会議員を会期中に逮捕することを禁じているのであって，訴追することまでを禁じているわけではないと解されている。

2 免責特権【日本国憲法第51条】

(1) 免責特権の意義

国会議員の免責特権とは，不逮捕特権（日本国憲法第50条）とともに，行政権による不当な干渉を排除し，議院における国会議員の自由な発言や表決を保障し，審議体としての機能を確保するために。国会議員が，自由にその職務を遂行できるようにするために認められた国会議員の特権のことをいう。

（2）免責特権の主体

免責特権は，国会議員についてのみ認められるものであり，国務大臣（但し，国会議員である国務大臣については，国会議員としての地位で認められる）・公述人・証人等には，免責特権は認められない。

（3）免責特権における「責任」の意味

日本国憲法第51条における「責任」とは，一般国民であれば負うべき法的責任，つまり，損害賠償や名誉毀損といった民事上及び刑事上の責任等を意味し，一般国民が負うべき法的責任以外の責任は含まれない。但し，国会議員が，公務員を兼職している場合には，通常の公務員であれば負うべき懲戒責任もこの「責任」に含まれることとなる。

（4）免責の対象

日本国憲法第51条は，「両議院の議員は，議院で行つた演説，討論又は表決について，院外で責任を問はれない。」と規定していることから，免責される対象は，「議院で行つた演説，討論又は表決」であるように思える。

免責特権が認められる趣旨は，国会議員の言論活動の自由を最大限保証することによって，民意の国政への反映を確保しようとしたところにある。であるならば，免責の対象は，議院で行った演説・討論・表決に限定されず，職務行為一般及びこれに付随する行為も広く含むものと解すべきである。

但し，私語・野次・暴力行為の類については，もはや職務行為に付随しているものとはいえないことから，免責の対象とはならないと解すべきである。

（5）絶対的免責の肯否

日本国憲法第51条の規定する免責特権の趣旨は，国会議員の言論活動の自由を最大限保証することによって，議員の自律性を確保することにある。であるならば，免責の範囲を限定し，例外を認めることによって，議員の自由な言論活動が妨げられ，その趣旨が没却される危険が生じることとなる。ゆえに，免責特権における例外は認められず，日本国憲法第51条の規定する免責特権における免責とは，国会議員が一切責任を負わない絶対的免責を意味しているものと解すべきである。

しかし，このように解すと，名誉権やプライバシー権を侵害された国民に対して，その保護に欠けるのではないかとの批判もある。しかし，日本国憲法第51条の規定する免責については，これを違法な行為ではないとまでするものではないことから，被害者の保護については，国家賠償請求を認めることによって図ることができるのであり，このような批判には該当しないものと解すべきである。

3　歳費を受ける権利【日本国憲法第 49 条】

【日本国憲法第 49 条】
　両議院の議員は，法律の定めるところにより，国庫から相当額の歳費を受ける。

　日本国憲法第 49 条の規定により，国会議員が受けることとなっている「歳費」については，その法的性格として，国会議員の職務に対する報酬，つまり，議員報酬としての意味を有していると解されている。

　そのため，国会法第 35 条において，一般職の公務員の最高の給与額より少なくない歳費を受けるとその額を規定している。

【国会法第 35 条】
　議員は，一般職の国家公務員の最高の給与額（地域手当等の手当を除く。）より少なくない歳費を受ける。

　なお，日本国憲法第 49 条の規定においては，「歳費を受ける」とのみ規定しているが，これはその他の給付が受けられないという趣旨ではなく，退職金（国会法第 36 条）等，法律によって，さまざまな費用が支給されている。

【国会法第 36 条】
　議員は，別に定めるところにより，退職金を受けることができる。

第４章　内閣

一　内閣の地位

1　行政権の意義【日本国憲法第 65 条】

【日本国憲法第 65 条】
　行政権は，内閣に属する。

資本主義が高度に発達した現代社会においては，資本主義の矛盾を解消すべく国家が積極的に国民生活に関与することが要求される（現代立憲主義）。この要求に応じるためには，専門技術的判断及び迅速かつ円滑な対応が必要となる。そのため，このような能力を有する行政権の機能が拡大（行政権の肥大化）し，本来的に法の執行機関であるに過ぎない行政権が国家の基本的政策決定の中心的役割を担うこととなっている（行政国家化現象）。

（１）積極説

行政とは，法の下に法の規制を受けながら，現実的具体的に国家目的の積極的実現を目指して行われる，全体として統一性を有する形成的国家活動のことを意味するものと解すべきである。

（２）消極説（控除説）

行政とは，国家作用の中から，法規の定立行為としての立法作用，国家の刑罰権の判断作用及び一定の裁判手続きによって，人と人との権利義務を判断する民事私法の私法作用を除くものを意味するものと解すべきである。

つまり，行政とは，国家作用のうち，立法と司法を控除したものを意味するものと解すべきである。

2　行政権の主体

行政権の主体は，内閣である（日本国憲法第 65 条）。このことは，内閣の制度を，大日本帝國憲法下とは異なり，日本国憲法下の制度として明文で規定したこと，及び，合議体である内閣が，直接行政権を担うことを意味している。

しかし，行政権が内閣に属するという意味は，行政権すべてが内閣によって行使されるという意味ではないことは，日本国憲法上，内閣以外の機関が行政を担当することが認められていること，及び，内閣に認められた権限についても，内閣が単独でこれを行使するわけではないことから明らかである。

3 独立行政委員会

（1）独立行政委員会の意義

独立行政委員会とは，特に，公正さが要求される事項について，内閣から独立的な地位において，その職権を行うことが認められている合議制の行政機関のことをいう。

独立行政委員会には，政治的中立性の要請される行政，及び，専門技術性の要請される行政については，政治的に中立で，かつ，より専門技術的判断能力性に優れた機関に担当させることで，行政の円滑化を図り，国民の権利実現を達成するという目的がある。

人事院・公正取引委員会・国家公安委員会・公安審査委員会・中央労働委員会等が，この独立行政委員会に該当する。

（2）独立行政委員会の合憲性

① 独立行政委員会と行政権との関係

独立行政委員会が，内閣から独占して一定の行政権を行使し，準立法的権限及び準司法的権限を併せ有することは，日本国憲法第 65 条や国会に対する内閣の連帯責任を規定する日本国憲法第 66 条第３項との関係から，日本国憲法上その合憲性が問題となる。

現在は，合憲説が大勢を占めているが，その根拠に争いがある。

A 独立行政委員会は内閣のコントロール下にあるから合憲とする見解

内閣から全く独立した行政機関を設けることは，国会による内閣への民主的コントロールによって行政の民主性を確保しようとする日本国憲法の趣旨に反することとなるし，独立行政委員会は，内閣が委員任命権及び予算編成権を有する限りにおいて内閣の下にあるといえることから，日本国憲法第 65 条の趣旨は，すべての行政権を内閣のコントロールの下に置くものであり，独立行政委員会は，何らかの意味で内閣のコントロールの下にあるから合憲であると解すべきである。

B 独立行政委員会は内閣と抑制及び均衡しているから合憲とする見解

そもそも，日本国憲法第 65 条には，日本国憲法第 41 条における「唯一」という文言や日本国憲法第 76 条における「すべて」という文言に対応する文言がなく，独立行政委員会の担当する職務は，その性質上，内閣のコントロールに親しまないことから，日本国憲法第 65 条は，必ずしもすべての行政について，内閣のコントロール下に置くことを想定していないのであることから，独立行政委員会は，内閣から独立し，抑制及び均衡しているからといって違憲ではなく，合憲であると解すべきである。

C 独立行政委員会の職務の特殊性等から合憲とする見解

原則として，すべての行政を内閣のコントロールの下に置くことによって，民主的責任行政の実現を図るが，独立行政委員会の職務の特殊性による独立性の程度に応じては，内閣の権限と責任が縮小される場合もあり得るのであり，内閣によるコントロールの不充分な点については，国会によるコントロールの存在によって補完することによって，独立行政委員会は，合憲性は根拠付けられると解すべきである

《重要論点Q＆A／憲法063》

Q 行政権との関係において，独立行政委員会の合憲性をどのように解すべきか？

A 独立行政委員会に対しては，委員任命権及び予算作成権から，内閣によるコントロールが及んでいるとの見解があるが，このように解すると，裁判所に対しても内閣のコントロールが及んでいるという不合理な結論となり，権力分立制を採用する日本国憲法においては，妥当ではない。日本国憲法第65条の規定は，国会を通じて内閣に対して民主的コントロールを及ぼし，内閣の監督を通じて，独立行政委員会への民主的コントロールの確保を図るためのものである。従って，独立行政委員会については，一見，日本国憲法第65条の規定に反するようにも思える。しかし，日本国憲法第65条の趣旨は，最終的に，民主的コントロールが及ぶということが重要であり，必ずしもすべての行政権が，内閣のコントロール下に置かれなければならない必然性はない。ゆえに，委員任命権及び予算作成権による内閣によるコントロール及び国会によるコントロールが及んでいるのであれば，日本国憲法第65条には反しないものと解すべきである。

② 独立行政委員会と立法権との関係

独立行政委員会の規定する規則については，独立行政委員会には政治的中立性が要求されていることから，政令の場合と比較して，法律による委任が包括的であっても許されるべきかが問題となる。

独立行政委員会の規定する規則に対する委任立法は認められ得るが，その場合，原則として，その委任については，個別具体的なものでなければならない。そのためには，法律によって，目的及び受任者の根拠となる規準を規定することが必要となる。また，独立行政委員会は，政治的中立性を有していたとしても，直接的には民主的基板を有していないことから，裁量権の濫用によって，国民の権利が侵害される危険性がある。ゆえに，その委任については，厳格なものでなければならない。

③　独立行政委員会と司法権との関係

司法権は，裁判所に帰属する（日本国憲法第 76 条第１項）が，日本国憲法においては，独立行政委員会等の行政機関は終審として裁判できない（日本国憲法第 76 条第２項）と規定するのみで，独立行政委員会等の行政機関が前審として裁判をし得るかについては明文上禁止されていない。また，事件の専門技術性及び事件を迅速に裁定する必要性等から，前審として専門技術的判断能力を有する独立行政委員会等の行政機関に判断させることは福祉主義の実現に資するとも思える。ゆえに，独立行政委員会等の行政機関は，前審としてならば裁判ができるものと解されている。つまり，独立行政委員会等の行政機関の裁定等の判断に対して不服がある場合には，裁判所に対して出訴し得る途が確保されているのであれば，独立行政委員会等の行政機関による裁定行為は合憲となる。

二　内閣の組織

大日本帝國憲法下においては，統治権を総攬する天皇が行政権を行使し，各国務大臣は天皇を補弼する存在であるとされてはいたが，内閣自体については，大日本帝國憲法上，何ら明文の規定が置かれていなかった。これに対して，日本国憲法下においては，行政権の主体を天皇から内閣とし，合議体である内閣について，日本国憲法上，明文の規定を置いている。

日本国憲法第 66 条第１項は，「内閣は，法律の定めるところにより，その首長たる内閣総理大臣及びその他の国務大臣でこれを組織する。」と規定していることから，内閣は，内閣総理大臣とその他の国務大臣とで構成される。

1　内閣総理大臣

（1）内閣総理大臣の地位

大日本帝國憲法下においては，勅令である内閣官制によって，内閣総理大臣は，各国務大臣の首班として，行政各部の統一を保持するものとされていたが，大日本帝國憲法自体においては，内閣総理大臣は，あくまでも，天皇を補弼する国務大臣の１人に過ぎず，「首班」という地位についても，行政権行使における最高責任者として，国務大臣を指揮監督する権限を有しているわけではなく，「同輩中の首席」の地位であったに過ぎなかった。

これに対して，日本国憲法下においては，内閣総理大臣は，内閣の「首長」として，内閣全体を代表・統率する地位を有することとなっており，内閣総理大臣についての権限について大幅な機能強化が図られている。

（２）内閣総理大臣の権限

① 国務大臣の任免権【日本国憲法第 68 条】

日本国憲法第 68 条第１項は，「内閣総理大臣は，国務大臣を任命する。但し，その過半数は，国会議員の中から選ばれなければならない。」と規定し，内閣総理大臣の国務大臣任命権を，日本国憲法第 68 条第２項は，「内閣総理大臣は，任意に国務大臣を罷免することができる。」と規定し，内閣総理大臣の国務大臣罷免権を規定している。

内閣総理大臣は，内閣の一体性（同質性）と統一性（連帯性）を確保することによって，強力かつ安定した内閣を組織するために，この国務大臣の任免権を単独で行使し得る。

② 国務大臣の訴追に対する同意権【日本国憲法第 75 条】

> 【日本国憲法第 75 条】
>
> 国務大臣は，その在任中，内閣総理大臣の同意がなければ，訴追されない。但し，これがため，訴追の権利は，害されない。

内閣総理大臣の同意がないと，国務大臣は，その在任中に，訴追されないとされている（日本国憲法第 75 条本文）。

この「訴追」とは，検察官による起訴のことを意味するが，より広く起訴を前提とする逮捕及び勾留等の身体の拘束をも含むと解されている。ゆえに，身体の拘束を伴わない差押え及び捜索等については，これに該当しないものと解されている。

③ 国会への議案提出権【日本国憲法第 72 条】

日本国憲法第 72 条は，「内閣総理大臣は，内閣を代表して議案を国会に提出し，一般国務及び外交関係について国会に報告し，並びに行政各部を指揮監督する。」と規定し，内閣総理大臣が内閣を代表して，国会に議案を提出する権限について規定している。

この「議案」については，日本国憲法上，明文の規定のある条約案（日本国憲法第 73 条第３号）及び予算案（日本国憲法第 73 条第５号）のみならず，日本国憲法上，明文の規定がない法律案及び憲法改正案についても含まれると解されている。

④ 一般国務及び外交関係の国会への報告権限【日本国憲法第 72 条】

日本国憲法第 72 条は，一般国務及び外交関係について国会に報告する権限について規定している。しかし，この報告については，内閣総理大臣の権限というよりは，むしろ，内閣総理大臣の義務と解すべきであり，内政及び外交双方において，内閣の所管する事務について，国会，そして，最終的には主権者である国民に対して，報告する義務と権能を有することを意味する。

⑤ 行政各部についての指揮監督権【日本国憲法第72条】

日本国憲法第 72 条は，内閣総理大臣が行政各部を指揮監督する権限を有することを規定している。

指揮監督については，内閣総理大臣が恣意的に行うわけではなく，内閣総理大臣が閣議において決定した方針に基づいて行政各部を指揮監督する権限を有するということを意味している。また，独立行政委員会の活動については，この内閣総理大臣の指揮監督権は及ばないものと解されている。

（3）内閣総理大臣の欠缺【日本国憲法第70条】

日本国憲法第70条は，「内閣総理大臣が欠けたとき，又は衆議院議員総選挙の後に初めて国会の召集があつたときは，内閣は，総辞職をしなければならない。」と規定し，内閣総理大臣が欠けた場合には，内閣は総辞職しなければならないとしている。

この「内閣総理大臣が欠けたとき」とは，内閣総理大臣が自ら辞職した場合以外に，死亡や議員としての資格を失う場合等が該当する。内閣総理大臣が重病の場合や一時的に生死不明の場合については，「内閣総理大臣が欠けたとき」には該当せず，内閣法第９条における「内閣総理大臣に事故のあるとき」に該当することとなる。

【内閣法第９条】

内閣総理大臣に事故のあるとき，又は内閣総理大臣が欠けたときは，その予め指定する国務大臣が，臨時に，内閣総理大臣の職務を行う。

内閣総理大臣に事故のある場合も，内閣総理大臣が欠けた場合も，予め指定する国務大臣が，臨時に内閣総理大臣の職務を行うこととなる（内閣法第９条)。なお，2000（平成12）年以降，組閣時等に内閣総理大臣臨時代理の就任予定者５名（第１順位から第５順位まで）について，予め指定し，官報に掲載することが慣例となっている。また，内閣官房長官以外の国務大臣が第１順位の内閣総理大臣臨時代理予定者として指定される場合には，その者は特に「副総理」と通称されることとなる。

2 国務大臣

（1）国務大臣の地位

内閣は，内閣総理大臣及びその他の国務大臣で構成されるが（日本国憲法第66条第１項)，法律上，各国務大臣は，内閣総理大臣の命ずるところにより，「主任の大臣」（内閣法第３条第１項）として特定の行政事務を分担管理するが，このような職務を担当しない「無任所大臣」の存在も認められている（内閣法第３条第２項)。

【内閣法第3条】
各大臣は，別に法律の定めるところにより，主任の大臣として，行政事務を分担管理する。
2 前項の規定は，行政事務を分担管理しない大臣の存することを妨げるものではない。

（2）国務大臣の資格

日本国憲法第67条第1項は，「内閣総理大臣は，国会議員の中から国会の議決で，これを指名する。この指名は，他のすべての案件に先だつて，これを行ふ。」と規定し，内閣総理大臣としての指名を受けるためには，衆議院議員及び参議院議員であることに拘わらず，国会議員であることが要求されることとなっている。また，指名のみならず在任するためにも国会議員であることが要求されると解されている。

一方，国務大臣については，日本国憲法第68条第1項において，「内閣総理大臣は，国務大臣を任命する。但し，その過半数は，国会議員の中から選ばれなければならない。」と規定し，国務大臣の過半数が国会議員であることを要求している。これは任命されるための要件ではなく，在任するための要件でもあるので，国会議員である国務大臣が，国会議員の地位を失った場合には，その時点での国務大臣の過半数が国会議員となるように調整をする必要が生じる。

また，内閣総理大臣及びその他の国務大臣は，文民でなければならない（日本国憲法第66条第2項）。この趣旨は，軍隊による政治的支配を防止するために，軍隊の組織及び決定を政治統制下に置くことにある（文民統制＝シビリアン・コントロール）。

三 内閣の権能及び責任

1 内閣の権能

日本国憲法上，行政権は，内閣に属することから（日本国憲法第65条），内閣は，行政事務を行う権限を一般に有することとなる（日本国憲法第73条柱書）。また，日本国憲法第73条は，内閣が一般行政事務の外に，特に重要な事務を行うことについて規定している。なお，日本国憲法第73条の趣旨は，内閣がここに列挙されていない行政事務についても権限を有することを明らかにすると同時に，列挙されている行政事務についての権限が奪われないことを明確にするところにある。

（１）法律を誠実に執行し，国務を総理すること【日本国憲法第 73 条第１号】

①　法律を誠実に執行すること

「法律を誠実に執行」するとは，法律の規定する目的の具体的実現のために，法律を忠実に執行するという，法律に基づく行政の原理の実施のことを意味している。

日本国憲法第 73 条第１号は，内閣が「法律を誠実に執行」する義務のあることを規定しているが，内閣がその法律は日本国憲法に違反すると判断した場合に，その法律の執行を停止することができるかが問題となる。

Ａ　内閣による法律執行停止肯定説

内閣は, 日本国憲法に適合する法律のみを執行することが職務なのであり，違憲と判断される法律の執行義務がないだけではなく，拒否義務すらあると解すべきであり，後に，最高裁判所が合憲判断を下した場合については，内閣に政治責任を負わせればよいことから，内閣による法律執行停止は肯定されるものと解すべきである。

Ｂ　内閣による法律執行停止否定説

国会は，国権の最高機関であって，国の唯一の立法機関である（日本国憲法第 41 条）ことから，その国会において，合憲的判断に基づいて成立した法律については，合憲性の推定がなされ，最高裁判所が判決において違憲との判断を確定させない限りにおいては，すべての国家機関がこれに拘束され，内閣もその誠実な執行を拒否できないと解すべきである，また，日本国憲法第 98 条第１項の規定は，違憲審査権一般の法定論拠を導き出すものではなく，日本国憲法第 99 条における憲法尊重擁護義務は，権力分立制を含む権限上の義務であって，権限の配分にまで影響を及ぼすものではないことから，内閣による法律執行停止は否定されるものと解すべきである。

②　国務を総理すること

「国務を総理すること」とは，日本国憲法によって，内閣に与えられた一般行政事務の担当者として，行政各部を指揮監督することを意味する。内閣総理大臣の権能ではなく，内閣の権能である点に，特に注意を要する。

（２）外交関係を処理すること【日本国憲法第 73 条第２号】

「外交関係を処理すること」とは, 条約の締結を除いて, 我が国を代表し, 諸外国との間で外交に関わる事務を行うことを意味する。

全権委任状や大使・公使の信任状及び日本国憲法第７条第８号が規定する各種の外交文書の作成，外交使節の任免，外交使節に外交官待遇の同意を与えること等が主な職務となる。

（３）条約を締結すること【日本国憲法第 73 条第３号】

相手国と交渉を行うには，専門技術的判断能力が必要となることから，条約締結権は，内閣の権能であるとされている。

この条約については，「条約」という名称を持った形式的な意味の条約のみならず，「協定」・「協約」・「議定書」・「宣言」・「憲章」・「覚書」等の名称が付されているものも含むと解されている。

（４）法律の規定する基準に従って，官吏に関する事務を掌理すること【日本国憲法第 73 条第４号】

「官吏」は，国家の公務に従事する公務員のことを意味し，地方公務員はこの「官吏」には該当しない。

日本国憲法は，法律の規定する基準に従って，官吏に関する事務を担当する権限を内閣に与えている。代表的な法律として，国家公務員法（昭和 22 年法律第 120 号）がある。

（５）予算を作成して国会に提出すること【日本国憲法第 73 条第５号】

予算を作成するためには，専門技術的判断能力が必要となることから，予算を作成する権限は，内閣の権能であるとされている。

（６）政令を制定すること【日本国憲法第 73 条第６号】

内閣は，命令の一種である政令の制定権を有する。一方，各省が制定する命令のことは省令という。

政令には，執行命令としての政令及び委任命令としての政令がある。

①　執行命令

執行命令とは，日本国憲法及び法律の規定を実施するために，個別的・具体的な細目事項や技術的・手続き的事項を規定する命令のことをいう。

また，法律の規定なしに，日本国憲法の規定を直接実施する執行命令は認められないものと解されている。

②　委任命令

委任命令とは，国会以外の機関が，法律の委任により，委任の範囲内で法律の所管事項について制定する命令のことをいう。

日本国憲法には，委任命令についての規定はないが，日本国憲法第 73 条第６号但し書きの規定から認められると解されている。ゆえに，法律が，日本国憲法第 73 条第６号但し書きに基づき，一定の事項に関して，政令で定めることを認めた場合には，その委任の範囲内で，内閣は政令を制定できることとなる。なお，委任の範囲は，具体的・個別的に限定されるべきであって，一般的・包括的な白紙委任は認められない。

（7）恩赦の決定をすること【日本国憲法第 73 条第７号】

恩赦とは，行政権者の判断によって，国家の有する刑罰権の全部または一部を消滅させ，犯罪者を赦免することをいう。

内閣は，恩赦の決定をすることができる。なお，天皇は，この決定を認証する（日本国憲法第７条第６号）。

① 大赦

大赦とは，政令で規定した種類の罪について，有罪判決を受けた者に対しては，その判決の効力を失い，未だ有罪判決を受けない者に対しては，公訴権が消滅することをいう。

② 特赦

特赦とは，有罪判決を受けた特定の者に対して，その判決の効力を失わせることをいう。

③ 減刑

減刑とは，特定の者に対する刑を軽減し，または，刑の執行を軽減することをいい，有罪判決を受けた一般の者に対しては，罪もしくは刑の種類を規定し，刑を軽減することをいう。

④ 刑の執行の免除

刑の執行の免除とは，有罪判決を受けた特定の者に対してのみ行われ，刑の執行猶予の判決を受けて，未だ猶予の期間を経過していない者に対しては行わない執行免除のことをいう。

⑤ 復権

復権とは，有罪判決を受けたため，資格を喪失し，または，停止された者に対して，資格を回復させることをいう。

（8）天皇の国事行為に対する助言と承認【日本国憲法第３条】

日本国憲法第 73 条が規定する事項以外に，天皇の国事行為に対する内閣の助言と承認をなす権能がある。

2　内閣の責任

日本国憲法第 66 条第３項は，「内閣は，行政権の行使について，国会に対し連帯して責任を負ふ。」と規定し，内閣と国会との連帯責任について規定する。この内閣と国会との連帯責任については議院内閣制の基本的要素の１つであると解されている。

（1）責任の範囲

内閣の責任の範囲は，内閣の権能に属するすべての事項に及ぶものと解されている。

（２）責任の性質

内閣が負うべき責任の性質については，日本国憲法第 66 条第３項の規定が，責任の原因（基準）及び内容（効果）について何ら示していないし，これらがともに法定されていない限りは法的責任を科すことはできないことから，内閣が負うべき責任は政治的責任であると解されている。

（３）責任の相手方

内閣の責任の直接の相手方は国民ではなく，国会である。この国会とは，日本国憲法第 62 条及び第 69 条等の規定を考慮に入れると，国会を構成する両議院を意味することとなることから，内閣は，各議院に対して責任を負うこととなると解されている。つまり，衆議院及び参議院の各議院は，個別的に内閣の責任を追及し得ることとなる。

特に，衆議院は，内閣不信任案決議権を有し，この不信任案が可決された場合には，内閣は，10 日以内に衆議院を解散するか，総辞職をしなければならないことなる（日本国憲法第 69 条）。

なお，参議院も内閣不信任案決議をなし得るが，この決議には，日本国憲法第 69 条における衆議院の内閣不信任案決議の場合とは異なり，憲法上の根拠がないことから，内閣を総辞職させるまでの法的効果はなく，単に，政治的責任を問うものに過ぎないものと解されている。

（４）責任の取り方

内閣は，行政権の行使について，国会に対し，連帯して責任を負う（日本国憲法第 66 条第３項）。このことは，内閣総理大臣が，国務大臣の任免権（日本国憲法第 68 条）及び行政各部への指揮監督権（日本国憲法第 72 条）を有しており，内閣が内閣総理大臣の下に一体となって政治を行うことから，その責任も一体として負うことを意味している。とはいえ，各国務大臣が個別に責任を負うことを否定するものではなく，日本国憲法第 74 条の規定が，「主任の国務大臣」の存在を認めていることからも個別に責任を負うことは肯定される。ゆえに，各国務大臣の負う個別責任は，内閣総理大臣に対する責任と国会に対する責任との二面性を有することとなる。つまり，内閣総理大臣によって最終的には罷免という形で責任を追及されることとなるか，または，国会による国務大臣に対する不信任案決議でも辞職させられることとなる。但し，あくまでも，国会に対する内閣の連帯責任が原則であり，各国務大臣の個人的な問題についてはともかくとして，所管事項についての国務大臣の個別責任については，行政権の行使の全体に関する内閣の連帯責任の一部をなすのであるから，各国務大臣の個人的責任を追及するのではなく，内閣全体の責任を追及すべきである。

四　内閣の総辞職

1　内閣の総辞職の意義

内閣の総辞職とは，内閣の構成員全員が同時に辞職することをいう。

2　内閣の総辞職が必要となる場合及び自主的総辞職の場合

（1）内閣不信任決議案が可決された場合または信任決議案が否決された場合に 10 日以内に衆議院が解散されなかった場合【日本国憲法第 69 条】

内閣不信任案の可決または信任案の否決の場合は，内閣の総辞職は直接的には義務ではなく，衆議院を解散することによって，内閣はその地位に留まることができる。しかし，衆議院を解散しなかった場合には，総辞職をせざるを得ないこととなる。

（2）衆議院議員総選挙後に初の国会が召集された場合【日本国憲法第 70 条】

内閣不信任案の可決または信任案の否決の場合において内閣が衆議院を解散した場合，及び，衆議院議員の任期満了の場合のいずれの場合においても，衆議院総選挙後に初めて国会が召集された日に内閣は当然に総辞職する。

（3）内閣総理大臣が欠けた場合【日本国憲法第 70 条】

内閣総理大臣が欠けた場合とは，内閣総理大臣が自ら辞職した場合以外に，死亡や議員としての資格を失う場合等が該当する。内閣総理大臣が重病の場合や一時的に生死不明の場合はこれに該当しない。

（4）内閣の自主的総辞職の場合

内閣の自主的意思に基づく総辞職については，日本国憲法上これを認める直接の規定はないが，許されると解されている。

3　内閣の総辞職に伴う効果

（1）新内閣の形成

内閣の総辞職がなされると，新内閣の形成が必要となる。国会閉会中の場合には，総辞職後の内閣が速やかに国会を召集する義務を負う

（2）総辞職後の内閣の職務執行【日本国憲法第 71 条】

総辞職した内閣は，新たに内閣総理大臣が任命されるまでの間は，引き続きその職務を行う義務を負う。国政に重大な障害が生じないように配慮した規定である。

五　議院内閣制

1　議院内閣制の本質

議院内閣制の本質的要素として，一般に，権力分立制の要請に基づき，国会と内閣が一応分立していること，及び，内閣が国会に対して連帯責任を負うこと，つまり，内閣が国会の信任によって，成立及び存続の要件とすること，の２つの要素が必要となることについては，争いはない。

以上の２つの要素に加えて，内閣が衆議院の解散権を有することも要素と解すべきかについて争いがある。

（１）均衡本質説

議院内閣制も権力分立制の一形態として位置付けられ，均衡型の議院内閣制の方が，国会と内閣とが絶えず国民の意思へ近付こうとする動因を与え，民主的に機能する可能性をより多く秘めていることから，議院内閣制の本質は，国会の不信任決議権に対して，内閣の解散権が対抗することで，両者が均衡する点に求めるものと解すべきである。

この見解によると，衆議院の解散権は，議院内閣制の本質的要素となる。

（２）責任本質説

国民，国会，内閣という直線的連結が民主主義の実現に資するし，内閣が国会と密接に結びつき，国会を背景としてこれと協働することで，その行動に柔軟性と強力性とが与えられ，国政のより円滑な能率的遂行が期待されることから，議院内閣制の本質は，内閣の存立が国会の信任に依拠している点に求められるものと解すべきである。

この見解によると，衆議院の解散権は，議院内閣制の本質的要素とはならない。

2　衆議院の解散

日本国憲法第 45 条は，「衆議院議員の任期は，４年とする。但し，衆議院解散の場合には，その期間満了前に終了する。」と規定している。つまり，衆議院の解散とは，衆議院議員の全員について，その任期満了前に議員としての身分を失わせることをいう。

（１）衆議院の解散における解散権の主体及び根拠

内閣は，日本国憲法第 69 条において規定する場合に限って，衆議院を解散し得るのか，それとも，日本国憲法第 69 条以外の場合でも，政治裁量的によって解散し得るかどうかが，問題となる。

① 日本国憲法第69条限定説

国権の最高機関である国会の一部である衆議院を解散するためには，当然に，日本国憲法上の明文の根拠が必要とされるのであり，明文の根拠は，日本国憲法第69条以外には存在しないことから，内閣が衆議院の解散権を行使し得るのは，衆議院が内閣不信任案を可決または内閣信任案を否決した場合に限られるものと解すべきである。

② 日本国憲法第69条の場合の他，衆議院の自律的解散を認める説

国会は，国権の最高機関であり，立法機関の期間を短縮する行為から立法権の独立を守らなければならないし，衆議院が自らの意思によって解散を決議し，国民の意思を問うのが国民主権原理にもっとも適合することから，内閣が衆議院の解散権を行使し得るのは，衆議院が内閣不信任案を可決または内閣信任案を否決した場合に限られ，また，衆議院の自律的解散が認められるものと解すべきである。

③ 日本国憲法第7条第3号説

日本国憲法第7条所定の国事行為の中には，本来，政治的行為ではあるが，内閣の助言と承認に基づかなければならない結果，形式的行為となるものが含まれており，衆議院の解散については，内閣が行為の実質的決定権を有すると解すべきであり，日本国憲法第69条の規定は，内閣が不信任とされた場合における内閣の採るべき方途を規定したものに過ぎず，解散権の根拠，その行使の方法と場合を規定したものとはいえず，日本国憲法第69条の場合の衆議院の解散についても，日本国憲法第7条第3号の手続きによって行わなければならないことから，内閣は衆議院の解散について，実質的に決定し得るものと解すべきである。

④ 日本国憲法第65条説

行政作用とは国家作用から立法作用と司法作用を除いた残余であり，衆議院の解散権は，立法作用にも司法作用にも属さないことから，衆議院の解散権は，日本国憲法第65条に基づいて内閣に属するものと解すべきである。

⑤ 制度説

日本国憲法第7条第3号の規定は，形式的解散権のみを天皇の権能とした規定であって，実質的決定権はそれに先行する行為であるから，形式的行為について助言と承認が認められるからといって，当然に実質的決定についての権能も含まれると解することはできず，また，日本国憲法は，議院内閣制を採用しており，議院内閣制とは，内閣による衆議院の解散権をその本質的要素としていることから，内閣に衆議院の解散権が認められるものと解すべきである。

《重要論点Ｑ＆Ａ／憲法 064》

Ｑ　衆議院の解散権の所在及び解散事由についてどのように解すべきか？

Ａ　衆議院に自律的解散権を認める見解があるが，衆議院に自律的解散を認めることは，衆議院における多数派が衆議院における少数派の議席をその意に反して奪うことが可能となるため妥当ではない。また，日本国憲法第69 条を根拠に内閣に衆議院の解散権を認める見解もあるが，日本国憲法第 69 条は，内閣に対する不信任案決議が可決された場合等の効果を規定したに過ぎず，これを根拠として内閣に衆議院の解散権を認めるのは無理があるため妥当ではない。さらに，国家の行政作用とは，国家作用のうちから，立法作用と司法作用を控除したという行政権の定義についての控除説の立場を前提として，日本国憲法第 65 条を根拠に，内閣に衆議院の解散権を認める見解もあるが，衆議院の解散という重要な国家作用について，それが単に立法作用でもなく司法作用でもないからとの理由で，行政作用とし，内閣の権能とするのは安易に過ぎるため妥当ではない。加えて，日本国憲法が議院内閣制を採用していることから，内閣に衆議院の解散権を認めるとの見解があるが，衆議院の解散権を内閣が有しているからこそ，均衡をその本質とする議院内閣制を採用しているといえるのであり，他方で，議院内閣制を根拠に，内閣に衆議院の解散権があるということを導くのでは，この議論は循環論法に陥っているといえることから妥当ではない。日本国憲法第７条第３号は，天皇の国事行為の１つとして衆議院の解散を挙げているが，これは本来政治的な行為である衆議院の解散について，内閣の助言と承認に基づいてなすことによって，形式的・儀礼的なものとなると解されることから，助言と承認をなす内閣に衆議院の解散についての実質的決定権があると解すべきである。また，衆議院の解散には，その後の選挙を通じて，国政に関して，主権者である国民の民意を問うという民主主義的意義を認めることができ，日本国憲法第 69 条が規定する場合以外にも，国民の民意を問うべき場合は当然にあることから，衆議院の解散について，日本国憲法第 69 条が規定する場合に限定する必要はないと解すべきである。とはいえ，逆に，衆議院の解散し得る場合を無制限に認めると，国政を不安定にすることとなるため妥当ではない。衆議院の解散における民主主義的意義から，国民の民意を新たに問う必要のある場合についてのみ衆議院を解散し得ると解すべきであり，それ以外の場合については，衆議院の解散権の濫用として認められないと解すべきである。

第5章　裁判所

一　司法権

1　司法権の概念と限界

(1) 裁判所の意義

裁判所とは，様々な訴訟に対して司法権を行使し，その解決を図る国家機関のことをいう。

裁判所と国会や内閣との違いは，他の両者が能動的な機関であることに対して受動的な機関であることである。

また，違憲審査権を付与されていることにより，国家行為の合憲性の統制機関としての役割を与えられている点でも他の国家機関とは異なっている。

(2) 司法権の意義

司法とは，当事者の具体的な法律上の争訟について，当事者の訴えの提起により，法を解釈・適用し，宣言することによって，これを裁定する国家作用のことをいう。ゆえに，司法権とは，このような作用を行う権限のことをいう。

我が国においては，大日本帝國憲法が大陸型の司法概念を採用し，司法権は民事事件及び刑事事件に限定され，行政事件の裁判権は司法権の範囲に含まないとされていたが（大日本帝國憲法第61条），日本国憲法における司法権は，英米型の概念に基づき，裁判所は，民事事件及び刑事事件のみならず，行政事件をその範囲に含め，裁判所は一切の法律上の争訟を扱うこととなっている。

(3) 法律上の争訟の意義

裁判所法第3条第1項は，「裁判所は，日本国憲法に特別の定のある場合を除いて一切の法律上の争訟を裁判し，その他法律において特に定める権限を有する。」と規定する。

この「法律上の争訟」とは，事件性の要件，つまり，当事者間に具体的な法律関係ないし権利義務の存否に関する争いであること（主観訴訟），及び，争訟性の要件，つまり，法令の適用により終局的に解決できるものであること，という2つの要件を備えた紛争のことをいうと解されている。但し，主観訴訟の要件を欠いていたとしても，行政事件訴訟法（昭和37年法律第139号）においては，法律に規定のある場合において，法律が規定するものに限り，客観訴訟を提起することを例外的に認めている（行政事件訴訟法第42条）。

《重要論点Ｑ＆Ａ／憲法 065》

Ｑ　行政事件訴訟法第 42 条が規定する客観訴訟は，日本国憲法上，認められるか？

Ａ　司法権とは，具体的争訟について法を適用し，宣言することによってこれを解決する国家作用のことをいう。ゆえに，司法権を行使するためには，当事者間の具体的な法律関係や権利及び義務の存否に関する争いであって（事件性の要件），法適用によって終局的に解決し得るものでなければならない（争訟性の要件）。ゆえに，裁判所法第３条にある「法律上の争訟」も，この事件性の要件及び争訟性の要件を兼ね備えたものを意味することとなる。この点，行政事件訴訟法第 42 条が規定する客観訴訟は，法律上の争訟といえるための要件である事件性の要件を欠くことから，本来の司法権の概念に該当しないものであるといえる。しかし，裁判所も司法権のみ行使し得るわけではなく，司法権以外の作用を裁判所に付与することも，司法権を行使する裁判所の立場を害さない限り許されるものと解すべきである。そのためには，具体的要件として，事件性の要件及び争訟性の要件を擬制するだけの内実を備えていることが必要となる。つまり，具体的な国家行為があり，裁判による決定に馴染みやすい紛争の形態を備えていることが必要となる。また，裁判所の決定に終局性が保障されていることも必要となる。以上のことから，行政事件訴訟法第 42 条が認める客観訴訟については，これら２つの要件を充たすものといえることから，日本国憲法上，認められるものであると解すべきである。

（４）司法権の限界

①　訴えの利益を欠く場合

司法権は，当事者間の権利及び義務に関する具体的な訴訟事件の存在を前提として行使される。つまり，事件性の要件が必要となる。さらに，それが法令の適用により終局的に解決できるものである必要がある。つまり，争訟性の要件が必要となる。事件性の要件及び争訟性の要件のこの２つを兼ね備えたものが法律上の争訟である。まず，司法権が扱うのは，この法律上の争訟である必要がある。

また，訴訟当事者には，当該請求が実際に裁判所による解決を必要とするだけの法的価値を有し，かつ，その必要性が現に存在していることが求められる。つまり，訴えの利益が必要となる。

従って，法律上の争訟であったとしても，訴えの利益を欠くものについては，その訴えは却下されることとなる。

②　日本国憲法が明文で認めている場合

A　国会議員の資格争訟裁判【日本国憲法第 55 条】

国会議員の選挙に関する裁判は，法律上の争訟に該当するため，裁判所の権限に属するが，国会議員の資格争訟裁判は，法律上の争訟に該当するが，日本国憲法上，当該国会議員が所属する議院が自ら行うこととなっている。

B　弾劾裁判【日本国憲法第 64 条】

罷免の訴追を受けた裁判官を裁判することは，法律上の争訟に該当するが，日本国憲法上，国会が，罷免の訴追を受けた裁判官を裁判するために，両議院に所属する国会議員で組織する弾劾裁判所を設けることが認められている。

③　国際法によって認められている場合

国際法上の治外法権，条約による裁判権の制限等によって，法律上の争訟に該当する場合であっても，裁判所の審査権が及ばない場合がある。

④　事柄の性質上裁判所の審査に適さないと認められている場合

A　立法権との関係における司法権の限界

a　議院の自律権

日本国憲法上，議院の自律権に委ねられていると解されている各議院の議事手続き（日本国憲法第 56 条）や各議院における人事（日本国憲法第 58 条第１項）及び国会議員の懲罰権（日本国憲法第 58 条第２項）等について，裁判所の審査権が及ぶかが立法権との関係で問題となる。

α　肯定説

各議院の議事手続きについては，裁判所は法律の内容についても審査し得るのであるから，議事手続きについても審査し得るのは当然であり，裁判所の合法性維持機能を重視すべきであることから，肯定し得るものと解すべきである。また，各議院の人事及び国会議員に対する懲罰権の行使に対する司法審査については，懲罰権が濫用されることによって，国民の参政権を侵害する危険性があることから，肯定し得るものと解すべきである。

β　否定説（通説）

各議院の議事手続きについては，各議院の自律権が日本国憲法上保障されている以上，各議院の判断を最終的なものとすべきであるし，裁判所が議事手続きの瑕疵の有無について判断することは，司法の政治化を招来することとなることから，肯定し得ないものと解すべきである。また，各議院の人事及び国会議員に対する懲罰権の行使に対する司法審査については，日本国憲法上，院内の秩序維持のための処置を各議院の自律的判断に委ねており，また，このような場面での司法審査は，裁判所を政治的紛争の渦中に引き込む危険を招来することから，肯定し得ないものと解すべきである。

b 立法裁量

立法裁量とは，日本国憲法の枠内において，立法機関としての国会が，立法に際して行使する政治的･専門技術的裁量のことをいうが，この立法裁量に対して司法審査が及ぶかどうかが問題となる。

立法裁量は，日本国憲法の枠内において，一定の自主的判断を認めることにより，立法機関が合目的的な政策を追求できるようにするために認められているものであることから，裁判所は，国民の代表機関である立法府の判断を可及的に尊重しなければならず，原則として，司法審査に服することはないと解されている。しかし，立法裁量は日本国憲法が定める範囲内においてのみ認められるものであることから，立法府がその裁量権を逸脱した場合は司法審査の対象となり，裁判所が判断を下すことができるというべきである。

B 行政権との関係における司法権の限界（行政裁量）

行政裁量とは，法律の枠内において，行政機関としての内閣が，行政に際して行使する政治的･専門技術的裁量のことをいうが，この行政裁量に対して司法審査が及ぶかどうかが問題となる。

行政裁量は，法律の枠内において，一定の自主的判断を認めることにより，行政機関が合目的的な政策を追求できるようにするために認められているものであることから，裁判所は，行政機関の専門技術的裁量を可及的に尊重しなければならず，原則として，司法審査に服することはないと解されている。しかし，行政裁量は法律が定める範囲内においてのみ認められるものであることから，行政機関がその裁量権を逸脱した場合は司法審査の対象となり，裁判所が判断を下すことができるというべきである。

C 政治問題の法理（統治行為論）

政治問題の法理（統治行為論）とは，直接国家統治の基本に関する高度に政治性のある国家行為については，法律上の争訟として裁判所による判断が理論的には可能であったとしても，その事柄の性質上，司法審査の対象から除外し，政治部門の判断に委ねるべきであるとする法理のことをいう。

a 否定説

政治問題の法理（統治行為論）を認める明文の規定はないし，日本国憲法第81条及び第98条第1項の規定の存在から，政治問題の法理（統治行為論）は肯定し得ないものと解すべきである。

b 自制説

司法審査権は，すべての国家行為に及ぶが，統治行為に対しては，政策的にその権限の行使を自制すべきであることから，政治問題の法理（統治行為論）は肯定し得るものと解すべきである。

c　内在的制約説

実際に，国家機関の行為の中には，政治部門に最終的決定権が認められるべき行為が存在するし，主権者である国民による直接的統制を受けない裁判官は，国民に政治的責任を負い得ない以上，政治部門の決定に基づく高度の政治性を有する行為に対して司法審査を行うべきではなく，高度の政治性を有する行為について司法判断を行えば，国家の統治作用を裁判官が最終的に判断することとなり，権力分立制の趣旨に反することとなることから，政治問題の法理（統治行為論）は肯定し得るものと解すべきである。

d　限定肯定説

司法権の内在的制約に求める見解については，権力分立概念の多義性及び司法権の流動性のために必ずしも決め手にはならず，裁判所の自制に求める見解には，日本国憲法上の権能の不行使が正当化される理由が不明でわからないことから，事件によっては，権利保障及び司法救済の必要性，裁判の結果生ずる事態，司法の政治化の危険性，司法手続きの能力の限界，判決実現の可能性などの諸点をも考慮に入れつつ，政治問題の法理（統治行為論）は肯定し得るものと解すべきである。

《重要論点Ｑ＆Ａ／憲法 066》

Ｑ　政治問題の法理（統治行為論）は，日本国憲法上，認められるか？

Ａ　政治問題の法理（統治行為論）は否定されるべきとの見解もあるが，高度に政治性を有する問題については，日本国憲法自体が，非斉次的な機関である裁判所にではなく，主権者である国民の判断に委ねていると解すべきであるし，また，裁判所には，充分な判断能力や判断資料が存しないことから，司法権は，国会及び内閣の専門技術的判断を尊重しなければならず，その権限の行使を自制すべきである。ゆえに，政治問題の法理（統治行為論）は，肯定されるべきである。しかし，高度に政治性を有するというだけでは，その範囲は極めて不明確であるし，この範囲を広範囲に解すと，司法権の存在意義が失われる危険性がある。そこで，政治問題の法理（統治行為論）を用いる範囲は限定的に解し，自律権や裁量行為といった他の概念で解すことができる場合には，それによるべきである。また，政治問題の法理（統治行為論）は，事件性及び争訟性の要件を充たすが，高度に政治性ゆえに司法審査が及ばないとするものであることから，一見極めて明白に違憲無効である場合については，裁判所にも判断能力があるといえるし，精神的自由権が制約され，民主政の過程に瑕疵が生じている場合には，裁判所による判断がなされなければならないと解すべきである。

D 部分社会の法理

部分社会の法理とは，部分社会（国家や一般市民社会の中にあって，これとは別個に自律的な法規範を有する社会）における内部紛争は，法律上の係争であっても法律上の争訟には含まれず，司法審査の対象から除外し，当該団体の自律的措置にその最終的解決を委ねるとする法理のことをいう。

具体的には，地方議会，政党，大学，宗教団体，労働組合等における内部紛争において問題となる。

《重要論点Q＆A／憲法 067》

Q 部分社会の法理は，日本国憲法上，認められるか？

A 判例は，部分社会の法理を肯定し，例外的に，一般市民法秩序と直接関係を有する場合には，司法審査の対象とする。確かに，各団体の自律的判断を尊重する点については妥当ではあるが，団体の性質を一切考慮せず，一律に部分社会であるとして司法審査が及ばないとするのは，人権保障という司法権の目的を没却する危険があり妥当ではない。ゆえに，団体の内部事項について司法審査の対象とはならない根拠は，団体の目的に応じた結社の自由に求めるべきであり（日本国憲法第 20 条・第 21 条・第 23 条・第 28 条・第 93 条等），司法審査の対象となるか否かについては，結社その他の団体の目的・性格・機能・問題となる人権・紛争の性格等を考慮して，個別的に判断するのであれば，部分社会の法理は認められるものと解すべきである。

a 地方議会の場合

地方議会は，民主的に選出された地方議会議員から構成される地方公共団体の議事機関であり（日本国憲法第 93 条），条例制定権を有するため（日本国憲法第 94 条），自律性が尊重されるべき団体であるといえる。

しかし，国会とは異なり，その自律権は強固ではないことから，地方議会議員に対する懲罰については，法律上の争訟として司法審査の対象となると解すべきである。

b 政党の場合

政党は，公共性を有してはいるが，あくまでも任意の私的団体であることをその本質とし，結社の自由（日本国憲法第 21 条第１項）を根拠として，政党の組織運営についての自律性が保障されている。ゆえに，政党の組織運営への公権力の介入については，法律に特別の規定がある場合に限って認められ，政党の内部規律の問題である党員の処分については，原則として，司法審査の対象とならないと解されている。

c　大学の場合

大学は，大学の自治（日本国憲法第23条）を根拠として，その自律性が尊重される。特に，私立大学については，さらに，結社の自由（日本国憲法第21条第1項）によっても，その自主性及び自律性が基礎付けられている。この点，国公立大学については，結社の自由（日本国憲法第21条第1項）による自主性及び自律性の基礎付けが欠いているともいえる。

d　宗教団体

宗教団体は，信教の自由及び宗教的結社の自由（日本国憲法第20条）を根拠として，その自律性が尊重される。

財産上の問題で，その中で，宗教問題が前提問題として争われるに過ぎない場合には，その紛争自体は，全体として裁判所による解決に適さないとはいえない。この場合には，訴えは却下されずに，裁判所による審査が行われることとなる。

2　司法権の独立

司法権の独立とは，裁判官及び裁判所が，他のあらゆる権力からの干渉を受けずに，独立して裁判を行うことをいう。

公正な裁判の実現のためには，裁判所は他の政治部門内からの強い独立性を有し，裁判官は法以外のものに拘束されることなく，職権を行使する制度の確立が不可欠となることから保障されている。

司法の独立は，近代司法に必須の原理であり，「裁判官の独立」（司法の対内的独立）と「司法権の独立」（司法の対外的独立）という2つの要素から成り立っている。

（1）裁判官の独立

裁判官の独立とは，裁判官が，その職務を行うに際して，法規範以外の何ものにも拘束されず，独立して職権を行使できることをいう。

日本国憲法第76条第3項は，「すべて裁判官は，その良心に従ひ独立してその職権を行ひ，この憲法及び法律にのみ拘束される。」と規定し，裁判官の職権行使の独立を保障している。つまり，裁判官は，裁判官としての自己の良心と法規範以外の何ものにも拘束されず，干渉や圧力を受けることなく，裁判を行うことができるのである。

このことは，司法部内における関係についても妥当し，裁判官が個々の事件の裁判を行うに際して，上級裁判所や，あるいは，同じ裁判所内の上司などが干渉や圧力を加えることは，裁判官の職権の独立を侵すものとして許されないものとされている。

① 裁判官の職権行使の独立【日本国憲法第 76 条第３項】

A 「良心」の意味

日本国憲法第 76 条第３項における「良心」とは，裁判官の主観的良心，つまり，日本国憲法第 19 条によって保障される個人的及び主観的意味の良心ではなく，裁判官としての客観的良心，つまり，職業的良心及び司法的精神のことを意味すると解されている

B 「法律」の意味

日本国憲法第 76 条第３項における「法律」は，形式的意味の法律に限られず，政令・規則・条例等を含めた客観的意味の法律であると解されている。また，慣習法も含むと解されている。

② 裁判官の身分保障

裁判官の職権行使の独立を実効性のあるものにするためには，裁判官の身分が保障されていなければならない。

A 罷免事由の限定

a 分限裁判【日本国憲法第 78 条前段】

【日本国憲法第 78 条】

裁判官は，裁判により，心身の故障のために職務を執ることができないと決定された場合を除いては，公の弾劾によらなければ罷免されない。裁判官の懲戒処分は，行政機関がこれを行ふことはできない。

日本国憲法第 78 条前段における「心身の故障のために職務を執ることができない」とは，一時的な故障ではなく，相当長期間にわたって継続することが確実に予想される故障のことを意味し，通常の場合，精神的・肉体的疾病のことをいうが，発見の見込みがない失踪及び行方不明の場合も含むものと解されている。

政治的な圧力等による恣意的な運用を防ぐために，その決定は裁判所の訴訟手続きによるものとされており，その手続きについては裁判官分限法（昭和 22 年法律第 127 号）に規定されている。

b 弾劾裁判【日本国憲法第 64 条】

弾劾裁判所とは，罷免の訴追を受けた裁判官を裁判するために，国会に設置された，両議院の議員で組織する裁判所のことをいう（日本国憲法第 64 条第１項)。弾劾裁判には，立法府による司法権への民主的コントロールを及ぼす意図がある。ゆえに，裁判官の身分保障のため，弾劾による罷免事由は，職務上の義務に著しく違反し，または，職務をはなはだしく怠った場合，及び，その他職務の内外を問わず，裁判官としての威信を著しく失うべき非行があった場合に限定されている（裁判官弾劾法第２条)。

c 欠格事由

裁判官の欠格事由としては，法律上一般の官吏に任命されることができない者，禁固以上の刑に処せられた者，弾劾裁判所にて罷免の裁判を受けた者である（裁判所法第 46 条）。

【裁判所法第 46 条】

他の法律の定めるところにより一般の官吏に任命されることができない者の外，左の各号の一に該当する者は，これを裁判官に任命することができない。

一 禁錮以上の刑に処せられた者

二 弾劾裁判所の罷免の裁判を受けた者

d 最高裁判所裁判官の国民審査

最高裁判所の裁判官の任命は，その任命後はじめて行われる衆議院議員総選挙の際に国民審査に付し，その後 10 年を経過した後はじめて行われる衆議院議員総選挙の際に再び審査に付し，その後も同様とする（日本国憲法第 79 条第２項）。国民審査の結果，投票者の多数が裁判官の罷免を可とするときは，その裁判官は罷免される（日本国憲法第 79 条第３項）。最高裁判所裁判官の国民審査には，国民による司法権への民主的コントロールを及ぼす意図がある。

《重要論点Ｑ＆Ａ／憲法 068》

Ｑ 最高裁判所裁判官の国民審査の法的性格及び罷免を可とする者についてのみ×印を付す方法の可否について，どう解すべきか？

Ａ 最高裁判所裁判官の国民審査について，司法権の独立を強調することから，最高裁判所裁判官についての任命行為を完結させるものであると解する見解があるが，最高裁判所裁判官の国民審査を受けるまでの最高裁判所裁判官の地位について説明がなし得ないし，最高裁判所裁判官の国民審査が繰り返し行われることについても説明がなし得ないこととなり妥当ではない。ゆえに，司法権の独善化防止の観点から，最高裁判所裁判官の国民審査については，国民解職制度と解すべきである。この見解であれば文言上妥当である。また，最高裁判所裁判官の国民審査について，国民解職制度であると解すのであれば，重要なのは，積極的に罷免すべきと判断した者の数の問題であり，いずれでもよいと判断している者を罷免不可に数えるとする，罷免を可とする者についてのみ×印を付す方法は，この最高裁判所裁判官の国民投票の法的性格に合致しているといえる。ゆえに，最高裁判所裁判官の国民審査は国民解職制度であり，罷免を可とする者についてのみ×印を付す方法は認められると解すべきである。

《重要論点Ｑ＆Ａ／憲法 069》

Ｑ　最高裁判所裁判官が長官に任命された場合に，再度，最高裁判所裁判官の国民審査を受けるべきか？

Ａ　日本国憲法上において，最高裁判所長官とその他の最高裁判所裁判官とは区別されており，また，両者は，法律上，異なる権限を有することから，改めて，最高裁判所長官として，最高裁判所裁判官の国民審査について，受ける必要が生じるとも思える。しかし，最高裁判所裁判官の国民審査について規定する日本国憲法第 79 条第２項の規定は，最高裁判所長官とその他の最高裁判所裁判官との区別をしておらず，「最高裁判所の裁判官の任命は」とのみ規定しているし，また，両者の権限の違いは，日本国憲法上のものではなく，あくまでも，法律上のものに過ぎないものである。日本国憲法が，司法権の独立の確保の観点から裁判官の身分保障を徹底していることからも，最高裁判所長官への任命に伴う新たな最高裁判所裁判官の国民審査は不要であると解すべきである。

Ｂ　行政機関による懲戒の禁止【日本国憲法第 78 条後段】

日本国憲法第 78 条後段の規定は，行政機関による裁判官の懲戒を禁じている。この規定は，司法府の自主性を尊重する趣旨であることから，行政機関のみならず，立法府による懲戒も禁じているものと解されている。

Ｃ　報酬額の保障【日本国憲法第 79 条第６項及び第 80 条第２項】

【日本国憲法第 80 条】

下級裁判所の裁判官は，最高裁判所の指名した者の名簿によつて，内閣でこれを任命する。その裁判官は，任期を 10 年とし，再任されることができる。但し，法律の定める年齢に達した時には退官する。

２　下級裁判所の裁判官は，すべて定期に相当額の報酬を受ける。この報酬は，在任中，これを減額することができない。

日本国憲法第 79 条第６項は，「最高裁判所の裁判官は，すべて定期に相当額の報酬を受ける。この報酬は，在任中，これを減額することができない。」と規定し，最高裁判所裁判官の報酬について，また，日本国憲法第 80 条第２項は，「下級裁判所の裁判官は，すべて定期に相当額の報酬を受ける。この報酬は，在任中，これを減額することができない。」と規定し，下級裁判所裁判官の報酬について，定期に相当額の報酬を受け，在任中減額されることはないとしている。これらの規定は，裁判官の職務の重大性から，その地位にふさわしい生活をなし得る充分な報酬を与えることによってその身分を保障し，報酬の減額によってする，裁判官に圧力をかけることを禁止する趣旨である。

（2）裁判所の独立

裁判所の独立とは，裁判所が他の国家機関，特に政治部門から独立して自主的に活動できるということをいう。

① 裁判権

A 最高裁判所

最高裁判所は，民事事件訴訟・刑事事件訴訟・行政事件訴訟についての終審裁判所であり，上告及び特別抗告に関する裁判権を有している。

B 高等裁判所

高等裁判所は，原則として，地方裁判所・家庭裁判所・簡易裁判所における第1審判決に対する控訴及び決定・命令に対する抗告についての裁判権を有し，例外的には，上告審あるいは第1審裁判所となる。

C 地方裁判所

地方裁判所は，通常の訴訟事件について，第1審としての裁判権を有し，また，簡易裁判所の判決及び決定・命令に対する控訴及び抗告についての裁判権も有する。

D 家庭裁判所

家庭裁判所は，家庭事件の審判・調停，少年保護事件の審判をする他，少年法の罪に関する訴訟についての第1審裁判権を有する。

E 簡易裁判所

簡易裁判所は，訴訟目的の価額（訴額）が少額の事件（140万円までの民事訴訟）及び軽微な事件（原則として，罰金以下の刑に該当する罪に関する刑事訴訟）についての第1審裁判権を有する。

② 司法行政権

司法権の独立により，司法行政権については，裁判所自身に付与されている。司法行政権は，その主要な部分が最高裁判所に集中しているが，下級裁判所についても，自己またはその下級裁判所に関して，一定の司法行政事務を担当することとなっている。最高裁判所の司法行政権に属するものには，裁判官及びその他の裁判所職員に関する人事行政権，裁判所の組織編成等の運営及び管理権，裁判所庁舎等物的施設の管理権，会計・予算・報酬等の財産管理権等があるとされている。

③ 最高裁判所規則制定権

日本国憲法第77条第1項は，「最高裁判所は，訴訟に関する手続，弁護士，裁判所の内部規律及び司法事務処理に関する事項について，規則を定める権限を有する。」と規定し，司法に関する事項について司法部の独立性及び自律性を維持するために，最高裁判所に規則制定権を付与している。

Ａ　最高裁判所規則制定権の範囲

ａ　訴訟に関する手続きに関する事項

訴訟手続きの基本事項については，民事訴訟法（平成８年法律第 109 号）・刑事訴訟法・行政事件訴訟法において規定されているが，これらの法律の規定を補完するものとして，民事訴訟規則及び刑事訴訟規則がある。

ｂ　弁護士に関する事項

弁護士の訴訟活動に関係する事項がここでの弁護士に関する事項に該当し，そのための規則として，外国弁護士資格者承認等規則等がある。

一方，裁判所の専門性及び独立性とは無関係である，弁護士の資格・職務・身分については，弁護士法（昭和 24 年法律第 205 号）に規定されている。

ｃ　裁判所の内部規律に関する事項

裁判所の内部規律に関する事項については，司法部の独立性及び自律性を維持するために，最高裁判所が規則によって自ら規定するのが適当であり，そのための規則として，下級裁判所事務処理規則等がある。

ｄ　司法事務処理に関する事項

司法事務処理に関する事項については，司法部の独立性及び自律性を維持するために，最高裁判所が規則によって自ら規定するのが適当であり，そのための規則として，最高裁判所裁判事務処理規則等がある。

Ｂ　最高裁判所規則と法律との関係

ａ　日本国憲法第 77 条第１項の規定する４つの所管事項について

日本国憲法第 77 条第１項は，最高裁判所の規則制定に関する所管事項として，訴訟に関する手続きに関する事項・弁護士に関する事項・裁判所の内部規律に関する事項・司法事務処理に関する事項の４つを規定しているが，この４つの所管事項が，最高裁判所の専属事項なのか否かが問題となる。

α　専属事項説

裁判所の自主性及び独立性を確保するという日本国憲法第 77 条第１項の趣旨を重視すると，日本国憲法第 77 条第１項における４つの事項は，最高裁判所の専属的な所管事項であるから，法律を制定しても無効となると解すべきである。

β　競合事項説

日本国憲法第 31 条においては，罪刑法定主義について，日本国憲法第 76 条第１項においては，下級裁判所の設置を法律事項とすること等を規定しているし，日本国憲法第 41 条では，国会を唯一の立法機関と規定していることから，日本国憲法第 77 条第１項における４つの事項については，法律でも規定することができると解すべきである。

γ　区別説

日本国憲法が裁判所の規則制定権を認めた趣旨から，裁判所の自律権に直截に関係する内部規律事項と司法事務処理事項については，原則として，規則の専属事項とし，訴訟に関する手続き事項と弁護士に関する事項については法律で規定することができると解すべきである

b　最高裁判所規則と法律とが競合した場合の効力関係について

日本国憲法第 77 条第１項の規定する４つの所管事項について，専属事項説の立場においては，そもそも，法律を制定しても無効となることから，最高裁判所規則と法律とが競合することはあり得ないこととなるが，競合事項説または区別説の立場においては，最高裁判所規則と法律とが競合した場合の効力関係について問題となる。

α　法律優位説

日本国憲法下においては，国法形式のうち法律が最も強い形式的効力を有しているし，法律の方が規則と比較するとはるかに民主的手続きによって制定されていることから，最高裁判所規則と法律との内容が矛盾する場合には，法律の効力の方が優先するものと解すべきである。

β　規則優位説

法律の規定は，一応示唆的な意味を有するに留まり，最高裁判所を拘束せず，最高裁判所に完全な自主権を認めるべきであることから，最高裁判所規則と法律との内容が矛盾する場合には，最高裁判所規則の効力の方が優先するものと解すべきである。

γ　同位説

日本国憲法第 77 条第１項の規定する４つの所管事項毎に個別的に検討しなければならず，裁判所の内部規律に関する事項及び司法事務処理に関する事項については最高裁判所規則の専属事項であるから，法律が制定されたとしても規則が効力を有するし，刑事手続きの基本原理・構造等の国民の権利・義務に直接関わる事項については，法律が優先することとなり，それ以外の事項については，両者は効力面において対等であり，両者が牴触する場合には，「後法は前法を排す」との原則が妥当するものと解すべきである。

３　裁判所の組織及び権限

（１）裁判所の組織

日本国憲法は，司法権を担当する裁判所として，最高裁判所及び「法律の定めるところにより設置する下級裁判所」を挙げている（日本国憲法第 76 条第１項）。

① 最高裁判所

最高裁判所とは，司法権を担当する最高機関であり，直接日本国憲法に基づいて設置された裁判所のことをいう。その構成員は，長たる裁判官（最高裁判所長官）及び14人の最高裁判所裁判官の計15人である（日本国憲法第79条第１項及び裁判所法第５条）。

【裁判所法第５条】

最高裁判所の裁判官は，その長たる裁判官を最高裁判所長官とし，その他の裁判官を最高裁判所判事とする。

2　下級裁判所の裁判官は，高等裁判所の長たる裁判官を高等裁判所長官とし，その他の裁判官を判事，判事補及び簡易裁判所判事とする。

3　最高裁判所判事の員数は，14人とし，下級裁判所の裁判官の員数は，別に法律でこれを定める。

裁判審理は，15人の最高裁判所裁判官全員で構成する大法廷，または，5人の最高裁判所裁判官で構成する３つの小法廷において行われる（裁判所法第９条）。

【裁判所法第９条】

最高裁判所は，大法廷又は小法廷で審理及び裁判をする。

2　大法廷は，全員の裁判官の，小法廷は，最高裁判所の定める員数の裁判官の合議体とする。但し，小法廷の裁判官の員数は，３人以上でなければならない。

3　各合議体の裁判官のうち１人を裁判長とする。

4　各合議体では，最高裁判所の定める員数の裁判官が出席すれば，審理及び裁判をすることができる。

また，大法廷は，憲法問題の判断及び判例変更の場合等の裁判を担当する（裁判所法第10条）。

【裁判所法第10条】

事件を大法廷又は小法廷のいずれで取り扱うかについては，最高裁判所の定めるところによる。但し，左の場合においては，小法廷では裁判をすることができない。

一　当事者の主張に基いて，法律，命令，規則又は処分が憲法に適合するかしないかを判断するとき。（意見が前に大法廷でした，その法律，命令，規則又は処分が憲法に適合するとの裁判と同じであるときを除く。）

二　前号の場合を除いて，法律，命令，規則又は処分が憲法に適合しないと認めるとき。

三　憲法その他の法令の解釈適用について，意見が前に最高裁判所のした裁判に反するとき。

② 高等裁判所

高等裁判所とは，下級裁判所のうちで，最上位の裁判所のことをいい，全国に8箇所（東京都，大阪市，名古屋市，広島市，福岡市，仙台市，札幌市，高松市）の高等裁判所が設置されている。

裁判については，原則として，3人の合議体で行う。

③ 地方裁判所

地方裁判所とは，下級裁判所のうちで，原則的に訴訟の第1審を行う裁判所のことをいい，全国に50箇所の地方裁判所が設置されている。

裁判については，原則として，1名の裁判官単独で行われるが，例外的に，重要な事件については，3人の合議体で行う。

④ 家庭裁判所

家庭裁判所とは，家庭に関する事件の審判（家事審判）及び調停（家事調停），少年の保護事件の審判（少年審判）等を主として審理する第1審裁判所のことをいい，地方裁判所の所在地に同数設置されている。

裁判については，原則として，1名の裁判官単独で行われる。

⑤ 簡易裁判所

簡易裁判所とは，日常生活において発生する軽微な民事事件・刑事事件を迅速・簡易に処理するための第1審裁判所のことをいい，全国に57箇所の簡易裁判所が設置されている。

裁判については，原則として，1名の裁判官単独で行われる。

（2）特別裁判所の禁止

特別裁判所とは，特定の人または特定の事件について，終審として裁判を行う裁判所のことをいい，通常の裁判所の系列に属さない裁判所のことをいう。大日本帝國憲法下においては，皇室裁判所・行政裁判所・軍法会議といった特別裁判所が設置されていた。日本国憲法第76条第2項前段は，「特別裁判所は，これを設置することができない。」と規定し，特別裁判所の設置を禁止している。なお，特別な性質の事件を処理する裁判所であっても，最終的には最高裁判所への上訴の道が確保されている限りは，日本国憲法第76条第2項前段に反するものではないと解されている。

（3）行政機関による終審裁判の禁止

日本国憲法第76条第2項後段は，「行政機関は，終審として裁判を行ふことができない。」と規定し，行政機関が終審として裁判を行うことを禁じている。その趣旨は，特別裁判所の禁止と同様に，平等・公正な裁判を保障することによって，司法の一元化を図り，人権尊重の統一化を図ることにある。但し，行政機関も，前審として裁判を行うことは許されている。

４ 裁判官の任命制度

（１）最高裁判所裁判官の任命

日本国憲法が，最高裁判所裁判官の任命権を内閣に授けているのは（日本国憲法第 79 条第１項），一方において，強力な司法上の権限を最高裁判所に授けていると同時に，他方において，最高裁判所裁判官の任命権を国会の民主的コントロール下にある内閣に専属させることによって，抑制と均衡を保つことを目的としているからである。

（２）下級裁判所裁判官の任命

日本国憲法第 80 条第１項前段は，「下級裁判所の裁判官は，最高裁判所の指名した者の名簿によつて，内閣でこれを任命する。」と規定している。日本国憲法が，最高裁判所に指名権を授けた理由は，裁判官の任命過程に司法部自体による指名という行為を関わらせることによって，内閣の恣意的な人事行政を排除し，司法権の自律性及び独立性を確保しようとするためである。

最高裁判所が指名した者を内閣が任命しなかったり，最高裁判所は任命可能な１つの席につき複数の指名を行い，内閣がその中から選択して任命したりし得るかという問題については，数人の候補者を指名して，内閣にある程度の選択権を認めることは許されるが，内閣に積極的な任命拒否権を認めることは，日本国憲法第 80 条第１項前段の趣旨に反することとなることから，最高裁判所の指名権については，実質的には，任命権に等しい意味を有し，内閣の任命権については，最高裁判所が恣意的な指名を行ったと認められる場合に限り，消極的な任命拒否権を有するものと解すことができる。

また，日本国憲法第 80 条第１項後段は，「その裁判官は，任期を 10 年とし，再任されることができる。」と規定している。再任の場合においても，最高裁判所が指名を行い，内閣が任命するという手続き自体は同様となる。

《重要論点Ｑ＆Ａ／憲法 070》

Ｑ　日本国憲法第 80 条第１項後段の「再任」の意味をどう解すべきか？

Ａ　最高裁判所は，任期は文字通りの任期であることから，再任するか否かは事由採用であるとするが，司法権の独立の一内容である裁判官の身分保障に反することから妥当ではない。また，身分継続の原則を認め，10 年毎に適格性が判断されるに過ぎないとの見解もあるが，文言に反することになるし，司法の独善下の危険を有することから妥当ではない。ゆえに，両者の調和の観点から，任期の経過により身分は消滅するが，特段の事情がない限り，再任されるのが原則であると解すべきである。

5 裁判の公開

日本国憲法第 82 条第 1 項は,「裁判の対審及び判決は, 公開法廷でこれを行ふ。」と規定し, 裁判の公開について保障している。裁判の公開の保障は, 裁判を受ける権利の保障（日本国憲法第 32 条）及び刑事被告人の公平かつ迅速な裁判を受ける権利の保障（日本国憲法第 37 条第 1 項）とともに, 裁判の公正な運用及び裁判に対する国民の監視を確保する機能を果たす規定であり, 日本国憲法第 82 条第 1 項は, 裁判手続きの中核である「対審」と「判決」を公開法廷で行うことにより, 裁判を国民監視の下に置き, 公正な裁判の実現を図っている。

また, 日本国憲法第 82 条第 2 項は,「裁判所が, 裁判官の全員一致で, 公の秩序又は善良の風俗を害する虞があると決した場合には, 対審は, 公開しないでこれを行ふことができる。但し, 政治犯罪, 出版に関する犯罪又はこの憲法第３章で保障する国民の権利が問題となつてゐる事件の対審は, 常にこれを公開しなければならない。」と規定し, 日本国憲法第 82 条第 1 項の規定している「対審」と「判決」の公開のうち,「対審」についての例外を認めている。

日本国憲法第 82 条の規定における「対審」とは, 訴訟当事者が, 裁判官の面前において, 口頭でそれぞれの主張を闘わせることをいい, 民事訴訟における口頭弁論及び刑事訴訟における公判手続きがこれに該当し, 公判の準備手続き及び非訟事件手続きは, これには該当しないと解されている。

これに対して, 日本国憲法第 82 条の規定における「判決」とは, 裁判所が行う判断のうち, 訴訟当事者の申立ての本質に拘わる判断のことをいい, 訴訟法上の決定や命令は含まれないと解されている。日本国憲法第 82 条第 2 項においては,「対審」についての例外のみ規定していることから,「判決」については, 例外なく, 常に公開されなければならない。

なお, 日本国憲法第 82 条の規定における「公開」とは, 訴訟関係人に審理に立ち会う権利と機会を与える, 当事者公開を意味するのではなく, 国民一般に公開される一般公開のことをいうと解されている。

また, 裁判の公開制度の法的性格については, 日本国憲法第 82 条第 1 項の規定は, 知る権利（日本国憲法第 21 条第 1 項）を具体化する趣旨の規定であり, 裁判の公開は, 主権者である国民が裁判を監視, 批判し, 公正なものにするためのものなので人権の１つであるという見解もあるが, 日本国憲法第 82 条第 1 項の規定は, 日本国憲法第３章「国民の権利及び義務」に規定されていないことから, これを否定し, 制度的保障であると解されている。

二　違憲審査制

1　違憲審査制の意義

日本国憲法第 81 条は，「最高裁判所は，一切の法律，命令，規則又は処分が憲法に適合するかしないかを決定する権限を有する終審裁判所である。」と規定し，違憲審査制を採用している。

違憲立法審査制に対しては，立法権及び行政権の行使について，裁判所が違憲審査権を行使することが，権力分立制に反しないかが問題となるが，法の支配の原理から，立法権との関係においても，行政権との関係においても，権力分立制には反しないと解されている。また，民主的基盤を有しない地位にある裁判所が，国民に直接選挙され，国民に責任を負う国会の多数によって制定された法律を無効とすることについて，民主主義の原理に矛盾しないかが問題となるが，少数者をも含めた国民の人権保障のための民主主義の原理という立憲民主主義から，民主主義には反しないと解されている。

また，日本国憲法第 81 条の規定については，違憲審査権を有するのが，最高裁判所のみであるのか，下級裁判所が違憲審査権を有するのかが問題となる。この点に関しては，具体的な法的紛争の解釈のために行使される司法権に付随するものとして，すべての裁判所が違憲審査権を有するものと解されている。

2　違憲審査制の法的性格

裁判所は，具体的事件が提起されていないのにも拘わらず，法律等を違憲と判断することによって無効とすることができるか。日本国憲法第 81 条が規定する違憲審査制が，具体的事件の存在を前提とする違憲審査制（具体的違憲審査制）なのか，具体的事件とは関係なく憲法判断を行うことができる違憲審査制（抽象的違憲審査制）なのかが問題となる。

（１）具体的違憲審査制（付随的違憲審査制）

具体的違憲審査制とは，具体的な訴訟事件を前提として，その解決に必要な限りにおいてのみ通常裁判所が違憲審査権を行使する違憲審査制度のことをいう。アメリカ型の違憲審査制度である。

（２）抽象的違憲審査制

抽象的違憲審査制とは，具体的事件とは関係なく，違憲審査権を行使する違憲審査制度のことをいう。憲法裁判所を有するドイツ型の違憲審査制度である。

（3）法的性格

① 具体的違憲審査制（付随的違憲審査制）説（通説）

国民主権原理に基づく代表民主制を国政の原則とする日本国憲法下においては，国会が制定した法律については，原則として，尊重すべきであり，また，裁判所が抽象的に法令の憲法適合性を審査し得るとすれば，司法権の役割を踏み超えることとなるし，日本国憲法第81条の規定が，抽象的審査権を認める趣旨であるならば，手続き・提訴権者・判決の効力等についての規定が置かれるべきであるところ，日本国憲法にはそのような規定が存在していないことから，日本国憲法第81条の規定は，裁判所が具体的な訴訟事件の訴訟を裁判する際に，その前提として，事件の解決に必要な限度で，その事件に適用すべき法律の憲法適合性を審査し得ることについて規定したものであると解すべきである。

② 抽象的違憲審査制

裁判所が司法作用を行う以上，具体的事件の解決の前提として法令の合憲性の審査を行い得ることは当然のことであり，日本国憲法第 81 条の規定が事件解決の前提としてのみ違憲審査権を認めたと解することは，日本国憲法第81条の積極的意義を看過しているし，日本国憲法第81条の規定における「決定する」とは憲法裁判所的権限を与える意味であり，最高裁判所が抽象的審査権を行使して日本国憲法の規範性を維持すべきことは，日本国憲法第98条及び第99条からも推定されることから，日本国憲法第81条の規定は，最高裁判所が司法裁判所としての権限の外に憲法裁判所としての権限を行使することも認めていると解すことができ，ゆえに，最高裁判所は何ら具体的な訴訟事件が提起されなくとも，一般的・抽象的に法律の憲法適合性を審査することができると解すべきである。

《重要論点Q＆A／憲法071》

Q　日本国憲法第 81 条の規定する違憲審査制の法的性格をどう解すべきか？

A　具体的争訟の有無に拘わらず，抽象的に違憲審査をなし得るとの見解もあるが（抽象的違憲審査制説），もしそうであれば，その具体的手続き等に関する規定が日本国憲法上に存在しているはずであるし，そのように解すと，国会の立法権を侵害する危険が生じることから妥当ではない。日本国憲法上，違憲審査権については，司法権を行使する裁判所に授けられていることから，司法権の行使に付随して行使し得るに過ぎないと解すべきである（具体的違憲審査制説）。

3　違憲審査制の対象

日本国憲法の最高法規性（日本国憲法第 98 条第１項）の趣旨から，日本国憲法第 81 条が規定している違憲審査制における審査対象は，「一切の法律，命令，規則又は処分」，つまり，日本国憲法よりも下位にある一切の国内法規範及び個別・具体的な公権行為が含まれていると解されている。

（１）条約

条約が，日本国憲法第 81 条が規定する違憲審査制の対象となるか否かについては争いがある。その前提として，日本国憲法が効力の点で条約に優位していなければならない。

①　憲法優位説（通説）

日本国憲法第 98 条第１項の規定は，国内法的秩序における日本国憲法の最高法規性を宣言した規定であるから，条約が除かれているのは当然であって，また，日本国憲法第 81 条は，条約が国家間の合意であるという特殊性を有することから，列挙から除外したに留まるに過ぎず，日本国憲法第 98 条第２項の規定は，有効に成立した条約の国内法的効力を認め，その遵守を強調するのであって，条約と日本国憲法の効力関係を規定し，違憲の条約までも遵守すべきことを規定したものではなく，条約締結権及び条約承認権は，日本国憲法の授権に基づくものであるから，締結権者である内閣及び承認権者である国会はともに日本国憲法に違反しない条約のみを締結及び承認する義務を負っており，日本国憲法第 99 条の憲法尊重擁護義務の規定はこれを確認しており，手続きの難易が形式的効力の優劣に対応するとすれば，条約締結手続きに比して憲法改正手続きの方がはるかに困難であることから，条約の効力よりも日本国憲法の効力の方が優位であると解すべきである。

②　条約優位説

日本国憲法の最高法規性について規定する日本国憲法第 98 条第１項及びそれを担保するための違憲審査権について規定する日本国憲法第 81 条から条約が除外されており，しかも，日本国憲法第 98 条第２項では，条約を誠実に遵守すべき義務が規定されているし，日本国憲法第 73 条第３号における条約締結に関する規定は，条約締結の機関と手続きを規定したに留まり，条約の効力の根拠を規定したものでなく，前文の国際協調主義及び日本国憲法第 98 条第２項の条約の誠実な遵守を実効的なものとするためには，条約に対して，一般国内法に優位する，つまり，日本国憲法にも優位する形式的効力を認めることが必要であることから，日本国憲法の効力よりも条約の効力の方が優位であると解すべきである。

《重要論点Ｑ＆Ａ／憲法 072》

Ｑ　条約は，違憲審査の対象となるか？

Ａ　まず，条約の国内法における効力が問題となる。この点，国際法と国内法とは，妥当的根拠を異にした法秩序であるとの見解があるが，日本国憲法は，国際協調主義を採用しており（日本国憲法第 98 条第２項），条約の成立においても，国会による承認及び天皇による交付を要求していることから，国内法への影響を一切排除することは妥当ではない。そこで，国際法的効力と国内法的効力とを分けて考え，条約の成立または公布をもって，国内法的効力を肯定し得ると解すべきである。次に，日本国憲法と条約が抵触する場合には，いずれが優位であるか。この点，日本国憲法第 98 条第２項の条約尊重義務や日本国憲法第 81 条及び第 98 条第１項に条約の文言がないことを根拠に，条約が優位するとの見解があるが，日本国憲法第 98 条第２項は，当然に，条約の優位まで意味する規定であるとはいえず，日本国憲法第 81 条及び第 98 条第１項についても通常問題となるものを挙げたに過ぎないことから妥当ではない。条約締結権が日本国憲法上規定されている以上，条約が憲法に優位することはあり得ず，また，このように解さないと厳格な憲法改正手続きが無意味になることとなる。また，条約が日本国憲法に劣位にあるとしても，違憲審査の対象となるかは別問題となることから問題となる。この点，国際協調主義（日本国憲法第 98 条第２項）や日本国憲法第 81 条及び第 98 条第１項の文言を根拠に，対象とはならないとの見解もあるが，国際協調主義といっても，日本国憲法の最高法規性（日本国憲法第 98 条第１項）を擬制にしてまでも要請されるものとはいえず，日本国憲法第 81 条及び第 98 条第１項も通常問題となる対象を挙げたに過ぎないことから，人権保障及び憲法保障という違憲審査権の目的を達成するために，条約も違憲審査の対象となり得ると解すべきである。政治問題の法理（統治行為論）とは，高度に政治性を有する問題については，裁判所ではなく，国民の判断に委ねるべきであり，裁判所は充分な判断能力及び判断資料を有していないことから，司法権が及ばないとする理論であり，条約にも司法審査が及ばず，結果的に，違憲審査もなし得ないかが問題となる。政治問題の法理（統治行為論）によると，条約とは，外交という高度に政治性を有する問題であることから，原則として，違憲審査の対象とはならないといえる。しかし，当該条約により，精神的自由権が制約される場合や，一見極めて明白に違憲無効と言える場合には，例外的に，違憲審査をなし得ると解すべきである。

（２）立法不作為

①　立法不作為の意義

立法不作為とは，日本国憲法上，当然に立法措置が要求されていると解されているにも拘わらず，立法がなされていなかったり，一応の立法措置はなされてはいるが，それが日本国憲法の要求する水準を下回っていたりする場合のことをいう。

このような立法不作為の場合に違憲となるか否か，違憲となる場合に違憲審査をすることが可能か否か，違憲審査をすることが可能である場合にその違憲審査の方法が問題となる。

《重要論点Ｑ＆Ａ／憲法073》

> Ｑ　立法不作為の場合，実体法上，違憲となり得るか？
>
> Ａ　立法をなすべきか否かについては，あくまでも，国会の立法裁量によるが，日本国憲法の明文上，一定の立法をなすべきことが規定され，または，日本国憲法の解釈上，そのような結論が導かれる場合については，国会は立法義務を負うこととなり，このような場合については，実体法上，国会の立法不作為は違憲となり得ると解すべきである。しかし，立法をなすには，立法内容に関係する利害や意見の調整や審議等，一定の時間が必要となるのであり，国会が立法の必要性を充分に認識し，立法をなそうと思えばそうできたのにも拘わらず，一定の合理的期間を経過してもなお放置したというような状況が存在する場合に限り，当該国会の立法不作為については，実体法上，違憲となると解すべきである。

《重要論点Ｑ＆Ａ／憲法074》

> Ｑ　立法不作為の場合，違憲審査の対象となり得るか？
>
> Ａ　実体法上，違憲ではあっても，直ちに違憲審査（日本国憲法第 81 条）の対象となるかについてはまた別問題である。立法をなすべきか否かについては，あくまでも，国会の立法裁量に委ねられているのであって，司法権は積極的な国家行為に対して行使される事後的審査であることから，立法不作為の場合については，違憲審査の対象とはなり得ないとの見解もある。しかし，立法裁量の点については，違憲性を争う訴訟形態によって考慮すれば足りるのであり，また，違憲かどうかについては，一定の合理的期間の経過を要件としている以上，立法府が立法しないとの消極的判断をしたことについて判定することができるのであって，事後審査という性格にも反しないというべきである。ゆえに，立法不作為の場合については，違憲審査の対象とはなり得ると解すべきである。

《重要論点Q＆A／憲法075》

Q　立法不作為の場合，どのように違憲審査をなすべきか？

A　立法不作為の違憲性について，いかなる訴訟形態で主張し得るだろうか。まず，立法義務付け訴訟については，司法権に対して，立法権を付与したのと同様の結果となり，権力分立制に反することとなることから妥当ではないため採用し得ない。次に，立法不作為違憲確認訴訟については，これを認めるための具体的規定の存在がないし，その効果についても，立法を義務付けるものであれば，司法権に対して，立法権を付与したのと同様の結果となり，権力分立制に反することとなることから妥当ではなく，そのようなものでないのであれば，実効性が乏しいことから妥当ではないため採用し得ない。そこで，国家賠償請求訴訟の可否が問題となる。国家賠償法第１条第１項は，「国又は公共団体の公権力の行使に当る公務員が，その職務を行うについて，故意又は過失によつて違法に他人に損害を加えたときは，国又は公共団体が，これを賠償する責に任ずる。」と規定する。立法不作為を含む立法行為は，この「公権力の行使」に該当すると解すべきである。また，立法を行わないことについて，個々の国会議員について「故意・過失」を認定することは難しいが，国会全体からすれば，その合議体としての統一的な意思について「故意・過失」を認定し得ると解すべきである。さらに，「違法」については，裁判例には，違憲であっても直ちに違法といえるわけではなく，「国会議員の立法行為は，立法の内容が憲法の一義的な文言に違反しているにもかかわらず，国会があえて当該立法を行うごとき，容易に想定し難いような例外的な場合でない限り，国家賠償法１条１項の規定の適用上，違法の評価を受けない」とするものもあるが（熊本地方裁判所平成13年５月11日判決），これでは違法とされる余地はほとんどなく，国家賠償法を通じて立法不作為を主張することが不可能となることから妥当ではない。従って，憲法保障及び人権保証の観点からは，違憲であれば「違法」となると解すべきである。ゆえに，立法府に対する国家賠償請求訴訟は認められるものと解すべきである。しかし，立法不作為に対する国家賠償請求訴訟をあまりに容易に認めることは，権力分立制及び具体的審査制との関係で問題となる。ゆえに，日本国憲法上一定内容の立法義務が明確であり，違憲状態を放置する立法不作為が国民の具体的権利に直接影響を及ぼし，立法不作為と損害との間に具体的及び実質的な関連性が認められ，一定の合理的期間を経過している場合に，限定して国家賠償請求訴訟は認められるものと解すべきである。

三　憲法訴訟

1　憲法訴訟の意義

日本国憲法下における違憲審査制は，司法権の行使について付随して行使される具体的審査制であると解されており，そこにおける憲法訴訟とは，特別の訴訟形態を意味するのではなく，憲法上，何らかの争点を含む訴訟のことをいう。

裁判所は，国会や内閣と比較して民主的基盤が弱いことから，立法府及び行政府の専門技術的判断を尊重すべきであることから，原則として，憲法判断に立ち入るか否か，または，違憲判断をするか否かの決定段階において，違憲審査権行使について消極的である司法消極主義を採るのが妥当である。

しかし，事件の重大性，人権の重要性，違憲状態の重大性を考慮し，充分な理由がある場合については，人権保障及び憲法保障の観点から，違憲審査権の実効性を確保すべく，憲法判断に立ち入るか否か，または，違憲判断をするか否かの決定段階において，違憲審査権行使について積極的である司法積極主義を採るのが妥当である。

2　憲法訴訟の当事者適格

憲法訴訟上の当事者適格とは，日本国憲法上の争点を主張し得る当事者の利益のことをいう。日本国憲法下における違憲審査制は，司法権の行使について付随して行使される具体的審査制であることから，この当事者適格が認められていなければならず，原則として，自己の権利が侵害されている者に限り，当事者適格が認められることとなる。

違憲審査権の目的は，人権保障のみならず憲法保障にもあることから，例外的に，第三者の権利主張を認め得ないかが問題となる。

特定の第三者の人権侵害が問題となる場合については，当該第三者が別途，権利侵害を主張する可能性が乏しく，当該第三者との間に実質的権利関係が存する場合に限り憲法保障を実現するために当事者適格を認めるべきである。

自己に対する場合については，合憲的に適用される法規が不特定の第三者に違憲的に適用される可能性がある場合に違憲主張を認め得ることとなる。つまり，表現の自由等の優越的地位にある人権が，不明確であったり，過度に広範な規制を受けたりしている場合には，違憲審査権の目的である憲法保障を図る必要が高く，当該当事者への適用が，第三者への違憲適用と不可分に結びついている場合には，なお当事者適格を認めるべきである。

３　憲法判断の方法

裁判所は，日本国憲法上の争点を扱う場合であっても，国民を代表する国会の判断を最大限尊重し，裁判の客観性と公正さに対する国民の信頼を維持するために，司法消極主義を採用している。

（１）憲法判断回避の準則

憲法判断回避の準則とは，日本国憲法上の争点が，適法に提起された場合であっても，これに論及せずに，当該事件の法的解決ができるとして，違憲の争点に関する憲法判断を行わない手法のことをいう。

憲法判断回避の準則に依拠した裁判例として，『恵庭事件』第１審判決（札幌地方裁判所昭和 42 年３月 29 日）がある。

（２）合憲限定解釈

合憲限定解釈とは，ある法令について，通常の解釈手法によると法令の文言が広汎過ぎることによって，文面上違憲になるかもしれない場合に，それを除去するような意味に法律の文言を限定的に解釈することによって，合憲性を維持する方法のことをいう。

裁判所は，民主的基盤を有しないことから，違憲審査権の行使に際しては，原則として，消極的であるべきであり，人権保障及び憲法保障の必要性が高い場合についてのみ積極的に違憲審査に立ち入るべきである。ゆえに，合憲限定解釈については，司法消極主義に立脚するものであることから，原則として，妥当であるといえる。

しかし，国民の予測可能性の確保の観点から，合憲限定解釈が認められるためには解釈の合理性は当然として，違憲部分が不当に広がらないこと，違憲部分と合憲部分とが不可分でないことを要求すべきである。

（３）事情判決の法理

事情判決の法理とは，裁判所が，一定要件のもとで，損害の賠償，損害の防止の程度等一切の事情を考慮して，処分または裁決が違法ではあるが，請求を棄却することができ，判決主文において，処分または裁決が違法であることを宣言する判決のことをいう（行政事件訴訟法第 31 条第１項）。

この事情判決の法理に対しては，違憲の場合は無効であるという日本国憲法上の大原則（日本国憲法第 98 条第１項）に反していることや，国会が裁判所の違憲判断に対して適切な是正措置を採らなかった場合に，司法の権威の失墜を招来すること等の学説上の批判があるが，最高裁判所は，この事情判決の法理を違憲審査権行使における１つの方法として用いている（最高裁判所昭和 51 年４月 14 日大法廷判決）。

4　違憲判断の方法

（1）法令違憲

法令違憲とは，事件に適用される法令の規定そのものについての全部または一部を違憲無効とする判断手法のことをいう。

（2）適用違憲

適用違憲とは，法令の規定そのものについては違憲とはせずに，法令の規定が当該事件に適用される限りにおいて違憲であるとする判断手法のことをいう。

（3）運用違憲

運用違憲とは，法令自体は合憲であるが，その運用行為を違憲であるとする判断手法のことをいう。

《重要論点Ｑ＆Ａ／憲法 076》

Ｑ　違憲判断の方法についてどう解すべきか？

Ａ　裁判所は，国会や内閣と比較して民主的基盤が弱いことから，立法府及び行政府の専門技術的判断を尊重すべきであることから，原則として，憲法判断に立ち入るか否か，または，違憲判断をするか否かの決定段階において，違憲審査権行使について消極的である司法消極主義を採るのが妥当である。しかし，事件の重大性，人権の重要性，違憲状態の重大性を考慮し，充分な理由がある場合については，人権保障及び憲法保障の観点から，違憲審査権の実効性を確保すべく，憲法判断に立ち入るか否か，または，違憲判断をするか否かの決定段階において，違憲審査権行使について積極的である司法積極主義を採るのが妥当である。であるならば，具体的審査制の下では，権利救済こそが裁判の目的であり，まずは合憲限定解釈の手法が試みられるべきであり，これがなし得ない場合には，法令違憲の手法を採用すべきではなく，適用違憲の手法を採用すべきである。しかし，精神的自由権の規制の場合や，刑事法が問題となっている場合においては，人権保障及び憲法保障の必要性が高いことから，法令違憲の手法が採用されると解すべきである。

5　違憲審査の方法

（1）文面審査

文面審査とは，憲法判断に際して，立法事実を基礎とはせず，適用されるべき法律の文面に着目してその憲法判断を行う審査方法のことをいう。

（２）適用審査

適用審査とは，憲法判断に際して，立法事実を基礎として判断をする審査方法のことをいう。

①　目的・手段審査

目的・手段審査とは，立法目的及びそれを達成する手段の正当性の審査のことをいう。

②　比例原則審査

目的の正当性を前提とした上で，人権制限が合憲とされるためには，手段が，目的と適合的であり，目的達成のために必要であり，目的と均衡するものでなければならないという原則に基づく審査のことをいう。

６　違憲判決の効力

最高裁判所が違憲であるとの判断をした場合に，違憲とされた当該法令に対してどのような効果を有するかが問題となる。

（１）一般的効力説

日本国憲法第 98 条第１項により，日本国憲法に反する法令は効力を有し得ず，判決が個別的効力しか有しないとすると，法令の一般的性格に反するし，法的安定性や予見性を欠き，平等原則（日本国憲法第 14 条）にも反することとなることから，最高裁判所によって違憲と判断された法令は，当該具体的事件についてのみならず，一般的・客観的にその効力を失うものと解すべきである。

（２）個別的効力説

付随的審査制の下では，具体的な争訟事件を解決するために法令の合憲または違憲を判断するのであるから，法令が違憲とされたことについての効力は，通常の具体的な訴訟事件の裁判の場合と同じく，その具体的事件についてのみ及ぶこととなるし，一般的に法律の効力を失わせることは，消極的立法作用を意味することとなり，国会を唯一の立法機関とする日本国憲法第 41 条に反することとなることから，最高裁判所が下した法令違憲の判決といえどもその効果は当該事件についてであり，違憲と判断された法令は当該事件についてだけその適用を排除されるに留まり，当該法令自体が一般的・客観的にその効力を失うわけではないものと解すべきである。

（３）法律委任説

個別的効力・一般的効力のいずれになるかについては，日本国憲法からは一義的に明確には導き出すことができないことから，法律の規定するところに委ねられているものと解すべきである。

《重要論点Q＆A／憲法 077》

Q　違憲判決の効力についてどう解すべきか？

A　違憲判決により，当該法令が一般的に無効になるとする見解もあるが（一般的効力説），それでは，裁判所が消極的立法作用を有することとなり，日本国憲法第 41 条の規定に反することとなり，妥当ではない。違憲審査権が，司法権を有する裁判所に授けられていることから（日本国憲法第 76 条及び第 81 条），当該事件の解決に必要な範囲内で違憲判断の効力を認めれば足りることとなる。ゆえに，違憲判断がなされても，当該事件に関してのみ効力が否定されるに過ぎず，法令の効力が否定されるものではないものと解すべきである（個別的効力説）。但し，最高裁判所が違憲と判断した法律を内閣が誠実に執行しなければならない（日本国憲法第 73 条第１号）とすることは不合理であるし，平等（日本国憲法第 14 条）の要請からも，当該法令は一般には執行されないこととなるものと解すべきである。

《重要論点Q＆A／憲法 078》

Q　憲法判例の拘束力についてどう解すべきか？

A　日本国憲法第 76 条第３項は，「すべて裁判官は，その良心に従ひ独立してその職権を行ひ，この憲法及び法律にのみ拘束される。」と規定していること，及び，権力分立制等から，憲法判例の拘束力について否定する見解もあるが，法解釈及び法適用については，必然的に，法創造を伴うものであり，権力分立制自体，裁判所に一定の法創造を認めているものと解されるし，また，日本国憲法第 76 条第３項の規定は，裁判所が客観的法規範に従うべきことを規定したもので，判例も同項の「法律」に含まれるものと解すことができることから妥当ではない。また，憲法判例には事実上の拘束力が認められるに留まるとする見解もあるが，その内容が不明確であることから妥当ではない。日本国憲法第 14 条が平等原則を規定し，日本国憲法第 32 条が公平な裁判所の裁判を受ける権利を保障していることからすれば，憲法判例についても法的拘束力を認めるのが妥当であると解すべきである。なお，法的拘束力を認めたとしても，法的拘束力を有する判決は，最高裁判所の判決に限られ，また，法的拘束力を有するのは，憲法判例中における法令の合憲または違憲の結論部分それ自体ではなく，その結論に至る上で直接必要とされる憲法規範的理由付け（レイシオ・デシデンダイ）に限定されるものと解すべきである。

第6章　財政

一　財政の意義

財政とは，国家が，その任務を行うために必要とする財貨を調達し，これを管理及び使用する作用のことをいう。

二　財政民主主義

1　財政民主主義の意義

財政の処理は，本来，行政作用ではあるが，国家の財政については，国民生活に重大な影響を及ぼすことから，国民が不当な負担を被ることがないように，国民の代表機関である国会の民主的コントロールを及ぼすことによって，国民の権利を保障する必要がある。ゆえに，日本国憲法第83条は，「国の財政を処理する権限は，国会の議決に基いて，これを行使しなければならない。」と規定し，財政民主主義の原則を採用している。

2　「国の財政を処理する権限」の意味

日本国憲法第83条における「国の財政を処理する権限」とは，租税の賦課・徴収，国費の支出，国有財産の管理等に関する権限のことを意味する。日本国憲法は，これらの権限をすべて国会の議決に基づいて，行使しなければならないとしている。

また，日本国憲法第83条においては，「国の財政」となっているが，国の財政に限らず，地方公共団体の財政の処理にも，日本国憲法第83条の規定する財政民主主義の原則は及ぶと解されている。

三　租税法律主義

1　租税法律主義の意義【日本国憲法第84条】

【日本国憲法第84条】

あらたに租税を課し，又は現行の租税を変更するには，法律又は法律の定める条件によることを必要とする。

租税法律主義とは，租税の賦課及び徴収については，必ず国会の規定する法律に基づかなければならないとする原則のことをいう。

租税法律主義は，租税が国民生活にとって大きな影響力を有することに鑑み，これに対する民主的コントロールを及ぼす必要性から規定されている。

租税法律主義には，課税要件法定主義及び課税要件明確主義の２つの意味が含まれている。

（１）課税要件法定主義

課税要件法定主義とは，課税要件及び賦課・徴収手続きが，法律によって規定されていなければならないという原則のことをいう。

（２）課税要件明確主義

課税要件明確主義とは，課税要件及び賦課・徴収手続きについては，誰であっても，その内容を理解し得るように，明確に規定されていなければならないという原則のことをいう。

２　租税法律主義の適用範囲

租税とは，その形式の如何に拘わらず，「国または地方公共団体が，その課税権に基づき，その経費に充てるための資金を調達する目的をもって，特別の給付に対する反対給付としてではなく，一定の要件に該当するすべての者に対して課する金銭給付」のことをいう。

この定義は，『旭川市国民健康保険条例事件』判決（最高裁判所平成18年３月１日大法廷判決）において示されたものである。

租税には，毎年国会の議決を必要とする１年税主義，及び，一度国会の議決で規定された以後については毎年続けて賦課・徴収し得るとする永久税主義があるが，日本国憲法第84条の規定は，永久税主義を採用したものと解されている。但し，１年税主義を否定する趣旨ではないと解されている。

租税法律主義は，直接的には，租税に関する原則ではあるが，実質的に租税と類似の意味を有する国家の独占事業の料金，手数料，負担金等についても該当するものとされている（財政法第３条）。

【財政法第３条】

租税を除く外，国が国権に基いて収納する課徴金及び法律上又は事実上国の独占に属する事業における専売価格若しくは事業料金については，すべて法律又は国会の議決に基いて定めなければならない。

（１）立法政策説

財政法第３条の規定は，立法政策上の判断によって設けられた規定であると解すべきである。

（2）日本国憲法第83条説

財政法第3条の規定は，手数料や負担金等に応じて，民主的コントロールを及ぼす必要があることから，日本国憲法第83条が規定する財政民主主義の要求によって規定されたものと解すべきである。

（3）日本国憲法第84条説

財政法第3条の規定は，本来的な意味の租税に拘わらず，広く，国家がその収入のために国民から一方的かつ強制的に賦課・徴収する金銭的負担であると解し，日本国憲法第84条が規定する租税法律主義の要求によって規定されたものと解すべきである。

3　租税法律主義と委任立法

租税法律主義，特に，課税要件法定主義を採用したとしても，租税に関する事項について，その細目に至るまでを法律によりすべて規定することは事実上困難であり，命令への委任が必要となることがある。しかし，課税要件法定主義の趣旨からすると，その委任については，個別具体的である必要がある。

《重要論点Q＆A／憲法079》

Q　法律の規定に根拠があっても，従来，課税対象とされていなかった物品に対して，通達をもって課税することは可能であろうか？

A　通達の内容が，法の正しい解釈に合致するものである以上，そのような処分は法の根拠に基づくものであり，租税法律主義には反しないとする見解があるが，従来，課税対象とされていなかった以上，突然，課税対象とすることは，国民の予見可能性を奪うものであって，租税法律主義の精神に反することとなり，妥当ではない。そもそも，租税法律主義の趣旨は，国民の生活に重大な影響を及ぼす税務行政に対して，国民の代表機関である国会の民主的コントロールを及ぼすことによって，国民の租税に対する予見可能性及び法的安定性を図ることにある。であるならば，本来，行政組織内部において拘束力を有するに過ぎない通達をもって，一方的に，課税対象とされていなかった物を課税対象とすることは，国民の予見可能性及び法的安定性を害することとなり，このような通達課税は租税法律主義に反するというべきである。ゆえに，従来，課税対象とされてこなかった以上，その物については，非課税であるとの慣習が形成されることとなり，当該物について，課税対象となるとする新たな立法がされない限り，当該物について課税をすることは許されないものと解すべきである。

四　支出承認主義

1　支出承認主義の意義【日本国憲法第85条】

【日本国憲法第85条】
国費を支出し，又は国が債務を負担するには，国会の議決に基くことを必要とする。

支出承認主義とは，国費を支出したり，または，国家が債務を負担したりする場合には，国会の議決に基づくことが必要となるという原則のことをいう。

法律で支出を義務付けている国費についても，改めて，国会の議決を必要とする。この議決は予算の議決という形式を採る。

租税法律主義（日本国憲法第84条）が，財政民主主義（日本国憲法第83条）の歳入面を具体化したものであるならば，この支出承認主義（日本国憲法第85条）は，財政民主主義（日本国憲法第83条）の歳出面を具体化したものであるということができる。

2　国費支出行為及び国庫債務負担行為

（1）国費支出行為

国費支出行為とは，国家が国家の諸般の需要を充たすため，現金を支出することをいう。

（2）国庫債務負担行為

国庫債務負担行為とは，国家が財政上の需要を充足するのに必要な経費を調達するために債務を負うことをいう。

五　公金支出の禁止

1　公金支出の禁止の趣旨【日本国憲法第89条】

日本国憲法第89条は，「公金その他の公の財産は，宗教上の組織若しくは団体の使用，便益若しくは維持のため，又は公の支配に属しない慈善，教育若しくは博愛の事業に対し，これを支出し，又はその利用に供してはならない。」と規定し，国家が，公金その他の公の財産を支出することを禁じる事項について規定している。

（１）宗教上の組織・団体への公金支出の禁止

日本国憲法第 89 条において，宗教上の組織・団体への公金の支出を禁じたのは，公金の支出によって，国家と宗教上の組織とが結びつくことを防止するためであり，日本国憲法第 20 条の規定によって保障される信教の自由及び政教分離原則について，財政面から確保しようとする趣旨である。

（２）公の支配に属しない教育等の事業への公金支出の禁止

日本国憲法第 89 条において，公の支配に属しない慈善・教育・博愛の事業に対する公金の支出を禁じているが，特に問題となるのは，教育の事業についてである。

公の支配に属しない慈善・教育・博愛の事業に対する公金の支出を禁じたのは，教育等の私的事業に対する公金支出を行う場合に，財政民主主義（日本国憲法第 83 条）の要請から，公費の濫用や不当な利用がなされないように当該事業を監督すべきことを要求する趣旨である。

この「教育の事業」とは，「人の精神的又は肉体的な育成をめざして人を教え，導くことを目的とする組織的，継続的な活動」のことをいい，主に学校事業のことをいうが，必ずしもこれに限られるわけではなく，社会教育に関する事業も広く含むと解されている。この「教育の事業」の定義は，『幼児教室助成事件』判決（東京高等裁判所平成２年１月 29 日判決）によって示されたものである。

２　「宗教上の組織若しくは団体」の意義

（１）厳格説

「宗教上の組織」とは，寺院，神社のような物的施設を中心とした財団的なものを意味し，宗教上の「団体」とは，教派，宗派，教団のような人の結合を中心とした社団的なものを意味するものと解すべきである。

（２）緩和説

「宗教上の組織」も宗教上の「団体」も，厳格に制度化及び組織化されたものではなく，何らかの宗教上の事業や活動を目的とする団体のことを意味するものと解すべきである。

３　「公の支配」の意義

（１）厳格説

「公の支配」に属するといえるためには，公権力が経営管理・施設管理・人事等の面でその事業の根本的な方向に重大な影響を及ぼし，事業の自主性を失う程の強い監督を及ぼすことが必要であると解すべきである。

（２）緩和説

「公の支配」に属するといえるためには，国や地方公共団体が，財政援助をなす限度において，その援助が不当に利用されることのないように監督することで足りるものと解すべきである。

《重要論点Ｑ＆Ａ／憲法 080》

Ｑ　私立学校への助成は，日本国憲法第 89 条の規定に反するか？
Ａ　日本国憲法第 89 条の趣旨を，私的事業の自主性に対する国家の介入を防止するものと解し，「公の支配」について，自主性を失わせるほどの強い監督に服しているものと解す見解（厳格説）があるが，それでは，国家が助成をなし得る範囲が極めて限定されることによって，福祉国家の実現が不可能となり，妥当ではない。日本国憲法第 89 条の規定は，日本国憲法第 83 条が規定する財政民主主義の原則を受け，公費の濫用を防止したものであると解すべきである。ゆえに，「公の支配」についても，ある程度の監督に服すれば足りるものであると解すべきである（緩和説）。

六　決算及び財政状況の報告

１　事後的・民主的コントロール【日本国憲法第 90 条第１項】

【日本国憲法第 90 条】
国の収入支出の決算は，すべて毎年会計検査院がこれを検査し，内閣は，次の年度に，その検査報告とともに，これを国会に提出しなければならない。
２　会計検査院の組織及び権限は，法律でこれを定める。

日本国憲法第 90 条第１項の規定は，国家の財政行為に対する事後的・民主的コントロールであると解されている。この「決算」とは，１会計年度における収入・支出の実績を表示する国家行為のことを意味するが，予算とは異なり，法的規範力を有さないと解されている。

２　国の財政状況についての報告義務【日本国憲法第 91 条】

【日本国憲法第 91 条】
内閣は，国会及び国民に対し，定期に，少くとも毎年１回，国の財政状況について報告しなければならない。

日本国憲法第 91 条の規定は，財政民主主義（日本国憲法第 83 条）を実質化し，制度的に保障しているものと解されている。

第7章　地方自治

一　地方自治の意義

1　地方自治の定義

地方自治とは,地方における政治及び行政を,地域住民の意思に基づいて,国家から独立した地方公共団体がその権限及び責任において,自主的に処理することをいう。大日本帝國憲法下においては,地方自治に関して,大日本帝國憲法に規定せずに,すべて法律をもって規定されており,権限及び人事ともに中央政府による監督権が強く認められていた。日本国憲法下においては,新たに「地方自治」の章を設け,民主主義の基盤の育成のため,また,中央政府への権力集中を防止する手段としての制度として厚く保障している。

2　地方自治の本質

地方自治の本質をどう解するか,つまり,地方自治の法的性格をどのように解するかについては争いがある。

(1) 固有権説

地方公共団体は,国家から独立した存在であり,前国家的・前憲法的存在として固有の地方自治権を有することから,国家が地方公共団体の固有の権限を制限・侵害することは許されないものと解すべきである。

(2) 承認説

地方公共団体の存立及び自治権については,国の統治権に由来し,国の承認や許容に基づいて認められるものであり,地方自治や地方自治の本旨の内容は流動的であるから,地方自治を廃止することも日本国憲法の禁止するところではなく,地方自治に関する日本国憲法の規定は無意味・無内容であり,日本国憲法第 65 条の規定する行政上の中央集権に対する例外を許容することを規定したものに過ぎないものと解すべきである。

(3) 制度的保障説(通説)

地方自治の保障は,地方自治という歴史的・伝統的・理念的に確立されてきた制度を日本国憲法が保障するものであり,立法権が法律によって地方自治を廃止したり,制度の本質的内容を侵害したりすることは許されず,日本国憲法による地方自治の保障は,地方団体に自然権的・固有権的権利を保障したものでもなく,また国家によって自由に制限可能というものでもないものと解すべきである。

《重要論点Ｑ＆Ａ／憲法 081》

Ｑ 地方自治の本質についてどのように解すべきか？

Ａ 地方自治は，国家が成立する以前から存在するものであり，地方自治権は地方公共団体の前国家的な固有権であるとする見解（固有権説）があるが，主権の単一性及び不可分性に反しており，妥当ではない。また，地方自治権は，国家が政策的に承認したものに過ぎないとの見解（承認説）もあるが，日本国憲法が，あえて１章を設けて地方自治について規定した意味を没却させるものであって，やはり，妥当ではない。地方自治は，各地方における政治及び行政がなされてきた歴史的沿革に鑑み，地方自治を制度として保障したものと解すべきであり，このように解すことによって，地方自治の核心部分については，法律をもってしても侵すことができないこととなる。ゆえに，地方自治の本質は制度的保障であると解すべきである（制度的保障説）。

３ 地方自治の本旨【日本国憲法第 92 条】

【日本国憲法第 92 条】

地方公共団体の組織及び運営に関する事項は，地方自治の本旨に基いて，法律でこれを定める。

日本国憲法が，地方自治を保障した趣旨は，権力を地方に分散することで，中央政府の権力を抑制し，その濫用から国民の権利・自由を守るという自由主義的意義，及び，住民の自律的な意思による政治の実現により住民の様々な要求をきめ細かく実現し，国政レベルの代表民主制を補完することである民主主義的意義の実現を図ることにある。ゆえに，地方自治の本旨とは，団体自治及び住民自治であると解されている。

（１）団体自治

団体自治とは，地方公共団体が，国家の権能から独立した自治権を有することをいう。権力を地方に分散することで，中央政府の権力を抑制し，その濫用から国民の権利・自由を守るという地方自治の自由主義的意義から導かれる。

（２）住民自治

住民自治とは，地方公共団体の運営が，住民の意思に基づいて行われることをいう。住民の自律的な意思による政治の実現により住民の様々な要求をきめ細かく実現し，国政レベルの代表民主制を補完することであるという民主主義的意義から導かれる。

二　地方公共団体

１　地方公共団体の意義

地方公共団体とは，都道府県や市町村のように，国家の領土の一定の区域をその構成の基礎とし，その区域内の住民をその構成員として，国家より与えられた自治権に基づいて，地方公共の福祉のため，その区域内の行政を行うことを目的とする団体のことをいう。

２　地方公共団体の種類

日本国憲法は，「地方公共団体」という文言を用いているが，その内容については明示していない。そこで，地方公共団体の内容が問題となる。

地方自治法は，都道府県及び市町村を普通地方公共団体，特別区・地方公共団体の組合・財産区を特別地方公共団体としている（地方自治法第１条の３）。

【地方自治法第１条の３】

地方公共団体は，普通地方公共団体及び特別地方公共団体とする。

２　普通地方公共団体は，都道府県及び市町村とする。

３　特別地方公共団体は，特別区，地方公共団体の組合及び財産区とする。

（１）普通地方公共団体

普通地方公共団体とは，都道府県及び市町村のことをいい（地方自治法第１条の３第２項），地域における事務及びその他の事務で法律またはこれに基づく政令により処理することとされるものを処理する（地方自治法第２条第２項）。

①　都道府県【地方自治法第５条第２項】

都道府県とは，市町村を包括する広域の地方公共団体のことをいい（地方自治法第５条第２項），市町村に対する援助・連絡調整等の広域的な観点からの事務を行う。

【地方自治法第５条第２項】

２　都道府県は，市町村を包括する。

②　市町村

市町村は，基礎的な地方公共団体であり，その区域において，住民に最も身近な団体としての事務を行う（地方自治法第２条３項）。ゆえに，地方自治法を改正によって，市町村を廃止することは許されないものと解されている。

【地方自治法第２条第３項】

３　市町村は，基礎的な地方公共団体として，第５項において都道府県が処理するものとされているものを除き，一般的に，前項の事務を処理するものとする。

（２）特別地方公共団体

特別地方公共団体とは，普通地方公共団体のみでは，充分に処理できないような事務を処理するために，特別に設置された地方公共団体のことをいう。

この特別地方公共団体には，特別区・地方公共団体の組合・財産区の３種類がある（地方自治法第１条の３第３項）。

①　特別区

特別区とは，都の区（東京23区）のことをいい（地方自治法第281条第１項），実質的には，市町村と同様の地方公共団体とされている。

区長については，かつては，議会により選任されていたが，現在は，議会の議員と同様に，直接，住民の選挙により選任されている。

【地方自治法第281条第１項】

都の区は，これを特別区という。

②　地方公共団体の組合

地方公共団体の組合は，一部事務組合及び広域連合とする（地方自治法第284条第１項）。

【地方自治法第284条】

地方公共団体の組合は，一部事務組合及び広域連合とする。

２　普通地方公共団体及び特別区は，その事務の一部を共同処理するため，その協議により規約を定め，都道府県の加入するものにあつては総務大臣，その他のものにあつては都道府県知事の許可を得て，一部事務組合を設けることができる。この場合において，一部事務組合内の地方公共団体につきその執行機関の権限に属する事項がなくなつたときは，その執行機関は，一部事務組合の成立と同時に消滅する。

３　普通地方公共団体及び特別区は，その事務で広域にわたり処理することが適当であると認めるものに関し，広域にわたる総合的な計画（以下「広域計画」という。）を作成し，その事務の管理及び執行について広域計画の実施のために必要な連絡調整を図り，並びにその事務の一部を広域にわたり総合的かつ計画的に処理するため，その協議により規約を定め，前項の例により，総務大臣又は都道府県知事の許可を得て，広域連合を設けることができる。この場合においては，同項後段の規定を準用する。

４　総務大臣は，前項の許可をしようとするときは，国の関係行政機関の長に協議しなければならない。

A　一部事務組合

普通地方公共団体及び特別区は，その事務の一部を共同処理するため，規約を定め，総務大臣や都道府県知事の許可を得て，一部事務組合を設置することができる（地方自治法第284条第２項前段)。この場合，一部事務組合内の地方公共団体について，その執行機関の権限に属する事項がなくなった場合には，その執行機関は，一部事務組合の成立と同時に消滅することとなる（地方自治法第284条第２項後段)。

B　広域連合

普通地方公共団体及び特別区は，広域に処理することが適当である事務に関し，広域計画を作成し，その事務の管理及び執行について広域計画の実施のために必要な連絡調整を図り，その事務の一部を広域にわたり総合的かつ計画的に処理するため，規約を定め，総務大臣や，都道府県知事の許可を得て，広域連合を設置することができる（地方自治法第284条第３項前段)。この場合，広域連合内の地方公共団体について，その執行機関の権限に属する事項がなくなった場合には，その執行機関は，広域連合の成立と同時に消滅することとなる（地方自治法第284条第３項後段)。

総務大臣は，広域連合設置の許可をしようとする場合には，国の関係行政機関の長に協議しなければならない（地方自治法第284条第４項)。

③　財産区【地方自治法第294条】

【地方自治法第294条】

法律又はこれに基く政令に特別の定があるものを除く外，市町村及び特別区の一部で財産を有し若しくは公の施設を設けているもの又は市町村及び特別区の廃置分合若しくは境界変更の場合におけるこの法律若しくはこれに基く政令の定める財産処分に関する協議に基き市町村及び特別区の一部が財産を有し若しくは公の施設を設けるものとなるもの（これらを財産区という。）があるときは，その財産又は公の施設の管理及び処分又は廃止については，この法律中地方公共団体の財産又は公の施設の管理及び処分又は廃止に関する規定による。

2　前項の財産又は公の施設に関し特に要する経費は，財産区の負担とする。

3　前２項の場合においては，地方公共団体は，財産区の収入及び支出については会計を分別しなければならない。

財産区とは，市町村及び特別区の一部で財産を有し，もしくは，公の施設を設けているもののことをいう（地方自治法第294条第１項)。

財産または公の施設に関し特に要する経費は，財産区の負担となる（地方自治法第294条第２項)。地方公共団体は，財産区の収入及び支出については会計を分別しなければならない（地方自治法第294条第３項)。

３　地方公共団体の機関

（１）住民（有権者団）

市町村の区域内に住所を有する者は，当該市町村及びこれを包括する都道府県の住民となる（地方自治法第 10 条第１項）。住民は，法律の定めるところにより，その属する普通地方公共団体の役務の提供を等しく受ける権利を有し，その負担を分任する義務を負う（地方自治法第 10 条第２項）。

【地方自治法第 10 条】

市町村の区域内に住所を有する者は，当該市町村及びこれを包括する都道府県の住民とする。

２　住民は，法律の定めるところにより，その属する普通地方公共団体の役務の提供をひとしく受ける権利を有し，その負担を分任する義務を負う。

（２）議会

普通地方公共団体には，議事立法機関として議会が置かれる（地方自治法第 89 条）。

日本国憲法上，地方公共団体には，法律の規定するところにより，その議事機関として議会を設置するとされているが（日本国憲法第 93 条第１項），地方自治法第 89 条は，この規定を受けて，普通地方公共団体に議会を設置することとしている。

【地方自治法第 89 条】

普通地方公共団体に議会を置く。

（３）執行機関

普通地方自治法における執行機関とは，普通地方公共団体の事務を管理・執行する機関であって，自ら地方公共団体の意思を決定し，その意思を外部に表示する権限を有する機関のこといい，いわゆる行政法上の行政庁のことをいう。

普通地方公共団体にその執行機関として，普通地方公共団体の長と，法律の規定するところにより，委員会または委員が置かれている（地方自治法第 138 条の４第１項）。

【地方自治法第 138 条の４第１項】

普通地方公共団体にその執行機関として普通地方公共団体の長の外，法律の定めるところにより，委員会又は委員を置く。

４ 地方公共団体の権能

（１）地方公共団体の事務（自治事務及び法定受諾事務）

① 自治事務

自治事務とは，地方公共団体が処理する事務のうち，本来，その地方公共団体が処理すべき事務のことをいう（地方自治法第２条第８項）。

【地方自治法第２条第８項】
８　この法律において「自治事務」とは，地方公共団体が処理する事務のうち，法定受託事務以外のものをいう。

② 法定受諾事務

法定受諾事務とは，国や都道府県が本来果たすべき役割に関する事務であって，法令により他の地方公共団体に委ねられたもののことをいう。

Ａ　第１号法定受託事務

第１号法定受託事務とは,法律またはこれに基づく政令によって都道府県・市区町村が処理するとされる事務のうち，国が本来果たすべき役割に関する事務であって，国において，その適正な処理を特に確保する必要があるものとして，法律またはこれに基づく政令に特に定めるもののことをいう（地方自治法第２条第９項第１号)。

Ｂ　第２号法定受託事務

第２号法定受託事務とは，法律またはこれに基づく政令により市町村・特別区が処理するとされる事務のうち，都道府県が本来果たすべき役割に関する事務であって，都道府県において，その適正な処理を特に確保する必要があるものとして，法律またはこれに基づく政令に特に定めるもののことをいう（地方自治法第２条第９項第２号)。

【地方自治法第２条第９項】
９　この法律において「法定受託事務」とは，次に掲げる事務をいう。
一　法律又はこれに基づく政令により都道府県，市町村又は特別区が処理することとされる事務のうち，国が本来果たすべき役割に係るものであつて，国においてその適正な処理を特に確保する必要があるものとして法律又はこれに基づく政令に特に定めるもの（以下「第１号法定受託事務」という。）
二　法律又はこれに基づく政令により市町村又は特別区が処理することとされる事務のうち，都道府県が本来果たすべき役割に係るものであつて，都道府県においてその適正な処理を特に確保する必要があるものとして法律又はこれに基づく政令に特に定めるもの（以下「第２号法定受託事務」という。）

（２）条例制定権

日本国憲法上，地方公共団体は，法律の範囲内において，条例を制定することができるとされている（日本国憲法第94条）。

しかし，地方自治法上においては，普通地方公共団体は，法令に違反しない限りにおいて条例を制定することができるとされている（地方自治法第14条第１項）。つまり，法律のみならず，命令に違反する条例の制定も認められないこととなる。

普通地方公共団体は，義務を課し，または，権利を制限するには，法令に特別の定めがある場合を除き，条例によらなければならない（地方自治法第14条第２項）。

また，法令に特別の定めがあるものを除き，その条例中に，条例に違反した者に対し，２年以下の懲役または禁錮・100万円以下の罰金・拘留・科料・没収の刑・５万円以下の過料を科する旨の規定を設けることができる（地方自治法第14条第３項）。

【地方自治法第14条】

普通地方公共団体は，法令に違反しない限りにおいて第２条第２項の事務に関し，条例を制定することができる。

2　普通地方公共団体は，義務を課し，又は権利を制限するには，法令に特別の定めがある場合を除くほか，条例によらなければならない。

3　普通地方公共団体は，法令に特別の定めがあるものを除くほか，その条例中に，条例に違反した者に対し，２年以下の懲役若しくは禁錮，100万円以下の罰金，拘留，科料若しくは没収の刑又は５万円以下の過料を科する旨の規定を設けることができる。

《重要論点Ｑ＆Ａ／憲法082》

Ｑ　条例によって，住民の人権を制約し得るか？

Ａ　日本国憲法第41条において，国会を「唯一の立法機関」としていることから，条例によっては，住民の人権を制約し得ないようにも思える。しかし，日本国憲法第41条の規定は，治者と被治者の自同性という民主主義の原理に基づく規定であって，条例もまた，民主的基盤を有する地方議会において制定されるものであることから，この趣旨に反しているとはいえない。また，日本国憲法がその第８章において地方自治制度を認めている以上，それに伴う人権制約についても許容しているものと解すことできる。ゆえに，条例によって，住民の人権を制約することは可能であると解すべきである。

《重要論点Ｑ＆Ａ／憲法 083》

Ｑ　条例によって，住民に対して，課税し得るか？

Ａ　日本国憲法第 84 条において，租税法律主義を採用していることから，条例によっては，住民に対して，課税し得ないようにも思える。しかし，日本国憲法第 84 条の規定は，租税に対して，民主的コントロールを及ぼすとの趣旨に基づく規定であって，条例もまた，民主的基盤を有する地方議会において制定されるものであることから，この趣旨に反しているとはいえない。また，日本国憲法がその第８章において地方自治制度を認めている以上，その財源確保のための地方公共団体固有の課税権についても許容しているものと解すことできる。ゆえに，条例によって，住民に対して，課税し得ると解すべきである。

《重要論点Ｑ＆Ａ／憲法 084》

Ｑ　日本国憲法第 94 条は，地方公共団体が，「法律の範囲内」で条例を制定できると規定している。また，地方自治法第 14 条第１項は，「法令に違反しない限り」条例を制定できるとしている。そこで，「法律の範囲内」とは，いかなる場合と解すべきか？

Ａ　日本国憲法第 94 条が，地方公共団体の条例制定権を規定した趣旨は，地方独自の特殊事情に対して，きめ細やかな対応を可能とし，地方自治の本旨を達成するところにある。であるならば，条例が法律に反するかどうかについては，それぞれの趣旨・目的・内容・効果を比較し，両者の間に矛盾抵触があるかどうかによって決すべきである。具体的には，特定の事項について，これを規制する法律と条令とが併存する場合であっても，条令が法律とは異なった目的に基づく規制を意図するものであり，その適用によって，法律の規定外とする目的・効果を何ら阻害することがない場合や，法律と条令とが同一の目的によって規定されたものであったとしても，法律が必ずしもその規定によって，全国一律に，同一内容の規制を施す趣旨ではないと解される場合には，その条令は法律に反しないと解すべきである。また，法律が規制していない事項について，法律による規制の欠如が，特に，当該事項について，いかなる規制をも施すことなく，放置すべきものであると解する趣旨である場合には，条例で規制することは認められないものと解すべきである。

第８章　安全保障

一　日本国憲法第９条の意義【日本国憲法第９条】

【日本国憲法第９条】

日本国民は，正義と秩序を基調とする国際平和を誠実に希求し，国権の発動たる戦争と，武力による威嚇又は武力の行使は，国際紛争を解決する手段としては，永久にこれを放棄する。

２　前項の目的を達するため，陸海空軍その他の戦力は，これを保持しない。国の交戦権は，これを認めない。

日本国憲法前文においては，「政府の行為によつて再び戦争の惨禍が起ることのないやうにすることを決意し」（日本国憲法前文第１段），「平和を愛する諸国民の公正と信義に信頼して，われらの安全と生存を保持しようと決意した」（日本国憲法前文第２段）と宣言している。

これを受けて，日本国憲法第９条においては，戦争を放棄し，武力による威嚇及び武力の行使を放棄し（日本国憲法第９条第１項），陸海空軍その他の戦力の不保持を宣言し（日本国憲法第９条第２項前段），国の交戦権を否認している（日本国憲法第９条第２項後段）。すなわち，日本国憲法第９条は，戦争の放棄，戦力の不保持，交戦権の否認の３つを規定している。

１　戦争の放棄の意義【日本国憲法第９条第１項】

（１）戦争の放棄の主体

日本国憲法第９条第１項の規定する「日本国民」とは，個々の国民のことを意味しているのではなく，主権者としての国民を意味していると解されており，日本国と同義となると解されている。

以上のことから，個々の国民が傭兵として外国の軍隊に入隊して行動することは日本国憲法第９条第１項には直接的な関わりはない。そもそも，日本国憲法は，対国家規範であることから，個々の国民に対して直接的な拘束力を有する規定は限定されており，日本国憲法第９条第１項は，このような個々の国民を直接的に拘束する規定とは解されてはいない。

一方，日本国憲法第９条第１項の規定する「日本国民」を，個々の国民のことであると解するのであれば，日本国憲法第９条第１項は，個々の国民を直接的に拘束する規定となり，個々の国民が傭兵として外国の軍隊に入隊して行動することは日本国憲法上禁じられることとなる。

（２）戦争・武力の行使・武力による威嚇の意味

①　「国権の発動たる戦争」の意味

「国権の発動たる戦争」とは，単に，戦争というのと同じ意味であると解されている。

②　戦争の意味

戦争は，国際法上，形式的意味の戦争と実質的意味の戦争とに分けることができると解されている。

日本国憲法第９条第１項における戦争とは，形式的意味の戦争を意味していると解されている。

A　形式的意味の戦争

形式的意味の戦争とは，宣戦布告や最後通牒の手続きを採って戦意が表明され，戦時国際法規の適用を受けるものを意味する。

B　実質的意味の戦争

実質的意味の戦争とは，沿岸・港湾の封鎖，軍隊を用いた砲爆撃や占領等のことをいう。つまり，広く国家間における武力闘争を意味する。

③　「武力の行使」の意味

「武力の行使」とは，宣戦布告なしに行われる事実上の武力衝突のことをいう。つまり，実質的意味の戦争のことを意味している。

④　「武力による威嚇」の意味

「武力による威嚇」とは，武力を背景として，自国の主張や要求を相手国に強要しようとする行為のことをいう。

大規模な軍事演習や定期的に行われる国境警備活動も，場合によっては，武力による威嚇に該当すると解されている。

（３）戦争の放棄の範囲

日本国憲法第９条第１項は，戦争の放棄を宣言しているが，その範囲が問題となる。

①　日本国憲法第９条第１項全面放棄説

戦争・武力の行使・武力による威嚇もすべて国際紛争を解決する手段として行われることから，日本国憲法第９条第１項において，侵略戦争のみならず，自衛戦争も一切放棄していると解すべきである。加えて，日本国憲法第９条第２項は，日本国憲法第９条第１項における指導理念を受けて規定されたものと解すべきである。つまり，日本国憲法第９条第２項は，戦争の放棄について，物理的手段面（戦力）及び法的権利面（交戦権）において，明確にし，日本国憲法第９条第１項が規定する戦争の放棄を徹底しているものと解すべきである。

②　日本国憲法第９条第２項全面放棄説（通説）

国際紛争を解決する手段としての戦争・武力の行使・武力による威嚇とは，国際法上の用法から，侵略的違法な国家行為，つまり，侵略戦争のみを意味しているものと解すべきである。ゆえに，日本国憲法第９条第１項においては，侵略戦争を放棄しているのであり，自衛戦争や制裁戦争までも放棄しているのではないと解すべきである。しかし，日本国憲法第９条第２項は，戦力の不保持及び交戦権の否認を宣言している結果，自衛戦争も放棄することとなるものと解すべきである。

③　限定放棄説

国際紛争を解決する手段としての戦争・武力の行使・武力による威嚇とは，国際法上の用法から，侵略的違法な国家行為，つまり，侵略戦争のみを意味しているものと解すべきである。ゆえに，日本国憲法第９条第１項においては，侵略戦争を放棄しているのであり，自衛戦争や制裁戦争までも放棄しているのではないと解すべきである。また，日本国憲法第９条第２項における前項の目的を達するためとは，日本国憲法第９条第１項の文言から，侵略戦争の放棄という目的を達するためと解釈することができ，そのための戦力の不保持及び交戦権の否認を宣言していることとなることから，結果として，自衛戦争については戦力の不保持及び交戦権の否認を宣言していることとならないことから，自衛戦争については容認されているものと解すべきである。

（４）「国際紛争を解決する手段として」の意味

日本国憲法第９条第１項の戦争の放棄における放棄の対象となる戦争を限定する「国際紛争を解決する手段として」という文言の解釈については争いがある。

①　日本国憲法第９条第１項全面放棄説

戦争は，すべて国際紛争解決の手段として行われていることから，「国際紛争を解決する手段として」という文言は戦争の放棄を限定するものではなく，侵略戦争と自衛戦争を峻別することは実際上極めて困難であり，かつ，第２次世界大戦においてすべての交戦国は，戦争目的を自衛のためと説明しており，また，日本国憲法における高度な平和主義の原則から，日本国憲法においては，国際法上の伝統的な用例に拘らずに解すべきであり，日本国憲法第９条が，全体として，あらゆる戦争を放棄していると解釈するのであれば，日本国憲法第９条第１項における「国際紛争を解決する手段として」という文言にあえて限定的な意味を与える必要はないことから，日本国憲法第９条第１項においては，侵略戦争に限定されず，自衛戦争も含めて，すべての戦争が放棄されていると解すべきである。

②　日本国憲法第９条第２項全面放棄説及び限定放棄説

「国際紛争を解決する手段として」という文言の存在に，何ら格別の意味を付与していないのは，法解釈上問題が存するのであり，「国際紛争を解決する手段として」という文言が，侵略的違法な戦争を意味することは，国際法や各国の憲法の歴史から自明であり，法解釈は，可能な限り，国際社会の伝統的用語により行うことが妥当であるし，自衛戦争は，違法な侵略を排除するために行われることとなるのであることから，国際紛争を解決する手段ではないことから，侵略戦争のみに限定して解釈し，日本国憲法第９条第１項においては，侵略戦争のみが放棄されていると解すべきである。

２　戦力の不保持の意義【日本国憲法第９条第２項前段】

（１）「戦力」の意味

日本国憲法第９条第２項前段において保持しないと規定された「戦力」については，その内容をいかに解するかによって，日本国憲法下において許容される組織の範囲が異なることから，特に，問題となる。

①　戦争に役立つ一切の潜在的能力を意味する見解

日本国憲法第９条第２項前段において保持しないと規定された「戦力」については，戦争に役立つ可能性を有する一切の潜在的能力のことを意味すると解すべきである。

この見解によると，軍需生産，航空機，港湾施設，核戦力研究等の一切が戦力に該当することとなる。

なお，この見解に対しては，戦力の意味を広く解釈し過ぎていることから，妥当ではないとの批判がある。

②　軍隊及び有事の際にそれに転化し得る実力部隊を意味する見解

日本国憲法第９条第２項前段において保持しないと規定された「戦力」については，軍隊及び有事の際にそれに転化し得る程度の実力部隊のことを意味すると解すべきである。

そもそも，軍隊とは，外敵の攻撃に対して実力をもってこれに対抗し，国土を防衛することを目的として設けられた人的・物的手段の組織体のことをいう。このような軍隊は，国内治安維持を目的とする警察力と区別される。

軍隊と警察力とは，その目的において，軍隊が，外国に対して国土を防衛することであることに対して，警察力は，国内の治安の維持と確保にあることが異なっており，さらに，その実力内容が，各々の目的にふさわしいものであることが異なっている。

この見解が，今日の通説的見解であるとされている。

③　軍隊を意味する見解

日本国憲法第９条第２項前段において保持しないと規定された「戦力」については，戦争遂行の目的・機能を持ち，多少とも組織的な武力または軍事力，つまり，軍隊のことを意味すると解すべきである。

④　近代戦争遂行能力を意味する見解

日本国憲法第９条第２項前段において保持しないと規定された「戦力」については，「近代戦争遂行能力」を備えたもの，つまり，外国の戦力と交戦できる程度の人員・装備のことを意味すると解すべきである。

この見解によると，近代戦争を遂行できない程度の人員・装備は，戦力には該当しないこととなる。

⑤　自衛のための最小限度の実力を超えるものを意味する見解

日本国憲法第９条第２項前段において保持しないと規定された「戦力」については，「自衛のために必要な最小限度の実力」を超えるもののみを意味すると解すべきである。

この見解によると，「自衛のための必要最小限度の実力」である限りは，「自衛力」であり，その保持は禁止されていないこととなる。また，「自衛のための必要最小限度の実力」においては，他国に侵略的な脅威を与えるような攻撃的武器は保持することができない。

この見解が，今日の政府見解である。

（２）その他の戦力の意味

「その他の戦力」とは，陸海空軍以外の軍，または軍という名称を有さなくとも，これに匹敵する実力を有し，必要な場合には，直ちに戦争目的に転化できる人的・物的組織体を意味するものと解されている。この中には，戦争遂行のために作られた軍需生産施設等も含まれる。但し，「その他の戦力」を広く戦争のための手段として役立つ可能性を有する一切の潜在的能力と解することは妥当ではない。なぜなら，近代社会生活に不可欠な経済及び産業構造のかなりの部分が，「その他の戦力」に含まれることとなるからである。結果として，正規の軍隊である陸海空軍に準ずるような力を有し，有事の際には，陸海空軍に転化することを意図して設けられる人的・物的な社会的実力が，これに該当すると解すべきである。

（３）戦力の不保持の主体

日本国憲法第９条第２項前段が不保持としている「戦力」については，我が国の戦力のことを意味することについては，争いはない。

問題は，我が国に駐留する外国の戦力を日本国憲法第９条第２項が不保持としている「戦力」に外国の戦力を含むかどうかである。

①　我が国の戦力のみとする見解

日本国憲法第９条第２項前段が不保持としている「戦力」については，あくまでも我が国の戦力であって，外国の戦力について日本国内での駐留を容認し，外国の戦力のために，我が国が基地を提供することは，また別の問題であると解すべきである。

②　我が国に駐留する外国の戦力を含むとする見解

日本国憲法第９条第２項前段が不保持としている「戦力」については，我が国の指揮下にない外国の戦力であっても，その外国の戦力が，我が国の意思に基づいて駐在・駐留している場合には，違憲の問題が生ずるものと解すべきである。

③　条約により駐留する外国の戦力を含むとする見解

日本国憲法第９条第２項前段が不保持としている「戦力」については，日米安全保障条約によるアメリカ軍駐留についての許容は，日本国憲法の精神にもとり，また，我が国の要請により，アメリカ軍の出動の現実的可能性があるのであるから，このような場合には，戦力保持に該当し，違憲であると解すべきである。

この見解は，『砂川事件』判決（東京地方裁判所昭和 34 年３月 30 日判決）において採用された見解である。

④　条約により駐留する外国の戦力を含まないとする見解（判例）

日本国憲法第９条第２項前段が不保持としている戦力については，我が国がその主体となって指揮権・管理権を有する戦力を意味するものであるから，外国の軍隊が駐留するとしても，日本国憲法第９条第２項のいう戦力には該当しないと解すべきである。

この見解は，『砂川事件』判決（最高裁判所昭和 34 年 12 月 16 日大法廷判決）において採用された見解である。

（４）「前項の目的を達するため」の意味

日本国憲法第９条第２項前段冒頭にある「前項の目的を達するため」という文言については，日本国憲法第９条第１項の目的をどう解釈するかで争いがある。

①　日本国憲法第９条第１項の指導精神と解する見解

日本国憲法第９条第２項前段の「前項の目的を達するため」の意味については，日本国憲法第９条第１項が目指す指導精神と解すべきである。

この見解からは，日本国憲法第９条第１項が，すべての戦争を放棄することを目指していることから，日本国憲法第９条第２項前段は，この目的を達するために，一切の戦力を保持しないと解釈することとなる。

②　日本国憲法第９条第１項を規定するに至った目的と解する見解

日本国憲法第９条第２項前段の「前項の目的を達するため」の意味については，日本国憲法第９条第１項を規定するに至った目的，つまり，「日本国民は正義と秩序を基調とする国際平和を誠実に希求」する目的を達するためと解すべきである。

この見解からは，日本国憲法第９条第２項前段の「前項の目的」とは，戦力不保持の内容を限定するものではなく，その動機を述べたに過ぎないこととなり，結果として，戦力不保持は無条件に認められ，自衛のための戦力の保持も許されないこととなる。

③　侵略戦争を放棄する目的と解する見解

日本国憲法第９条第２項前段の「前項の目的を達するため」の意味については，日本国憲法第９条第１項における「国際紛争を解決する手段として」の戦争の放棄，つまり，侵略戦争の放棄という目的を達するためと解すべきである。

この見解からは，日本国憲法第９条第２項前段の「前項の目的」とは，侵略戦争の放棄を意味し，自衛戦争のための戦力は保持できることとなる。

３　交戦権の否認の意義【日本国憲法第９条第２項】

（１）交戦権の意味

日本国憲法第９条第２項後段において否認された「交戦権」については，その内容をいかに解するかが問題となる。

①　国家が戦争を行う権利を意味するとする見解

日本国憲法第９条第２項後段が否認している「交戦権」については，あくまでも国家が戦争を行う権利を意味すると解すべきである。

②　交戦国に国際法上認められる権利を意味するとする見解

日本国憲法第９条第２項後段が否認している「交戦権」については，国家が交戦国として，国際法上有する権利を意味すると解すべきである。

（２）戦争の放棄と交戦権の否認

①　日本国憲法第９条第１項全面放棄説からの見解

日本国憲法第９条第１項全面放棄説を採用した場合には，日本国憲法第９条第２項が否認している「交戦権」について，国家が戦争を行う権利を意味するとする見解を採用したとしても，また，交戦国に国際法上認められる権利を意味するとする見解を採用したとしても，その結論において，相違が出るわけではなく，日本国憲法第９条第２項後段における交戦権の否認規定は当然のことを規定したまでと解されることとなる。

②　日本国憲法第９条第２項全面放棄説からの見解

日本国憲法第９条第２項全面放棄説を採用した場合には，日本国憲法第９条第２項後段が否認している「交戦権」について，国家が戦争を行う権利を意味するとする見解を採用し，交戦国に国際法上認められる権利を意味するとする見解を採用してはいない。

③　限定放棄説からの見解

日本国憲法第９条第２項後段が否認している「交戦権」について，国家が戦争を行う権利を意味するとする見解を採用した場合には，日本国憲法第９条第１項及び第２項ともに，侵略戦争を放棄するという意味を有することとなることから，日本国憲法第９条第２項後段における交戦権の否認規定は無用なものとなるが，交戦国に国際法上認められる権利を意味するとする見解を採用した場合には，日本国憲法第９条第１項の規定により自衛戦争は可能となり，日本国憲法第９条第２項後段の規定から交戦国に国際法上認められる権利は侵略戦争に関する限りは有しないこととなる。

二　自衛権

１　自衛権の意義

自衛権とは，通常，外国からの急迫または現実の違法な侵害に対して，自国を防衛するために必要な一定の実力を行使する権利のことをいう。自衛権は主権国家であれば当然に有する権利であり，国連憲章第 51 条において，国家の固有の権利と規定されている。ゆえに，我が国においても自衛権まで放棄しているとは解されていない。最高裁判所も『砂川事件』判決（最高裁判所昭和 34 年 12 月 16 日大法廷判決）において，「わが国が主権国として持つ固有の自衛権は何ら否定されたものではな」いと判示している。

【国際連合憲章第 51 条】

この憲章のいかなる規定も，国際連合加盟国に対して武力攻撃が発生した場合には，安全保障理事会が国際の平和及び安全の維持に必要な措置をとるまでの間，個別的又は集団的自衛の固有の権利を害するものではない。この自衛権の行使に当って加盟国がとった措置は，直ちに安全保障理事会に報告しなければならない。また，この措置は，安全保障理事会が国際の平和及び安全の維持または回復のために必要と認める行動をいつでもとるこの憲章に基く権能及び責任に対しては，いかなる影響も及ぼすものではない。

2 自衛権の存否

主権国家が有するとされる自衛権が，日本国憲法においても認められるか否かが，問題となる。

（1）自衛権を肯定する見解

① 自然権に根拠を求める見解

自衛権は，国家の自然権であり，独立国家である以上は，憲法によって自衛権を放棄することはできないものと解すべきである。

A 武力による自衛権行使を肯定する見解（判例）

自衛権が国家固有の権利であることを認め，武力による自衛権行使を肯定し得ると解すべきである。

この見解は，『砂川事件』判決（最高裁判所昭和34年12月16日大法廷判決）において採用された見解である。

B 武力による自衛権行使を否定する見解

自衛権が国家固有の権利であることを認め，武力による自衛権行使を肯定し得ないと解すべきである。

この見解は，『砂川事件』判決（東京地方裁判所昭和34年3月30日判決）において採用された見解である。

② 国際法に根拠を求める見解

自衛権は，国際法上の基本的権利であることから，国内法である憲法によって，制限または放棄をすることはできないものと解すべきである。

（2）自衛権を否定する見解

自衛権は，不可避的に武力，つまり，戦力の行使を伴わざるを得ないものである以上，戦力不保持を定めた日本国憲法においては，自衛権は実質的に放棄されていると解すべきである。

3 自衛権発動の要件及び効果

自衛権の発動の要件は，防衛行動以外に手段がなく，そのような防衛行動を採ることがやむを得ないこと（必要性の要件），外国から加えられた侵害が急迫不正であること（違法性の要件），自衛権の発動として採られた措置が加えられた侵害を除去するのに必要な限度のもので，均衡が取れていること（均衡性の要件），が要求される。

これらの要件に基づいて発動された自衛権の行使により他国の法益を侵害したとしても，その違法性は阻却され，損害賠償等の責任は発生しないものとされている。

4　個別的自衛権及び集団的自衛権

（1）個別的自衛権

個別的自衛権とは，他国からの武力攻撃に対して，実力をもってこれを阻止または排除する権利のことをいう。

（2）集団的自衛権

集団的自衛権とは，自国と密接な関係にある外国に対する武力攻撃を，自国が直接攻撃されていないにも拘わらず，実力をもって阻止する権利のことをいう。

5　自衛権が及ぶ範囲

政府見解としては，我が国に急迫不正の侵害が行われた場合には，他にやむを得ない措置として，相手国の基地を攻撃することは，合理的な自衛の範囲に含まれるとしている。

6　自衛隊の海外出動の可否

政府見解としては，自衛隊の任務が，国土を防衛することに限定されていることを根拠に，海外出動は認められないとしている。

三　日米安全保障体制

日米安全保障条約を中心とする日米安全保障体制は，日本国憲法に違反しているのではないかが問題となる。

最高裁判所は，『砂川事件』判決（最高裁判所昭和 34 年 12 月 16 日大法廷判決）においては，我が国が自衛権を有していることを認めつつ，日本国憲法第９条第２項の「戦力」とは，我が国がその主体となってこれに指揮権または管理権を行使し得る戦力をいうものであり，結局，我が国自体の戦力を意味し，外国の軍隊は我が国に駐留するとしても，ここにいう戦力には該当しないとした上で，日米安全保障条約は，主権国としての我が国の存立の基礎に極めて重大な関係をもつ高度の政治性を有する国家行為であることから統治行為論を採用し，日米安保条約は，違憲審査の対象とはならないこととした。但し，一見極めて明白に違憲無効であると認められない限りは，裁判所の司法審査権の範囲外なのであり，一見極めて明白に違憲無効であると認められる場合においては，司法審査の対象となるという留保が付けられた。

【参考文献】

野上修市＝佐藤匡『解説　日本国憲法』(2015年，東京教学社)
野上修市『新解釈　日本国憲法』(2003年，東京教学社)
野上修市『解説　憲法〔新版〕』(1993年，東京教学社)
野上修市『憲法問題の解明』(1982年，成文堂)
佐藤幸治『日本国憲法論』(2011年，成文堂)
芦部信喜（高橋和之補訂）『憲法〔第6版〕』(2015年，岩波書店)
松井茂記『日本国憲法〔第3版〕』(2017年，有斐閣)
野中俊彦＝中村睦男＝高橋和之＝高見勝利『憲法Ⅰ〔第5版〕』(2012年，有斐閣)
野中俊彦＝中村睦男＝高橋和之＝高見勝利『憲法Ⅱ〔第5版〕』(2012年，有斐閣)
浦部法穂『憲法学教室〔第3版〕』(2016年，日本評論社)
浦部法穂『入門憲法ゼミナール〔改訂版〕』(1999年，実務教育出版)
伊藤博文『憲法義解』(2007年，岩波書店)
長谷部恭男＝石川健二＝宍戸常寿編『憲法判例百選Ⅰ〔第6版〕』(2013年，有斐閣)
長谷部恭男＝石川健二＝宍戸常寿編『憲法判例百選Ⅱ〔第6版〕』(2013年，有斐閣)

【著者紹介】

佐藤　匡（さとう　まさし）（鳥取大学地域学部 准教授）

【専　　門】憲法学・法律学（特に情報行政に関する権利及び制度について）

【主な学歴】明治大学法学部法律学科 卒業

明治大学大学院博士前期課程法学研究科公法学専攻 修了　修士（法学）

【主な職歴】2013（平成25）年４月１日より鳥取大学地域学部に講師として着任

2016（平成28）年４月１日より現職

【担当講義】憲法学・法律学・人権保障論・統治機構論・行政法・情報法・国法学特論

2021（令和３）年４月１日現在

【主な活動】教員免許状更新講習（憲法史入門・憲法学入門・法律学入門）　講師

鳥取市安全で安心なまちづくり推進協議会 会長

米子市情報公開・個人情報保護審査会 会長

米子市日吉津村中学校組合 情報公開・個人情報保護審査会 会長

鳥取中部ふるさと広域連合 情報公開・個人情報保護審査会 会長

新温泉町 情報公開審査会 会長

新温泉町 個人情報保護審査会 会長

新温泉町 職員不正行為再発防止検討委員会 会長

鳥取市公文書管理検討委員会 副会長

鳥取地方最低賃金審議会 公益委員

鳥取県個人情報保護審議会 委員

鳥取県議会情報公開審査委員会 委員

鳥取市情報公開・個人情報保護審査会 委員

鳥取市行政不服審査会 委員

越谷市個人情報保護審査会 委員

越谷市行政不服審査会 委員

越谷・松伏水道企業団 行政不服審査会 委員

その他、個人情報保護の専門家としてマスコミ等で活躍

2021（令和３）年４月１日現在

【主な著書】 単著：『法学入門講座Ⅰ－憲　法－』（2018年，東京教学社）

『法学入門講座Ⅱ－行政法－』（2016年，東京教学社）

『法学入門講座Ⅲ－民　法－』（2016年，東京教学社）

共著：『解説 日本国憲法』（2015年，東京教学社）

・・・恩師である明治大学名誉教授野上修市先生との共著

詳解　憲法学

2021年4月1日　初版発行	著　　者©	佐藤　　匡
	発行者	鳥飼正樹
	印刷・製本	㈱メデューム

発行所　株式会社　東京教学社
東京都文京区小石川3－10－5
郵便番号　112－0002
電話　03（3868）2405
FAX　03（3868）0673
振替口座　00150－2－66168

ISBN978－4－8082－7030－8